La
Mare au Diable

*

François le Champi

George Sand

La Mare au Diable

*

François le Champi

Édition relue et corrigée

Éditions Garnier Frères
6, Rue des Saints-Pères, Paris

Textes présentés, établis
et annotés
par
P. Salomon et J. Mallion
Agrégés des Lettres

Édition illustrée

La mare au diable

1

L'auteur au lecteur.

À la sueur de ton visage
Tu gagneras ta pauvre vie,
Après long travail et usage,
Voicy la MORT qui te convie.

Ce quatrain en vieux français placé au dessous d'une gravure composition d'Holbein est d'une tristesse profonde dans sa naïveté. La gravure représente un laboureur conduisant sa charrue au milieu d'un champ. Une vaste campagne s'étend au loin : on y voit de pauvres cabanes ; le soleil se couche derrière la colline. C'est la fin d'une rude journée de travail. Le paysan est vieux, trapu, couvert de haillons. L'attelage de quatre chevaux qu'il pousse en avant est maigre, exténué ; le soc s'enfonce dans un sol raboteux et rebelle. Un seul être est libre et ingambe dans cette scène de sueur et d'usage. C'est un personnage fantastique, un squelette armé d'un fouet qui court dans le sillon à côté des chevaux effrayés et les frappe, servant ainsi de valet de charrue au vieux laboureur. C'est la mort, ce spectre qu'Holbein a introduit

Première page du manuscrit de *La Mare au diable*

Holbein, Simulachres de la mort : Le Laboureur
(Voir *La Mare au diable*, p. 6)

« *A la lueur du feu de bivouac, Germain regarda son petit ange assoupi sur le cœur de la jeune fille...* » (Voir *La Mare au diable*, p. 74)

Dessin de Tony Johannot dans les Œuvres illustrées de G. Sand, Paris, Hetzel, Blanchard et Marescq, 1852

La Mare au Diable
Dessin de Maurice Sand (21 juillet 1844)

Les Livrées
(Voir *La Mare au diable*, p. 142)
Dessin de Maurice Sand dans *l'Illustration*, 1852.

Victor Borie en 1865
Photographie de Berot
(Voir présentation de *François le Champi,* pp. 184-186)

« ... *elle trouva un petit enfant assis devant sa planchette, et jouant avec la paille qui sert de coussinet aux genoux des lavandières.* » (Voir *François le Champi*, p. 221)

Dessin de l'édition des *Œuvres* de George Sand illustrées par Tony Johannot et Maurice Sand, Paris, Hetzel, Blanchard et Marescq, 1853

« *Oui-da, Labriche, tu m'as reconnu ?* »
(Voir *François le Champi,* p. 330)
Dessin de l'édition des *Œuvres* de George Sand illustrées par Tony
Johannot et Maurice Sand, Paris, Hetzel, Blanchard et Marescq, 1853.

LA MARE AU DIABLE

PRÉSENTATION

La Mare au Diable *inaugure une série de romans champêtres que George Sand se proposait « de réunir sous le titre de* Veillées du Chanvreur *». Il n'est pas sûr que cette idée, qu'elle exprime dans sa notice de 1851, lui soit venue dès le moment où elle écrivait* La Mare au Diable. *Sans doute le chanvreur intervient dans* Les Noces de Campagne, *épisode qui sert d'appendice à* La Mare au Diable. *Mais il y joue un rôle d'acteur et non de narrateur. C'est plutôt en 1847, lorsqu'elle composa* François le Champi, *que la romancière prit vraiment conscience de son dessein.*

Toutefois il n'est pas douteux qu'après coup elle a rattaché La Mare au Diable *à un ensemble comprenant également* François le Champi *et* La Petite Fadette, *et auquel un peu plus tard elle joindra* Les Maîtres sonneurs, *quatre romans habituellement considérés comme proprement champêtres et qu'il ne serait pas déraisonnable de publier, pour mieux marquer leur unité, sous le titre commun de* Veillées du Chanvreur. *A vrai dire chacun de ces quatre romans possède sa technique particulière et dans l'un d'eux,* La Petite Fadette, *il n'est pas question du chanvreur en dehors de la préface. Mais ils appartiennent à un même genre, celui du conte populaire et rustique, et bien qu'ils présentent dans leur inspiration d'incontestables analogies avec quelques romans antérieurs,* Jeanne, Le Meunier d'Angibault, Le Péché de M. Antoine, *ils forment un groupe nettement à part.*

*_**
* *

George Sand écrivit La Mare au Diable « *au temps des semailles* ». *Elle ne dit pas en quelle année. Le problème ne se poserait sans doute pas si W. Karénine n'avait avancé la date de* 1844 [1]. *L'auteur russe tire argument d'une lettre où Chopin fait savoir à sa sœur Louise, le* 18 *juillet* 1845, *qu'il a reçu pour elle le manuscrit d'un roman dont elle a entendu la lecture l'année précédente, pendant son séjour à Nohant. Or la famille de Chopin a longtemps eu en sa possession le manuscrit de* La Mare au Diable. *D'où cette conclusion que le manuscrit dont parle Chopin, dans sa lettre du* 18 *juillet* 1845, *serait celui de* La Mare au Diable *et que le roman aurait été écrit à l'automne précédent.*

Mais il serait surprenant que George Sand se fût dessaisie, dès le mois de juillet 1845, *d'un manuscrit qui ne devait être imprimé qu'en février de l'année suivante. D'autre part le séjour de la famille Jedrzejewicz à Nohant se place en août* 1844. *Le* 3 *septembre les voyageurs étaient déjà partis. Si, à cette date, le roman avait été terminé, il aurait été écrit bien avant le* « temps des semailles ». *En août* 1844 *le roman pour lequel George Sand est* « à la tâche depuis dix heures du soir jusqu'à six ou sept heures du matin », *et qu'elle terminera seulement* « vers le 28 » [2], *n'est pas* La Mare au Diable *mais* Le Meunier d'Angibault. *Enfin George Sand signale dans son roman qu'il y a eu de grandes pluies et que la rivière est un peu haute. Or en* 1845 *l'été et le début de l'automne avaient été particulièrement humides. Il paraît donc à peu près certain que* La Mare au Diable

---

1. W. Karénine, *George Sand. Sa vie et ses œuvres.* T. III, p. 637.
2. Lettre à Carlotta Marliani (septembre 1844). Citée par Karénine, *op. cit.*, t. III, p. 467 et p. 475.

fut écrite en 1845, *à l'automne. Cette hypothèse est confirmée par deux lettres que Georges Lubin a retrouvées à la bibliothèque Lovenjoul. Le* 24 *octobre, George Sand écrit à Anténor Joly :* « Je vais commencer un autre roman, car je ne peux m'habituer au repos. Ce sera très court. » *Le* 1er *novembre, nouvelle lettre à Anténor Joly :* « J'ai fini mon petit roman ; je l'ai fait en quatre jours. » *Le manuscrit destiné à Louise Jedrzewicz n'était donc pas celui de* La Mare au Diable, *qui n'a pu être donné à Chopin que plus tard.*

<center>
* *</center>

L'idée de ce roman fut suggérée à George Sand par un rapprochement fortuit entre une gravure d'Holbein qui l'avait frappée, la gravure des Simulachres de la Mort *représentant un laboureur, et une scène réelle de labour.*

Déjà l'un de ses précédents romans, Jeanne, *devait une part de son inspiration à l'influence d'Holbein. Elle en avait conçu l'héroïne sur le modèle de la vierge d'Holbein, type mystérieux en qui elle croyait reconnaître* « une fille des champs rêveuse, sévère et simple ».

L'œuvre d'Holbein suscitait alors beaucoup d'intérêt. En 1842 *Hippolyte Fortoul avait publié un* Essai sur les poèmes et sur les images de la Danse des Morts. *Ce travail est suivi d'une reproduction des* Icones mortis « d'après la sixième édition datée de Bâle en 1554 ». *Les gravures, exactement conformes à celles d'Holbein, sont accompagnées, sur une page séparée, d'un verset de la Bible, d'un quatrain en français et de sa traduction en latin. Ce livre avait dû retenir l'attention de la romancière : il figure au catalogue de sa bibliothèque. En tout cas la description qu'elle donne de la gravure représentant le laboureur prouve qu'elle avait sous les yeux soit une bonne édition du* XVIe *siè-*

cle, soit une reproduction exacte comme celle de l'édition Fortoul [1]. *Dès le* XVIe *siècle, en effet, circulaient des contre-façons où, entre autres différences, le laboureur, au lieu d'être* « trapu », *était plutôt grand et maigre.*

En contemplant l'image de ce laboureur accablé de misère, vivant dans une perpétuelle crainte de la mort, George Sand éprouve une sorte d'indignation généreuse. Elle croit aux bienfaits de la vie et à la possibilité pour tous les hommes de jouir de ces bienfaits. Elle ne saurait donc admettre que l'art tende à décourager et à faire peur. Elle lui assigne au contraire « une mission de sentiment et d'amour ». *Holbein ici n'est pas seul en cause. A travers lui elle vise certains écrivains de son temps, particulièrement Eugène Sue, qu'elle désigne sans citer son nom.* « Littérature de mystères d'iniquité », *écrit-elle. Allusion possible aux* Mystères de Londres *de Paul Féval* (1844). *Mais plus certainement à Eugène Sue et aux* Mystères de Paris (1842-1843), *que leur auteur présente lui-même en ces termes :* « Le lecteur assistera à de sinistres scènes ; s'il y consent, il pénétrera dans des régions horribles, inconnues ; des types hideux, effrayants, fourmilleront dans ces cloaques impurs comme les reptiles dans les marais ». *En dépit ou à cause de ce programme, l'œuvre avait obtenu un succès prodigieux.* Le Juif errant *connaissait une popularité analogue. La publication de ce roman en feuilleton dans* Le Constitutionnel (1844-1845) *avait décuplé le nombre des abonnés de ce journal. George Sand considérait cette réussite avec un étonnement mêlé d'irritation et d'envie. Elle se voyait elle-même reléguée à un rang inférieur :* Le Meunier d'Angibault, *primitivement destiné à paraître dans* Le Constitutionnel, *devait y servir de* « bouche-trou [2] », *c'est-*

---

1. George Sand connaissait Fortoul depuis 1835.
2. L'expression se trouve dans une lettre de George Sand à Véron, directeur du *Constitutionnel* (juillet 1844).

à-dire *faire patienter le public et donner à Eugène Sue le temps de préparer la suite du* Juif errant.

 Balzac lui-même paraissait tenté par cette mode. Il venait de publier dans La Presse, *du 3 au 21 décembre 1844, la première partie de son roman* Les Paysans, *où les gens de la terre sont présentés sous un aspect odieux, presque tous sournois et sans scrupules, brutaux et cyniques en amour.* « Les paysans, *écrit Balzac*, n'ont en fait de mœurs domestiques aucune délicatesse ». *Ou encore :* « l'homme absolument probe et moral est dans la classe des paysans une exception ».

 La Mare au Diable *est la riposte d'un écrivain idéaliste à une littérature surtout préoccupée d'observer et de peindre la laideur.*

*_**

 Par la même occasion George Sand poursuit la réalisation de son rêve humanitaire : attirer sur les humbles la sympathie des privilégiés, provoquer un grand mouvement de charité, convaincre les riches de renoncer à une part de leur superflu, régler ainsi sans luttes sanglantes la question sociale. Elle a mis son talent au service de cette cause. Mais son inspiration suit habituellement une marche assez capricieuse et il ne lui échappe pas qu'une œuvre mieux groupée, autour d'une grande idée, aurait plus de force persuasive. Dans une lettre adressée le 12 septembre 1844 au poète prolétaire Charles Poncy elle explique comment elle conçoit une œuvre de ce genre : « J'ai toujours désiré qu'un poète fît, sous un titre tel que celui-ci : *La Chanson de chaque métier*, un recueil de chansons populaires... Poétiser, ennoblir chaque genre de travail, plaindre en même temps l'excès et la mauvaise direction sociale de ce travail, tel qu'on l'entend aujourd'hui, ce serait faire une œuvre grande, utile et durable. Ce serait enseigner au riche à respecter l'ouvrier, au pauvre ouvrier à se respecter lui-même... Le Postillon, le Forgeron, le Maçon, le Laboureur, le Boulanger, le Jardinier, le Fossoyeur, etc., etc., quelle foule inépuisable de types variés et qui tous pourraient être embellis ou plaints par le poète! Il faudrait faire aimer toutes ces figures, même celles dont le premier aspect repousse. »

Docile aux suggestions de sa protectrice, Charles Poncy publiera en 1850 La Chanson de chaque métier. *Mais ce sujet qu'elle semble lui avoir abandonné l'attirait elle-même à tel point qu'elle en a traité différents aspects.* Le Compagnon du Tour de France, Jeanne, La Mare au Diable, *pourraient s'intituler respectivement :* Le Menuisier, La Bergère, Le Laboureur. *Quant aux* Maîtres sonneurs, *le titre en est à lui seul suffisamment explicite. On peut en conclure qu'en dehors même des deux chapitres du prologue, le lien qui rattache* La Mare au Diable *au socialisme de son auteur est encore visible.*

D'une manière générale l'inspiration socialiste de George Sand et son inspiration champêtre se tiennent étroitement. La publication de sa première œuvre proprement champêtre, Jeanne, *coïncide avec la fondation de* L'Éclaireur de l'Indre[1]. *Le journal et les romans sont deux aspects d'une même propagande : le journal est destiné aux* « gens du petit état » *qu'il convient* « de moraliser et d'éclairer », *tandis que les romans suggèrent aux privilégiés de la fortune et de l'intelligence leurs devoirs de solidarité.*

Les deux premiers chapitres de La Mare au Diable *marquent fortement ce dessein. Ils sont imprégnés d'une philo-*

---

1. *Jeanne* parut en feuilleton dans *Le Constitutionnel,* du 25 avril au 2 juin 1844. Le premier numéro de *L'Éclaireur de l'Indre* date du 14 septembre 1844.

*sophie humanitaire où se reconnaît l'influence de Pierre
Leroux. Mais après avoir précisé son point de vue, George
Sand entreprendra et poursuivra son récit sans l'alourdir de
considérations idéologiques. Elle est suffisamment artiste pour
savoir se dégager, quand il le faut, de ses préoccupations
doctrinales.*

*Finalement on en vient presque à oublier les chapitres de
doctrine et l'on reste sur cette impression que* La Mare
au Diable *fait partie de ces romans* « où les questions
sociales sont résolues par des mariages [1] ».

*Le thème champêtre, qui se confond ici avec le thème
socialiste et qui l'atténue, correspond à l'un des goûts les plus
anciens et les plus durables de George Sand. Avant même
de commencer sa carrière d'écrivain, elle entremêlait ses
lettres intimes de récits et de descriptions rustiques. Son
ami Aurélien de Sèze l'en complimentait en ces termes :*
« Je veux vous dire bien sérieusement combien m'a
fait plaisir tout ce que vous me dites de vos paysans;
ce n'est pas seulement parce qu'on y voit une véritable
observation, un coup d'œil sûr... Mais c'est surtout
parce que j'ai trouvé dans toutes vos paroles une bien-
veillance de caractère exaltant les vertus, glissant sur
les défauts, les voilant non parce que vous voulez
tromper, mais parce que c'est là toujours ce qui
vous frappe le moins [2] ». *Voilà formulé, vingt ans à
l'avance, un jugement qui pourrait aussi bien s'appliquer
à* La Mare au Diable *ou à* La Petite Fadette. *Dans*

---

1. R. Joly. *George Sand :* « *La Mare au Diable* ».
2. Lettre du 23 octobre 1826.

l'intervalle, la romancière aura eu l'occasion plus d'une fois de décrire le Berry et ses habitants. Valentine (1832), André (1835), Simon (1836), Mauprat (1837), Le Compagnon du Tour de France (1841) *se déroulent dans la Vallée Noire ou dans les régions voisines. Ce sont à certains égards des romans de mœurs villageoises.*

A aucun moment George Sand n'a perdu le contact avec sa province. Mais depuis 1841 elle y fait de plus longs séjours. Chopin, qui se plaît à Nohant, y vient tous les étés. Près de lui elle mène une vie quasi conjugale. Elle traverse une phase de sérénité et d'apaisement qui la dispose à mieux goûter les joies simples de la campagne. Avec sa famille et ses amis elle fait de nombreuses excursions dans la région. Elle assiste à des fêtes rustiques : en janvier 1843, le mariage de sa nièce Léontine Chatiron; en septembre de la même année, les secondes noces de sa servante Françoise Meillant. Lorsque ses intérêts la ramènent à Paris, elle s'y trouve malheureuse et comme exilée. « Je ne cesse pas d'avoir le cœur enflé d'un gros soupir, *écrit-elle le* 12 *novembre* 1842, quand je pense aux terres labourées, aux noyers autour des guérets, aux bœufs *briolés* par la voix des laboureurs... Quand on est né campagnard, on ne se fait jamais au bruit des villes. » *Quelques mois plus tard, le* 13 *juin* 1843, *elle exprime dans une lettre à Carlotta Marliani le plaisir qu'elle éprouve, malgré le mauvais temps, à vivre à la campagne. Comment ne chercherait-elle pas son inspiration dans ce décor qu'elle aime, parmi ces* « gens sans esprit que l'on comprend sans peine et que l'on écoute sans étonnement [1] »?

Son goût des choses du Berry est stimulé par l'exemple que lui donnent les chercheurs et savants locaux. En 1842, *le comte Jaubert publie son* Vocabulaire du Berry par un

---

1. Lettre de George Sand à H. Harrisse, 9 avril 1867.

amateur de vieux langage. *Il envoie son livre à la romancière. Ce sera pour elle une occasion de méditer sur le langage
que vont bientôt parler ses héros rustiques. En* 1844 *paraissent les trois premiers volumes de l'*Histoire du Berry
de Raynal [1]. *Le propre journal de George Sand,* L'Éclaireur
de l'Indre, *publie en* 1845 *sous la signature de Laisnel
de la Salle une série d'études ayant pour titre* Légendes
et croyances du centre de la France *et relatant les vieux
usages et les superstitions du Berry.*

En 1841 *elle a renoué avec Latouche des relations longtemps interrompues. Or, en matière de littérature berrichonne,
Latouche est un précurseur. Dans certains de ses romans,*
Fragoletta (1829), Grangeneuve (1835), France et Marie
(1836), Aymar (1838), Léo (1840), *il a décrit le Berry et
ses paysans. Le* 10 *janvier* 1844, *elle signale aux lecteurs de*
La Revue indépendante *le recueil de vers intitulé* Adieux,
*qu'il vient de publier, et elle rend hommage en ces termes à celui
qu'elle considère toujours comme son maître :* « Ces vers nous
charment, et nous ne ferons pas une promenade au pays,
le long des traînes de l'Indre ou au fond des gorges
de la Creuse, sans y relire avec amour tous les vers
suaves et frais que M. de Latouche a consacrés à nos
douces contrées de la Marche et du Berry ».

*C'est donc avec une curiosité renouvelée qu'elle considère
le Berry, ses paysages, ses traditions, ses légendes. Elle
s'intéresse à la langue paysanne au point de composer une
sorte de petit glossaire des mots qu'elle a elle-même recueillis* [2]. *Elle se passionne pour les airs et les chansons rustiques.*

---

1. Le quatrième volume paraîtra en 1847. Dans la liste des sous-
cripteurs, publiée en tête de l'ouvrage, on peut lire : « Devant
(Madame la baronne du), Georges Sand ».

2. Publié par Monique Parent dans le *Bulletin de la Faculté des
Lettres de Strasbourg* (mai-juin 1954) sous ce titre : *George Sand et
le patois berrichon.*

Elle communique son enthousiasme à Chopin [1] *et à Pauline Viardot, qui essaieront de noter la cantilène des laboureurs berrichons. Au cours des promenades faites en famille,
pendant que l'on se repose après avoir déjeuné sur l'herbe,
Maurice, qui a maintenant vingt-trois ans et qui partage
les goûts de sa mère, dessine le site. Telle est l'atmosphère
dans laquelle achève de se développer l'inspiration champêtre de George Sand. Cette inspiration qui a déjà produit*
Jeanne, Le Meunier d'Angibault *et* Le Péché de M. Antoine *va s'épanouir dans* La Mare au Diable.

*Le sujet du roman, un voyage au cours duquel on s'égare,
hantait l'imagination de George Sand, probablement depuis
le jour lointain où elle avait elle-même connu les émotions
d'une pareille aventure. C'était en* 1811. *Elle rentrait de
Paris avec sa mère.*

« La Brande était encore, au temps dont je parle,
*écrit-elle dans l'*Histoire de ma Vie, un cloaque impraticable et un sol complètement abandonné. Il n'y
avait point de route tracée, ou plutôt il y en avait cent,
chaque charrette ou patache essayant de se frayer une
voie plus sûre et plus facile que les autres dans la saison
des pluies. Il y en avait bien une qui s'appelait la route;
mais, outre que c'était la plus gâtée, elle n'était pas
facile à suivre au milieu de toutes celles qui la croisaient.
On s'y perdait continuellement, et c'est ce qui nous
arriva.

---

1. L'influence inverse existe également. « Les exigences et scrupules de Chopin sont à la source des recherches qu'elle entreprendra
pour rendre l'invisible, la silencieuse poésie de la vie paysanne. »
(M. L'Hopital, *La notion d'artiste chez George Sand*, p. 128.)

Arrivés à Châteauroux, où cessait à cette époque toute espèce de diligences, nous déjeunâmes chez M. Duboisdoin, un vieux et excellent ami de ma grand-mère [...] Le jour tombait lorsque nous montâmes dans une patache de louage, conduite par un gamin de douze ou treize ans, et traînée par une pauvre haridelle très efflanquée.

Je crois bien que notre automédon n'avait jamais traversé la Brande, car lorsqu'il se trouva à la nuit close dans ce labyrinthe de chemins tourmentés, de flaques d'eau et de fougères immenses, le désespoir le prit, et, abandonnant son cheval à son propre instinct, il nous promena au hasard pendant cinq heures dans le désert.

Je disais tout à l'heure qu'il n'y avait alors aucune habitation dans la Brande. Je me trompais, il y en avait une, et c'était le point de concours qu'il s'agissait de trouver dans la perspective, pour se diriger ensuite sur la Vallée Noire avec quelque chance de succès. On appelait cette maisonnette la maison du Jardinier, parce qu'elle était occupée par un ancien jardinier du Magnier, romantique château situé à une lieue de là, à la lisière de la Brande et de la Vallée Noire, mais dans une autre direction que celle de Nohant.

Or la nuit était sombre, et nous avions beau chercher cette introuvable maison du Jardinier, nous n'en approchions pas; ma mère avait une peur affreuse que nous ne fussions tombés dans la direction et dans le voisinage des bois de Saint-Aoust, qu'elle redoutait fort, parce que, dans sa pensée, l'idée des voleurs était infailliblement associée à celle des bois, n'eussent-ils eu qu'un arpent d'étendue.

Le danger n'était pas là. Outre qu'il n'y avait jamais eu de brigands dans notre pays, le peu de voyageurs

qui fréquentaient alors les chemins perdus de la
Brande ne leur aurait pas promis une riche existence.
Le véritable danger était de verser et de rester dans
quelque trou. Heureusement celui que nous rencontrâmes vers le minuit était à sec; il était profond, et
nous échouâmes dans le sable si complètement, que
rien ne put décider le cheval à nous en tirer. Il fallut
y renoncer; alors le gamin dételant sa bête, montant
dessus et jouant des talons, nous souhaita une bonne
nuit, et, sans s'inquiéter davantage des remontrances
de ma mère et des menaces énergiques de Rose, dis-
parut et se perdit dans la nuit ténébreuse.

Nous voilà donc en pleine lande à la belle étoile,
ma mère consternée, Rose jurant après le gamin, et
moi pleurant à cause de l'inquiétude et de la contrariété que ma mère éprouvait, ce qui mettait mon âme
en détresse.

J'avais peur aussi, et ce n'était ni de la nuit, ni des
voleurs, ni de la solitude. J'étais épouvantée par
le chant des grenouilles qui habitent encore aujourd'hui
par myriades les marécages de ces landes. En de certaines nuits de printemps et d'automne, elles poussent
de concert une telle clameur sur toute l'étendue de
ce désert que l'on ne s'entend point parler, et que cela
ajoute à la difficulté de s'appeler et de se retrouver,
si, en s'égarant, on se sépare de ses compagnons de
route. Cet immense croassement[1] me portait sur les
nerfs et rempl.ssait mon imagination d'alarmes inexpli-
cables. En vain Rose se moquait de moi et m'expliquait
que c'était un chant de grenouilles, je n'en croyais

---

1. Il n'est pas possible de savoir si l'emploi de *croassement* au lieu
de *coassement* est une faute de George Sand ou une erreur typogra-
phique.

rien; je rêvais d'esprits malfaisants, de fadets et de gnomes irrités contre nous, qui troublions la solitude de leur empire.

Enfin, Rose ayant jeté des pierres dans toutes les eaux et dans toutes les herbes environnantes, pour faire taire ces symphonistes inexorables, réussit à causer avec ma mère et à la tranquilliser sur les suites de notre aventure. On me coucha au fond de la patache, où je ne tardai pas à m'endormir; ma mère n'essaya pas d'en faire autant, mais elle devisait assez gaiement avec Rose, lorsque, vers les deux heures du matin, je fus éveillée par une alerte. Un globe de feu paraissait à l'horizon. D'abord Rose prétendit que c'était la lune qui se levait, mais ma mère pensait que c'était un météore et croyait voir qu'il se dirigeait rapidement vers nous.

[...] C'était le bon jardinier de la Brande, qui, comme un pilote habitué à de fréquents sauvetages, arrivait avec ses fils, ses chevaux, et la chandelle de résine entourée d'un grand papier huilé et liée au bout d'une perche, sorte de phare qui avertissait de loin les naufragés de la Brande ».

Tel est l'épisode réel dont procède La Mare au Diable. *Le décor a été modifié : les bois ont remplacé la lande ; les ténèbres se sont emplies de brouillard. Mais beaucoup de détails pittoresques ont été conservés, depuis le cheval qui s'en va et l'enfant de sept ans qu'il faut endormir, jusqu'aux grenouilles qui se font entendre et aux pierres que l'on jette dans la mare.*

Déjà ce thème apparaît, en 1841, dans Le Compagnon du Tour de France. *La calèche de Joséphine, la jolie marquise, s'est perdue la nuit au milieu de la lande solognote. Amaury, le compagnon menuisier, se trouve seul avec la marquise et cette solitude sera favorable à leur amour. Dans Le Meunier d'Angibault se retrouve, avec des variantes, la même histoire de voyageurs égarés. Cette fois c'est dans un marécage, au bord de la Vauvre, que vient échouer la voiture qui conduit Marcelle et ses enfants au château de Blanchemont. Ici aucune intrigue d'amour mais le tableau attendrissant de l'hospitalité cordiale offerte par le bon meunier.*

La Mare au Diable *est donc l'aboutissement d'un long travail d'imagination. D'où la perfection du récit, l'intensité de l'émotion et cette naïveté vraie, faite de la transposition, dans des âmes paysannes, des sentiments éprouvés par George Sand enfant.*

*_**

Il n'est pas possible de dire depuis combien de temps elle connaissait le site [1]. Mais elle l'avait vraisemblablement visité, en 1844, avec sa famille. Il existe en effet une aquarelle de Maurice Sand représentant la Mare au Diable et datée du 21 juillet 1844 [2].

Selon son habitude, elle décrit les lieux et les itinéraires non pas avec une exactitude absolue, mais avec le minimum de fantaisie. Belair, où habitent les héros du roman, est un hameau situé à un kilomètre et demi au nord de Nohant. Mais lorsqu'elle parle de Belair, elle se représente un village plutôt qu'un hameau, probablement le village de Nohant. Les voyageurs, partant de Belair ou de Nohant, prennent la grand-route en direction du nord-ouest et font étape sur les hauteurs de Corlay, à l'auberge du Point-du-Jour. Le nom de l'auberge

---

1. Dans la relation de son *Voyage chez M. Blaise* (12 mars 1829), Aurore Dudevant parle d'une mare verte dans les parages de laquelle ses amis et elle se sont égarés. Cette mare se trouve à peu de distance de Montipouret. Il ne peut donc s'agir de la Mare au Diable, située bien plus au nord.

2. Cette aquarelle se trouve au musée Carnavalet.

et celui de l'aubergiste, Marie Rebec, sont authentiques. Après s'être restaurés et avoir regardé par la fenêtre du cabaret « la belle vue de la vallée », ils reprennent leur chemin. A partir du moment où ils quittent la route pour s'engager dans la Brande, l'itinéraire devient moins précis. Les chemins de l'époque étaient mauvais et incertains : les tâtonnements commencent. Au lieu de rejoindre l'allée qui les mènerait rapidement au Magnier à travers les bois de Chanteloube, ils essaient de prendre un raccourci pour atteindre Presles. En entrant dans le bois, ils s'engagent dans une mauvaise direction, sortent du bois au nord-est de Fourche, retournent sur leurs pas et arrivent ainsi près de la Mare au Diable.

C'était alors une mare de forme elliptique, longue d'environ quarante mètres, large de vingt-cinq, profonde tout au plus d'un mètre cinquante. Elle était située en plein bois, au milieu de chênes séculaires, dans un site sauvage. Actuellement elle est divisée en deux parties inégales par une allée que fit aménager après 1851 le propriétaire des bois de Chanteloube, et les chênes d'autrefois ont été remplacés par de jeunes arbres.

Une fois le brouillard dissipé, les voyageurs essaient de trouver une maison pour passer le reste de la nuit. Ils parviennent à la limite du bois, mais n'apercevant que la lande déserte, ils retournent encore une fois sur leurs pas. Ils devront attendre le jour pour pouvoir s'orienter. Il leur faut traverser la grande prairie ; puis ils se séparent. L'un continue tout droit, probablement Germain, qui, ayant retrouvé le chemin de Fourche, n'a plus qu'à le suivre. Fourche est un simple hameau. Pour pouvoir assister à la messe, la veuve Guérin, son père, ses prétendants et Germain devront aller à Mers, à quatre kilomètres au nord-est. Quant à Marie, elle se rend à la ferme des Ormeaux.

Ici la topographie du roman ne correspond plus à la réalité. En plusieurs endroits de la région, notamment près de

Lacs et de Lourouer, il existe des fermes ou hameaux de ce nom, mais il n'en existe pas aux environs de la Mare au Diable. Lorsque George Sand parle pour la première fois de la ferme où Marie doit se placer comme bergère, elle avait d'abord songé non pas aux Ormeaux mais au Magnier, lieu bien réel, petit castel de la fin du XVᵉ siècle avec ses dépendances, les terres et la ferme. La correction tend vraisemblablement à éviter toute interprétation malveillante, qui identifierait avec un personnage véritable l'antipathique fermier. Mais en écrivant : les Ormeaux, elle continue de penser au Magnier. On le voit d'après un détail de l'itinéraire suivi par Germain pour se rendre à Fourche après la messe. « Il marcha vite et se trouva bientôt à peu de distance des Ormeaux. » *Or le chemin de Mers à Fourche par la rive droite de l'Indre passe précisément à proximité du Magnier.*

**

Dans ce décor authentiquement berrichon, George Sand fait vivre des Berrichons authentiques. Selon M. Gaston Cayrou, qui a bien voulu nous mettre au courant de cette découverte dont il doit un jour prochain exposer le détail, elle aurait pris pour modèles un paysan du nom de Germain Renard, lequel entra ensuite à son service, et la jeune fille qu'il épousa, Marie Jouhanneau. Soucieuse de vérité, elle les dépeint avec sympathie mais sans indulgence excessive. Même Germain, qui a toute sa faveur et qu'elle a voulu honnête, courageux et pur, présente au moins l'une des imperfections de sa race, la lourdeur de l'intelligence. Les personnages secondaires, avec leur sens pratique, leur naïveté, leur truculence, leur légèreté ou leurs vices, semblent dessinés d'après nature. Seule Marie, caractère d'ailleurs vivant et nuancé, n'a que des qualités. Mais cela ne tient-il pas

*pour une part à son extrême jeunesse, à son inexpérience ?
Charmante figure de roman, et pourtant véritable petite
paysanne, dont tous les actes, tous les propos attestent la
condition.*

*Car, à travers ses héros rustiques, c'est le fond de
l'âme berrichonne que George Sand s'efforce de saisir : âme
simple, attachée à ses habitudes, préoccupée le plus souvent
de médiocres intérêts, mais capable de s'émouvoir et même
de connaître les tortures lancinantes de la passion ; âme
courageuse et pourtant crédule, assaillie de superstitions
et de craintes déraisonnables, peut-être pour avoir été trop
souvent malheureuse : Jeanne, la « pastoure », croit aux fades ;
Germain est persuadé qu'on lui a jeté un sort ; Landry
considère avec épouvante le follet qui sautille sur l'eau et se
demandera longtemps si Fanchon Fadet et sa grand-mère
ne détiennent pas quelque pouvoir magique.*

*La romancière sentait toute la difficulté d'analyser les
sentiments de ces êtres qui s'extériorisent peu, qui n'ont pas
bien conscience de ce qui se passe au fond d'eux-mêmes. Elle
conduit prudemment son analyse, avec beaucoup de délicatesse,
avec une intuition très sûre.*

*Et aussi avec une vraie religion du passé. Non pas que
sa documentation soit toujours très exacte. Elle prend volontiers les hypothèses pour des certitudes. Il lui suffit par exemple d'avoir son attention attirée sur la civilisation gauloise
pour en apercevoir un peu partout des vestiges, dans les pierres
d'Ep-Nell comme dans les rites paysans du mariage. Mais
malgré ce manque de rigueur, peut-être inévitable chez un
écrivain d'imagination et chez une femme, George Sand
aimait l'histoire. Elle se sentait en pleine communion d'idées
avec les érudits locaux, Laisnel de la Salle, Raynal, le comte
Jaubert. Elle s'intéressait même aux recherches faites sur les
provinces voisines de la sienne, la Marche et le Bourbonnais.*

Pour tout ce qui est usage et tradition, elle était très conser-

*vatrice, moins par goût de la poésie que par une sorte d'instinct
profond. Elle participait volontiers aux fêtes rustiques,
celle de la jaunée, celle de la gerbaude. Elle aimait les danses
sur la pelouse, les assemblées, les noces, les veillées de septembre où l'on broie le chanvre et où le chanvreur conte des
histoires à faire frémir. Pour la dernière fois en septembre
1843, elle avait assisté à un mariage paysan avec son céré-
monial primitif; encore la lutte n'avait-elle été que simulée
entre les parents du fiancé et ceux de la fiancée. Elle constatait
avec peine que ces usages se perdaient. C'est pour essayer de
les fixer qu'elle écrit en appendice à son roman* La Noce de
Campagne. *Mais cet appendice a surtout pour but d'étoffer
une publication jugée trop mince. Dans une lettre adressée
le* 31 *janvier* 1846 *aux imprimeurs Giroux et Vialat,
qu'elle avait chargés de négocier pour son compte avec l'éditeur
éventuel de* La Mare au Diable, *George Sand promettait
« deux chapitres » supplémentaires. A cette date, écrit
Pierre Reboul, elle* « n'avait peut-être aucune idée de ce
qu'elle devait mettre dans les deux chapitres qu'elle
avait promis [1] ». *Le* 18 *février, elle est en train de les
rédiger. Le* 24 *mars, elle annonce aux imprimeurs :*
« Messieurs, j'ai terminé l'appendice de *La Mare au
Diable,* 55 pages qui font 4 chapitres. Vous avez donc
bonne mesure. » *Ainsi la rédaction de l'appendice lui aura
demandé beaucoup plus de temps que celle du roman lui-même.*

*
* *

*Évoquer les vieilles coutumes en voie de disparition était
pourtant plus facile que de restituer sous une forme littéraire
le langage paysan, ce qui avait été l'un des objectifs de George
Sand, lorsqu'elle écrivait* La Mare au Diable.

Elle avait déjà fait dans Jeanne *une première tentative*

---

1. *Documents inédits autour de « La Mare au Diable ».*

en ce sens, mais elle n'en était pas satisfaite. Il y a un contraste trop grand entre les paroles qu'elle prête à Jeanne et les passages d'analyse où elle essaie de faire partager à ses lecteurs l'attrait qu'elle éprouve pour son héroïne. Cela produit le même effet que « la rencontre de tons criards dans un tableau ». La Mare au Diable *ne présente pas ce défaut. Récit, analyse et dialogue s'y harmonisent au maximum. Lorsque la romancière s'exprime pour son propre compte, elle tend vers une simplicité dépouillée, mais poétique et suggestive. De leur côté ses paysans emploient moins de tournures locales et de mots patois que dans* Jeanne *et cependant leur langage conserve une saveur vraiment rustique. Plus tard elle trouvera que* La Mare au Diable *comporte encore* « *des mots d'auteur* ». *C'est pourquoi dans* François le Champi *elle essaiera d'une autre formule. Le récit sera fait par des paysans, le chanvreur et la servante du curé, ce qui permettra d'employer un plus grand nombre d'expressions berrichonnes tout en sauvegardant l'unité de l'ensemble.*

Le style de La Mare au Diable, *si parfait qu'il puisse nous paraître, n'est donc rien de plus qu'une tentative entre plusieurs autres pour donner une solution à l'important problème de stylistique qui préoccupait la romancière.*

Les deux manuscrits de La Mare au Diable *et de* La Noce de Campagne, *après avoir appartenu à la famille de Chopin, devinrent plus tard la propriété d'Auguste Zaleski, ministre des Affaires étrangères de Pologne, qui les offrit le 30 mars 1931 à Aristide Briand, pour* « en disposer en faveur d'une bibliothèque française ou de toute autre institution ». *Aristide Briand les donna à la Bibliothèque nationale où ils figurent sous la cote :* Nouvelles acquisitions françaises, 12 231. *Ils constituent un seul volume dont les pages, écrites seulement au recto, ont vingt centimètres de*

hauteur et treize de largeur. La Mare au Diable *comporte cent trente-neuf pages et* La Noce de Campagne *cinquante-six.*

Dans le manuscrit, La Mare au Diable *est divisée en huit chapitres :*

I. L'auteur au lecteur.

II. Germain, le fin laboureur.

III. Petit Pierre.

IV. Sous les grands chênes.

V. Malgré le froid.

VI. La lionne de village.

VII. Le Maître.

VIII. La mère Maurice.

Quant à La Noce de Campagne *elle est formée de trois chapitres qui ne portent pas de titres.*

Des extraits importants du premier chapitre furent publiés en décembre 1845 *sous le titre* Préface d'un roman inédit. Fragments, *dans le troisième numéro de la* Revue sociale, *fondée et dirigée par Pierre Leroux. Pour cette publication, de nombreuses coupures ont été pratiquées, des simplifications et modifications ont été apportées au texte primitif. C'est probablement Pierre Leroux qui a corrigé, avec la désinvolture dont il était coutumier, l'œuvre de sa collaboratrice*[1]. *Lorsqu'elle a, peu après, publié le roman pour son propre compte, George Sand n'a conservé aucune de ces corrections.*

La Mare au Diable, *divisée, comme sous sa forme manuscrite, en huit chapitres, parut en feuilleton dans* Le Courrier français, *du 6 au 15 février* 1846. La Noce de Campagne *parut dans le même journal, du 31 mars au 2 avril* 1846. *Ultérieurement, une publication à grand tirage,* L'Écho des

---

1. Cf. Pierre Salomon, *Les rapports de George Sand et de Pierre Leroux en* 1845, *d'après le prologue de* La Mare au Diable *(Revue d'Histoire littéraire,* octobre-décembre 1948).

Feuilletons, *reproduisit le texte du roman, tel qu'il avait été donné par* Le Courrier français, *mais sans son appendice.*

Dans l'édition originale (Desessart, deux volumes in-8, 1846), le roman compte non plus huit mais dix-sept chapitres. Cette modification avait été demandée à la romancière par les imprimeurs Giroux et Vialat. Les sept premiers chapitres ont donc été dédoublés et le huitième divisé en trois. L'appendice n'est pas numéroté à part mais constitue les chapitres XVIII, XIX, XX et XXI de l'ensemble. En tête se trouve cette dédicace : « A mon ami Frédérick Chopin. » *Ce tome II est complété par deux articles, antérieurement publiés dans* L'Éclaireur de l'Indre : La Politique et le Socialisme *et* Réponse à diverses objections.

Dans toutes les rééditions du roman, la division en dix-sept chapitres a été conservée. Mais l'appendice a pour titre Les Noces de Campagne *et non plus* La Noce de Campagne, *et les quatre chapitres en sont numérotés à part. D'autre part la dédicace à Chopin ne figure que dans l'édition originale. Enfin l'œuvre a été enrichie pour l'édition populaire illustrée de 1852 d'une* Notice de l'auteur, *qui a été reprise dans les rééditions ultérieures.*

Nous donnons ci-dessous le texte de l'édition courante Calmann-Lévy, la dernière qui ait paru du vivant de George Sand. Bien que ce choix soit conforme à un principe communément admis en matière d'édition critique, on a pu nous le reprocher, pour la raison que l'édition Calmann-Lévy est peu soignée. Que l'on puisse préférer le texte de l'édition originale, rien de plus légitime. Mais affirmer qu' « une édition de *La Mare au Diable* doit reproduire le texte de l'originale [1] » *nous paraît excessif.*

---

[1]. M.-F. Guyard. *Notes critiques sur* « *La Mare au Diable* ». (*Revue des Sciences humaines*, janvier-mars 1968.)

Car ce n'est pas sous cette forme que George Sand a voulu nous laisser ce roman. Faudrait-il donc ne tenir aucun compte de sa volonté expresse d'offrir à ses lecteurs un texte qui ne comporte plus de dédicace, qui disjoint le roman de son appendice et qui est introduit par la notice de 1852?

Reste la question des variantes de détail. Certaines ne sont de toute évidence que de pseudo-variantes, résultat de négligences ou d'erreurs du typographe. Mais il en existe aussi qui n'altèrent nullement le texte ou même qui l'améliorent. S'il n'est pas possible de prouver que ce sont des corrections voulues par la romancière, il n'est pas possible non plus de prouver le contraire. Assurément elle n'avait pas beaucoup de goût pour les minuties de l'écriture. Mais elle relisait ses romans, lorsqu'il était question de les rééditer, elle revoyait « les épreuves de chaque édition », *elle surveillait les fautes d'impression qui font des contresens* [1]. *Si les corrections de* La Mare au Diable *ne sont pas d'elle, mais de quelque* « fondé de pouvoir », *du moins a-t-elle laissé reproduire pendant vingt-cinq ans le texte ainsi corrigé, sans jamais le désavouer.*

Nous avions donc de bonnes raisons pour le reproduire à notre tour. Nous en avons rectifié les erreurs manifestes. Nous avons respecté les autres variantes. Les plus importantes sont signalées dans nos notes critiques. Nous aurions pu les relever toutes. Mais ce livre destiné au grand public se devait d'éviter l'excès d'érudition. Au surplus ces variantes ne portent que sur de menus détails. Elles ne paraissent pas capables de modifier si peu que ce soit l'impression de perfection artistique et le plaisir que nous laisse la lecture de La Mare au Diable.

---

1. Lettre à Michel Lévy, 7 février [1851].

BIBLIOGRAPHIE

MANUSCRIT

Le manuscrit de *La Mare au Diable* et de son appendice *La Noce de Campagne* appartient à la Bibliothèque nationale (Nouvelles acquisitions françaises, 12 231).

TEXTES

Préface d'un roman inédit. Fragments (*Revue sociale,* décembre 1845).

Feuilleton du *Courrier français* (6, 7, 8, 10, 11, 13, 14, 15 février, 31 mars au 2 avril 1846).

La Mare au Diable, par George Sand. *La Noce de Campagne*, pour faire suite à *La Mare au Diable*, par George Sand. Paris, Imprimerie d'E. Proux (s. d.). 2 fasc. in-4°.

George Sand. *La Mare au Diable*. [*La Politique et le Socialisme.*] Paris, Desessart, 1846. 2 vol. in-8°.

La Mare au Diable, par George Sand. Paris, V. Lecou, 1850. In-12, portrait.

Œuvres de George Sand. La Mare au Diable. Les Noces de Campagne. André. La Fauvette du Docteur. Préfaces et notices nouvelles. Paris, J. Hetzel, 1852. In-18.

Œuvres illustrées de George Sand. Préfaces et notices nouvelles par l'auteur. Dessins de Tony Johannot [et Maurice Sand]. Paris, Hetzel, Blanchard et Marescq. 9 vol. gr. in-8°, fig. — I. *La Mare au Diable. André. La Fauvette du Docteur. Mauprat. Le Compagnon du Tour de France. Mouny-Robin.* 1852.

La Mare au Diable, par George Sand. Paris, Hachette, 1855. In-16.

La Mare au Diable, par George Sand. Nouvelle édition. Paris, Michel-Lévy frères, 1856. In-18 (Collection Michel-Lévy, *Œuvres de George Sand*).

George Sand. *Romans champêtres*, illustrés par Tony Johannot..., précédés d'une étude sur les romans champêtres par P.-J. Stahl. Paris, Hachette, 1860. 2 vol. in-8º fig. — I. *La Mare au Diable. François le Champi. Promenades autour d'un village.*

George Sand. *La Mare au Diable*. Édition enrichie de dix-sept illustrations composées et gravées à l'eau-forte par Edmond Rudaux. Paris, Quantin, 1889. Un vol. pet. in-4º anglais.

George Sand. *La Mare au Diable*. Paris, Calmann-Lévy. In-18.

George Sand. *La Mare au Diable*. Nouvelle édition avec notice, notes et cinquante illustrations documentaires, par Pierre Salomon et Jean Mallion. Paris et Toulouse, Didier-Privat, 1940.

George Sand. *La Mare au Diable*. Édition d'Edmond Légoutière. Paris, 1965. (Nouveaux classiques Larousse).

ÉTUDES LITTÉRAIRES

DOUMIC (René). *George Sand.* Paris, Perrin, 1909.

EVANS (David Owen). *Le Roman social sous la monarchie de juillet.* Paris. Presses Universitaires, 1934.

EVANS (David Owen). *Le Socialisme romantique. Pierre Leroux et ses contemporains.* Paris, Rivière, 1948.

JOLY (René). *George Sand : « La Mare au Diable ».* (*Le Lingue straniere*, anno XVI, n. 4-5, 1967).

KARÉNINE (Wladimir). *George Sand. Sa vie et ses œuvres.* Paris, Ollendorff, Plon-Nourrit, 1899-1926 (4 vol.).

L'HOPITAL (Madeleine). *La Notion d'artiste chez George Sand.* Paris, Boivin, 1946.

LUBIN (Georges). *George Sand en Berry* (Albums littéraires de la France). Paris, Hachette, 1967.

MAUROIS (André). *Lélia ou la vie de George Sand.* Paris, Hachette, 1952.

MARIX-SPIRE (Thérèse). *Les Romantiques et la musique. Le cas George Sand* (1804-1838). Paris, Nouvelles éditions latines, 1955.

PAILLERON (Marie-Louise). *George Sand. Les années glorieuses.* Paris, Grasset, 1942.

PARMÉNIE (A.) et C. BONNIER DE LA CHAPELLE. *Histoire d'un éditeur et de ses auteurs, P.-J. Hetzel.* Paris, Albin Michel, 1953.

REBOUL (Pierre). *Documents inédits autour de « La Mare au Diable ».* (*Studi francesi,* n° 2, 1958).

ROCHEBLAVE (Samuel). *George Sand. Lettres à Poncy* (*Revue des Deux Mondes,* 1ᵉʳ et 15 août 1909).

ROGER (Gaston). *La Meilleure Action de George Sand* (*Europe,* juin-juillet 1954).

SALOMON (Pierre). *Les Rapports de George Sand et de Pierre Leroux en 1845, d'après le prologue de* La Mare au Diable (*Revue d'Histoire littéraire,* octobre-décembre, 1948).

SALOMON (Pierre). *George Sand.* Paris, Hatier (*Connaissance des lettres*), 1968.

SEILLIÈRE (Ernest). *George Sand mystique de la passion, de la politique et de l'art.* Paris, Alcan, 1920.

VINCENT (Louise). *George Sand et le Berry.* I. *Nohant* (1808-1816). II. *Le Berry dans l'œuvre de George Sand.* Paris. Champion, 1919 (2 vol.).

ZELLWEGER (Rudolf). *Les débuts du roman rustique. Suisse, Allemagne, France.* Paris, Droz, 1941.

ÉTUDES LINGUISTIQUES

JAUBERT (Comte). *Vocabulaire du Berry et de quelques cantons voisins par un amateur de vieux langage.* Paris, Roret, 1842

JAUBERT (Comte). *Glossaire du centre de la France*. Paris, Chaix, 1856 (2 vol.) [1].

PARENT (Monique). *George Sand et le patois berrichon (Bulletin de la Faculté des Lettres de Strasbourg*, mai-juin 1954).

VINCENT (Louise). *La langue et le style rustiques de George Sand dans les romans champêtres*. Paris, Champion, 1916.

ÉTUDES SUR LE BERRY

LAISNEL DE LA SALLE. *Croyances et légendes du centre de la France*. Paris, Chaix, 1875 (2 vol.).

LAISNEL DE LA SALLE. *Anciennes mœurs. Scènes et tableaux de la vie provinciale aux* XVIIIe *et* XIXe *siècles*. La Châtre, Montu, 1900.

TOURATIER (Albert). *La Mare au Diable*. La Châtre, Montu, 1912.

TOURATIER (Albert). *Le Tumulus ou Motte de Presles*. La Châtre, Montu, 1913.

TRAMBLAIS (de la) et de la VILLEGILLE. *Esquisses pittoresques sur le département de l'Indre*. Châteauroux, Migné, 1854.

CORRESPONDANCE

George Sand. *Correspondance*. Édition de Georges Lubin. Paris, Garnier. (En cours de publication).
      I   (1812-1831), 1964.
      II (1832 - juin 1835), 1966.
      III (juillet 1835 - avril 1837), 1967.
      IV (mai 1837 - mars 1840), 1968.
      V   (avril 1840 - fin 1842), 1969.

---

1. Ce livre complète et corrige le précédent. « Notre opinion su-
beaucoup de points, écrit l'auteur, a changé depuis 1842; le dernie
état de nos connaissances philologiques est consigné dans le Glos
saire. » (Tome I, p. 5).

CHRONOLOGIE DE GEORGE SAND

1804. *1er juillet (12 messidor an XII) : naissance à Paris,
15, rue Meslay, de la future George Sand. Elle se nomme
Amantine-Aurore-Lucile Dupin. Elle est fille de Maurice-
François-Élisabeth Dupin, « officier d'état-major à l'armée
d'Angleterre », et d'Antoinette-Sophie-Victoire Delaborde.
Ils sont mariés seulement depuis le 5 juin précédent, mais
leur liaison dure depuis 1800, date à laquelle il l'a rencontrée
à l'armée d'Italie, près d'un officier général, dont elle était
la maîtresse. Elle a trente ans. Elle est d'origine modeste,
fille d'un oiselier parisien. Maurice Dupin n'a que vingt-six
ans. Il descend des rois de Pologne par sa mère, Marie-
Aurore de Saxe, fille naturelle de Maurice de Saxe. Il est
né d'un second mariage de Marie-Aurore avec le financier
Dupin de Francueil (mort en 1786). Marie-Aurore, dont
il est l'enfant unique et adoré, vit retirée dans sa gentilhom-
mière berrichonne de Nohant, qu'elle a achetée en 1793 avec
les débris de sa fortune.*
*2 juillet : baptême de l'enfant, en l'église Saint-Nicolas des
Champs. Sur le registre baptismal, elle est appelée Amandine-
Aurore-Lucie.*

1808. *Avril : Sophie-Victoire et sa fille vont rejoindre à Madrid
Maurice Dupin, devenu chef d'escadron et aide de camp de
Murat. Puis la famille rentre à Nohant, pour y passer le
congé de Maurice Dupin.*
16 septembre : Maurice Dupin meurt d'une chute de cheval.

1810. *Après avoir, non sans heurts, passé ensemble deux années,
Sophie-Victoire et sa belle-mère se séparent. Sophie-
Victoire va s'installer à Paris, laissant sa fille à Nohant,
où elle-même reviendra chaque été. L'hiver, la grand-mère
et l'enfant feront à Paris d'assez longs séjours.*

Deschartres, ancien précepteur de Maurice, homme de confiance de Mme Dupin, se charge de l'instruction d'Aurore. Elle est élevée avec un fils naturel de son père, Pierre Laverdure, dit Hippolyte Chatiron, son aîné de cinq ans. Elle partage la vie et les jeux des petits paysans.

1815. *René de Villeneuve, petit-fils de Dupin de Francueil et de sa première femme, vient en visite à Nohant.*

1816. *19 mars : Hippolyte Chatiron s'enrôle au 3e hussards.*

1817. *Aurore apprend tardivement le catéchisme et fait sa première communion à La Châtre.*
Dans le long conflit latent entre sa grand-mère et sa mère, elle prend invariablement le parti de sa mère. Jugeant indispensable de la changer de vie et de lui donner une éducation plus raffinée, sa grand-mère la conduit à Paris, fin novembre pour la mettre en pension au couvent des Augustines anglaises, rue des Fossés-Saint-Victor, où elle-même avait séjourné à deux reprises. Son entrée au couvent daterait du 12 janvier 1818.

1819. *Août : conversion d'Aurore, qui jusqu'alors était rangée parmi « les diables ». Le 15 août, elle fait une communion fervente. Elle se croit appelée à la vie religieuse.*

1820. *Voulant marier sa petite-fille avant de mourir, Mme Dupin la ramène à Nohant, dans les premiers jours de mai. Aurore est maintenant assez évoluée pour apprécier les qualités intellectuelles de la vieille dame, et dans sa compagnie, elle achève de se former.*

1821. *Fin février ou début mars : Mme Dupin est frappée d'hémiplégie. Aurore se fatigue à la soigner, use d'excitants (alcool, tabac), s'étourdit de lectures, parcourt la campagne à cheval, vêtue en homme, est initiée par Deschartres à la gestion du domaine. Sous prétexte d'étudier la zoologie et la physiologie,*

elle fréquente Stéphane Ajasson de Grandsagne. Mme Dupin reçoit la visite de plusieurs parents par alliance (René de Villeneuve, l'archevêque d'Arles). Sophie-Victoire ne se dérange pas.
26 décembre : mort de Mme Dupin.

1822. *Par testament, Mme Dupin a confié à René de Villeneuve la tutelle d'Aurore. Mais Aurore n'accepte pas la condition qui lui est imposée de rompre avec sa famille maternelle. Sa mère, avec qui elle va vivre à Paris, lui fait endurer les fantaisies de son humeur acariâtre et tyrannique.*
19 avril : par l'intermédiaire de ses amis Roettiers du Plessis, Aurore fait la connaissance de François (dit Casimir) Dudevant, sous-lieutenant en non-activité et licencié en droit, fils naturel d'un baron d'Empire. Il est alors âgé de vingt-sept ans.
17 septembre : elle épouse Casimir Dudevant à Paris (1er arrondissement).

1823. *30 juin : naissance à Paris de Maurice Dudevant.*

1824. *Entre les époux Dudevant, apparaissent de grandes divergences de goûts. Pour masquer leur insatisfaction, ils se déplacent beaucoup.*

1825. *Pendant le carême, Aurore, triste et fatiguée, traverse une crise mystique.*
Juillet-août : voyage aux Pyrénées. A Cauterets, Aurore fait la connaissance d'Aurélien de Sèze. Entre eux se forme une liaison platonique, d'abord passionnée et qui, de 1827 à 1830, se détendra progressivement.
A partir de septembre : séjour à Guillery, chez le colonel Dudevant, père de Casimir. Ce séjour se prolonge jusqu'à la fin de janvier, coupé par plusieurs voyages.

1826. *Fin janvier : Aurore et Casimir quittent Guillery pour Bordeaux. Ils sont rappelés à Guillery par la mort du baron*

Dudevant (20 février). Ils font un second séjour à Bordeaux, du 10 mars environ jusqu'au début d'avril.

6 avril : retour à Nohant. Jusqu'au début de 1831, Aurore ne quittera plus Nohant que pour des voyages d'assez courte durée. Casimir s'étant révélé malhabile à gérer les biens du ménage, elle entreprend de le relayer dans cette tâche.

1827. *Elle reçoit beaucoup d'amis. Delaveau, Duteil, Duvernet, Fleury, Néraud sont particulièrement assidus auprès d'elle.*

Août : voyage en Auvergne. Du 12 au 22, elle séjourne au Mont-Dore.

3 décembre : elle part pour Paris avec Grandsagne dont elle est devenue la maîtresse. Elle y reste jusqu'au 19.

1828. *Le 2 février, elle écrit à Zoé Leroy, une amie de Bordeaux : « Je ne mérite plus l'amitié de personne. » Est-ce pour prévenir indirectement Aurélien de sa liaison avec Stéphane ?*

13 septembre : naissance de Solange Dudevant, dont Stéphane passe pour avoir été le père.

Casimir se console comme il peut des infidélités de sa femme. Il boit, il courtise les servantes.

1829. *Mai-juillet : séjours à Bordeaux et à Guillery.*

Septembre : elle engage Jules Boucoiran comme précepteur de son fils. Jusqu'en 1834 elle le chargera de diverses missions de confiance.

Elle écrit pour son amie Jane Bazouin un roman, La Marraine.

1830. *Fin avril, elle se rend à Paris avec son fils, puis de là fait une échappée à Bordeaux, où elle revoit Aurélien (pour la dernière fois semble-t-il), retourne à Paris, et rentre à Nohant le 18 juin.*

30 juillet : au château du Coudray, elle fait la connaissance de Jules Sandeau, dont elle sera bientôt la maîtresse.

Novembre : elle découvre une sorte de testament rédigé par son mari et qu'elle trouve outrageant pour elle.

1831. *4 janvier : ayant obtenu de son mari qu'il lui laisse faire par an deux séjours de trois mois à Paris et qu'il lui verse chaque mois une pension de 250 francs, elle quitte Nohant pour aller rejoindre Sandeau. Elle loge officiellement chez son frère, 31, rue de Seine. En juillet, elle s'installera dans trois pièces, 25, quai Saint-Michel.*

Son compatriote berrichon Latouche, directeur du Figaro, *la prend dans son équipe.*

En collaboration avec Sandeau, elle écrit une nouvelle, La Prima Donna (Revue de Paris, *avril 1831), et deux romans,* Le Commissionnaire, Rose et Blanche. *Sa nouvelle,* La Fille d'Albano (La Mode, *15 mai 1831), semble ne rien devoir à Sandeau. Sauf* Le Commissionnaire, *paru sous la signature apocryphe d'un certain Signol, ces œuvres sont signées tantôt J. Sand, tantôt J. S.*

1832. *Avril : rentrant à Paris, elle ramène de Nohant sa fille Solange.*

19 mai : Indiana. *Pour ce roman qu'elle a écrit seule, elle garde le pseudonyme de sa collaboration avec Sandeau, se contentant de changer l'initiale : G. Sand au lieu de J. Sand. C'est seulement après* Valentine *qu'elle signera George Sand.*

17 novembre : Valentine.

1833. *Janvier : elle fait la connaissance de Marie Dorval, pour qui elle éprouvera une amitié passionnée.*

Mars : elle se sépare de Sandeau.

Avril : aventure manquée avec Mérimée.

Elle est très liée (jusqu'à quel point ?) avec Gustave Planche. Elle prend conseil de Sainte-Beuve pour ses affaires de littérature et de cœur. A Nohant, son meilleur confident est François Rollinat.

29 juillet : elle devient la maîtresse de Musset.

Août : Lélia. *Séjour des deux amants dans la forêt de Fontainebleau.*

12 décembre : ils partent pour l'Italie. Sur le bateau qui les mène de Lyon à Marseille, ils rencontrent Stendhal. A Marseille, ils s'embarquent pour Gênes (20 décembre). Ils visitent Livourne, Pise et Florence. Ils arrivent à Venise le 31 au soir.

1834. *1er janvier : ils s'installent ensemble à l'Albergo reale Danieli.*

18 janvier : maladie de George. Vers cette époque, ils envisagent de reprendre chacun leur liberté.

5 février : George prie le docteur Pagello de venir avec un confrère au chevet de Musset gravement malade. Dans la nuit du 7 au 8 février, Musset a une crise de délire affreuse. A partir du 13, son état s'améliore. Vers le 15, George écrit le fragment En Morée, *qui est sa déclaration d'amour à Pagello. Elle compose « en huit jours »* Leone Leoni.

13 mars : George et Musset quittent l'hôtel Danieli pour un petit appartement dans une ruelle (calle delle Rasse).

29 mars : départ de Musset pour la France. George l'accompagne jusqu'à Mestre. Elle fait un voyage de quelques jours dans la région de Bassano. Puis en moins de trois mois, elle trouve le temps d'écrire André, Jacques, Mattea *et les premières* Lettres *d'un* voyageur, *tout en goûtant les plaisirs de Venise en compagnie de Pagello et de ses amis.*

24 juillet : elle quitte Venise avec Pagello. Ils passent par les lacs lombards, Milan, Chamonix, et sont à Paris le 14 août. Après avoir revu Musset, elle part pour Nohant sans Pagello. Elle rentre à Paris le 6 ou le 7 octobre. Le 23, Pagello, sur le point de partir pour l'Italie, prend congé d'elle.

Le 24 ou le 25, elle redevient la maîtresse de Musset.

Du 7 décembre au 1er janvier, elle séjourne à Nohant, très découragée.

1835. *6 mars : elle met fin à sa liaison avec Musset en quittant Paris à son insu.*

9 avril : elle fait la rencontre de Michel de Bourges.

30 octobre : elle engage contre son mari une procédure en séparation.

1836. *Elle mène de front deux intrigues amoureuses, l'une avec Michel (son amant depuis mai 1835), l'autre avec Charles Didier (dont elle devient la maîtresse vers le 17 avril 1836). Elle se lie d'une étroite amitié avec Carlotta Marliani, dont le mari est consul d'Espagne.*

11 mai : le tribunal de La Châtre prononce la séparation judi- ciaire des époux Dudevant. Casimir fait appel. Le 25 juillet, l'affaire passe devant la Cour de Bourges, qui ne prend aucune décision, les voix des juges étant partagées. Casimir se désiste de son appel et un arrangement confirmant le jugement du 11 mai intervient entre les deux parties.

Juin : Simon.

28 août : George part avec ses enfants pour la Suisse, où elle va rejoindre Franz Liszt et Marie d'Agoult. Fin octobre, elle s'installe à Paris auprès d'eux, hôtel de France, 23, rue Laffitte.

1837. *Engouement pour Lamennais, dans le journal duquel* (Le Monde) *elle publie en février et mars ses* Lettres à Marcie. *A la même époque, elle reçoit à Nohant Marie d'Agoult, que Liszt vient rejoindre du 27 février au 5 mars.*

Mai-juillet : second séjour à Nohant de Liszt et de Marie d'Agoult.

Tandis qu'agonise sa liaison avec Didier et que se prolonge, non sans orages, sa liaison avec Michel (cette liaison semble avoir duré jusqu'à la fin de l'année et s'est dénouée dans des circonstances que l'on ignore), elle prend pour amants Bocage, puis Mallefille.

Août : Mauprat.

19 août : mort de Sophie-Victoire Dupin.

Septembre : Solange est enlevée par Casimir Dudevant. George se rend à Guillery pour reprendre sa fille.

16 octobre : « Je tombe dans le Pierre Leroux. »

1838. *24 février-2 mars : Balzac à Nohant.*
Fin juin : début de la liaison avec Chopin.
15 octobre-15 janvier : Spiridion *paraît dans la* R. D. M.

18 octobre : George et ses enfants accompagnés d'une femme de chambre quittent Paris à destination de Majorque. Chopin les rejoint à Perpignan le 31. Le 1er novembre, ils s'embarquent à Port-Vendres pour Barcelone, et le 7 à Barcelone pour Palma, où ils arrivent le lendemain. Du 15 novembre au 9 décembre, ils logent à So'n Vent (Establiments). Chopin y tombe malade. Le 15 décembre, ils vont s'installer dans une « cellule » de la chartreuse de Valldemosa.

1839. *Le mauvais temps, la maladie de Chopin font du séjour à Valldemosa un « fiasco ».*

11 février : départ de la chartreuse. Après une halte à Barcelone (14-22 février), les voyageurs s'embarquent pour Marseille, où ils arrivent le 24 février. Chopin reprend ses forces peu à peu. Départ le 23 mai. Arrivée à Nohant le 1er juin.

Septembre : édition remaniée de Lélia.

Octobre : George s'installe à Paris, 16, rue Pigalle. Chopin garde son logement rue Tronchet.

1840. *29 avril : représentation au Théâtre-Français de la première pièce de George Sand,* Cosima. *C'est un échec.*

En mai, George fait la connaissance d'Agricol Perdiguier, compagnon du tour de France. En août, elle se rend à Cambrai avec la cantatrice Pauline Viardot.

La Revue des Deux Mondes *refuse* Le Compagnon du tour de France.

1841. *Juin-octobre : George et Chopin séjournent ensemble à Nohant.*

5 ou 6 novembre : premier numéro de La Revue indépendante, *que George Sand a fondée avec Leroux et Viardot. Elle y publie un roman refusé par la* R. D. M., Horace.

1842. La Revue indépendante *publie, en janvier,* Dialogue familier sur la poésie des prolétaires *et, à partir de février,* Consuelo.

Pendant l'été, Chopin et Delacroix séjournent à Nohant. Michel de Bourges, Bocage y viennent en visite.

Septembre : George et Chopin s'installent dans deux appartements

du square d'Orléans, au 5 et au 9. Mme Marliani habite
au 7. « Nous dînions chez elle à frais communs. »
La Revue indépendante *connaît des difficultés financières.*
Le 10 décembre, elle est cédée à une société dirigée par Émile
Pernet.

1843. *Juin :* La Comtesse de Rudolstadt, *suite de* Consuelo,
commence à paraître dans La Revue indépendante.

A Nohant, visite de Delacroix, Pauline Viardot, Laprade,
Mendizabal; fêtes champêtres (mariage de Françoise
Meillant); promenades et excursions, auxquelles Chopin
participe, monté sur un âne.

1844. *Avril :* Jeanne, *le premier des romans dits champêtres,*
commence à paraître dans Le Constitutionnel.

Mai : Pierre Leroux fonde à Boussac une double entreprise
d'imprimerie et d'agriculture, pour laquelle George Sand
lui avance des sommes importantes.

Août : les Jedrzejewicz (sœur et beau-frère de Chopin) séjournent
à Nohant.

14 septembre : premier numéro de L'Éclaireur de l'Indre. *Il a*
fallu à George Sand un an de négociations pour fonder ce
journal dont elle est l'inspiratrice, mais dont quelques
républicains berrichons de ses amis assument la responsa-
bilité de fait.

1845. *21 janvier-19 mars :* Le Meunier d'Angibault *paraît*
dans La Réforme.

1er octobre-13 novembre : Le Péché de M. Antoine *paraît*
dans L'Époque.

Octobre : premier numéro de La Revue sociale, *publication*
mensuelle dirigée par Pierre Leroux. La collaboration
littéraire de George Sand y sera très minime.

Fin octobre : elle écrit en « quatre jours » La Mare au Diable.

Décembre : ayant renoué depuis avril avec ses cousins de Villeneuve,
elle leur rend visite, accompagnée de ses enfants, dans leur
château de Chenonceaux.

1846. *6-15 février : publication de* La Mare au Diable *dans* Le Courrier français.

25 juin-17 août : publication de Lucrezia Floriani *dans le même journal.*

Début novembre : Chopin quitte Nohant. Les spectacles de commedia dell'arte inaugurés avant son départ se poursuivent pendant l'hiver. Du 8 au 31 décembre, douze pièces différentes sont jouées. L'atmosphère de ces jeux dramatiques sera évoquée dans Le Château des Désertes.

1847. *19 mai : Solange Dudevant épouse à Nohant le sculpteur Clésinger. Prétextant sa mauvaise santé, Chopin n'assiste pas au mariage.*

27 juillet : à la suite de dissentiments relatifs à Solange, George Sand écrit à Chopin une lettre blessante, qui entraîne une rupture de fait, « sans aucune bataille ni scène ».

Automne : début des marionnettes de Nohant.

31 décembre : le Journal des Débats *commence la publication de* François le Champi.

1848. *A la nouvelle de la révolution, George Sand accourt à Paris. Elle s'institue la conseillère de Ledru-Rollin. Elle publie une* Lettre à la classe moyenne *(3 mars), deux* Lettres au peuple *(7 et 19 mars), une* Lettre aux riches *(12 mars). Elle fonde un journal,* La Cause du peuple, *qui n'aura que trois numéros (9, 16, 23 avril). Elle rédige la plus grande partie des* Bulletins de la République *(13 mars au 6 mai). Dans le seizième* Bulletin *(15 avril), elle suggère le recours à l'illégalité, pour le cas où les élections ne donneraient pas une majorité républicaine. Elle semble avoir participé au complot qui tendait à éliminer du gouvernement provisoire les éléments modérés, et qui aboutit à la journée manquée du 16 avril. Du 2 mai au 11 juin, elle collabore au journal de Thoré,* La Vraie République.

17 mai : après l'échec de la manifestation du 15, se sentant compromise, elle se réfugie à Nohant. Son fils et deux autres

*jeunes gens, Lambert et Borie (lequel est, ou a été, son amant),
y constituent l'essentiel de son entourage.*

Août : elle écrit La Petite Fadette, *qui paraît dans* Le Crédit
à partir du 1ᵉʳ décembre.

1849. *Elle joue un rôle actif dans le lancement d'un journal
démocratique,* Le Travailleur de l'Indre. *En juillet,
elle reprend la rédaction de ses mémoires (commencés en
1847). Malade, elle se soigne selon la méthode de Raspail.*

25 novembre : l'Odéon donne une adaptation de François le
Champi. *C'est un succès.*

1850. *Vers mars ou avril : début de sa liaison avec le graveur
Alexandre Manceau (né en 1817).*

1851. *11 janvier :* Claudie *est jouée à la Porte-Saint-Martin
avec un grand succès.*

*9 février : inauguration à Nohant de la salle de théâtre aménagée
dans la pièce naguère utilisée pour les spectacles de marionnettes.*

Octobre-novembre : George Sand écrit Le Diable aux champs.

26 novembre : Le Mariage de Victorine *est joué au Gymnase.
Grand succès, bientôt interrompu par le coup d'État.*

*4 décembre : George Sand quitte Paris « à travers la fusillade »,
pour aller dire à ses amis : « Le peuple accepte, nous devons
accepter. »*

1852. *30 janvier : tremblant d'être déportée, elle « l'être le plus
inoffensif de la terre », elle se fait recevoir en audience par le
prince-président. Elle plaide, en même temps que sa propre
cause, celle d'une amnistie générale. Elle multiplie les démar-
ches en faveur des suspects. Ses amis désavouent cet opportu-
nisme. A Paris, elle habite 3, rue Racine.*

3 mars : Les Vacances de Pandolphe *au Gymnase; insuccès
total.*

Août : elle envoie de l'argent à Leroux exilé.

*Les époux Clésinger étant en désaccord, c'est elle qui a le plus
souvent la garde de leur fille Jeanne (Nini).*

1853. *Janvier : à Nohant, Maurice, Solange, Nini, Manceau,*
   Borie, Aucante sont autour d'elle.
1er juin-16 juillet : publication des Maîtres sonneurs *dans*
   Le Constitutionnel.
28 novembre : Mauprat *à l'Odéon.*

1854. *16 juillet : « On m'a repris ma petite-fille. »*
Septembre : Leroux lui écrit pour solliciter un nouveau secours.
A partir du 5 octobre, publication dans La Presse *de l'*Histoire
   de ma vie.

1855. *13 janvier : Nini, qui avait été placée par son père dans*
   une maison d'enfants, meurt de la scarlatine. « Ma vie
   avait passé dans cette petite fille depuis deux ans. »
28 février : pour la distraire, Manceau l'emmène en Italie (Gênes,
   Pise, Rome, Frascati, Florence, La Spezzia, Gênes).
   Maurice fait avec eux une partie du voyage. Retour à Paris
   vers le 20 mai.
15 septembre : elle assiste à l'Odéon avec Manceau à la première
   de sa pièce, Maître Favilla.

1856. *Elle fait jouer trois pièces, qui reçoivent un accueil mé-*
   diocre : Lucie *(Gymnase, 16 février),* Françoise *(Gymnase,*
   3 avril), Comme il vous plaira *(Théâtre-Français,*
   12 avril).
7 mars : elle dîne avec Manceau et Maurice chez le prince Napo-
   léon.
Mars : elle passe quelques jours dans la forêt de Fontainebleau
   en compagnie de Manceau.

1857. La Daniella, *roman de mœurs italiennes, paraît dans* La
   Presse *à partir du 6 janvier.*
Sous l'influence de son fils, George Sand revient à son ancienne
   passion pour les sciences de la nature. En juin et en juillet,
   elle fait trois excursions sur les bords de la Creuse. Manceau
   enchanté par le site de Gargilesse y achète une petite maison.
A partir du 1er octobre, publication dans La Presse *des* Beaux
   Messieurs de Bois-Doré.

1858. *Janvier : le paysage hivernal de Gargilesse l'aide à imaginer le décor « dalécarlien » de* L'Homme de neige.
Mai : à Gargilesse, elle termine Elle et Lui.
15 juin-15 septembre : la R. D. M. *publie* L'Homme de neige. *Depuis 1841, elle n'avait publié aucune œuvre de George Sand.*

1859. *15 janvier-1er mars :* Elle et Lui *paraît dans la* R. D. M.
Avril : George Sand entre en relation avec Fromentin.
28 mai-29 juin : elle voyage en Auvergne et dans le Velay en compagnie de Manceau. Ce voyage renforce son goût de la minéralogie
Par l'intermédiaire de Solange, elle renoue avec Sainte-Beuve.
15 octobre-1er décembre : Jean de la Roche *paraît dans la* R. D. M.

1860. *15 juillet-15 septembre :* Le Marquis de Villemer *paraît dans la* R. D. M.
Octobre-novembre : elle est gravement malade, presque mourante. Pendant sa maladie, elle est hallucinée par les personnages du roman qu'elle était en train d'écrire, La Famille de Germandre.
15 décembre : en lisant Chateaubriand et son groupe littéraire, *elle constate que « le génie ne se développe tout à fait qu'aux dépens du cœur ».*

1861. *15 février : départ avec Manceau pour un séjour de convalescence à Tamaris. George Sand y fait la connaissance de Plauchut. Retour par la Savoie, le Dauphiné, Lyon, Montluçon. Arrivée à Nohant le 8 juin.*
15 mars-1er juin : la R. D. M. *publie* Valvèdre.
29 mai : George Sand, dont le nom avait été avancé pour un prix de l'Institut, se voit préférer Thiers. Elle refuse une subvention exceptionnelle de 20 000 francs, que l'empereur lui fait offrir en compensation.
9 juillet-10 août : premier séjour de Dumas fils à Nohant. Il revient en septembre avec le peintre Marchal. On joue la

comédie et en particulier une pièce de George Sand intitulée
Le Drac. *Elle soumet à Dumas le projet d'une pièce tirée
de* Villemer. *Le 20 novembre, Marchal est encore à Nohant.
Borie et sa femme, venus pour huit jours, s'y trouvent aussi.*

1862. *1er février-15 mars :* Tamaris *paraît dans la* R. D. M.
« *Mes romans, écrit George Sand le 22 février, sont des
pages d'herbier.* »

3 mai : Manceau fait à « Madame » *la lecture de* Dominique.

*17 mai : Maurice Dudevant épouse Marcelline (dite Lina)
Calamatta née le 26 juin 1842 (mariage purement civil).*

*14-17 juin : séjour de Fromentin à Nohant. Il reviendra fin
novembre.*

Juillet : George se rend à Gargilesse avec Manceau et Dumas.

26 et 29 octobre : on joue à Nohant Pied sanglant, *première
ébauche de* Cadio. *En novembre, Maurice, Lina, Manceau,
Cadol, Marie Caillaud interprètent* Jean le Rebâteux
(*qui deviendra* Les Don Juan de village).

1863. *28 janvier : elle écrit sa première lettre à Flaubert.*

8 février : elle vient d'achever, non sans peine, Mademoiselle
La Quintinie. *Ce roman anticlérical, paru dans la* R. D. M.
*du 1er mars au 15 mai, rétablit son prestige aux yeux de
l'opposition libérale.*

*14 juillet : naissance de Marc-Antoine, fils de Maurice et de
Lina.*

*Septembre-novembre : stimulée par La Rounat et conseillée par
Dumas, George Sand met au point son adaptation théâtrale
de* Villemer.

*24 novembre : à la suite de disputes entre Manceau et Maurice,
elle prend la résolution de principe de partir avec Manceau,
et de laisser Nohant au jeune ménage. Manceau est déjà gravement atteint de tuberculose.*

1864. *2 janvier :* « Les vacances et les comédies ont été très courtes.
Beaucoup de monde, toujours trop à la fois. »

9 février : Manceau vient de louer une maison à Palaiseau.

29 février : première de Villemer *à l'Odéon; « succès inouï, insensé ».*

Mai : baptême protestant de Marc-Antoine. George Sand loue un entresol à Paris, 97, rue des Feuillantines.

12 juin : elle quitte Nohant pour s'installer à Palaiseau avec Manceau.

21 juillet : mort de Marc-Antoine.

1er août-1er novembre : La Confession d'une jeune fille *paraît dans la* R. D. M.

13-20 septembre : escapade à Gargilesse, dans la seule compagnie de Marchal. C'est le début probable d'une liaison qui se poursuivra librement après la mort de Manceau jusqu'à une date indéterminée.

1865. *1er juin-1er août :* Monsieur Sylvestre *paraît dans la* R. D. M.

21 août : mort de Manceau, après trois mois d'agonie. Maurice assiste aux obsèques.

28 août-16 septembre : séjour à Nohant.

A Paris, George Sand prend l'habitude de fréquenter le restaurant Magny, où elle rencontre des écrivains.

1866. *10 janvier : naissance d'Aurore, fille de Maurice et de Lina.*

1er juillet-15 août : Le Dernier Amour *paraît dans la* R. D. M.

Le théâtre du Vaudeville donne, le 9 août, Les Don Juan de village, *et, le 14,* Le Lis du Japon.

28-30 août : après avoir passé deux jours à Puys chez Dumas, George Sand va voir à Croisset Gustave Flaubert devenu, depuis la mort de Manceau, un de ses meilleurs amis.

8-20 septembre : pour pouvoir situer Cadio *dans un décor plus authentique, elle visite avec ses enfants une partie de la Bretagne.*

3-10 novembre : nouveau séjour à Croisset.

25 décembre : elle tombe malade à Paris. Pendant tout l'hiver, elle sera sans entrain et travaillera peu.

On a prétendu qu'elle fut en 1866 la maîtresse d'Edmond Plauchut,
qui serait devenu plus tard l'amant de sa belle-fille, Lina.

1867. *Elle cesse pratiquement d'habiter Palaiseau et revient se*
fixer à Nohant, qu'elle quitte de temps à autre pour Paris,
où elle continue de fréquenter le restaurant Magny.

1er septembre-15 novembre : Cadio *paraît dans la* R. D. M.

Septembre : elle fait deux voyages en Normandie, où elle situera
l'action de Mademoiselle Merquem *(R. D. M., 15 janvier-*
15 mars 1868).

1868. *Février-mars : elle est au Golfe-Juan l'invitée de Juliette*
Lamber, qu'elle connaît depuis l'année précédente. Elle
évite la rencontre de Solange, qui est à Cannes avec un
amant. Le 14 mars, elle est de retour à Nohant, où sa
petite-fille Gabrielle est née trois jours plus tôt.

24 mai : elle va voir Flaubert à Croisset.

Fin mai : elle abandonne son entresol de la rue des Feuillantines
pour un appartement situé 5, rue Gay-Lussac.

Juillet : elle reçoit à Nohant Edmond et Juliette Adam (ex-
Lamber) ainsi que Plauchut. Spectacles de marionnettes,
excursions, parties de pêche et de baignade, plaisanteries
parfois un peu épaisses.

1869. *17 avril : elle achève son « roman comique moderne »,*
Pierre qui roule *(R. D. M., 15 juin-1er septembre).*

29 avril : vente de la maison de Palaiseau.

17-22 septembre et 28 septembre-1er octobre : voyages en Cham-
pagne et dans les Ardennes. Elle utilisera ses impressions
de voyage dans Malgrétout *(R. D. M., 1er février-15 mars*
1870).

16 octobre : après l'enterrement de Sainte-Beuve, la foule lui
manifeste sa sympathie à la sortie du cimetière.

23 décembre : Flaubert arrive à Nohant avec Plauchut. Il n'y
reste que peu de jours.

1870. *25 février : succès de* L'Autre *à l'Odéon.*

19 mars : George Sand se défend (mal) d'avoir voulu attaquer l'impératrice dans Malgrétout.

Juillet : rapide séjour à Nohant d'Edmond et Juliette Adam.

20 septembre-13 novembre : pour soustraire Lina et ses filles à une épidémie de variole, la famille séjourne successivement à Saint-Loup et à Boussac (chez les Maulmond), puis à La Châtre (chez les Duvernet).

Décembre : George Sand envisage de partir en exode, si la guerre se rapproche du Berry.

1871. *8 mars : mort de Casimir Dudevant.*

Juillet : elle ne renouvelle pas le traité qui la liait à la R. D. M. *et s'engage à fournir chaque quinzaine au* Temps *un feuilleton de variétés.*

21 octobre : « Il faut nous débarrasser des théories de 93. Elle nous ont perdus. »

1872. *7 mars-20 avril :* Le Temps *publie* Nanon.

14 avril : elle offre à Flaubert de lui prêter de l'argent.

1ᵉʳ juin : Les Contes d'une grand-mère *commencent à paraître sous des titres divers.*

Juillet : elle se baigne tous les jours dans l'Indre.

Du 28 juillet jusque vers le 20 août : séjour à Cabourg en compagnie de Plauchut, de Lina et de ses deux filles. Retour par la Normandie et le Maine.

« Pendant tout septembre, quinze et vingt convives, danse, marionnettes, musique surtout. » Parmi les invités, Pauline Viardot et ses filles, Plauchut. Le 3 octobre, Tourguéniev vient pour une journée.

1873. *« Le jour de l'an s'est passé en fêtes, déguisements, danses et souper. » En février, « il y a bal au salon tous les dimanches ».*

12-18 avril : Flaubert et Tourguéniev à Nohant. On lit La Tentation de saint Antoine. *On en discute.*

*25 avril : George Sand à Paris. Elle n'y était pas venue depuis
un an.*

*Août : voyage en Auvergne. George Sand fait l'ascension du
Sancy.*

*Septembre : visite à Nohant de la famille Viardot et de Tourgué-
niev.*

1874. *1er janvier-1er mars :* la R. D. M. *publie* Ma sœur
Jeanne.

30 mai-10 juin : séjour à Paris.

*Pendant l'été, George Sand est malade : grippe, rhumatisme du
bras droit. En novembre, elle se plaint de vivre « dans les
maux d'entrailles ».*

1875. *1er février-1er mai :* la R. D. M. *publie* Flamarande.
(Ce roman n'a été terminé que vers le 10 mars.)

Fin mai-début juin : dernier séjour à Paris.

*8 octobre : « J'ai été malade tout l'été... Mais j'ai travaillé
d'autant plus pour n'y pas songer. »*

A partir du 1er décembre, la R. D. M. *publie* La Tour de
Percemont.

1876. *Mars : George Sand vient de lire* Rougon *(de Zola)
et* Jack *(de Daudet). Elle admire beaucoup ces deux
romans.*

Avril : elle lit à ses petites-filles L'Iliade.

*Atteinte d'occlusion intestinale, elle est obligée de s'aliter le
30 mai. Le docteur Péan, appelé trop tard, juge l'opération
impossible. Elle meurt le 8 juin.*

*10 juin : par la volonté de Solange, des obsèques religieuses lui
sont faites. Le prince Napoléon, Flaubert, Dumas, Renan,
Paul Meurice, Lambert, Borie, Cadol, Harrisse, Calmann-
Lévy sont présents. Marchal n'est pas venu. Elle est inhumée
dans un petit enclos situé entre son jardin et le cimetière
du village, près des restes de son père et de sa grand-mère.*

LA MARE AU DIABLE

NOTA. — Les indices d'appel en lettres que l'on trouvera dans le texte de *François le Champi* renvoient aux variantes à la fin du volume (p. 433 à 439).

NOTICE[a1]

Quand j'ai commencé, par *la Mare au Diable*, une série de romans champêtres, que je me proposais de réunir sous le titre de *Veillées du Chanvreur* [2], je n'ai eu aucun système, aucune prétention révolutionnaire en littérature. Personne ne fait une révolution à soi tout seul, et il en est, surtout dans les arts, que l'humanité accomplit sans trop savoir comment, parce que c'est tout le monde qui s'en charge. Mais ceci n'est pas applicable au roman de mœurs rustiques : il a existé de tout temps [3] et sous toutes les formes, tantôt pompeuses, tantôt maniérées [4], tantôt

---

1. Cette notice figure en tête du roman depuis l'édition populaire des *Œuvres illustrées de George Sand,* édition publiée afin de « faire lire à la classe pauvre ou malaisée des ouvrages dont une grande partie a été composée pour elle ».

2. A l'époque de George Sand le chanvreur jouait un rôle important dans les villages berrichons, car partout on cultivait le chanvre, le paysan utilisant pour se vêtir la laine de ses moutons et la toile qu'il tissait lui-même. Le travail du chanvreur consistait essentiellement à broyer le chanvre (Cf. *Les Noces de Campagne,* I). Selon George Sand cet artisan était habituellement un « homme disert et beau parleur... bavard, plaisant, conteur et chanteur ». Elle le fait intervenir surtout dans *François le Champi* (1847) et dans *Les Maîtres sonneurs* (1853).

3. On peut faire remonter le roman rustique à la « naïve » pastorale de l'écrivain grec Longus : *Daphnis et Chloé* (IIIe ou IVe siècle).

4. Allusion à l'*Astrée* (1607), d'Honoré d'Urfé. G. Sand connaissait bien ce roman, à la fois « pompeux » et « maniéré », mais non sans charme. Elle s'en est inspirée dans *Les Beaux Messieurs de Bois-Doré* (1857).

naïves [1]. Je l'ai dit, et dois le répéter ici, le rêve de la
vie champêtre a été de tout temps l'idéal des villes
et même celui des cours [2]. Je n'ai rien fait de neuf
en suivant la pente qui ramène l'homme civilisé aux
charmes de la vie primitive. Je n'ai voulu ni faire
une nouvelle langue, ni me chercher une nouvelle
manière. On me l'a cependant affirmé dans bon
nombre de feuilletons [3], mais je sais mieux que personne à quoi m'en tenir sur mes propres desseins, et
je m'étonne toujours que la critique en cherche si
long, quand l'idée la plus simple, la circonstance la
plus vulgaire, sont les seules inspirations auxquelles
les productions de l'art doivent l'être. Pour *la Mare
au Diable* en particulier, le fait que j'ai rapporté dans
l'avant-propos, une gravure d'Holbein [4], qui m'avait

---

1. G. Sand songe sans doute aux pastorales de Florian et de Sedaine,
et aussi à *Paul et Virginie*, de Bernardin de Saint-Pierre. Au sujet des
anciens romans de mœurs rustiques, elle écrivait dans l'avant-propos
de *François le Champi* (1847) : « Tous ces types de l'âge d'or, ces bergères
de l'*Astrée* qui passent par le Lignon de Florian, qui portent de la
poudre et du satin sous Louis XV, et auxquels Sedaine commence,
à la fin de la monarchie, à donner des sabots, sont tous plus ou moins
faux, et aujourd'hui ils nous paraissent niais et ridicules. Nous en avons
fini avec eux, nous n'en voyons plus guère que sous forme de fantômes à l'Opéra, et pourtant ils ont régné sur les cours et ont fait les
délices des rois qui leur empruntaient la houlette et la panetière. »
2. Allusion au plaisir qu'à la fin du XVIIIe siècle prenaient les citadins à mener la vie des campagnards. La reine Marie-Antoinette fit,
on le sait, construire près de Versailles le Hameau, où elle se déguisait
en bergère.
3. Sainte-Beuve écrit en 1850 : « Dans deux chapitres intitulés
Sous les grands chênes et *Prière du Soir*, on a une suite de scènes délicieuses,
délicates, et qui n'ont leur pendant ni leur modèle dans aucune idylle
antique ou moderne. » (*Causeries du Lundi*, t. I, p. 358).
4. Hans Holbein, dit le Jeune, naquit à Augsbourg en 1497; il
travailla d'abord à Bâle, de 1514 à 1526. Les troubles religieux et sociaux
de la Réforme l'obligèrent à en partir. Il se rendit à Londres et devint
le peintre attitré du roi Henri VIII; il mourut dans cette ville en 1543.

frappé [1], une scène réelle que j'eus sous les yeux dans le même moment, au temps des semailles, voilà tout ce qui m'a poussé à écrire cette histoire modeste, placée au milieu des humbles paysages que je parcourais chaque jour. Si on me demande ce que j'ai voulu faire, je répondrai que j'ai voulu faire une chose très touchante et très simple, et que je n'ai pas réussi à mon gré. J'ai bien vu, j'ai bien senti le beau dans le simple, mais voir et peindre sont deux! Tout ce que l'artiste peut espérer de mieux, c'est d'engager ceux qui ont des yeux à regarder aussi. Voyez donc la simplicité, vous autres [2], voyez le ciel et les champs, et les arbres, et les paysans surtout dans ce qu'ils ont de bon et de vrai : vous les verrez un peu dans mon livre, vous les verrez beaucoup mieux dans la nature [3].

GEORGE SAND.

Nohant, 12 avril 1851.

Holbein a laissé des portraits d'une exactitude saisissante, tel celui d'Erasme qui se trouve au Louvre; des peintures religieuses d'un réalisme puissant, comme le *Christ mort* du musée de Bâle; des dessins au lavis et à la plume; enfin des gravures, souvent de très petit format, dont les plus célèbres sont : les *Tableaux de l'Ancien Testament*, l'*Alphabet de la Mort* et les *Simulachres de la Mort*, qui ont inspiré G. Sand.

1. G. Sand, dans ses ouvrages, emploie toujours le masculin en parlant d'elle-même.

2. Cette apostrophe dédaigneuse s'adresse aux citadins et aux intellectuels.

3. G. Sand s'est souvent préoccupée de la difficulté qu'il y avait pour l'artiste à rendre la beauté simple de la nature. Dans l'avant-propos de *François le Champi*, elle fait dire par son ami Rollinat :

« La nature est une œuvre d'art, mais Dieu est le seul artiste qui existe, et l'homme n'est qu'un arrangeur de mauvais goût. La nature est belle, le sentiment s'exhale de tous ses pores; l'amour, la jeunesse, la beauté, y sont impérissables. Mais l'homme n'a pour les sentir et les exprimer que des moyens absurdes et des facultés misérables. »

I

L'AUTEUR AU LECTEUR[a]

A la sueur de ton visaige
Tu gaigneras[b] ta pauvre vie,
Après long travail et usaige,
Voicy la *mort* qui te convie.

C<small>E</small>[c] quatrain en vieux français, placé au-dessous d'une composition[d] d'Holbein, est d'une tristesse profonde dans sa naïveté. La gravure représente un laboureur conduisant sa charrue au milieu d'un champ. Une vaste campagne s'étend au loin, on y voit de pauvres cabanes[e]; le soleil se couche derrière la colline. C'est la fin d'une rude journée de travail[f]. Le paysan est vieux, trapu, couvert de haillons. L'attelage de quatre chevaux qu'il pousse en avant est maigre, exténué; le soc s'enfonce dans un fonds raboteux et rebelle[g][1]. Un seul être est allègre et ingambe dans cette scène de *sueur et usaige*. C'est un personnage fantastique, un squelette armé d'un fouet, qui court dans le sillon à côté des chevaux effrayés et les frappe, servant ainsi de valet de charrue au vieux laboureur. C'est

---

1. G. Sand, tout en décrivant avec assez d'exactitude la gravure d'Holbein, en a volontairement accentué la tristesse : « pauvres cabanes », « attelage... maigre, exténué » « fonds raboteux et rebelle ».

la mort, ce spectre qu'Holbein a introduit allégori-
quement dans la succession de sujets philosophiques
et religieux, à la fois lugubres et bouffons, intitulée
les *Simulachres de la mort* [1].

Dans cette collection, ou plutôt dans cette vaste
composition où la mort, jouant son rôle à toutes les
pages, est le lien et la pensée dominante, Holbein a
fait comparaître les souverains[a], les pontifes, les amants,
les joueurs, les ivrognes, les nonnes, les courtisanes,
les brigands, les pauvres[b], les guerriers, les moines,
les juifs, les voyageurs, tout le monde de son temps
et du nôtre, et partout le spectre de la mort raille[c],
menace et triomphe. D'un seul[d] tableau elle est absente [2].
C'est celui où le pauvre Lazare, couché sur un fumier
à la porte du riche, déclare qu'il ne la craint pas [3],
sans doute parce qu'il n'a rien à perdre et que sa vie
est une mort anticipée.

Cette pensée stoïcienne du christianisme demi-
païen de la Renaissance est-elle bien consolante, et les
âmes religieuses y trouvent-elles leur compte ? L'ambi-
tieux, le fourbe, le tyran, le débauché[e] [4], tous

---

1. Le titre exact est : *Simulachres et historiées faces de la mort, autant
élégamment pourtraictes, que artificiellement imaginées.*

2. Contrairement à ce que dit G. Sand, qui n'a pas dû les revoir
toutes avant d'écrire, la mort est absente de plusieurs autres gravures
d'Holbein.

3. La gravure d'Holbein dont parle G. Sand (n° 47 de l'édition de
1545) est accompagnée du quatrain suivant, auquel il est fait ici allusion :

> « Qui hors la chair veult en Christ vivre
> Ne craint *Mort*, mais dit un mortel,
> Hélas, qui me rendra délivre
> Pauvre homme de ce corps mortel ? »

La parabole de Lazare se trouve dans le *Nouveau Testament* (Saint
Luc, XVI, 19-31).

4. Allusion à diverses gravures des *Simulachres.*

ces pécheurs superbes qui abusent de la vie, et que la mort tient par les cheveux, vont être punis, sans doute; mais l'aveugle, le mendiant, le fou, le pauvre paysan, sont-ils dédommagés de leur longue misère par la seule réflexion que la mort n'est pas un mal pour eux? Non! Une tristesse implacable, une effroyable fatalité pèse sur l'œuvre de l'artiste. Cela ressemble à une malédiction amère lancée sur le sort de l'humanité[a].

C'est bien là la satire douloureuse, la peinture vraie de la société qu'Holbein avait sous les yeux. Crime et malheur, voilà ce qui le frappait; mais nous, artistes d'un autre siècle[b], que peindrons-nous? Chercherons-nous[c] dans la pensée de la mort la rémunération de l'humanité présente? l'invoquerons-nous comme le châtiment de l'injustice et le dédommagement de la souffrance [1]?

Non, nous n'avons plus affaire à la mort, mais à la vie. Nous ne croyons plus ni au néant de la tombe[d], ni au salut acheté par un renoncement forcé[e]; nous voulons que la vie soit bonne, parce que nous voulons qu'elle soit féconde [2]. Il faut que Lazare quitte son

---

1. G. Sand s'inspire des théories de P. Leroux contenues dans le discours *Aux philosophes* qui parut, peu après 1830, dans la *Revue encyclopédique* et fut publié en volume sous ce titre : *Sept discours sur la situation actuelle de la société et de l'esprit humain. Premier discours. Aux philosophes* (1841). P. Leroux écrit : « Ce qui a fait imaginer ces grandes et sublimes fables du Christianisme, c'est la souffrance horrible des hommes à cette époque. Plus la condition des hommes était mauvaise, plus leur foi dans le ciel équitable devait être grande. Le ciel et la terre se confondaient et se suppléaient; l'un était la conséquence, la déduction sentimentale et logique de l'autre. » (pp. 19 et 20). Dans le même « discours » (pp. 41 et 42) se trouve cette phrase : « Aujourd'hui... que l'on ne croit plus ni à l'enfer ni au paradis ».

2. G. Sand paraît se souvenir ici d'un développement de Godefroy Cavaignac, qu'elle cite dans un autre roman, *Horace* (1841) : « La reli-

fumier, afin que le pauvre ne se réjouisse plus de la mort du riche. Il faut que tous soient heureux[1], afin que le bonheur de quelques-uns ne soit pas criminel et maudit de Dieu. Il faut que le laboureur, en semant son blé, sache[a] qu'il travaille à l'œuvre de vie, et non qu'il se réjouisse de ce que la mort marche à ses côtés. Il faut enfin que la mort ne soit plus ni le châtiment de la prospérité, ni la consolation de la détresse[b]. Dieu ne l'a destinée ni à punir, ni à dédommager de la vie; car il a béni la vie, et la tombe[c] ne doit pas être un refuge où il soit permis d'envoyer ceux qu'on ne veut pas rendre heureux.

Certains artistes de notre temps, jetant un regard sérieux sur ce qui les entoure, s'attachent à peindre la douleur, l'abjection de la misère, le fumier de Lazare[2]. Ceci peut être du domaine de l'art et de la philosophie; mais, en peignant la misère si laide, si avilie, parfois si vicieuse et si criminelle, leur but est-il atteint[d], et l'effet en est-il salutaire, comme ils le voudraient? Nous n'osons pas nous prononcer là-dessus. On peut nous dire qu'en montrant ce gouffre creusé[e] sous le sol fragile de l'opulence, ils effraient le mauvais

---

gion... c'est le droit sacré de l'humanité. Il ne s'agit plus de présenter au crime un épouvantail après la mort, au malheureux une consolation de l'autre côté du tombeau. Il faut fonder en ce monde la morale et le bien-être, c'est-à-dire l'égalité. »

1. Louis Blanc, dans *L'Organisation du Travail* (1840), protestait contre la misère des masses et réclamait « l'absorption de l'individu dans une vaste solidarité où chacun aurait selon ses besoins et ne donnerait que selon ses facultés ». Enfin Louis-Napoléon Bonaparte venait de faire paraître un ouvrage, *L'Extinction du paupérisme* (1844), où il abordait le problème de l'assistance sociale.

2. G. Sand songe aux auteurs qui, comme Eugène Sue dans *Les Mystères de Paris* (1842), ou Paul Féval dans *Les Mystères de Londres* (1844), s'appliquaient à peindre « l'abjection de la misère ».

riche, comme, au temps de la *danse macabre* [1], on lui montrait sa fosse béante[a][2] et la mort prête à l'enlacer dans ses bras immondes. Aujourd'hui on lui montre le bandit crochetant sa porte et l'assassin guettant son sommeil. Nous confessons que nous ne comprenons pas trop comment on le réconciliera avec l'humanité qu'il méprise, comment on le rendra sensible aux douleurs du pauvre qu'il redoute, en lui montrant ce pauvre sous la forme du forçat évadé et du rôdeur de nuit [3]. L'affreuse mort, grinçant des dents et jouant du violon dans les images[b] d'Holbein et de ses devanciers, n'a pas trouvé moyen, sous cet aspect, de convertir les pervers et de consoler les victimes. Est-ce que notre littérature ne procéderait pas un peu en ceci comme les artistes du moyen âge et de la Renaissance?

Les buveurs d'Holbein remplissent leurs coupes avec une sorte de fureur pour écarter l'idée de la mort, qui, invisible pour eux, leur sert d'échanson [4]. Les mauvais riches d'aujourd'hui demandent des fortifications et des canons pour écarter l'idée d'une jacquerie [5], que l'art leur montre travaillant dans l'ombre, en détail,

---

1. On nommait ainsi, au moyen âge, un cortège ou une ronde, sculptée ou peinte, dansée par des morts de tous les âges et de toutes les conditions, sous la conduite de la Mort.

2. Les gravures 10 et 33 des *Simulachres de la Mort* (éd. de 1545) montrent la mort entraînant ses victimes vers une « fosse béante ».

3. G. Sand veut sans doute parler de divers personnages des *Mystères de Paris*, comme « le Chourineur », forçat libéré qui a fait quinze ans de galères, et un autre bandit, surnommé « le Maître d'école ».

4. Allusion à la gravure n° 42 des *Simulachres de la mort* (éd. de 1545), qui représente un groupe de buveurs servis par la mort.

5. *Jacquerie* vient de Jacques, nom que par moquerie les nobles donnaient aux paysans, et désigne la révolte des paysans qui eut lieu en mai-juin 1358, après le désastre de Poitiers. Elle fut réprimée avec une impitoyable dureté. Mérimée avait fait paraître, en 1828, *La Jacquerie, scènes féodales*, où il peignait l'égoïsme, la cruauté et la tyrannie des seigneurs.

en attendant le moment de fondre sur l'état social[a].
L'Eglise du moyen âge répondait aux terreurs des
puissants de la terre par la vente des indulgences [1].
Le gouvernement d'aujourd'hui[b] calme l'inquiétude
des riches en leur faisant payer beaucoup de gendarmes [2] et de geôliers, de baïonnettes et de prisons[c].

Albert Dürer, Michel-Ange, Holbein, Callot, Goya [3],
ont fait de puissantes satires des maux de leur siècle
et de leur pays. Ce sont des œuvres immortelles, des
pages historiques d'une valeur incontestable; nous ne
voulons pas dénier aux artistes le droit de sonder les
plaies de la société et de les mettre à nu sous nos yeux;
mais n'y a-t-il pas autre chose à faire maintenant que
la peinture d'épouvante et de menace? Dans cette
littérature de mystères [4] d'iniquité, que le talent et
l'imagination ont mise à la mode, nous aimons mieux
les figures douces et suaves[d] que les scélérats à effet

---

1. La vente des indulgences ne date pas du moyen âge, mais fut
instituée, en 1512, par le pape Léon X en faveur de tous ceux qui con-
tribueraient de leurs deniers à l'achèvement de la basilique Saint-Pierre
de Rome. Cette vente donna lieu aux protestations de Luther et de ce
conflit devait sortir la crise de la Réforme.

2. En 1844, G. Sand écrivait dans la *Lettre d'un paysan de la Vallée
Noire* : « Nous payons les gendarmes, pour qui? pour garder des voleurs
ceux qui ont quelque chose à voler, car nous autres, nous ne craignons
rien... Faut-il tant de troupes sur pied pour le peu qu'on entend tirer
de coups de canon depuis tantôt trente ans? Mais il paraît que les gens
riches qui tiennent boutique à Paris veulent qu'il y ait beaucoup de
troupes pour garder leur fait. »

On trouve la même idée dans *Malthus et les économistes*, de P. Leroux,
(p. 228) : « Les gouvernements n'ont plus d'autre fonction que celle
de gendarme. »

3. G. Sand songe aux *Scènes de l'Apocalypse* d'Albert Dürer, au *Jugement dernier* de Michel-Ange, aux *Misères de la guerre* de Callot et aux
Désastres de la guerre de Goya.

4. L'emploi du mot mystères est sans doute une allusion au titre
des deux grands succès du roman-feuilleton : *Les Mystères de Paris* et
Les Mystères de Londres.

dramatique[a]. Celles-là peuvent entreprendre et amener des conversions, les autres font peur, et la peur ne guérit pas l'égoïsme, elle l'augmente.

Nous croyons que la mission de l'art est une mission de sentiment et d'amour, que le roman d'aujourd'hui devrait remplacer la parabole et l'apologue des temps naïfs, et que l'artiste a une tâche plus large et plus poétique que celle de proposer quelques mesures de prudence et de conciliation pour atténuer l'effroi qu'inspirent ses peintures. Son but devrait être de faire aimer les objets de sa sollicitude, et au besoin, je ne lui ferais pas un reproche de les embellir un peu. L'art n'est pas une étude de la réalité positive; c'est une recherche de la vérité idéale[1], et *Le Vicaire de Wakefield* [2] fut un livre plus utile et plus sain à l'âme que *Le Paysan perverti* et *Les Liaisons dangereuses*[b][3].

Lecteur, pardonnez-moi ces réflexions, et veuillez les accepter en manière de préface. Il n'y en aura point dans l'historiette que je vais vous raconter, et elle sera si courte et si simple que j'avais besoin de m'en excuser d'avance, en vous disant ce que je pense des histoires terribles.

C'est à propos d'un laboureur que je me suis laissé entraîner à cette digression. C'est l'histoire d'un laboureur précisément que j'avais l'intention de vous dire et que je vous dirai tout à l'heure[c].

---

1. Théorie chère à G. Sand, qui écrit dans l'*Histoire de ma Vie* (IV 15) : «... le roman serait une œuvre de poésie autant que d'analyse ».

2. *Le Vicaire de Wakefield* : roman édifiant d'Olivier Goldsmith (1766), dont le héros, le docteur Primrose, ministre anglican, reste pieux et serviable, malgré les épreuves les plus pénibles.

3. *Le Paysan perverti* de Restif de la Bretonne (1775) et *Les Liaisons dangereuses* de Choderlos de Laclos (1782), où sont peints avec réalisme les milieux corrompus du xviiie siècle, s'opposent à l'idéalisme du roman de Goldsmith.

II

LE LABOUR[a]

J[E] venais[b] de regarder longtemps et avec une profonde mélancolie le laboureur d'Holbein, et je me promenais dans la campagne, rêvant à la vie des champs et à la destinée du cultivateur[c]. Sans doute il est lugubre de consumer ses forces et ses jours à fendre le sein de cette terre jalouse, qui se fait arracher les trésors de sa fécondité, lorsqu'un morceau de pain le plus noir et le plus grossier [1] est, à la fin de la journée, l'unique récompense et l'unique profit attachés à un si dur labeur [2]. Ces richesses qui couvrent le sol, ces moissons, ces fruits[d], ces bestiaux orgueilleux qui s'engraissent dans les longues herbes, sont la propriété de quelques-uns et les instruments de la fatigue et de l'esclavage[e] du plus grand nombre. L'homme de

---

1. « [Le pain] des domestiques et des journaliers contenait beaucoup de son ; on y ajoutait soit du seigle, soit de l'orge. Quant aux pauvres gens, ils ne faisaient pas leur pain avec la farine du froment. » (L. Vincent, *Le Berry dans l'œuvre de George Sand*, p. 138.)

2. Selon G. Sand, un paysan gagnait alors 300 francs par an, et la dépense de pain pour une famille de six personnes était d'environ 175 francs. (*Lettre d'un paysan de la Vallée Noire*, 1844). Les gages de ses domestiques étaient à peu près du même ordre. Sylvain Brunet était entré à son service « le 24 juin 1845 à raison de 205 francs, nourri et blanchi ». (*Carnets de comptes de George Sand.*)

loisir n'aime en général pour eux-mêmes, ni les champs, ni les prairies, ni le spectacle de la nature, ni les animaux superbes qui doivent se convertir en pièces d'or pour son usage. L'homme de loisir vient chercher un peu d'air et de santé dans le séjour de la campagne, puis il retourne dépenser dans les grandes villes le fruit du travail de ses vassaux.

De son côté, l'homme de travail est trop accablé, trop malheureux, et trop effrayé de l'avenir, pour jouir de la beauté des campagnes et des charmes de la vie rustique. Pour lui aussi les champs dorés, les belles prairies, les animaux superbes, représentent des sacs d'écus dont il n'aura qu'une faible part, insuffisante à ses besoins, et que, pourtant, il faut remplir, chaque année, ces sacs maudits, pour satisfaire le maître et payer le droit de vivre parcimonieusement et misérablement sur son domaine[a].

Et pourtant, la nature est éternellement jeune, belle et généreuse[b]. Elle verse la poésie et la beauté à tous les êtres, à toutes les plantes, qu'on laisse s'y développer à souhait. Elle possède le secret du bonheur, et nul n'a su le lui ravir. Le plus heureux des hommes serait celui qui, possédant la science de son labeur, et travaillant de ses mains, puisant le bien-être et la liberté dans l'exercice de sa force intelligente, aurait le temps de vivre par le cœur et par le cerveau, de comprendre son œuvre et d'aimer celle de Dieu [1]. L'artiste a des jouissances de ce genre, dans la contemplation et la reproduction des beautés de la nature[c]; mais, en voyant

---

1. Cet idéal du bonheur est en grande partie celui de Rousseau : vivre au milieu de la nature, pratiquer le travail manuel, admirer la nature et Dieu. Les deux mots « bien-être » et « liberté » expriment l'essentiel des revendications sociales de George Sand.

la douleur des hommes*a* qui peuplent ce paradis de la terre, l'artiste au cœur droit et humain est troublé au milieu de sa jouissance*b*. Le bonheur serait là*c* où l'esprit, le cœur et les bras, travaillant de concert sous l'œil*d* de la Providence [1], une sainte harmonie existerait entre la munificence de Dieu et les ravissements de l'âme humaine. C'est alors qu'au lieu de la piteuse et affreuse mort, marchant dans son sillon, le fouet à la main, le peintre d'allégories pourrait placer à ses côtés un ange radieux*e*, semant à pleines mains le blé béni sur le sillon fumant [2].

Et le rêve d'une existence douce, libre, poétique, laborieuse et simple pour l'homme des champs, n'est pas si difficile à concevoir qu'on doive le reléguer parmi les chimères*f*. Le mot triste et doux de Virgile : « O heureux l'homme des champs s'il connaissait son bonheur [3] ! » est un regret; mais, comme tous les regrets, c'est aussi une prédiction. Un jour viendra où le laboureur pourra être aussi un artiste, sinon pour exprimer (ce qui importera assez peu alors), du moins pour sentir le beau. Croit-on que cette mystérieuse intuition de

---

1. Les rêveries humanitaires de G. Sand sont habituellement mêlées d'aspirations mystiques. Elle croit toujours en Dieu. Mais son Dieu, comme celui de son maître Pierre Leroux, n'est le Dieu d'aucune religion précise.

2. On pourra comparer ce passage aux vers de Lamartine (*Jocelyn*, neuvième époque) :
   Il est ouvert, il fume encore
   Sur le sol, ce profond dessin!

3. O fortunatos nimium, sua si bona norint,
   Agricolas.
   (Virgile, *Géorgiques*, II, 458-9).

La même idée est reprise dans *Le Diable aux champs* (p. 122) : « Ah! comme nos laboureurs seraient moins tristes et moins accablés en fendant les lourdes terres dès le matin, si pendant une demi-heure seulement, ils avaient lu et compris les *Géorgiques* à la veillée. »

la poésie ne soit pas en lui déjà à l'état d'instinct et de vague rêverie? Chez ceux qu'un peu d'aisance protège dès aujourd'hui, et chez qui l'excès du malheur n'étouffe pas tout développement moral et intellectuel, le bonheur pur, senti et apprécié est à l'état élémentaire [1]; et, d'ailleurs, si du sein de la douleur et de la fatigue, des voix de poètes se sont déjà élevées [2], pourquoi dirait-on que le travail des bras est exclusif des fonctions de l'âme? Sans doute cette exclusion est le résultat général d'un travail excessif [3] et d'une misère profonde; mais qu'on ne dise pas que quand l'homme travaillera modérément et utilement, il n'y aura plus que de mauvais ouvriers et de mauvais poètes. Celui qui puise de nobles jouissances dans le sentiment de la poésie est un vrai poète, n'eût-il pas fait un vers dans toute sa vie [4].

Mes pensées[a] avaient pris ce cours, et je ne m'apercevais pas que cette confiance dans l'éducabilité [5] de l'homme était fortifiée en moi par les influences extérieures. Je marchais sur la lisière d'un champ

---

1. On retrouvera les mêmes idées dans l'avant-propos de *François le Champi*.

2. Allusion à quelques poètes prolétaires des environs de 1840 : le tisserand Magu, le cordonnier Savinien Lapointe, le maçon Charles Poncy. George Sand croit à l'avenir de cette poésie populaire. Elle écrit en 1842 deux *Dialogues familiers sur la poésie des prolétaires*. Elle aide pécuniairement le vieux tisserand Magu. Elle échange avec Poncy une correspondance suivie et compose pour son recueil, *Le Chantier*, une longue préface (1844).

3. Dans *Le Péché de Monsieur Antoine* (ch. XIII), G. Sand écrit : « L'agriculture est en enfance; le paysan s'épuise aux travaux grossiers de la routine; des terres immenses sont incultes. La science déculplerait les richesses territoriales et allégerait la fatigue de l'homme. » (1846).

4. Ici G. Sand songe peut-être à son propre cas : elle était incapable d'écrire en vers « langue des dieux que j'entends et ne puis parler », disait-elle, en 1835 (7e *Lettre d'un voyageur*, p. 229).

5. *Éducabilité* : le mot était nouveau à l'époque de G. Sand.

que des paysans étaient en train de préparer[a] pour la semaille prochaine. L'arène était vaste comme celle du tableau d'Holbein. Le paysage était vaste aussi et encadrait de grandes lignes de verdure, un peu rougie aux approches de l'automne, ce large terrain d'un brun vigoureux, où des pluies récentes avaient laissé, dans quelques sillons, des lignes d'eau que le soleil faisait briller comme de minces filets d'argent[b]. La journée était claire et tiède, et la terre, fraîchement ouverte par le tranchant des charrues, exhalait une vapeur légère. Dans le haut du champ un vieillard, dont le dos large et la figure sévère rappelaient celui d'Holbein, mais dont les vêtements n'annonçaient pas la misère, poussait gravement son *areau* de forme antique [1], traîné par deux bœufs tranquilles, à la robe d'un jaune pâle, véritables patriarches de la prairie, hauts de taille, un peu maigres, les cornes longues et rabattues, de ces vieux travailleurs qu'une longue habitude a rendus *frères*, comme on les appelle dans nos campagnes, et qui, privés l'un de l'autre, se refusent au travail avec un nouveau compagnon et se laissent mourir de chagrin [2]. Les gens qui ne connaissent pas la campagne taxent de fable l'amitié du bœuf pour son camarade[c] d'attelage. Qu'ils viennent voir au fond de l'étable un pauvre animal maigre, exténué, battant de sa queue inquiète ses flancs décharnés, soufflant avec effroi et dédain sur la nourriture qu'on lui présente, les yeux

---

1. « Dans notre Vallée Noire, écrit G. Sand, on laboure encore à sillons étroits et profonds, avec des bœufs superbes et une charrue sans roues, la même dont on se servait du temps des Romains. » (*Promenades autour d'un village*, 1857). *Areau* est le mot berrichon qui désigne cette charrue.

2. Le détail avait déjà été noté par Virgile (*Géorgiques*, III, 517-518) :

It tristis arator,
Maerentem abjungens fraterna morte juvencum.

toujours tournés vers la porte, en grattant du pied la place vide à ses côtés, flairant les jougs et les chaînes que son compagnon a portés, et l'appelant sans cesse avec de déplorables mugissements. Le bouvier dira : « C'est une paire de bœufs perdue; son frère est mort, et celui-là ne travaillera plus. Il faudrait pouvoir l'engraisser pour l'abattre; mais il ne veut pas manger, et bientôt il sera mort de faim. »

Le vieux laboureur travaillait lentement, en silence, sans efforts inutiles. Son docile attelage ne se pressait pas plus que lui; mais, grâce à la continuité d'un labeur sans distraction et d'une dépense de forces éprouvées et soutenues, son sillon était aussi vite creusé que celui de son fils, qui menait, à quelque distance, quatre bœufs moins robustes, dans une veine de terres plus fortes [1] et plus pierreuses.

Mais ce qui attira ensuite mon attention était véritablement un beau spectacle, un noble sujet pour un peintre [2]. A l'autre extrémité de la plaine labourable, un jeune homme de bonne mine conduisait un attelage magnifique : quatre paires de jeunes animaux à robe sombre mêlée de noir fauve à reflets de feu, avec ces têtes courtes et frisées qui sentent encore le taureau sauvage, ces gros yeux farouches, ces mouvements brusques, ce travail nerveux et saccadé qui s'irrite encore du joug et de l'aiguillon et n'obéit qu'en frémissant de colère à la domination nouvellement imposée [3]. C'est ce qu'on appelle des bœufs fraîchement

---

1. *Fortes* : se dit de terres argileuses difficiles à labourer.

2. Ici apparaissent les préoccupations maternelles de George Sand. Son fils avait été l'élève de Delacroix. Elle rêvait de lui voir faire une carrière de peintre.

3. Dès son enfance, G. Sand avait été habituée à observer les animaux. Deschartres tenait à l'initier à son rôle de propriétaire : « Si

liés. L'homme qui les gouvernait avait à défricher un coin naguère abandonné au pâturage et rempli de souches séculaires, travail d'athlète auquel suffisaient à peine son énergie, sa jeunesse et ses huit animaux quasi indomptés.

Un enfant de six à sept ans, beau comme un ange, et les épaules couvertes, sur sa blouse, d'une peau d'agneau qui le faisait ressembler au petit saint Jean-Baptiste des peintres de la Renaissance [1], marchait dans le sillon parallèle à la charrue et piquait[a] le flanc des bœufs avec une gaule longue et légère, armée d'un aiguillon peu acéré. Les fiers animaux frémissaient[b] sous la petite main de l'enfant, et faisaient grincer les jougs et les courroies liés à leur front, en imprimant au timon de violentes secousses. Lorsqu'une racine arrêtait le soc, le laboureur criait d'une voix puissante, appelant chaque bête par son nom, mais plutôt pour calmer que pour exciter; car les bœufs, irrités par cette brusque résistance, bondissaient, creusaient la terre de leurs larges pieds fourchus, et se seraient jetés de côté emportant l'areau à travers champs, si, de la voix et de l'aiguillon, le jeune homme n'eût maintenu les quatre premiers, tandis que l'enfant gouvernait les

---

j'admirais la physionomie imposante des grands bœufs ruminant dans les herbes, il fallait entendre toute l'histoire du marché où le prix de ce bœuf avait été discuté... Et puis ce bœuf avait une maladie qu'il fallait connaître et examiner. Il avait le pied tendre, la corne usée, une maladie de peau, que sais-je ? » (*Histoire de ma Vie*, III, 9).

1. Saint Jean-Baptiste enfant figure dans une multitude de tableaux religieux représentant la Sainte Famille, le sommeil de l'enfant Jésus, etc. Il est ordinairement vêtu d'une peau de mouton et porte une petite croix de roseau. Parmi les plus célèbres tableaux de la Renaissance où apparaît saint Jean-Baptiste, il faut citer : *La Sainte Famille* de Michel-Ange, *La Vierge à la chaise* et *La Vierge au voile* de Raphaël. G. Sand a écrit en 1863 un article sur *La Vierge à la chaise*. Peut-être est-ce déjà à ce tableau qu'elle songe ici.

quatre autres [1]. Il criait aussi, le pauvret, d'une voix
qu'il voulait rendre terrible et qui restait douce comme
sa figure angélique. Tout cela était beau de force ou
de grâce : le paysage, l'homme, l'enfant, les taureaux
sous le joug; et, malgré cette lutte puissante[a] où la
terre était vaincue, il y avait un sentiment de douceur
et de calme profond qui planait sur toutes choses.
Quand l'obstacle était surmonté et que l'attelage
reprenait sa marche égale et solennelle, le laboureur,
dont la feinte violence n'était qu'un exercice de vigueur
et une dépense d'activité, reprenait tout à coup la
sérénité des âmes simples et jetait un regard de contentement paternel sur son enfant, qui se retournait pour
lui sourire [2]. Puis la voix mâle de ce jeune père de
famille entonnait le chant solennel[b] et mélancolique
que l'antique tradition du pays transmet, non à tous les
laboureurs indistinctement, mais aux plus consommés
dans l'art d'exciter et de soutenir l'ardeur des bœufs
de travail [3]. Ce chant, dont l'origine[c] fut peut-être

---

1. On pourra comparer ce passage aux vers de Lamartine dans
Jocelyn (Neuvième époque, 324-7) :

> Les animaux, courbés sur leur jarret qui plie,
> Pèsent de tout leur front sur le joug qui les lie;
> Comme un cœur généreux leurs flancs battent d'ardeur;
> Ils font bondir le sol jusqu'en sa profondeur.

2. Sainte-Beuve écrit dans les *Causeries du Lundi* (I, 354-5) : « La
scène un peu idéale de labour que l'auteur oppose à l'allégorie d'Holbein est d'une magnificence à faire envie à Jean-Jacques et à Buffon. »
3. Dès son enfance, G. Sand avait subi le charme de ces chants rustiques. « La classique et solennelle cantilène des laboureurs » lui paraissait résumer « toute la poésie claire et tranquille du Berry ». (*Histoire de
ma Vie*, IV, 3). Dans *Consuelo* (II, p. 146), elle parle longuement de cette
musique « naturelle » qui « n'est point le produit de la science et de la
réflexion, mais d'une inspiration qui échappe à la rigueur des règles et
des conventions. » Ce goût pour la musique populaire lui inspirera son
roman des *Maîtres sonneurs* (1853).

considérée comme sacrée [1], et auquel de mystérieuses
influences ont dû être attribuées jadis, est réputé encore
aujourd'hui posséder la vertu d'entretenir le courage
de ces animaux, d'apaiser leurs mécontentements et
de charmer l'ennui[a] de leur longue besogne [2]. Il ne
suffit pas de savoir bien les conduire en traçant un
sillon parfaitement rectiligne, de leur alléger la peine
en soulevant ou enfonçant à point le fer dans la terre :
on n'est point un parfait laboureur si on ne sait chanter
aux bœufs, et c'est là une science à part qui exige un
goût et des moyens particuliers.

Ce chant n'est, à vrai dire, qu'une sorte de récitatif
interrompu et repris à volonté. Sa forme irrégulière
et ses intonations fausses selon les règles de l'art
musical le rendent intraduisible [3]. Mais ce n'en est
pas moins un beau chant, et tellement approprié à
la nature du travail qu'il accompagne, à l'allure du
bœuf, au calme des lieux agrestes, à la simplicité
des hommes qui le disent, qu'aucun génie étranger au
travail de la terre ne l'eût inventé, et qu'aucun chanteur
autre qu'un *fin laboureur* de cette contrée ne saurait
le redire. Aux époques de l'année où il n'y a pas d'autre
travail et d'autre mouvement dans la campagne que
celui du labourage, ce chant si doux et si puissant
monte comme une voix de la brise, à laquelle sa

---

1. Dans *Jeanne* (1844), G. Sand avait évoqué certaines survivances
de la religion druidique. C'est à une survivance de cette sorte qu'elle
songe ici.

2. Ce chant, dont les paroles et l'air sont en grande partie improvisés,
s'appelle *briolage*. Il contient « les appels du laboureur, ses commande-
ments, ses encouragements aux bœufs » (*Tiersot, La Chanson populaire
et les écrivains romantiques*, p. 219).

3. Chopin et la cantatrice Pauline Viardot s'étaient essayés, sans
succès, à transcrire quelques-uns de ces airs.

tonalité [1] particulière donne une certaine ressemblance.
La note finale de chaque phrase, tenue et tremblée
avec une longueur et une puissance d'haleine incroyable,
monte d'un quart de ton en faussant systématiquement[a].
Cela est sauvage, mais le charme en est indicible, et
quand on s'est habitué à l'entendre[b], on ne conçoit
pas qu'un autre chant pût s'élever à ces heures et dans
ces lieux-là, sans en déranger[c] l'harmonie.

Il se trouvait donc que j'avais sous les yeux un tableau
qui contrastait avec celui d'Holbein, quoique ce fût
une scène pareille. Au lieu d'un triste vieillard, un
homme jeune et dispos; au lieu d'un attelage de chevaux
efflanqués et harassés, un double quadrige [2] de bœufs
robustes et ardents; au lieu de la mort, un bel enfant;
au lieu d'une image de désespoir et d'une idée de destruction, un spectacle d'énergie et une pensée de
bonheur.

C'est alors que le quatrain français :

> A la sueur de ton visaige, etc.

et le *O fortunatos... agricolas* de Virgile [3] me revinrent
ensemble à l'esprit, et qu'en voyant ce couple si beau,

---

1. Le ton est le plus large espace pouvant exister entre deux notes
successives de la gamme. Notre système musical procède par tons et
par demi-tons. Le quart de ton ne peut pas se noter. Or. G. Sand pense
que, dans le chant des laboureurs berrichons, il est possible de distinguer le quart de ton. C'est ce qui constitue « sa tonalité particulière ».
Il y aurait là une erreur. « Le paysan n'est pas apte à se prêter à la
subtilité du quart de ton » (Tiersot). C'est parce que le *briolage* comporte
ordinairement des notes fausses que G. Sand croit y distinguer des
quarts de ton.

2. *Quadrige* n'est pas très juste car les animaux ici sont rangés par
paires.

3. G. Sand a déjà cité en traduction ce passage de Virgile. Elle avait
lu ce poète, non pas dans le texte, car à douze ans elle avait délibéré-
ment refusé de poursuivre ses études de latin, mais en traduction.

l'homme et l'enfant, accomplir dans des conditions si poétiques, et avec tant de grâce unie à la force, un travail plein de grandeur et de solennité, je sentis une pitié profonde mêlée à un regret involontaire. Heureux le laboureur! oui, sans doute, je le serais à sa place, si mon bras, devenu tout d'un coup robuste, et ma poitrine devenue puissante, pouvaient ainsi féconder et chanter[a] la nature, sans que mes yeux cessassent de voir et mon cerveau de comprendre l'harmonie des couleurs et des sons, la finesse des tons et la grâce des contours, en un mot la beauté mystérieuse des choses! et surtout sans que mon cœur cessât d'être en relation avec le sentiment divin [1] qui a présidé à la création immortelle et sublime.

Mais, hélas! cet homme n'a jamais compris le mystère du beau, cet enfant ne le comprendra jamais!... Dieu me préserve de croire qu'ils ne soient pas supérieurs aux animaux qu'ils dominent, et qu'ils n'aient pas par instants une sorte de révélation extatique qui charme leur fatigue et endort leurs soucis! Je vois sur leurs nobles fronts le sceau du Seigneur, car ils sont nés rois de la terre bien mieux que[b] ceux qui la possèdent pour l'avoir payée. Et la preuve qu'ils le sentent, c'est qu'on ne les dépayserait pas impunément, c'est qu'ils aiment ce sol arrosé de leurs sueurs, c'est que le vrai paysan meurt de nostalgie sous le harnais du soldat, loin du champ qui l'a vu naître [2]. Mais il manque à cet homme une partie des jouissances que je possède,

---

1. Mystique par tempérament, G. Sand l'était devenue davantage encore sous l'influence de P. Leroux et de Mickiewicz. Ce mysticisme apparaît surtout dans *Spiridion* (1838-1839), *Les Sept Cordes de la Lyre* (1839) et *Consuelo* (1842-1843).

2. Les paysans détestaient la conscription, pratiquée sous la Révolution et l'Empire et rétablie en 1818 par la loi Gouvion-Saint-Cyr.

jouissances immatérielles qui lui seraient bien dues[a], à lui, l'ouvrier du vaste temple [1] que le ciel est assez vaste pour embrasser. Il lui manque la connaissance de son sentiment. Ceux qui l'ont condamné à la servitude dès le ventre de sa mère, ne pouvant lui ôter la rêverie, lui ont ôté la réflexion.

Eh bien! tel qu'il est, incomplet et condamné à une éternelle enfance, il est encore plus beau que celui chez qui la science a étouffé le sentiment. Ne vous élevez pas au-dessus de lui, vous autres qui vous croyez investis du droit légitime et imprescriptible de lui commander, car cette erreur effroyable où vous êtes prouve que votre esprit a tué votre cœur, et que vous êtes les plus incomplets et les plus aveugles des hommes [2]!... J'aime encore mieux cette simplicité de son âme que les fausses lumières de la vôtre; et si j'avais à raconter sa vie, j'aurais plus de plaisir à en faire ressortir les côtés doux et touchants, que vous n'avez de mérite à peindre l'abjection où les rigueurs et les mépris de vos préceptes sociaux peuvent le précipiter[b].

Je connaissais ce jeune homme et ce bel enfant, je savais leur histoire, car ils avaient une histoire, tout le monde a la sienne, et chacun pourrait intéresser au roman[c] de sa propre vie [3], s'il l'avait compris... Quoique paysan et simple laboureur, Germain s'était rendu compte de ses devoirs et de ses affections[d].

---

1. L'expression est fréquente chez les romantiques, lorsqu'ils parlent de la nature. Cf. Lamartine (*Méditations*, l'Immortalité) :
    Dieu caché... la nature est ton temple.

2. G. Sand, en 1848, reprendra ce ton dans des écrits politiques intitulés : *Lettre à la classe moyenne, Lettre au peuple, Lettre aux riches*.

3. Rien de plus opposé au goût de la littérature romantique pour les êtres d'exception. Pourtant quelques poètes, comme Lamartine, Sainte-Beuve et Brizeux, s'étaient déjà intéressés à la vie des humbles.

Il me les avait racontés naïvement, clairement, et je l'avais écouté[a] avec intérêt. Quand je l'eus regardé labourer assez longtemps, je me demandai pourquoi son histoire ne serait pas écrite, quoique ce fût une histoire aussi simple, aussi droite et aussi peu ornée que le sillon qu'il traçait avec sa charrue.

L'année prochaine, ce sillon sera comblé et couvert par un sillon nouveau. Ainsi s'imprime et disparaît la trace de la plupart des hommes dans le champ de l'humanité. Un peu de terre l'efface, et les sillons que nous avons creusés se succèdent les uns aux autres comme les tombes dans le cimetière. Le sillon du laboureur ne vaut-il pas celui de l'oisif, qui a pourtant un nom, un nom qui restera, si, par une singularité ou une absurdité quelconque, il fait un peu de bruit dans le monde [1] ?...

Eh bien! arrachons, s'il se peut, au néant de l'oubli, le sillon de Germain, le *fin laboureur*. Il n'en saura rien et ne s'en inquiétera guère; mais j'aurai eu quelque plaisir à le tenter.

---

1. Sainte-Beuve écrit au sujet de ce prologue : « Ce premier chapitre grandiose, entremêlé çà et là d'apostrophes et d'allusions aux *oisifs*, de ce que j'appelle le *Raynal* ou la déclamation d'aujourd'hui, me plaît moins que l'histoire toute simple et tout agreste de Germain le *fin laboureur*. » (*Causeries du Lundi*, I, p. 355).

III

LE PÈRE MAURICE[a]

— Germain, lui dit un jour son beau-père, il
faut pourtant te décider à reprendre femme. Voilà
bientôt deux ans que tu es veuf de ma fille, et ton
aîné a sept ans. Tu approches de la trentaine, mon
garçon, et tu sais que, passé cet âge-là, dans nos pays [1],
un homme est réputé trop vieux pour entrer en ménage.
Tu as trois beaux enfants, et jusqu'ici ils ne nous ont
point embarrassés. Ma femme et ma bru les ont soignés de leur mieux, et les ont aimés comme elles
le devaient. Voilà Petit-Pierre quasi élevé; il pique
déjà les bœufs assez gentiment[b]; il est assez sage pour
garder les bêtes au pré, et assez fort pour mener les
chevaux à l'abreuvoir. Ce n'est donc pas celui-là qui
nous gêne; mais les deux autres, que nous aimons
pourtant, Dieu le sait, les pauvres innocents nous donnent cette année beaucoup de souci. Ma bru est près
d'accoucher et elle en a encore un tout petit sur les
bras. Quand celui que nous attendons sera venu, elle
ne pourra plus s'occuper de ta petite Solange, et sur-

---

1. Dans *Promenades autour d'un village* (p. 148), G. Sand écrit que
le paysan de la Vallée Noire « se marie jeune, et est réputé vieux pour
le mariage, très vieux à trente ans ».

tout de ton Sylvain [1], qui n'a pas quatre ans[a] et qui ne
se tient guère en repos ni le jour ni la nuit. C'est un
sang vif comme toi : ça fera un bon ouvrier, mais ça
fait un terrible enfant, et ma vieille ne court plus[b]
assez vite pour le rattraper quand il se sauve du côté
de la fosse[c] [2], ou quand il se jette sous les pieds des
bêtes. Et puis, avec cet autre que ma bru va mettre
au monde, son avant-dernier va retomber pendant
un an au moins sur les bras de ma femme. Donc tes
enfants nous inquiètent et nous surchargent. Nous
n'aimons pas à voir des enfants mal soignés ; et quand
on pense aux accidents qui peuvent leur arriver,
faute de surveillance, on n'a pas la tête en repos.
Il te faut donc une autre femme et à moi une autre
bru. Songes-y, mon garçon. Je t'ai déjà averti plusieurs
fois, le temps se passe, les années ne t'attendront point.
Tu dois à tes enfants et à nous autres, qui voulons que
tout aille bien dans la maison, de te marier[d] au plus tôt.

— Eh bien, mon père, répondit le gendre, si vous
le voulez absolument, il faudra donc vous contenter.
Mais je ne veux pas vous cacher que cela me fera
beaucoup de peine, et que je n'en ai guère plus d'envie
que de me noyer[e]. On sait qui on perd et on ne sait
pas qui l'on trouve. J'avais une brave femme, une
belle femme, douce, courageuse, bonne à ses père
et mère, bonne à son mari, bonne à ses enfants, bonne
au travail, aux champs comme à la maison, adroite à

---

1. *Solange* et *Sylvain* sont des prénoms très usités en Berry. Sainte
Solange est la patronne du Berry. G. Sand avait donné le prénom de
Solange à sa fille, et elle a eu longtemps à son service un cocher du nom
de Sylvain.

2. *Fosse* : « petite mare qui généralement se trouve à côté de la maison » (L. Vincent). Le mot se prononce *fousse* à Nohant et dans les
environs.

l'ouvrage[a], bonne à tout enfin; et quand vous me l'avez
donnée, quand je l'ai prise, nous n'avions pas mis
dans nos conditions que je viendrais à l'oublier si
j'avais le malheur de la perdre.

— Ce que tu dis là est d'un bon cœur, Germain,
reprit le père Maurice[b]; je sais que tu as aimé ma fille,
que tu l'as rendue heureuse, et que si tu avais pu contenter la mort en passant [1] à sa place, Catherine serait en
vie à l'heure qu'il est, et toi dans le cimetière. Elle
méritait bien d'être aimée de toi à ce point-là, et si tu
ne t'en consoles pas, nous ne nous en consolons pas
non plus. Mais je ne te parle pas de l'oublier. Le bon
Dieu a voulu qu'elle nous quittât [2], et nous ne passons
pas un jour sans lui faire savoir[c] par nos prières, nos
pensées, nos paroles et nos actions, que nous respec-
tons son souvenir et que nous sommes fâchés [3] de son
départ. Mais si elle pouvait te parler de l'autre monde
et te donner à connaître sa volonté, elle te comman-
derait de chercher une mère pour ses petits orphelins.
Il s'agit donc de rencontrer une femme qui soit digne
de la remplacer. Ce ne sera pas bien aisé; mais ce n'est
pas impossible; et quand nous te l'aurons trouvée,
tu l'aimeras comme tu aimais ma fille, parce que tu
es un honnête homme, et que tu lui sauras gré de nous
rendre service et d'aimer tes enfants [4].

---

1. Cet emploi du mot *passer* dans le sens de *trépasser* est populaire
et vieilli.

2. Les paysans de G. Sand emploient volontiers le subjonctif imparfait. Il ne s'agit pas là d'une recherche de langage. Le temps existe
dans le patois berrichon. « C'est là, écrit G. Sand, que les verbes se
conjuguent avec des temps inconnus aujourd'hui..., par exemple cet
imparfait du subjonctif qui mérite notre attention : il ne faudrait pas
que je m'y accoutumige » (*La Vallée Noire*, p. 297).

3. *Fâchés :* désolés (sens classique).

4. Ce regret calme et raisonnable ne doit pas nous surprendre.

— C'est bien, père Maurice, dit Germain, je ferai votre volonté comme je l'ai toujours faite [1].

— C'est une justice à te rendre, mon fils, que tu as toujours écouté l'amitié et les bonnes raisons de ton chef de famille. Avisons donc ensemble au choix de ta nouvelle femme. D'abord je ne suis pas d'avis que tu prennes une jeunesse. Ce n'est pas ce qu'il te faut. La jeunesse est légère; et comme c'est un fardeau d'élever trois enfants, surtout quand ils sont d'un autre lit, il faut une bonne âme bien sage, bien douce et très portée au travail. Si ta femme n'a pas environ le même âge que toi, elle n'aura pas assez de raison pour accepter un pareil devoir. Elle te trouvera trop vieux et tes enfants trop jeunes. Elle se plaindra et tes enfants pâtiront.

— Voilà justement ce qui m'inquiète, dit Germain. Si ces pauvres petits venaient à être maltraités, haïs, battus?

— A Dieu ne plaise! reprit le vieillard. Mais les méchantes femmes sont plus rares dans notre pays que les bonnes, et il faudrait être fou pour ne pas mettre la main sur celle qui convient.

— C'est vrai, mon père : il y a de bonnes filles dans notre village. Il y a la Louise, la Sylvaine, la Claudie, la Marguerite... [2] enfin, celle que vous voudrez.

G. Sand, dans ses *Promenades autour d'un village* (p. 144), écrit en parlant du Berry : « C'est la patrie du calme et du sang-froid... N'y allez chercher ni grands effets ni grandes passions. Vous n'y trouverez de drame ni dans les choses, ni dans les êtres. »

1. Chez les paysans du Centre le chef de famille jouissait alors d'une grande autorité. George Sand a souvent souligné ce fait. Ses vieux paysans sont de vrais patriarches rustiques, particulièrement le Grand-Bûcheux, dans *Les Maîtres sonneurs*.

2. Parmi ces prénoms, deux, Sylvaine et Claudie, sont plus spécialement berrichons. George Sand avait déjà donné celui de Claudie à

— Doucement, doucement, mon garçon, toutes ces filles-là sont trop jeunes ou trop pauvres... ou trop jolies filles; car, enfin, il faut penser à cela aussi, mon fils. Une jolie femme n'est pas toujours aussi rangée qu'une autre[a].

— Vous voulez donc que j'en prenne une laide? dit Germain un peu inquiet.

— Non, point laide, car cette femme te donnera d'autres enfants, et il n'y a rien de si triste que d'avoir des enfants laids, chétifs, et malsains. Mais une femme encore fraîche, d'une bonne santé et qui ne soit ni belle ni laide, ferait très bien ton affaire.

— Je vois bien, dit Germain en souriant un peu tristement, que, pour l'avoir telle que vous la voulez, il faudra la faire faire exprès: d'autant plus que vous ne la voulez point pauvre, et que les riches ne sont pas faciles à obtenir surtout pour un veuf.

— Et si elle était veuve elle-même, Germain? là, une veuve sans enfants et avec un bon bien?

— Je n'en connais pas pour le moment dans notre paroisse[b].

— Ni moi non plus, mais il y en a ailleurs.

— Vous avez quelqu'un en vue, mon père; alors, dites-le tout de suite.

---

l'une des paysannes de *Jeanne* (1844) et, quelques années plus tard (1851), elle intitulera *Claudie* une pièce de théâtre qui se passe dans la campagne berrichonne et dont un des principaux personnages se nomme Sylvain.

IV

GERMAIN LE FIN LABOUREUR[a]

— Oui, j'ai quelqu'un en vue, répondit le père Maurice. C'est une Léonard[b], veuve d'un Guérin, qui demeure à Fourche[1].

— Je ne connais ni la femme ni l'endroit, répondit Germain résigné, mais de plus en plus triste.

— Elle s'appelle Catherine, comme ta défunte.

— Catherine? Oui, ça me fera[c] plaisir d'avoir à dire ce nom-là : Catherine! Et pourtant, si je ne peux pas l'aimer autant que l'autre, ça me fera encore plus de peine, ça me la rappellera plus souvent.

— Je te dis que tu l'aimeras : c'est un bon sujet, une femme de grand cœur; je ne l'ai pas vue depuis longtemps, elle n'était pas laide fille alors; mais elle n'est plus jeune, elle a trente-deux ans. Elle est d'une bonne famille, tous braves gens, et elle a bien pour huit ou dix mille francs de terres, qu'elle vendrait volontiers pour en acheter d'autres dans l'endroit où elle s'établirait; car elle songe aussi à se remarier, et je sais que, si ton caractère lui convenait, elle ne trouverait pas ta position mauvaise.

---

1. *Fourche* : Hameau situé au bord de l'Indre, à une douzaine de kilomètres de Belair où habitent le père Maurice et sa famille. Le village de Nohant, auquel songe G. Sand lorsqu'elle parle de Belair, se trouve sensiblement à la même distance de Fourche.

— Vous avez donc déjà arrangé tout cela?

— Oui, sauf votre avis à tous les deux; et c'est ce qu'il faudrait vous demander l'un à l'autre, en faisant connaissance. Le père de cette femme-là est un peu mon parent, et il a été beaucoup mon ami. Tu le connais bien, le père Léonard?

— Oui, je l'ai vu vous parler dans les foires, et à la dernière, vous avez déjeuné ensemble; c'est donc de cela qu'il vous entretenait si longuement?

— Sans doute; il te regardait vendre tes bêtes et il trouvait que tu t'y prenais bien, que tu étais un garçon de bonne mine, que tu paraissais actif et entendu; et quand je lui eus dit tout ce que tu es et comme tu te conduis bien avec nous, depuis huit ans que nous vivons et travaillons ensemble, sans avoir jamais eu un mot de chagrin[1] ou de colère, il s'est mis dans la tête de te faire épouser sa fille; ce qui me convient aussi, je te le confesse, d'après la bonne renommée qu'elle a, d'après l'honnêteté de sa famille et les bonnes affaires où je sais qu'ils sont.

— Je vois, père Maurice, que vous tenez un peu aux bonnes affaires.

— Sans doute, j'y tiens. Est-ce que tu n'y tiens pas aussi?

— J'y tiens si vous voulez, pour vous faire plaisir; mais vous savez que, pour ma part[a], je ne m'embarrasse jamais de ce qui me revient ou de ce qui ne me revient pas dans nos profits. Je ne m'entends pas à faire des partages[b], et ma tête n'est pas bonne pour ces choses-là. Je connais la terre, je connais les bœufs, les chevaux, les attelages, les semences, la battaison[2], les fourrages.

---

1. *Chagrin :* mauvaise humeur (sens classique).
2. *Battaison :* mot berrichon qui équivaut à battage, mais avec un sens plus étendu.

Pour les moutons, la vigne, le jardinage, les menus
profits[a] et la culture fine [1], vous savez que ça regarde
votre fils et que je ne m'en mêle pas beaucoup. Quant
à l'argent, ma mémoire est courte, et j'aimerais mieux
tout céder que de disputer sur le tien et le mien. Je
craindrais de me tromper et de réclamer ce qui ne m'est
pas dû, et si les affaires n'étaient pas simples et claires,
je ne m'y retrouverais jamais[b] [2].

— C'est tant pis, mon fils, et voilà pourquoi j'aimerais que[c] tu eusses une femme de tête pour me remplacer quand je n'y serai plus. Tu n'as jamais voulu
voir clair dans nos comptes, et ça pourrait t'amener
du désagrément avec mon fils, quand vous ne m'aurez
plus[d] pour vous mettre d'accord et vous dire ce qui
vous revient à chacun.

— Puissiez-vous vivre longtemps, père Maurice[e]!
Mais ne vous inquiétez pas de ce qui sera après vous;
jamais je ne me disputerai avec votre fils. Je me fie
à Jacques[f] comme à vous-même, et comme je n'ai pas
de bien à moi, que tout ce qui peut me revenir provient
de votre fille et appartient à nos enfants, je peux être
tranquille et vous aussi; Jacques[g] ne voudrait pas
dépouiller les enfants de sa sœur pour les siens, puisqu'il les aime quasi autant les uns que les autres [3].

---

1. Germain veut parler des travaux agricoles qui demandent surtout
de l'habileté. Les expressions *menus profits* et *culture fine* ne font que
reprendre l'énumération qui précède.

2. Comme beaucoup de paysans berrichons de cette époque, Germain est inapte aux affaires et d'intelligence paresseuse. Dans *Les
Maîtres sonneurs* (6e Veillée), Huriel, maître sonneur du Bourbonnais,
porte ce jugement sur les Berrichons : « Vous êtes lourds et pas plus
gaillards d'esprit que vos bêtes de trait. » Par ailleurs le Berrichon
« chérit son argent ». Mais l'action du roman exige que Germain soit
indifférent aux questions d'intérêt.

3. A l'inverse de G. Sand, un romancier réaliste s'intéresserait de
préférence aux possibilités de conflit entre les membres de cette famille.

— Tu as raison en cela, Germain. Jacques[a] est un bon fils, un bon frère, et un homme qui aime la vérité [1]. Mais Jacques peut mourir avant toi, avant que vos enfants soient élevés, et il faut toujours songer, dans une famille, à ne pas laisser des mineurs sans un chef pour les bien conseiller et régler leurs différends. Autrement les gens de loi [2] s'en mêlent, les brouillent ensemble et leur font tout manger en procès. Ainsi donc, nous ne devons pas penser[b] à mettre chez nous une personne de plus, soit homme, soit femme, sans nous dire qu'un jour cette personne-là aura peut-être à diriger la conduite et les affaires d'une trentaine[c] d'enfants, petits-enfants, gendres et brus... On ne sait pas combien une famille peut s'accroître, et quand la ruche est trop pleine, qu'il faut essaimer, chacun songe à emporter son miel. Quand je t'ai pris pour gendre, quoique ma fille fût riche et toi pauvre, je ne lui ai pas fait reproche de t'avoir choisi. Je te voyais bon[d] travailleur, et je savais bien que la meilleure richesse pour des gens de campagne comme nous, c'est une paire de bras et un cœur comme les tiens. Quand un homme apporte cela dans une famille, il apporte assez. Mais une femme, c'est différent[e] : son travail dans la maison est bon pour conserver, non pour acquérir. D'ailleurs, à présent que tu es père

---

Il en tirerait le sujet d'un drame de la terre. C'est ce qu'a fait Balzac dans *Les Paysans* (1844).

1. Cette confusion entre le vrai et le bien n'est peut-être pas très naturelle dans le langage d'un paysan. Le mot semble trahir les préoccupations philosophiques de G. Sand.

2. G. Sand a signalé plusieurs fois cette méfiance instinctive des gens du peuple pour la justice. Dans *Les Maîtres sonneurs* (6e Veillée) lorsque Tiennet, se trouvant lésé par Huriel, lui propose de « plaider » en prenant « les poings pour avocats », Huriel répond : « Ça me va mieux que d'aller devant les procureurs. »

et que tu cherches femme, il faut songer que tes nouveaux enfants, n'ayant rien à prétendre dans l'héritage de ceux du premier lit, se trouveraient dans la
misère si tu venais à mourir, à moins que ta femme
n'eût quelque bien de son côté. Et puis, les enfants
dont tu vas augmenter notre colonie coûteront quelque
chose à nourrir. Si cela retombait sur nous seuls,
nous les nourririons, bien certainement, et sans nous
en plaindre; mais le bien-être de tout le monde en
serait diminué, et les[a] premiers enfants auraient leur
part de privations là-dedans. Quand les familles aug-
mentent outre mesure sans que le bien[b] augmente en
proportion, la misère vient, quelque courage qu'on y
mette. Voilà mes observations, Germain, pèse-les,
et tâche de te faire agréer à la veuve Guérin; car sa
bonne conduite et ses écus apporteront ici de l'aide
dans le présent et de la tranquillité pour l'avenir.

— C'est dit, mon père. Je vais tâcher de lui plaire
et qu'elle me plaise.

— Pour cela il faut la voir et aller la trouver.

— Dans son endroit? A Fourche? C'est loin d'ici,
n'est-ce pas? et nous n'avons guère le temps de courir
dans cette saison.

— Quand il s'agit d'un mariage d'amour, il faut
s'attendre à perdre du temps; mais quand c'est un
mariage de raison entre deux personnes qui n'ont pas
de caprices et savent ce qu'elles veulent, c'est bientôt
décidé. C'est demain samedi; tu feras ta journée de
labour un peu courte, tu partiras vers les deux heures
après dîner [1]; tu seras à Fourche à la nuit; la lune est
grande dans ce moment-ci, les chemins sont bons,

---

1. Selon l'ancien usage G. Sand emploie le mot *dîner*, là où nous
mettrions déjeuner.

et il n'y a pas plus de trois lieues de pays [1]. C'est près du Magnier [2]. D'ailleurs tu prendras la jument.

— J'aimerais autant aller à pied, par ce temps frais.

— Oui, mais la jument est belle, et un prétendu qui arrive aussi bien monté a meilleur air. Tu mettras tes habits neufs[a], et tu porteras un joli présent de gibier au père Léonard. Tu arriveras de ma part[b], tu causeras avec lui, tu passeras la journée du dimanche avec sa fille, et tu reviendras avec un oui ou un non lundi matin.

— C'est entendu, répondit tranquillement Germain; et pourtant il n'était pas tout à fait tranquille.

Germain avait toujours vécu sagement comme vivent les paysans laborieux. Marié à vingt ans, il n'avait aimé qu'une femme dans sa vie, et, depuis son veuvage, quoiqu'il fût d'un caractère impétueux et enjoué, il n'avait ri et folâtré avec aucune autre. Il avait porté fidèlement un véritable regret dans son cœur, et ce n'était pas sans crainte et sans tristesse qu'il cédait à son beau-père; mais le beau-père avait toujours gouverné sagement la famille, et Germain, qui s'était dévoué tout entier à l'œuvre commune [3], et, par conséquent, à celui qui la personnifiait, au père de famille, Germain ne comprenait pas qu'il eût pu se révolter

---

1. Lieues comme on les compte dans le pays.

2. *Le Magnier* (ou *Magner*) est un petit castel construit aux xve et xvie siècles et situé, non loin de l'Indre, à quinze cents mètres environ de Fourche. George Sand nous dit (*Histoire de ma Vie*, III, 3) que c'est un « romantique château... à la lisière de la Brande et de la Vallée Noire » et elle vante « son air d'abandon, son silence et sa poésie ».

3. G. Sand ne commet pas la maladresse de faire de son héros un adepte de ses propres doctrines. Pourtant il a le sens de ses devoirs envers la collectivité.

contre de bonnes raisons, contre l'intérêt de tous.

Néanmoins il était triste. Il se passait peu de jours qu'il ne pleurât sa femme en secret, et, quoique la solitude commençât à lui peser, il était plus effrayé de former une union nouvelle que désireux de se soustraire à son chagrin*a*. Il se disait vaguement que l'amour eût pu le consoler, en venant le surprendre, car l'amour ne console pas autrement. On ne le trouve pas quand on le cherche; il vient à nous quand nous ne l'attendons pas. Ce froid projet de mariage que lui montrait le père Maurice, cette fiancée inconnue, peut-être même tout ce bien qu'on lui disait de sa raison et de sa vertu, lui donnaient à penser. Et il s'en allait, songeant, comme songent les hommes qui n'ont pas assez d'idées pour qu'elles se combattent entre elles, c'est-à-dire ne se formulant pas*b* à lui-même de belles raisons de résistance et d'égoïsme, mais souffrant d'une douleur sourde, et ne luttant pas contre un mal qu'il fallait accepter [1].

Cependant, le père Maurice était rentré à la métairie*c*, tandis que Germain, entre le coucher du soleil et la nuit, occupait la dernière heure du jour à fermer*d* les brèches que les moutons avaient faites à la bordure d'un enclos voisin des bâtiments. Il relevait les tiges d'épine et les soutenait avec des mottes de terre, tandis que les grives babillaient dans le buisson voisin et semblaient lui crier de se hâter, curieuses qu'elles étaient de venir examiner son ouvrage aussitôt qu'il serait parti.

---

1. Le passage fait songer aux monologues de la tragédie classique. Mais ici un monologue serait impossible, car il s'agit d'exprimer des sentiments à peine conscients. On peut rattacher cette analyse des sentiments de Germain aux considérations de la fin du ch. ii, sur l' « éternelle enfance » de l'âme paysanne.

V

LA GUILLETTE[a]

Le père Maurice trouva chez lui une vieille voisine qui était venue causer avec sa femme tout en cherchant de la braise pour allumer son feu. La mère Guillette [1] habitait une chaumière fort pauvre [2] à deux portées de fusil [3] de la ferme[b]. Mais c'était une femme d'ordre et de volonté. Sa pauvre maison était propre et bien tenue, et ses vêtements rapiécés avec soin annonçaient le respect de soi-même au milieu de la détresse.

— Vous êtes venue chercher le feu du soir [4], mère Guillette, lui dit le vieillard. Voulez-vous quelque autre chose?

---

1. Selon Jaubert (*Vocabulaire du Berry*, 1842), l'usage berrichon est de donner aux noms propres appliqués aux femmes une terminaison féminine. La Guillette est donc la femme ou plutôt la veuve de Guillet. C'est ainsi que l'on trouve dans *La Petite Fadette* : la Merlaude, la Sagette.

2. Une tradition du pays veut qu'il s'agisse d'une humble maison, située au Breuil, tout près de Belair. Cette maison était naguère encore couverte de chaume.

3. *Deux portées de fusil :* distance courte et approximative, qui ne doit guère être supérieure à deux cents mètres. La maison de la Zabelle se trouve également à deux portées de fusil du moulin Blanchet (*François le Champi*, I).

4. La mère Guillette a l'habitude de venir chercher chaque soir de quoi allumer son feu; on trouvera dans *François le Champi* (I) une allusion au même usage.

— Non, père Maurice, répondit-elle; rien pour le moment. Je ne suis pas quémandeuse[a], vous le savez, et je n'abuse pas de la bonté de mes amis.

— C'est la vérité; aussi vos amis sont toujours prêts à vous rendre service.

— J'étais en train de causer avec votre femme, et je lui demandais si Germain se décidait enfin à se remarier.

— Vous n'êtes point une bavarde, répondit le père Maurice, on peut parler devant vous sans craindre les propos : ainsi je dirai à ma femme et à vous que Germain est tout à fait décidé; il part demain pour le domaine de Fourche.

— A la bonne heure! s'écria la mère Maurice; ce pauvre enfant! Dieu veuille qu'il trouve une femme aussi bonne et aussi brave que lui!

— Ah! il va à Fourche? observa la Guillette. Voyez comme ça se trouve! cela m'arrange beaucoup, et puisque vous me demandiez tout à l'heure si je désirais quelque chose, je vas [1] vous dire, père Maurice, en quoi vous pouvez m'obliger.

— Dites, dites, vous obliger, nous le voulons[b].

— Je voudrais que Germain prît la peine d'emmener ma fille avec lui.

— Où donc? à Fourche?

— Non, pas à Fourche; mais aux Ormeaux[c] [2], où elle va rester le reste de l'année.

---

1. G. Sand emploie presque toujours cette forme au lieu de « je vais ».

2. Si l'on ne trouve pas près de Fourche d'endroit s'appelant *les Ormeaux*, il existe auprès de Lacs, à trois kilomètres de La Châtre, un hameau portant ce nom : « C'est très joli cet endroit qu'on appelle les Ormeaux; cinq à six maisonnettes groupées en pays plat sans horizon, mais sagement entourées d'arbres, de grands buissons d'aubépine et de ces petits jardins que nos paysans savaient faire autrefois. » (G. Sand, *Impressions et Souvenirs*, p. 299.)

— Comment! dit la mère Maurice, vous vous séparez de votre fille?

— Il faut bien qu'elle entre en condition [1] et qu'elle gagne quelque chose. Ça me fait assez de peine et à elle aussi, la pauvre âme! Nous n'avons pas pu nous décider à nous quitter à l'époque de la Saint-Jean [2]; mais voilà que la Saint-Martin [3] arrive, et qu'elle trouve une bonne place de bergère dans les fermes des Ormeaux. Le fermier passait l'autre jour par ici en revenant de la foire. Il vit ma petite Marie qui gardait ses trois moutons sur le communal [4]. « Vous n'êtes guère occupée, ma petite fille, qu'il lui dit; et trois moutons pour une *pastoure*[a] [5], ce n'est guère. Voulez-vous en

---

1. *En condition* : en service. « Jusqu'au mariage, les filles [*du Berry*] sont pastoures ou servantes dans les métairies et dans les villes. » (G. Sand *Promenades autour d'un village*, p. 150.)

2. *La Saint-Jean* (24 juin) : c'est la date à laquelle, dans beaucoup de provinces, et en particulier dans le Berry, se fait la loue des domestiques. Leur grand nombre donnait aux foires de juin un aspect pittoresque. Les garçons les plus solides arboraient l'épi de blé, emblème de la vigueur et de l'aptitude à toutes les besognes; les plus jeunes portaient la feuille de chêne, de châtaignier ou de peuplier, comme François le Champi, quand il s'en va à la loue. Les filles, quel que fût leur âge, tenaient un bouquet. (D'après E. Guillaumin, *Tableaux champêtres*.)

3. *La Saint-Martin* (11 novembre) : autre date à laquelle peuvent se louer les domestiques de ferme, en particulier ceux qui n'ont pu trouver de situation à la Saint-Jean.

Ainsi apparaît-il nettement que l'action de *La Mare au Diable* se passe au début de novembre.

4. *Communal* : terrain qui appartient à la commune et où les pauvres gens peuvent faire paître leurs bêtes. Les communaux, dit G. Sand (*Lettre d'un paysan de la Vallée Noire*), étaient la « propriété sacrée et inaliénable du pauvre ».

5. *Pastoure* : le mot est souligné par George Sand comme spécifiquement berrichon. Selon L. Vincent il est encore connu dans la région de Nohant mais rarement employé. Il se rencontre fréquemment dans les romans de George Sand et particulièrement dans *Jeanne* (1844) où Jeanne d'Arc est appelée la Grande Pastoure.

garder cent? je vous emmène. La bergère de chez nous
est tombée malade, elle retourne chez ses parents,
et si vous voulez être chez nous avant huit jours, vous
aurez cinquante francs [1] pour le reste de l'année jusqu'à la Saint-Jean. » L'enfant a refusé, mais elle n'a
pu se défendre d'y songer et de me le dire lorsqu'en
rentrant le soir elle m'a vue triste et embarrassée de
passer l'hiver, qui va être rude et long, puisqu'on a
vu, cette année, les grues et les oies sauvages traverser
les airs un grand mois plus tôt que de coutume. Nous
avons pleuré toutes deux[a]; mais enfin le courage
est venu. Nous nous sommes dit que nous ne pouvions
pas rester ensemble, puisqu'il y a à peine de quoi faire
vivre une seule personne sur notre lopin de terre;
et puisque Marie est en âge (la voilà qui prend seize
ans), il faut bien qu'elle fasse comme les autres, qu'elle
gagne son pain et qu'elle aide sa pauvre mère.

— Mère Guillette, dit le vieux laboureur, s'il ne
fallait que cinquante francs pour vous consoler de vos
peines et vous dispenser d'envoyer votre enfant au
loin, vrai, je vous les ferais trouver, quoique cinquante
francs pour des gens comme nous ça commence à
peser [2]. Mais en toutes choses il faut consulter la
raison autant que l'amitié. Pour être sauvée de la misère
de cet hiver, vous ne le serez pas de la misère à venir,
et plus votre fille tardera à prendre un parti, plus elle
et vous aurez de peine à vous quitter. La petite Marie
se fait grande et forte, et elle n'a pas de quoi s'occuper

---

1. G. Sand dit (*Lettre d'un paysan de la Vallée Noire*) que le salaire
d'un paysan était en 1844 de « vingt sous par jour en été, dix sous en
hiver ».

2. « Délier sa bourse est une grande douleur en Berry; et quand on
a donné dix sous, on soupire longtemps. » (Lettre de G. Sand, 12 janvier 1864.)

chez vous. Elle pourrait y prendre l'habitude de la fainéantise...

— Oh! pour cela, je ne le crains pas, dit la Guillette. Marie est courageuse autant que fille riche et à la tête d'un gros travail puisse l'être. Elle ne reste pas un instant les bras croisés, et quand nous n'avons pas d'ouvrage, elle nettoie et frotte nos pauvres meubles qu'elle rend clairs comme des miroirs. C'est une enfant qui vaut son pesant d'or, et j'aurais bien mieux aimé qu'elle entrât chez vous comme bergère que d'aller si loin chez des gens que je ne connais pas. Vous l'auriez prise à la Saint-Jean, si nous avions su nous décider; mais à présent vous avez loué tout votre monde, et ce n'est qu'à la Saint-Jean de l'autre année que nous pourrons y songer[a].

— Eh! j'y consens de tout mon cœur, Guillette! Cela me fera plaisir. Mais en attendant, elle fera bien d'apprendre un état et de s'habituer à servir les autres.

— Oui, sans doute; le sort en est jeté. Le fermier des Ormeaux l'a fait demander ce matin; nous avons dit oui, et il faut qu'elle parte. Mais la pauvre enfant ne sait pas le chemin, et je n'aimerais pas à l'envoyer si loin toute seule. Puisque votre gendre va à Fourche demain, il peut bien l'emmener. Il paraît que c'est tout à côté du domaine où elle va, à ce qu'on m'a dit; car je n'ai jamais fait ce voyage-là [1].

— C'est tout à côté, et mon gendre la conduira. Cela se doit; il pourra même la prendre en croupe sur la jument, ce qui ménagera ses souliers. Le voilà qui rentre pour souper. Dis-moi, Germain, la petite

---

1. Les paysans berrichons voyageaient peu. G. Sand fait dire à l'un d'eux dans *Le Meunier d'Angibault* (chap. II) : « C'est très loin de chez nous, c'est au moins à quatre grandes lieues. »

Marie à la mère Guillette s'en va bergère aux Ormeaux.
Tu la conduiras sur ton cheval, n'est-ce pas ?

— C'est bien, répondit Germain qui était soucieux,
mais toujours disposé à rendre service à son prochain.

Dans notre monde à nous, pareille chose ne viendrait pas à la pensée d'une mère, de confier une fille
de seize ans à un homme de vingt-huit[a]; car Germain
n'avait réellement que vingt-huit ans ; et quoique, selon
les idées de son pays, il passât pour vieux au point de
vue du mariage, il était encore le plus bel[b] homme de
l'endroit. Le travail ne l'avait pas creusé et flétri comme
la plupart des paysans qui ont dix années de labourage
sur la tête. Il était de force à labourer encore dix ans
sans paraître vieux, et il eût fallu que le préjugé de
l'âge fût bien fort sur l'esprit d'une jeune fille pour
l'empêcher de voir que Germain avait le teint frais,
l'œil vif et bleu comme le ciel de mai, la bouche rose,
des dents superbes, le corps élégant et souple comme
celui d'un jeune cheval qui n'a pas encore quitté le
pré[c].

Mais la chasteté des mœurs[d] est une tradition sacrée
dans certaines campagnes éloignées du mouvement
corrompu des grandes villes [1], et, entre toutes les
familles de Belair [2], la famille de Maurice était réputée
honnête et servant la vérité. Germain s'en allait chercher femme; Marie était une enfant trop jeune et trop

---

1. On reconnaît ici l'influence des idées de J.-J. Rousseau. Raynal
(*Histoire du Berry*, 1844, t. I, p. 18) écrit : « Ces populations... sont
généralement, sous le rapport moral, d'une haute estime... Il reste encore
dans nos campagnes, un fonds remarquable de probité et de loyauté. »

2. *Belair* : il y a un hameau de ce nom à un kilomètre et demi de
Nohant, mais dans le roman c'est le village de Nohant tout entier qui
est désigné sous le nom de Belair. Seul Nohant est assez peuplé pour
qu'on parle comme ici de toutes ses familles.

pauvre pour qu'il y songeât dans cette vue, et, à moins d'être un *sans cœur* et un *mauvais homme*, il était impossible qu'il eût une coupable pensée auprès d'elle. Le père Maurice ne fut donc nullement inquiet de lui voir prendre en croupe cette jolie fille; la Guillette eût cru lui faire injure si elle lui eût recommandé de la respecter comme sa sœur; Marie monta[a] sur la jument en pleurant, après avoir vingt fois embrassé sa mère et ses jeunes amies. Germain, qui était triste pour son compte, compatissait d'autant plus à son chagrin, et s'en alla d'un air sérieux[b], tandis que les gens du voisinage disaient adieu de la main à la pauvre Marie sans songer à mal.

VI

PETIT-PIERRE

La Grise était jeune, belle et vigoureuse. Elle portait sans effort son double fardeau, couchant les oreilles et rongeant son frein[a], comme une fière et ardente jument qu'elle était [1]. En passant devant le pré-long [2] elle aperçut sa mère, qui s'appelait la vieille Grise, comme elle la jeune Grise, et elle hennit en signe d'adieu. La vieille Grise [3] approcha de la haie en faisant

---

1. La description est faite avec sympathie. G. Sand aimait les chevaux. A seize ans, elle avait pris l'habitude, qu'elle conserva longtemps, de faire de longues promenades à cheval.

En 1825, elle écrivait dans son *Journal pour Aurélien* :

« J'aime ma jument Colette, je l'aime réellement, je ne la regarde pas comme un animal subordonné à mes plaisirs, mais comme une amie dont toutes les volontés sont d'accord avec les miennes. » Et elle ajoutait cet éloge du cheval : « Je le place au-dessus de tous les animaux, immédiatement après l'homme et faisant un meilleur usage d'une bien plus petite part de raison. » (*Le roman d'Aurore Dudevant et d'Aurélien de Sèze*, pp. 60 et 61).

2. On trouve une grande prairie juste au sortir de Belair, sur le chemin suivi par Germain et Marie. C'est cette prairie ou une prairie voisine que G. Sand appelle le « pré-long » et où elle nous montre la « vieille Grise » au pâturage.

3. Remarquer la simplicité des dénominations employées par les paysans de G. Sand : le pré-long, la Grise, la vieille Grise. Dans *Jeanne* (1844) la jument du curé de Toulx-Sainte-Croix s'appelle aussi la Grise.

résonner ses enferges [1], essaya de galoper sur la marge
du pré pour suivre sa fille; puis, la voyant prendre
le grand trot, elle hennit à son tour, et resta pensive,
inquiète, le nez au vent, la bouche pleine d'herbes
qu'elle ne songeait plus à manger [2].

— Cette pauvre bête connaît toujours sa progéniture, dit Germain pour distraire la petite Marie de son
chagrin. Ça me fait penser que je n'ai pas embrassé
mon Petit-Pierre avant de partir [3]. Le mauvais enfant
n'était pas là! Il voulait, hier au soir, me faire promettre
de l'emmener, et il a pleuré pendant une heure dans
son lit. Ce matin, encore, il a tout essayé pour me persuader. Oh! qu'il est adroit et câlin! mais quand il a vu
que ça ne se pouvait pas, monsieur s'est fâché : il est
parti dans les champs, et je ne l'ai pas revu de la journée [4].

— Moi, je l'ai vu, dit la petite Marie en faisant effort
pour rentrer ses larmes. Il courait avec les enfants de
Soulas [5] du côté des tailles [6], et je me suis bien doutée

---

1. *Enferges* (ou *enfarges*) : entraves que l'on met aux pieds des chevaux dans les pâturages pour les empêcher de courir (ce terme n'est
pas spécialement berrichon. Il est également usité dans le Poitou).

2. Sainte-Beuve admirait beaucoup ce détail : « On n'a pas affaire
ici à un peintre amateur qui a traversé les champs pour y prendre des
points de vue : le peintre y a vécu, y a habité des années; il en connaît
toute chose et en sait l'âme. » (*Causeries du Lundi*, t. I, p. 356.)

3. On pourra rapprocher cette réflexion de celle d'Andromaque
parlant de son fils : « Je ne l'ai point encore embrassé d'aujourd'hui. »
(*Andromaque*, v. 264).

4. G. Sand a souvent parlé de la liberté qui était laissée aux petits
paysans du Berry. Elle-même, dans son enfance, allait courir avec eux
« les chemins, les buissons et les pacages » comme « un poulain échappé ».
(*Histoire de ma Vie*, III, 9.)

5. C'est sans doute le nom d'un voisin de Germain. Les Soulas,
Soulat, sont nombreux dans le Berry. Ce nom est cité dans la *Correspondance* de G. Sand (t. I, p. 92). Une note ajoute cette précision : « Jacques Soulat, ancien grenadier de la garde impériale, paysan dans le
village de Nohant. »

6. *Tailles* : terme berrichon désignant les bois coupés qui commencent à repousser.

qu'il était hors de la maison depuis longtemps, car il avait faim et mangeait des prunelles et des mûres de buisson. Je lui ai donné le pain de mon goûter, et il m'a dit : Merci, ma Marie mignonne : quand tu viendras chez nous, je te donnerai de la galette. C'est un enfant trop gentil que vous avez*ª* là, Germain !

— Oui, qu'il est gentil, reprit le laboureur, et je ne sais pas ce que je ne ferais pas pour lui ! Si sa grand-mère n'avait pas eu plus de raison que moi, je n'aurais pas pu me tenir de l'emmener, quand je le voyais pleurer si fort que son pauvre petit cœur en était tout gonflé.

— Eh bien ! pourquoi ne l'auriez-vous pas emmené, Germain ? Il ne vous aurait guère embarrassé ; il est si raisonnable quand on fait sa volonté !

— Il paraît qu'il aurait été de trop là où je vais. Du moins c'était l'avis du père Maurice... Moi, pourtant, j'aurais pensé qu'au contraire il fallait voir comment on le recevrait, et qu'un si gentil enfant ne pouvait qu'être pris en bonne amitié... Mais ils disent à la maison qu'il ne faut pas commencer par faire voir les charges du ménage... Je ne sais pas pourquoi je te parle de ça, petite Marie ; tu n'y comprends rien.

— Si fait, Germain ; je sais que vous allez vous marier [1] ; ma mère me l'a dit, en me recommandant de n'en parler à personne, ni chez nous, ni là où je vais, et vous pouvez être tranquille : je n'en dirai mot.

— Tu feras bien, car ce n'est pas fait ; peut-être que je ne conviendrai pas à la femme en question.

— Il faut espérer que si, Germain. Pourquoi donc ne lui conviendrez-vous pas ?

---

1. Au chapitre V, le père Maurice a annoncé à la Guillette que Germain était « tout à fait décidé » à épouser la veuve Guérin. Marie le croit. Il n'y a donc pas d'arrière-pensée, pas de calcul dans sa conduite.

— Qui sait? J'ai trois enfants, et c'est lourd pour une femme qui n'est pas leur mère!

— C'est vrai, mais vos enfants ne sont pas comme d'autres enfants.

— Crois-tu?

— Ils sont beaux comme des petits anges, et si bien élevés qu'on n'en peut pas voir de plus aimables.

— Il y a Sylvain qui n'est pas trop commode.

— Il est tout petit! il ne peut pas être autrement que terrible, mais il a tant d'esprit!

— C'est vrai qu'il a de l'esprit : et un courage! Il ne craint ni vaches, ni taureaux, et si on le laissait faire, il grimperait déjà sur les chevaux avec son aîné.

— Moi, à votre place, j'aurais amené l'aîné. Bien sûr ça vous aurait fait aimer tout de suite, d'avoir un enfant si beau!

— Oui, si la femme aime les enfants; mais si elle ne les aime pas!

— Est-ce qu'il y a des femmes qui n'aiment pas les enfants?

— Pas beaucoup, je pense; mais enfin il y en a [1], et c'est là ce qui me tourmente.

— Vous ne la connaissez donc pas du tout cette femme?

— Pas plus que toi, et je crains de ne pas la mieux connaître, après que je l'aurai vue. Je ne suis pas méfiant, moi. Quand on me dit de bonnes paroles, j'y

---

1. Derrière les craintes de Germain apparaît l'expérience de G. Sand. En 1840, elle écrivait dans son *Journal* « [Madame X] abandonne [ses enfants], les oublie, les fait élever dans un taudis, tout en vivant dans le velours et l'hermine... et ne s'occupe de sa progéniture non plus que d'une portée de chats. » (Il s'agit sans doute de Mme d'Agoult.)

crois : mais j'ai été plus d'une fois à même de m'en repentir, car les paroles ne sont pas des actions.

— On dit que c'est une fort brave femme.

— Qui dit cela ? le père Maurice !

— Oui, votre beau-père.

— C'est fort bien : mais il ne la connaît pas non plus.

— Eh bien, vous la verrez tantôt, vous ferez grande attention, et il faut espérer que vous ne vous tromperez pas, Germain.

— Tiens, petite Marie, je serais bien aise que tu entres un peu dans la maison, avant de t'en aller tout droit aux Ormeaux : tu es fine, toi, tu as toujours montré de l'esprit, et tu fais attention à tout. Si tu vois quelque chose qui te donne à penser, tu m'en avertiras tout doucement.

— Oh ! non, Germain, je ne ferai pas cela ! je craindrais trop de me tromper ; et, d'ailleurs, si une parole dite à la légère venait à vous dégoûter de ce mariage, vos parents m'en voudraient, et j'ai bien assez de chagrins comme ça, sans en attirer d'autres sur ma pauvre chère femme de mère.

Comme ils devisaient ainsi, la Grise fit un écart en dressant les oreilles, puis revint sur ses pas et se rapprocha du buisson, où quelque chose qu'elle commençait à reconnaître [1] l'avait d'abord effrayée. Germain jeta un regard sur le buisson, et vit dans le fossé, sous les branches épaisses et encore fraîches d'un

---

1. G. Sand avait eu l'occasion d'observer chez les chevaux des traits d'intelligence analogues. Elle avait une jument, Colette, « à l'adresse et à l'esprit de laquelle rien ne pouvait être comparé », et qui l'empêcha de se noyer un jour où elle s'était imprudemment engagée dans l'Indre.

têteau [1] de chêne, quelque chose qu'il prit pour un agneau.

— C'est une bête égarée, dit-il, ou morte, car elle ne bouge. Peut-être que quelqu'un la cherche; il faut voir!

— Ce n'est pas une bête, s'écria la petite Marie : c'est un enfant qui dort; c'est votre Petit-Pierre.

— Par exemple! dit Germain en descendant de cheval[a] : voyez ce petit garnement[b] qui dort là, si loin de la maison, et dans un fossé où quelque serpent pourrait bien le trouver!

Il prit dans ses bras l'enfant qui lui sourit en ouvrant les yeux et jeta ses bras autour de son cou en lui disant : Mon petit père, tu vas m'emmener avec toi!

— Ah oui! toujours la même chanson! Que faisiez-vous là, mauvais Pierre?

— J'attendais mon petit père à passer, dit l'enfant; je regardais sur le chemin, et à force de regarder, je me suis endormi.

— Et si j'étais passé sans te voir, tu serais resté toute la nuit dehors[c], et le loup t'aurait mangé!

— Oh! je savais bien que tu me verrais! répondit Petit-Pierre avec confiance.

— Eh bien, à présent, mon Pierre, embrasse-moi, dis-moi adieu, et retourne vite à la maison, si tu ne veux pas qu'on soupe sans toi.

— Tu ne veux donc pas m'emmener! s'écria le

1. *Têteau* : terme berrichon qui désigne un arbre dont on coupe périodiquement les branches et dont le sommet a la forme d'une grosse tête. « Excepté le noyer et quelques ormes séculaires, autour des domaines ou églises de hameau, tout est ébranché impitoyablement pour la nourriture des moutons pendant l'hiver. » (G. Sand, *Promenades autour d'un village*, p. 116.)

petit en commençant à frotter ses yeux pour montrer qu'il avait dessein de pleurer.

— Tu sais bien que grand-père et grand-mère ne le veulent pas, dit Germain, se retranchant derrière l'autorité des vieux parents, comme un homme qui ne compte guère sur la sienne propre.

Mais l'enfant n'entendit rien[a]. Il se prit à pleurer tout de bon, disant que, puisque son père emmenait la petite Marie, il pouvait bien l'emmener aussi. On lui objecta qu'il fallait passer les grands bois, qu'il y avait là beaucoup de méchantes bêtes qui mangeaient les petits enfants, que la Grise ne voulait pas porter trois personnes, qu'elle l'avait déclaré en partant [1], et que dans le pays où l'on se rendait, il n'y avait ni lit ni souper pour les marmots. Toutes ces excellentes raisons ne persuadèrent point Petit-Pierre ; il se jeta sur l'herbe, et s'y roula, en criant[b] que son petit père ne l'aimait plus, et que s'il ne l'emmenait pas, il ne rentrerait point du jour ni de la nuit à la maison.

Germain avait un cœur de père aussi tendre et aussi faible que celui d'une femme [2]. La mort de la sienne, les soins qu'il avait été forcé de rendre seul à ses petits, aussi la pensée que ces pauvres enfants sans mère avaient besoin d'être beaucoup aimés, avaient contribué à le rendre ainsi, et il se fit en lui un si rude combat,

---

1. Ce mensonge est conforme aux superstitions berrichonnes, telles que les rapporte G. Sand : « Les animaux sorciers ne sont pas rares... Pendant la messe de minuit, les bêtes parlent. » (*Les Visions de la nuit dans les campagnes.*)

2. G. Sand fut elle-même très faible envers ses enfants, surtout envers son fils. En 1833, c'est à contre-cœur qu'elle le mit au collège : « L'enfant s'échappa des bras qui le caressaient, vint s'attacher à moi en criant avec des sanglots désespérés qu'il ne voulait pas rester là. Je crus que j'allais mourir. C'était la première fois que je voyais Maurice malheureux et je voulais le remmener. » (*Histoire de ma Vie*, V, 1.).

d'autant plus qu'il rougissait de sa faiblesse et s'efforçait de cacher son malaise à la petite Marie, que la sueur lui en vint au front et que ses yeux se bordèrent de rouge, prêts à pleurer aussi [1]. Enfin il essaya de se mettre en colère; mais, en se retournant vers la petite Marie, comme pour la prendre à témoin de sa fermeté d'âme, il vit que le visage de cette bonne fille était baigné de larmes, et tout son courage l'abandonnant, il lui fut impossible de retenir les siennes, bien qu'il grondât et menaçât encore.

— Vrai, vous avez le cœur trop dur, lui dit enfin la petite Marie, et, pour ma part, je ne pourrai jamais résister comme cela à un enfant qui a un si gros chagrin. Voyons, Germain, emmenez-le. Votre jument est bien habituée à porter deux personnes et un enfant, à preuve que votre beau-frère et sa femme, qui est plus lourde que moi de beaucoup, vont au marché le samedi avec leur garçon, sur le dos de cette bonne bête. Vous le mettrez à cheval devant vous, et d'ailleurs j'aime mieux m'en aller toute seule à pied que de faire de la peine à ce petit.

— Qu'à cela ne tienne, répondit Germain, qui mourait d'envie de se laisser convaincre. La Grise est forte et en porterait deux de plus, s'il y avait place sur son échine. Mais que ferons-nous de cet enfant en route? il aura froid, il aura faim... et qui prendra soin de lui ce soir et demain pour le coucher, le laver et le rhabiller? Je n'ose pas donner cet ennui-là à une femme que je ne connais pas, et qui trouvera, sans doute,

---

1. C'est peut-être beaucoup de sensibilité de la part d'un paysan. Les pleurs de Marie sont plus explicables parce qu'elle a de sérieux motifs de tristesse. Mais tout rappelle le XVIIIe siècle et cette littérature de sentiment (Rousseau, Sedaine, Bernardin de Saint-Pierre) pour laquelle G. Sand avait tant d'admiration.

que je suis bien sans façons avec elle pour commencer.

— D'après l'amitié ou l'ennui qu'elle montrera, vous la connaîtrez tout de suite, Germain, croyez-moi; et d'ailleurs, si elle rebute votre Pierre, moi je m'en charge. J'irai chez elle l'habiller et je l'emmènerai aux champs demain. Je l'amuserai toute la journée et j'aurai soin qu'il ne manque de rien.

— Et il t'ennuiera, ma pauvre fille! Il te gênera! toute une journée, c'est long!

— Ça me fera plaisir, au contraire, ça me tiendra compagnie, et ça me rendra moins triste le premier jour que j'aurai à passer dans un nouveau pays. Je me figurerai que je suis encore chez nous.

L'enfant, voyant que la petite Marie prenait son parti, s'était cramponné à sa jupe et la tenait si fort qu'il eût fallu lui faire du mal pour l'en arracher. Quand il reconnut que son père cédait, il prit la main de Marie dans ses deux petites mains brunies par le soleil, et l'embrassa en sautant de joie et en la tirant vers la jument, avec cette impatience ardente que les enfants portent dans leurs désirs.

— Allons, allons, dit la jeune fille, en le soulevant dans ses bras, tâchons d'apaiser ce pauvre cœur qui saute comme un petit oiseau, et si tu sens le froid quand la nuit viendra, dis-le-moi, mon Pierre, je te serrerai dans ma cape [1]. Embrasse ton petit père, et demande-lui pardon d'avoir fait le méchant. Dis que ça ne t'arrivera plus, jamais! jamais, entends-tu?

— Oui, oui, à condition que je ferai toujours sa volonté, n'est-ce pas? dit Germain en essuyant les

---

1. « *Cape* : capuchon de laine blanche que les femmes portent en hiver. » (G. Sand, *Lexique manuscrit. Bulletin de la Faculté des Lettres de Strasbourg*, mai-juin 1954, p. 415.)

yeux du petit avec son mouchoir : ah! Marie, vous
me le gâtez, ce drôle-là!... Et vraiment, tu es une trop
bonne fille, petite Marie. Je ne sais pas pourquoi tu
n'es pas entrée bergère chez nous à la Saint-Jean
dernière. Tu aurais pris soin de mes enfants, et j'aurais
mieux aimé te payer un bon prix pour les servir,
que d'aller chercher une femme qui croira peut-être
me faire beaucoup de grâce en ne les détestant pas [a].

— Il ne faut pas voir comme ça les choses par le
mauvais côté, répondit la petite Marie, en tenant la
bride du cheval pendant que Germain plaçait son
fils sur le devant du large bât garni de peau de chèvre :
si votre femme n'aime pas les enfants, vous me prendrez à votre service l'an prochain, et, soyez tranquille,
je les amuserai si bien qu'ils ne s'apercevront de rien.

VII

DANS LA LANDE[a]

— Aн ça, dit Germain, lorsqu'ils eurent fait quelques pas, que va-t-on penser à la maison en ne voyant pas rentrer ce petit bonhomme? Les parents vont être inquiets et le chercheront partout.

— Vous allez dire au cantonnier qui travaille là-haut sur la route que vous l'emmenez, et vous lui recommanderez d'avertir votre monde.

— C'est vrai, Marie, tu t'avises de tout[b], toi; moi, je ne pensais plus que Jeannie devait être par là.

— Et justement, il demeure tout près de la métairie; et il ne manquera pas de faire la commission.

Quand on eut avisé à cette précaution, Germain remit la jument au trot, et Petit-Pierre était si joyeux, qu'il ne s'aperçut pas tout de suite qu'il n'avait pas dîné; mais le mouvement du cheval lui creusant l'estomac, il se prit, au bout d'une lieue, à bâiller, à pâlir, et à confesser qu'il mourait de faim.

— Voilà que ça commence, dit Germain. Je savais bien que nous n'irions pas loin sans que ce monsieur criât la faim ou la soif[c].

— J'ai soif aussi! dit Petit-Pierre.

— Eh bien! nous allons donc entrer dans le cabaret

de la mère Rebec [1], à Corlay [2], au *Point du Jour?* Belle enseigne, mais pauvre gîte! Allons, Marie, tu boiras aussi un doigt de vin.

— Non, non, je n'ai besoin de rien, dit-elle, je tiendrai la jument pendant que vous entrerez avec le petit.

— Mais j'y songe, ma bonne fille, tu as donné ce matin le pain de ton goûter à mon Pierre, et toi tu es à jeun; tu n'as pas voulu dîner avec nous à la maison, tu ne faisais que pleurer.

— Oh! je n'avais pas faim, j'avais trop de peine! et je vous jure qu'à présent encore je ne sens aucune envie de manger.

— Il faut te forcer, petite; autrement tu seras malade. Nous avons du chemin à faire, et il ne faut pas arriver là-bas comme des affamés pour demander du pain avant de dire bonjour. Moi-même je veux te donner l'exemple, quoique je n'aie pas grand appétit; mais j'en viendrai à bout, vu que, après tout, je n'ai pas dîné non plus. Je vous voyais pleurer, toi et ta mère, et ça me troublait le cœur. Allons, allons, je vais attacher la Grise à la porte; descends, je le veux.

Ils entrèrent tous trois chez la Rebec, et, en moins d'un quart d'heure, la grosse boiteuse réussit à leur servir une omelette de bonne mine, du pain bis[a] et du vin clairet [3].

---

1. *La mère Rebec:* nom authentique de la propriétaire de la petite auberge du *Point-du-Jour,* à Corlay (Cf. Vincent, *Le Berry dans l'œuvre de G. Sand,* p. 181).

2. *Corlay:* hameau situé sur une hauteur à 7 kilomètres environ de Nohant, au bord de la route qui va de Châteauroux à La Châtre.

3. A propos de la nourriture des paysans du Berry, G. Sand écrit (*Promenades autour d'un village,* p. 150) : [Le paysan] « qui fournit de bœufs gras les marchés de Poissy, ne mange de la viande que les jours

Les paysans ne mangent pas vite [1], et le petit Pierre avait si grand appétit qu'il se passa bien une heure avant que Germain pût songer à se remettre en route. La petite Marie avait mangé par complaisance d'abord; puis, peu à peu, la faim était venue : car à seize ans on ne peut pas faire longtemps diète, et l'air des campagnes est impérieux. Les bonnes paroles que Germain sut lui dire pour la consoler et lui faire prendre courage produisirent[a] aussi leur effet; elle fit effort pour se persuader que sept mois seraient bientôt passés, et pour songer au bonheur qu'elle aurait de se retrouver dans sa famille et dans son hameau, puisque le père Maurice et Germain s'accordaient pour lui promettre de la prendre à leur service. Mais comme elle commençait à s'égayer et à badiner avec le petit Pierre, Germain eut la malheureuse idée de lui faire regarder par la fenêtre du cabaret, la belle vue de la vallée qu'on voit tout entière de cette hauteur, et qui est si riante, si verte et si fertile. Marie regarda et demanda si de là on voyait les maisons de Belair [2].

---

de fête. Beaucoup n'en mangent jamais. Sa maigre soupe au beurre son pain d'orge trop lourd, ses légumes farineux, sont une nourriture insuffisante ».

1. Dans *Les Maîtres sonneurs* (Sixième Veillée), Huriel, maître sonneur du Bourbonnais, dit en parlant des Berrichons : « ...Vous mettez à chaque repas une bonne heure pour vous lester; vous mâchonnez comme des bœufs qui ruminent; aussi, quand il vous faut remettre sur vos jambes et retourner à l'ouvrage, vous avez un crève-cœur qui revient tous les jours deux ou trois fois. »

2. Dans *Le Meunier d'Angibault* (ch. III), George Sand donne de cette « belle vue » la description suivante :

« Point de montagnes pittoresques, rien de frappant, rien d'extraordinaire dans cette nature paisible; mais un développement grandiose de terres cultivées, un morcellement infini de champs, de prairies, de taillis et de larges chemins communaux offrant la variété des formes et des nuances, dans une harmonie générale de verdure sombre tirant sur le bleu; un pêle-mêle de clôtures plantureuses, de chaumières

— Sans doute, dit Germain, et la métairie, et même ta maison. Tiens, ce petit point gris, pas loin du grand peuplier à Godard, plus bas que le clocher [1].

— Ah! je la vois, dit la petite; et là-dessus elle recommença de pleurer.

— J'ai eu tort de te faire songer à ça, dit Germain, je ne fais que des bêtises aujourd'hui! Allons, Marie, partons, ma fille; les jours sont courts, et dans une heure, quand la lune montera[a], il ne fera pas chaud.

Ils se remirent en route, traversèrent la grande *brande* [2], et comme, pour ne pas fatiguer la jeune fille et l'enfant par un trop grand trot, Germain ne pouvait faire aller la Grise bien vite, le soleil était couché quand ils quittèrent la route pour gagner les bois.

Germain connaissait le chemin jusqu'au Magnier; mais il pensa qu'il aurait plus court en ne prenant pas l'avenue [3] de Chanteloube [4], mais en descendant par

---

cachées sous les vergers, de rideaux de peupliers, de pacages touffus dans les profondeurs; des champs plus pâles et des haies plus claires sur les plateaux faisant ressortir les masses voisines ».

1. Dans *Les Maîtres sonneurs* (19e Veillée) lorsque Tiennet rentre à Nohant après son voyage en Bourbonnais, il s'aperçoit « que le père Godard » a « ébranché son peuplier ». Le clocher situé auprès *du grand peuplier à Godard* ne peut donc être que celui de Nohant. Il n'y a d'ailleurs pas d'église à Belair.

2. *Brande:* terre non cultivée où poussent des bruyères. La grande brande s'étendait au nord-ouest du village de Corlay. G. Sand en donne cette description (*Histoire de ma Vie*, III, 3) : « La Brande était encore, au temps dont je parle, un cloaque impraticable et un sol complètement abandonné. Il n'y avait point de route tracée, ou plutôt il y en avait cent, chaque charrette ou patache essayant de se frayer une voie plus sûre et plus facile que les autres dans les saisons de pluie... On s'y perdait continuellement... »

3. La carte d'état-major de 1847 n'indique qu'une seule allée traversant les bois de Chanteloube : c'est celle qui va du lieu dit la Brande au château du Magnier.

4. *Chanteloube:* hameau situé à deux kilomètres au nord-est de Fourche. Il a donné son nom à ces bois où se trouve la Mare au Diable.

Presles [1] et la Sépulture [2], direction qu'il n'avait pas l'habitude de prendre quand il allait à la foire [3]. Il se trompa et perdit encore un peu de temps avant d'entrer dans le bois; encore n'y entra-t-il point par le bon côté, et il ne s'en aperçut pas, si bien qu'il tourna le dos à Fourche et gagna beaucoup plus haut du côté d'Ardentes [4].

Ce qui l'empêchait alors de s'orienter, c'était un brouillard qui s'élevait avec la nuit, un de ces brouillards des soirs d'automne que la blancheur du clair de lune rend plus vagues et plus trompeurs encore. Les grandes flaques d'eau dont les clairières sont semées exhalaient des vapeurs si épaisses que, lorsque la Grise les traversait, on ne s'en apercevait qu'au clapotement de ses pieds et à la peine qu'elle avait à les tirer de la vase [5].

Quand on eut enfin trouvé une belle allée bien droite, et qu'arrivé au bout, Germain chercha à voir où il était, il s'aperçut bien qu'il s'était perdu; car le père Maurice, en lui expliquant son chemin, lui avait dit qu'à la sortie des bois il aurait à descendre un bout de côte très raide, à traverser une immense prairie et à passer

---

Chanteloube ou Chanteloup, c'est l'endroit où l'on entend les loups chanter (hurler). Ce nom, qui semble exprimer un sentiment de crainte superstitieuse, n'est pas particulier au Berry.

1. *Presles:* hameau à deux kilomètres au sud-est de Fourche. C'est une ancienne ville seigneuriale.

2. Ce mot désigne sans doute la butte de Presles, considérée dans le pays comme un tumulus gallo-romain. Elle est située à peu de distance de l'Indre, au bord de la route de Mers au Magnier.

3. Il s'agit de la foire aux chevaux du Magnier. Elle se tient le 11 mai de chaque année.

4. *Ardentes:* chef-lieu de canton de l'Indre à dix-huit kilomètres environ au nord-ouest de Nohant.

5. En 1811, G. Sand s'était égarée avec sa famille dans la Brande. Cf. *Histoire de ma Vie*, III, 3.

deux fois la rivière à gué [1]. Il lui avait même recommandé
d'entrer dans cette rivière avec précaution, parce qu'au
commencement de la saison il y avait eu de grandes
pluies et que l'eau pouvait être un peu haute. Ne voyant
ni descente, ni prairie, ni rivière, mais la lande unie et
blanche comme une nappe de neige, Germain s'arrêta,
chercha une maison, attendit un passant, et ne trouva
rien qui pût le renseigner. Alors il revint sur ses pas et
rentra dans les bois. Mais le brouillard s'épaissit encore
plus, la lune fut tout à fait voilée, les chemins étaient
affreux, les fondrières profondes. Par deux fois, la
Grise faillit s'abattre; chargée comme elle l'était, elle
perdait courage, et si elle conservait assez de discerne-
ment pour ne pas se heurter contre les arbres, elle ne
pouvait empêcher que ceux qui la montaient n'eussent
affaire à de grosses branches, qui barraient le chemin à
la hauteur de leurs têtes et qui les mettaient fort en
danger. Germain perdit son chapeau dans une de ces
rencontres et eut grand'peine à le retrouver. Petit-
Pierre s'était endormi, et, se laissant aller comme un
sac, il embarrassait tellement les bras de son père, que
celui-ci ne pouvait plus ni soutenir ni diriger le cheval.

— Je crois que nous sommes ensorcelés, dit Germain
en s'arrêtant : car ces bois ne sont pas assez grands pour
qu'on s'y perde [2], à moins d'être ivre, et il y a deux

---

1. Aux environs de Fourche, l'Indre forme deux bras qui ne sont
guéables qu'en un seul endroit. Les gués sur l'Indre sont difficiles à
trouver quand on ne connaît pas le pays. « Bon voyageur, écrit G. Sand
dans *La Vallée Noire*, tu tâcheras de ne pas te tromper de chemin,
car tu pourrais courir longtemps avant de trouver l'Indre guéable. »
L'aventure contée dans *La Mare au Diable* n'est pas autre chose que la
recherche d'un gué. Partout dans le roman on sent la proximité de la
rivière. On la devine à l'épaisseur du brouillard, au mauvais état des
chemins, à l'humidité froide de la nuit.

2. Le bois de Chanteloube couvrait une étendue qui n'était guère
supérieure à quatre kilomètres carrés.

heures au moins que nous y tournons sans pouvoir en sortir. La Grise n'a qu'une idée en tête, c'est de s'en retourner à la maison, et c'est elle qui me fait tromper. Si nous voulons nous en aller chez nous, nous n'avons qu'à la laisser faire. Mais quand nous sommes peut-être à deux pas de l'endroit où nous devons coucher, il faudrait être fou pour y renoncer et recommencer une si longue route. Cependant, je ne sais plus que faire. Je ne vois ni ciel ni terre, et je crains que cet enfant-là ne prenne la fièvre si nous restons dans ce damné brouillard, ou qu'il ne soit écrasé par notre poids si le cheval vient à s'abattre en avant.

— Il ne faut pas nous obstiner davantage, dit la petite Marie. Descendons, Germain; donnez-moi l'enfant, je le porterai fort bien, et j'empêcherai mieux que vous, que la cape, se dérangeant, ne le laisse à découvert. Vous conduirez la jument par la bride, et nous verrons peut-être plus clair quand nous serons plus près de la terre.

Ce moyen ne réussit qu'à les préserver d'une chute de cheval, car le brouillard rampait et semblait se coller à la terre humide. La marche était pénible, et ils furent bientôt si harassés qu'ils s'arrêtèrent en rencontrant enfin un endroit sec sous de grands chênes [1]. La petite Marie était en nage, mais elle ne se plaignait ni ne s'inquiétait de rien[a]. Occupée seulement de l'enfant, elle s'assit sur le sable et le coucha sur ses genoux, tandis que Germain explorait les environs, après avoir passé les rênes de la Grise dans une branche d'arbre[b].

---

1. On trouve le même détail dans l'*Histoire de ma Vie* (III, 3) : « Le véritable danger était de verser et de rester dans quelque trou. Heureusement, celui que nous rencontrâmes vers le minuit était à sec; il était profond et nous échouâmes dans le sable si complètement, que rien ne put décider le cheval à nous en tirer. »

Mais la Grise, qui s'ennuyait fort de ce voyage, donna un coup de reins[a], dégagea les rênes[b], rompit les sangles, et lâchant, par manière d'acquit, une demi-douzaine de ruades plus haut que sa tête, partit à travers les taillis, montrant fort bien qu'elle n'avait besoin de personne pour retrouver son chemin.

— Çà, dit Germain, après avoir vainement cherché à la rattraper, nous voici à pied, et rien ne nous servirait de nous trouver dans le bon chemin, car il nous faudrait traverser la rivière à pied; et à voir comme ces routes sont pleines d'eau, nous pouvons être sûrs que la prairie est sous la rivière[1]. Nous ne connaissons pas les autres passages. Il nous faut[c] donc attendre que ce brouillard se dissipe; ça ne peut pas durer plus d'une heure ou deux. Quand nous verrons clair, nous chercherons une maison, la première venue à la lisière du bois; mais à présent nous ne pouvons sortir d'ici; il y a là une fosse, un étang[2], je ne sais quoi devant nous; et der-rière, je ne saurais pas non plus dire ce qu'il y a, car je ne comprends plus par quel côté nous sommes arrivés.

---

1. Ces détails peuvent servir à dater le roman. L'année 1845 avait été très pluvieuse.

2. Il s'agit de la Mare au Diable que Germain n'a pas encore iden-tifiée et près de laquelle vont se dérouler quelques-uns des épisodes essentiels du roman.

VIII

SOUS LES GRANDS CHÊNES

— Eh bien! prenons patience, Germain, dit la petite Marie. Nous ne sommes pas mal sur cette petite hauteur. La pluie ne perce pas la feuillée de ces grands chênes, et nous pouvons allumer du feu, car je sens de vieilles souches qui ne tiennent à rien et qui sont assez sèches pour flamber. Vous avez bien du feu, Germain? Vous fumiez votre pipe tantôt.

— J'en avais! mon briquet était sur le bât dans mon sac, avec le gibier que je portais à ma future; mais la maudite jument a tout emporté, même mon manteau, qu'elle va perdre et déchirer à toutes les branches.

— Non pas, Germain; la bâtine[1], le manteau, le sac, tout est là par terre, à vos pieds. La Grise a cassé les sangles et tout jeté à côté d'elle en partant.

— C'est, vrai Dieu[2], certain! dit le laboureur; et si nous pouvons trouver un peu de bois mort à tâtons,

---

1. *Bâtine* : synonyme berrichon de bât. Selon H. de Latouche, la bâtine était « composée de toile et de paille ». Celle de Germain est en outre garnie de peau.

2. *Vrai Dieu* : les jurons qu'emploient les paysans du Berry sont en général plus pittoresques mais aussi plus vulgaires. (Cf. Vincent, *Langue et style rustiques de G. Sand*, p. 66.) Ici G. Sand a cédé à un souci évident de tenue littéraire. Ce souci apparaît constamment dans *La Mare au Diable*.

nous réussirons à nous sécher et à nous réchauffer.

— Ce n'est pas difficile, dit la petite Marie, le bois
mort craque partout sous les pieds; mais donnez-moi
d'abord ici la bâtine.

— Qu'en veux-tu faire?

— Un lit pour le petit : non, pas comme ça, à
l'envers; il ne roulera pas dans la ruelle; et c'est encore
tout chaud du dos de la bête. Calez-moi ça de chaque
côté avec ces pierres que vous voyez là!

— Je ne les vois pas, moi! Tu as donc des yeux de
chat!

— Tenez! voilà qui est fait, Germain. Donnez-moi
votre manteau, que j'enveloppe ses petits pieds, et ma
cape par-dessus son corps. Voyez! s'il n'est pas couché
là aussi bien que dans son lit! et tâtez-le comme il a
chaud!

— C'est vrai! tu t'entends à soigner les enfants,
Marie!

— Ce n'est pas bien sorcier. A présent, cherchez
votre briquet dans votre sac, et je vais arranger le bois.

— Ce bois ne prendra jamais, il est trop humide.

— Vous doutez de tout, Germain! vous ne vous
souvenez donc pas d'avoir été pâtour [1] et d'avoir fait
de grands feux aux champs, au beau milieu de la pluie?

— Oui, c'est le talent des enfants qui gardent les
bêtes; mais moi j'ai été toucheur de bœufs aussitôt que
j'ai su marcher.

— C'est pour cela que vous êtes plus fort de vos

---

1. *Pâtour :* Cf. p. 40, n. 5. A propos des pâtours, G. Sand écrit dans
l'*Histoire de ma Vie* (III, 9) : «[En automne et en hiver], il y a des espaces
immenses où leurs troupeaux peuvent errer sans faire de mal. Aussi se
gardent-ils eux-mêmes, tandis que les pastours, rassemblés autour de
leur feu en plein vent, devisent, jouent, dansent, ou se racontent des
histoires. »

bras qu'adroit de vos mains. Le voilà bâti ce bûcher, vous allez voir s'il ne flambera pas! Donnez-moi le feu et une poignée de fougère sèche. C'est bien! soufflez à présent; vous n'êtes pas poumonique [1]?

— Non pas que je sache, dit Germain en soufflant comme un soufflet de forge. Au bout d'un instant, la flamme brilla, jeta d'abord une lumière rouge, et finit par s'élever en jets bleuâtres sous le feuillage des chênes, luttant contre la brume et séchant peu à peu l'atmosphère à dix pieds à la ronde.

— Maintenant, je vais m'asseoir auprès du petit pour qu'il ne lui tombe pas d'étincelles sur le corps, dit la jeune fille. Vous, mettez du bois et animez le feu, Germain! nous n'attraperons ici ni fièvre ni rhume, je vous en réponds.

— Ma foi, tu es une fille d'esprit, dit Germain, et tu sais faire le feu comme une petite sorcière de nuit [2]. Je me sens tout ranimé et le cœur me revient; car avec les jambes mouillées jusqu'aux genoux, et l'idée de rester comme cela jusqu'au point du jour, j'étais de fort mauvaise humeur tout à l'heure.

— Et quand on est de mauvaise humeur, on ne s'avise de rien, reprit la petite Marie.

— Et tu n'es donc jamais de mauvaise humeur, toi?

— Eh non! jamais. A quoi bon?

— Oh! ce n'est bon à rien, certainement; mais le moyen de s'en empêcher, quand on a des ennuis! Dieu sait que tu n'en as pas manqué, toi, pourtant, ma pauvre petite : car tu n'as pas toujours été heureuse!

— C'est vrai, nous avons souffert, ma pauvre mère

---

1. *Poumonique :* Malade des poumons. Terme berrichon.
2. « Dans la campagne, écrit G. Sand, on n'est jamais savant sans être quelque peu sorcier. » (*La Petite Fadette*, VIII.)

et moi. Nous avions du chagrin, mais nous ne perdions
jamais courage.

— Je ne perdrais pas courage pour quelque ouvrage
que ce fût, dit Germain; mais la misère me fâcherait;
car je n'ai jamais manqué de rien. Ma femme m'avait
fait riche et je le suis encore; je le serai tant que je
travaillerai à la métairie : ce sera toujours, j'espère;
mais chacun doit avoir sa peine! J'ai souffert autrement.

— Oui, vous avez perdu votre femme, et c'est
grand'pitié.

— N'est-ce pas?

— Oh! je l'ai bien pleurée, allez, Germain! car elle
était si bonne! Tenez, n'en parlons plus; car je la
pleurerais encore, tous mes chagrins sont en train de
me revenir aujourd'hui.

— C'est vrai qu'elle t'aimait beaucoup, petite Marie!
elle faisait grand cas de toi et de ta mère. Allons! tu
pleures? Voyons, ma fille, je ne veux pas pleurer, moi...

— Vous pleurez, pourtant, Germain! Vous pleurez
aussi! Quelle honte y a-t-il pour un homme à pleurer
sa femme? Ne vous gênez pas, allez! je suis bien de
moitié avec vous dans cette peine-là!

— Tu as bon cœur, Marie, et ça me fait du bien de
pleurer avec toi. Mais approche donc tes pieds du feu;
tu as tes jupes toutes mouillées aussi, pauvre petite
fille! Tiens, je vais prendre ta place auprès du petit,
chauffe-toi mieux que ça.

— J'ai assez chaud, dit Marie; et si vous voulez
vous asseoir, prenez un coin du manteau, moi je suis
très bien.

— Le fait est qu'on n'est pas mal ici[a], dit Germain
en s'asseyant tout auprès d'elle[b]. Il n'y a que la faim
qui me tourmente un peu. Il est bien neuf heures du
soir, et j'ai eu tant de peine à marcher dans ces mauvais

chemins, que je me sens tout affaibli. Est-ce que tu n'a pas faim, aussi, toi, Marie?

— Moi? pas du tout. Je ne suis pas habituée, comme vous, à faire quatre repas [1], et j'ai été tant de fois me coucher sans souper, qu'une fois de plus ne m'étonne guère.

— Eh bien, c'est commode une femme comme toi; ça ne fait pas de dépense, dit Germain en souriant.

— Je ne suis pas une femme, dit naïvement Marie, sans s'apercevoir de la tournure que prenaient les idées du laboureur[a]. Est-ce que vous rêvez?

— Oui, je crois que je rêve, répondit Germain; c'est la faim qui me fait divaguer peut-être!

— Que vous êtes donc gourmand! reprit-elle en s'égayant un peu à son tour; eh bien! si vous ne pou-vez pas vivre cinq ou six heures sans manger, est-ce que vous n'avez pas là du gibier dans votre sac et du feu pour le faire cuire?

— Diantre! c'est une bonne idée! mais le présent à mon futur beau-père?

— Vous avez six[b] perdrix et un lièvre! Je pense qu'il ne vous faut pas tout cela pour vous rassasier?

— Mais faire cuire cela ici, sans broche et sans landiers, ça deviendra du charbon!

— Non pas, dit la petite Marie; je me charge de vous le faire cuire sous la cendre sans goût de fumée. Est-ce que vous n'avez jamais attrapé d'alouettes dans les champs, et que vous ne les avez pas fait cuire entre deux pierres [2]? Ah! c'est vrai! j'oublie que vous n'avez

---

1. *Quatre repas :* le déjeuner, le dîner, le goûter et le souper. Sur l'appétit des laboureurs berrichons, cf. p. 56, n. 3.

2. G. Sand connaissait, pour les avoir partagées pendant son enfance, les occupations des pastours : « On faisait cuire des oiseaux ou des pommes de terre sous la cendre. » Les oiseaux étaient pris à la

pas été pastour! Voyons, plumez cette perdrix! Pas si fort! vous lui arrachez la peau.

— Tu pourrais bien plumer l'autre pour me montrer!

— Vous voulez donc en manger deux? Quel ogre! Allons, les voilà plumées, je vais les cuire.

— Tu ferais une parfaite cantinière, petite Marie; mais, par malheur, tu n'as pas de cantine [1], et je serai réduit à boire l'eau de cette mare.

— Vous voudriez du vin, pas vrai? Il vous faudrait peut-être du café? Vous vous croyez à la foire sous la ramée [2]! Appelez l'aubergiste : de la liqueur au fin laboureur de Belair!

— Ah! petite méchante, vous vous moquez de moi? Vous ne boiriez pas du vin, vous, si vous en aviez?

— Moi? J'en ai bu ce soir avec vous chez la Rebec, pour la seconde fois de ma vie; mais si vous êtes bien sage, je vais vous en donner une bouteille quasi pleine, et du bon encore!

— Comment, Marie, tu es donc sorcière, décidément?

— Est-ce que vous n'avez pas fait la folie de demander deux bouteilles de vin à la Rebec? Vous en avez bu une avec votre petit, et j'ai à peine avalé trois gouttes de celle que vous aviez mise devant moi. Cependant

---

saulnée. « La saulnée est une ficelle incommensurable toute garnie de crins disposés en nœuds coulants pour prendre les alouettes et menus oiseaux des champs en temps de neige. » (*Histoire de ma Vie*, III, 9.)

1. *Cantine* : caisse pour transporter les provisions et particulièrement le vin.

2. *Ramée* : restaurant champêtre, tente formée par des arceaux en bois flexible, fichés en terre et recouverts d'une toile. (Vincent, *Langue et style rustiques de George Sand*, p. 173).

vous les aviez payées toutes les deux sans y regarder [1].

— Eh bien?

— Eh bien, j'ai mis dans mon panier celle qui n'avait pas été bue, parce que j'ai pensé que vous ou votre petit auriez soif en route; et la voilà.

— Tu es la fille la plus avisée que j'aie jamais rencontrée. Voyez! elle pleurait pourtant, cette pauvre enfant en sortant de l'auberge! ça ne l'a pas empêchée de penser aux autres plus qu'à elle-même. Petite Marie, l'homme qui t'épousera ne sera pas sot.

— Je l'espère, car je n'aimerais pas un sot. Allons, mangez vos perdrix, elles sont cuites à point; et faute de pain, vous vous contenterez de châtaignes.

— Et où diable as-tu pris aussi des châtaignes?

— C'est bien étonnant! tout le long du chemin, j'en ai pris aux branches en passant, et j'en ai rempli mes poches.

— Et elles sont cuites aussi?

— A quoi donc aurais-je eu l'esprit si je ne les avais pas mises dans le feu dès qu'il a été allumé? Ça se fait toujours, aux champs.

— Ah ça, petite Marie, nous allons souper ensemble! je veux boire à ta santé et te souhaiter un bon mari... là, comme tu le souhaiterais toi-même. Dis-moi un peu cela!

— J'en serais fort empêchée, Germain, car je n'y ai pas encore songé.

— Comment, pas du tout? jamais? dit Germain, en commençant à manger avec un appétit de laboureur, mais coupant les meilleurs morceaux pour les offrir à sa compagne, qui refusa obstinément et se contenta de quelques châtaignes. Dis-moi donc, petite Marie,

---

1. *Sans y regarder :* sans prendre garde à la dépense.

reprit-il, voyant qu'elle ne songeait pas à lui répondre, tu n'as pas encore eu l'idée du mariage? tu es en âge pourtant!

— Peut-être, dit-elle; mais je suis trop pauvre. Il faut au moins cent écus pour entrer en ménage, et je dois travailler cinq ou six ans pour les amasser.

— Pauvre fille! je voudrais que le père Maurice voulût bien me donner cent écus[1] pour t'en faire cadeau.

— Grand merci, Germain. Eh bien! qu'est-ce qu'on dirait de moi?

— Que veux-tu qu'on dise? on sait bien que je suis vieux et que je ne peux pas t'épouser. Alors on ne supposerait pas que je.. que tu...

— Dites donc, laboureur! voilà votre enfant qui se réveille, dit la petite Marie.

---

1. L'écu était, sous l'ancien régime, une pièce d'argent de six livres. Le petit écu valait trois livres. Après la révolution on continua d'employer le nom d'écu en le donnant à la pièce de cinq francs.

IX

LA PRIÈRE DU SOIR[a]

Petit-Pierre s'était soulevé et regardait autour de lui d'un air pensif.

— Ah! il n'en fait jamais d'autre quand il entend manger, celui-là! dit Germain : le bruit du canon ne le réveillerait pas; mais quand on remue les mâchoires auprès de lui, il ouvre les yeux tout de suite.

— Vous avez dû être comme ça à son âge, dit la petite Marie avec un sourire malin. Allons, mon petit Pierre, tu cherches ton ciel de lit? Il est fait de verdure, ce soir, mon enfant; mais ton père n'en soupe pas moins. Veux-tu souper avec lui? Je n'ai pas mangé ta part; je me doutais bien que tu la réclamerais!

— Marie, je veux que tu manges, s'écria le laboureur, je ne mangerai plus. Je suis un vorace, un grossier : toi, tu te prives pour nous, ce n'est pas juste, j'en ai honte. Tiens, ça m'ôte la faim[b]; je ne veux pas que mon fils soupe, si tu ne soupes pas.

— Laissez-nous tranquilles, répondit la petite Marie, vous n'avez pas la clef de nos appétits. Le mien est fermé aujourd'hui, mais celui de votre Pierre est ouvert comme celui d'un petit loup. Tenez, voyez comme il s'y prend! Oh! ce sera aussi un rude laboureur[c]!

En effet, Petit-Pierre montra bientôt de qui il était

fils, et à peine éveillé, ne comprenant ni où il était, ni comment il y était venu, il se mit à dévorer. Puis, quand il n'eut plus faim, se trouvant excité comme il arrive aux enfants qui rompent leurs habitudes il eut plus d'esprit, plus de curiosité et plus de raisonnement qu'à l'ordinaire[a]. Il se fit expliquer où il était, et quand il sut que c'était au milieu d'un bois, il eut un peu peur.

— Y a-t-il des méchantes bêtes dans ce bois ? demanda-t-il à son père.

— Non, fit le père, il n'y en a point. Ne crains rien.

— Tu as donc menti quand tu m'as dit que si j'allais avec toi dans les grands bois les loups m'emporteraient ?

— Voyez-vous ce raisonneur[b] ? dit Germain embarrassé.

— Il a raison, reprit la petite Marie, vous lui avez dit cela : il a bonne mémoire, il s'en souvient. Mais apprends, mon petit Pierre, que ton père ne ment jamais. Nous avons passé les grands bois pendant que tu dormais, et nous sommes à présent dans les petits bois, où il n'y a pas de méchantes bêtes [1].

— Les petits bois sont-ils bien loin des grands ?

— Assez loin ; d'ailleurs les loups ne sortent pas des grands bois. Et puis, s'il en venait ici, ton père les tuerait.

— Et toi aussi, petite Marie ?

— Et nous aussi, car tu nous aiderais bien, mon

---

1. George Sand a toujours pensé qu'il fallait ménager la sensibilité des enfants. « On me dit souvent, écrit-elle, que je mets leur âme dans du coton. La nature ne nous l'enseigne-t-elle pas, elle qui a départi aux mères l'instinct de conserver les êtres les plus fragiles au prix des plus minutieuses précautions ? » (*Les Idées d'un maître d'école*, III.)

Pierre? Tu n'as pas peur, toi? Tu taperais bien dessus!

— Oui, oui, dit l'enfant enorgueilli, en prenant une pose héroïque, nous les tuerions!

— Il n'y a personne comme toi pour parler aux enfants, dit Germain à la petite Marie, et pour leur faire entendre raison. Il est vrai qu'il n'y a pas longtemps que tu étais toi-même un petit enfant et tu te souviens de ce que te disait ta mère. Je crois bien que plus on est jeune, mieux on s'entend avec ceux qui le sont. J'ai grand'peur qu'une femme de trente ans, qui ne sait pas encore ce que c'est que d'être mère, n'apprenne avec peine à babiller et à raisonner avec des marmots[1].

— Pourquoi donc pas, Germain? Je ne sais pourquoi vous avez une mauvaise idée touchant cette femme; vous en reviendrez!

— Au diable la femme! dit Germain. Je voudrais en être revenu pour n'y plus retourner. Qu'ai-je besoin d'une femme que je ne connais pas?

— Mon petit père, dit l'enfant, pourquoi donc est-ce que tu parles toujours de ta femme aujourd'hui puisqu'elle est morte?...

— Hélas! tu ne l'as donc pas oubliée, toi, ta pauvre chère mère?

— Non, puisque je l'ai vu mettre dans une belle boîte de bois blanc, et que ma grand'mère m'a conduit auprès pour l'embrasser et lui dire adieu!... Elle était toute blanche et toute froide, et tous les soirs ma tante me fait prier le bon Dieu pour qu'elle aille se réchauffer avec lui dans le ciel. Crois-tu qu'elle y soit, à présent?

─────────

1. Germain présente ici ses objections à la réflexion faite par le père Maurice, au chapitre III : « D'abord je ne suis pas d'avis que tu prennes une jeunesse. Ce n'est pas ce qu'il te faut. La jeunesse est légère. »

— Je l'espère, mon enfant; mais il faut toujours prier [1], ça fait voir à ta mère que tu l'aimes.

— Je vas dire ma prière, reprit l'enfant; je n'ai pas pensé à la dire ce soir. Mais je ne peux pas la dire tout seul; j'en oublie toujours un peu. Il faut que la petite Marie m'aide.

— Oui, mon Pierre, je vas t'aider, dit la jeune fille. Viens là, te mettre à genoux sur moi.

L'enfant s'agenouilla sur la jupe[a] de la jeune fille, joignit ses petites mains, et se mit à réciter sa prière, d'abord avec attention et ferveur, car il savait très bien le commencement; puis avec plus de lenteur et d'hésitation, et enfin répétant mot à mot ce que lui dictait la petite Marie, lorsqu'il arriva à cet endroit de son oraison, où le sommeil le gagnant chaque soir, il n'avait jamais pu l'apprendre jusqu'au bout. Cette fois encore, le travail de l'attention et la monotonie de son propre accent produisirent leur effet accoutumé, il ne prononça plus qu'avec effort les dernières syllabes, et encore après se les être fait répéter trois fois; sa tête s'appesantit et se pencha sur la poitrine de Marie : ses mains se détendirent, se séparèrent et retombèrent ouvertes sur ses genoux. A la lueur du feu du bivouac, Germain regarda son petit ange assoupi sur le cœur[b] de la jeune fille, qui, le soutenant dans ses bras et réchauffant ses cheveux blonds de sa pure haleine, s'était laissée aller

---

[1]. « Dans ses romans champêtres, l'auteur de *La Petite Fadette* a fait une assez grande place à la religion des habitants du Berry. Elle a, en général, bien compris et bien rendu le sentiment religieux des paysans. » (L. Vincent, *Le Berry dans l'œuvre de George Sand*, p. 208.) A la fin des *Noces de Campagne*, se trouve une autre notation de la piété de Germain : « Il se mit à genoux dans le sillon qu'il allait refendre, et fit la prière du matin avec une effusion si grande que deux larmes coulèrent sur ses joues encore humides de sueur. »

aussi à une rêverie pieuse et priait mentalement pour l'âme de Catherine [1].

Germain fut attendri, chercha ce qu'il pourrait dire à la petite Marie pour lui exprimer ce qu'elle lui inspirait*a* d'estime et de reconnaissance, mais ne trouva rien qui pût rendre sa pensée*b*. Il s'approcha d'elle pour embrasser son fils qu'elle tenait toujours pressé contre son sein, et il eut peine à détacher ses lèvres du front du petit Pierre.

— Vous l'embrassez trop fort, lui dit Marie en repoussant doucement la tête du laboureur, vous allez le réveiller. Laissez-moi le recoucher, puisque le voilà reparti pour les rêves du paradis.

L'enfant se laissa coucher, mais en s'étendant sur la peau de chèvre du bât, il demanda s'il était sur la Grise. Puis, ouvrant ses grands yeux bleus, et les tenant fixés vers les branches pendant une minute, il parut rêver tout éveillé, ou être frappé d'une idée qui avait glissé dans son esprit durant le jour, et qui s'y formulait à l'approche du sommeil. — Mon petit père, dit-il, si tu veux me donner une autre mère, je veux que ce soit la petite Marie.

Et sans attendre de réponse, il ferma les yeux et s'endormit.

---

1. George Sand est encore sensible au charme poétique du catholicisme, bien qu'à cette époque elle ait depuis longtemps abandonné la pratique de cette religion.

X

MALGRÉ LE FROID

La petite Marie ne parut pas faire d'autre attention aux paroles bizarres de l'enfant que de les regarder
comme une parole d'amitié; elle l'enveloppa avec soin,
ranima le feu, et, comme le brouillard endormi sur
la mare voisine ne paraissait nullement près de s'éclaircir[a], elle conseilla à Germain de s'arranger auprès du
feu pour faire un somme.

— Je vois que cela vous vient déjà, lui dit-elle,
car vous ne dites plus mot, et vous regardez la braise
comme votre petit faisait tout à l'heure. Allons, dor-
mez, je veillerai à l'enfant et à vous[b].

— C'est toi qui dormiras, répondit le laboureur,
et moi je vous garderai tous les deux, car jamais je
n'ai eu moins envie de dormir; j'ai cinquante idées
dans la tête.

— Cinquante[c], c'est beaucoup, dit la fillette avec
une intention un peu moqueuse; il y a tant de gens qui
seraient heureux d'en avoir une!

— Eh bien! si je ne suis pas capable d'en avoir
cinquante, j'en ai du moins une qui ne me lâche pas
depuis une heure.

— Et je vas vous la dire, ainsi que celles que vous
aviez auparavant.

— Eh bien! oui, dis-la si tu la devines, Marie; dis-la-moi toi-même, ça me fera plaisir.

— Il y a une heure, reprit-elle, vous aviez l'idée de manger... et à présent vous avez l'idée de dormir.

— Marie, je ne suis qu'un bouvier, mais vraiment tu me prends pour un bœuf. Tu es une méchante fille, et je vois bien que tu ne veux point causer avec moi. Dors donc, cela vaudra mieux que de critiquer un homme qui n'est pas gai.

— Si vous voulez causer, causons, dit la petite fille en se couchant à demi auprès de l'enfant, et en appuyant sa tête contre le bât. Vous êtes en train de vous tourmenter, Germain, et en cela vous ne montrez pas beaucoup de courage pour un homme. Que ne dirais-je pas, moi, si je ne me défendais pas de mon mieux contre mon propre chagrin?

— Oui, sans doute, et c'est là justement ce qui m'occupe, ma pauvre enfant! Tu vas vivre loin de tes parents et dans un vilain pays de landes et de marécages [1], où tu attraperas les fièvres d'automne, où les bêtes à laine ne profitent pas, ce qui chagrine toujours une bergère qui a bonne intention; enfin tu seras au milieu d'étrangers qui ne seront peut-être pas bons pour toi, qui ne comprendront pas ce que tu vaux. Tiens, ça me fait plus de peine que je ne peux te le dire, et j'ai envie de te ramener chez ta mère au lieu d'aller à Fourche.

_____

1. Dans l'*Histoire de ma Vie* (III, 3), G. Sand décrit assez longuement ce pays : « La végétation et le bétail y sont plus pâles et plus maigres que dans notre vallée. » C'est un désert « à peine semé de quelques fermes et de quelques chaumières ». Cela ressemble à la Sologne. Pourtant « c'est beaucoup moins pauvre et moins laid que la Sologne » et le voisinage des terres cultivées « combat l'insalubrité des landes ».

— Vous parlez avec beaucoup de bonté, mais sans raison, mon pauvre Germain; on ne doit pas être lâche[a] pour ses amis, et au lieu de me montrer le mauvais côté de mon sort, vous devriez m'en montrer le bon, comme vous faisiez quand nous avons goûté chez la Rebec.

— Que veux-tu! ça me paraissait ainsi dans ce moment-là, et à présent ça me paraît autrement. Tu ferais mieux de trouver un mari.

— Ça ne se peut pas, Germain, je vous l'ai dit; et comme ça ne se peut pas, je n'y pense pas.

— Mais enfin si ça se trouvait? Peut-être que si tu voulais me dire comment tu souhaiterais qu'il fût, je parviendrais à imaginer quelqu'un[b].

— Imaginer n'est pas trouver. Moi, je n'imagine rien puisque c'est inutile.

— Tu n'aurais pas l'idée de trouver un riche?

— Non, bien sûr, puisque je suis pauvre comme Job.

— Mais s'il était à son aise, ça ne te ferait pas de peine d'être bien logée, bien nourrie, bien vêtue et dans une famille de braves gens qui te permettraient d'assister ta mère?

— Oh! pour cela, oui! assister ma mère est tout mon souhait.

— Et si cela se rencontrait, quand même l'homme ne serait pas de la première jeunesse, tu ne ferais pas trop la difficile?

— Ah! pardonnez-moi, Germain. C'est justement la chose à laquelle je tiendrais. Je n'aimerais pas un vieux!

— Un vieux, sans doute; mais, par exemple, un homme de mon âge?

— Votre âge est vieux pour moi, Germain; j'aimerais l'âge de Bastien [1], quoique Bastien ne soit pas si joli homme que vous.

— Tu aimerais mieux Bastien le porcher? dit Germain avec humeur. Un garçon qui a les yeux faits comme les bêtes qu'il mène?

— Je passerais par-dessus ses yeux, à cause de ses dix-huit ans.

Germain se sentit horriblement jaloux. — Allons, dit-il, je vois que tu en tiens pour Bastien. C'est une drôle d'idée, pas moins!

— Oui, ce serait une drôle d'idée, répondit la petite Marie en riant aux éclats, et ça ferait un drôle de mari. On lui ferait accroire tout ce qu'on voudrait. Par exemple, l'autre jour, j'avais ramassé une tomate dans le jardin à monsieur le curé; je lui ai dit que c'était une belle pomme rouge, et il a mordu dedans comme un goulu. Si vous aviez vu quelle grimace! Mon Dieu, qu'il était vilain!

— Tu ne l'aimes donc pas, puisque tu te moques de lui?

— Ce ne serait pas une raison. Mais je ne l'aime pas : il est brutal avec sa petite sœur, et il est malpropre.

— Eh bien! tu ne te sens pas portée pour quelque autre?

— Qu'est-ce que ça vous fait, Germain?

— Ça ne me fait rien, c'est pour parler. Je vois, petite fille, que tu as déjà un galant dans la tête.

— Non, Germain, vous vous trompez, je n'en ai pas encore; ça pourra venir plus tard : mais puisque

---

1. *Bastien* : diminutif populaire pour Sébastien. G. Sand avait d'abord mis « Mathurin ». Bastien est aussi le prénom du Grand-Bûcheux dans *Les Maîtres sonneurs*.

je ne me marierai que quand j'aurai un peu amassé,
je suis destinée à me marier tard et avec un vieux.

— Eh bien, prends-en un vieux tout de suite.

— Non pas! quand je ne serai plus jeune, ça me sera
égal; à présent, ce serait différent.

— Je vois bien, Marie, que je te déplais : c'est assez
clair, dit Germain avec dépit, et sans peser ses paroles.

La petite Marie ne répondit pas. Germain se pencha
vers elle[a] : elle dormait; elle était tombée vaincue et
comme foudroyée par le sommeil, comme font les enfants qui dorment déjà lorsqu'ils babillent encore.

Germain fut content qu'elle n'eût pas fait attention
à ses dernières paroles; il reconnut qu'elles n'étaient
point sages, et il lui tourna le dos pour se distraire et
changer de pensée.

Mais il eut beau faire, il ne put s'endormir, ni songer
à autre chose qu'à ce qu'il venait de dire. Il tourna vingt
fois autour du feu, il s'éloigna, il revint[b]; enfin, se sentant aussi agité que s'il eût avalé de la poudre à canon[c],
il s'appuya contre l'arbre qui abritait les deux enfants
et les regarda dormir[d].

— Je ne sais pas comment je ne m'étais jamais aperçu,
pensait-il, que cette petite Marie est la plus jolie fille du
pays!... Elle n'a pas beaucoup de couleur, mais elle a un
petit visage frais comme une rose de buissons! Quelle
gentille bouche et quel mignon petit nez!... Elle n'est
pas grande pour son âge, mais elle est faite comme une
petite caille et légère comme un petit pinson[e]!... Je ne
sais pas pourquoi on fait tant de cas chez nous[f] d'une
grande et grosse femme bien vermeille... La mienne
était plutôt mince et pâle, et elle me plaisait par-dessus
tout... Celle-ci est toute délicate, mais elle ne s'en porte
pas plus mal, et elle est jolie à voir[g] comme un chevreau
blanc!... Et puis, quel air doux et honnête! comme on

lit[a] son bon cœur dans ses yeux, même lorsqu'ils sont
fermés pour dormir!... Quant à de l'esprit [1], elle en a
plus que ma chère Catherine n'en avait, il faut en convenir, et on ne s'ennuierait pas avec elle... C'est gai, c'est
sage, c'est laborieux, c'est aimant, et c'est drôle. Je ne
vois pas ce qu'on pourrait souhaiter de mieux...

« Mais qu'ai-je à m'occuper de tout cela ? reprenait
Germain, en tâchant de regarder d'un autre côté. Mon
beau-père ne voudrait pas en entendre parler, et toute la
famille me traiterait de fou!... D'ailleurs, elle-même ne
voudrait pas de moi, la pauvre enfant!... Elle me trouve
trop vieux, elle me l'a dit... Elle n'est pas intéressée,
elle se soucie peu d'avoir encore de la misère et de la
peine, de porter de pauvres habits, et de souffrir de la
faim pendant deux ou trois mois de l'année [2], pourvu
qu'elle contente son cœur un jour, et qu'elle puisse se
donner à un mari[b] qui lui plaira... elle a raison, elle!
je ferais de même à sa place... et, dès à présent, si je
pouvais suivre ma volonté, au lieu de m'embarquer
dans un mariage qui ne me sourit pas, je choisirais une
fille à mon gré... »

Plus Germain cherchait à raisonner et à se calmer,
moins il en venait à bout. Il s'en allait à vingt pas de là,
se perdre dans le brouillard; et puis, tout d'un coup, il
se retrouvait à genoux à côté des deux enfants endormis.
Une fois même il voulut embrasser Petit-Pierre, qui
avait un bras passé autour du cou de Marie, et il se
trompa si bien que Marie, sentant une haleine chaude

---

1. Comparer avec la tournure employée par Molière : « Pour de
l'esprit, j'en ai » (*Misanthrope*, v. 791), et par G. Sand elle-même :
« Pour du courage, il en faut à tous » (*Correspondance*, VI, p. 371).
2. De la Saint-Jean à la Saint-Martin, puisqu'elle n'est engagée que
jusqu'à la Saint-Jean.

comme le feu courir sur ses lèvres, se réveilla et le
regarda d'un air tout effaré, ne comprenant rien du tout
à ce qui se passait en lui.

— Je ne vous voyais pas, mes pauvres enfants!
dit Germain en se retirant bien vite. J'ai failli tomber
sur vous et vous faire du mal.

La petite Marie eu la candeur de le croire, et se ren-
dormit. Germain passa de l'autre côté du feu et jura
à Dieu qu'il n'en bougerait jusqu'à ce qu'elle fût
réveillée. Il tint parole, mais ce ne fut pas sans peine.
Il crut qu'il en deviendrait fou.

Enfin, vers minuit, le brouillard se dissipa, et Germain put voir les étoiles briller à travers les arbres. La
lune se dégagea aussi des vapeurs qui la couvraient et
commença à semer des diamants sur la mousse humide.
Le tronc des chênes restait dans une majestueuse obs-
curité; mais, un peu plus loin, les tiges blanches des
bouleaux semblaient[a] une rangée de fantômes dans
leurs suaires [1]. Le feu se reflétait dans la mare; et les
grenouilles, commençant à s'y habituer, hasardaient
quelques notes grêles et timides [2], les branches anguleuses des vieux arbres, hérissées de pâles lichens, s'éten-

---

1. Cette description correspond à des impressions que G. Sand, au
cours de ses promenades nocturnes, avait parfois éprouvées, comme
l'atteste ce passage de la quatrième *Lettre d'un voyageur*, où elle évoque
son intimité avec Rollinat : « Le soir, nous marchons encore dans le
jardin jusqu'à minuit; c'est une fatigue physique qui m'est absolument
nécessaire pour trouver le sommeil... Il regarde les étoiles où il me
rêve un asile, et je promène d'inutiles regards sous les ténébreux
ombrages que nous traversons. Leur mystérieux silence me fait tres-
saillir quelquefois d'épouvante, et il me semble que c'est mon spectre
qui se promène à ma place, dans ces lieux mornes comme la tombe. »
(Septembre 1834.)

2. Le « chant » des grenouilles a inspiré à G. Sand quelques jolies
descriptions : « Quand je m'assieds le soir au clair de lune, écrivait-elle
en 1826, j'écoute ces petites grenouilles qui n'ont qu'une note dans la

daient et s'entre-croisaient comme de grands bras décharnés sur la tête de nos voyageurs[a]; c'était un bel endroit,
mais si désert et si triste, que Germain, las d'y souffrir,
se mit à chanter et à jeter des pierres dans l'eau pour
s'étourdir sur l'ennui [1] effrayant de la solitude. Il dési-
rait aussi éveiller[b] la petite Marie; et lorsqu'il vit qu'elle
se levait et regardait le temps, il lui proposa de se
remettre en route.

— Dans deux heures, lui dit-il, l'approche du jour
rendra l'air si froid, que nous ne pourrons[c] plus y
tenir, malgré notre feu... A présent, on voit à se conduire, et nous trouverons bien une maison qui nous
ouvrira, ou du moins quelque grange où nous pourrons passer à couvert le reste de la nuit.

Marie n'avait pas de volonté; et, quoiqu'elle eût
encore grande envie de dormir, elle se disposa à suivre
Germain.

Celui-ci prit son fils dans ses bras sans le réveiller,
et voulut que Marie s'approchât de lui pour se cacher
dans son manteau, puisqu'elle ne voulait pas reprendre
sa cape roulée autour du petit Pierre.

Quand il sentit la jeune fille si près de lui, Germain,
qui s'était distrait et égayé un instant, recommença à
perdre la tête. Deux ou trois fois il s'éloigna brusque-
ment, et la laissa marcher seule. Puis voyant qu'elle avait
peine à le suivre, il l'attendait, l'attirait vivement près

---

voix, mais qui ont chacune un ton différent et qui se rassemblent la nuit
au coin d'un pré pour chanter un air à la lune entre elles toutes. »
(Lettre à Zoé Leroy, 26 juin 1826). En 1844, dans *Jeanne*, elle compare
le « chant » des grenouilles à une « mystérieuse psalmodie que la nuit
leur inspire ». Elle convient du reste que parfois leur vacarme peut
devenir exaspérant : « En de certaines nuits de printemps et d'automne,
elles poussent de concert une telle clameur qu'on ne s'entend point
parler. » (*Histoire de ma Vie*, III, 3).

1. *Ennui* est pris ici dans le sens fort qu'il avait au XVIIe siècle.

de lui, et la pressait si fort, qu'elle en était étonnée et même fâchée sans oser le dire.

Comme ils ne savaient point du tout de quelle direction ils étaient partis, ils ne savaient pas celle qu'ils suivaient; si bien qu'ils remontèrent encore une fois tout le bois, se retrouvèrent, de nouveau, en face de la lande déserte, revinrent sur leurs pas, et, après avoir tourné et marché longtemps, ils aperçurent de la clarté à travers les branches.

— Bon! voici une maison, dit Germain, et des gens déjà éveillés, puisque le feu est allumé. Il est donc bien tard?

Mais ce n'était pas une maison : c'était le feu de bivouac qu'ils avaient couvert en partant, et qui s'était rallumé à la brise[a]...

Ils avaient marché pendant deux heures pour se retrouver au point de départ.

XI

A LA BELLE ÉTOILE[a]

— Pour le coup j'y renonce! dit Germain en frappant du pied. On nous a jeté un sort [1], c'est bien sûr, et nous ne sortirons d'ici qu'au grand jour. Il faut que cet endroit soit endiablé.

— Allons, allons, ne nous fâchons pas, dit Marie, et prenons-en notre parti. Nous ferons un plus grand feu, l'enfant est si bien enveloppé qu'il ne risque rien, et pour passer une nuit dehors nous n'en mourrons point. Où avez-vous caché la bâtine, Germain? Au milieu des houx, grand étourdi[b]! C'est commode pour aller la reprendre!

— Tiens l'enfant, prends-le que je retire son lit des broussailles; je ne veux pas que tu te piques les mains.

— C'est fait, voici le lit, et quelques piqûres ne sont pas des coups de sabre, reprit la brave petite fille.

Elle procéda de nouveau au coucher du petit Pierre, qui était si bien endormi cette fois qu'il ne s'aperçut en rien de ce nouveau voyage. Germain mit tant de bois

---

1. Malgré leur piété les paysans du Berry sont très accessibles aux superstitions. « Les jeteux de sort, écrit L. Vincent, font échouer, quand bon leur semble, toutes les entreprises. Ils détruisent les récoltes, donnent des maladies, anéantissent les profits. » (*Le Berry dans l'œuvre de George Sand*, p. 246). La croyance aux sorciers apparaît dans plusieurs romans de George Sand, en particulier dans *Jeanne* (1844) et dans *La Petite Fadette* (1848).

au feu que toute la forêt en resplendit à la ronde : mais la petite Marie n'en pouvait plus, et quoiqu'elle ne se plaignît de rien, elle ne se soutenait plus sur ses jambes. Elle était pâle et ses dents claquaient de froid et de faiblesse. Germain la prit dans ses bras pour la réchauffer ; et l'inquiétude, la compassion, des mouvements de tendresse irrésistible s'emparant de son cœur, firent taire ses sens. Sa langue se délia comme par miracle [1], et toute honte cessant :

— Marie, lui dit-il, tu me plais, et je suis bien malheureux de ne pas te plaire. Si tu voulais m'accepter pour ton mari, il n'y aurait ni beau-père, ni parents, ni voisins, ni conseils qui pussent m'empêcher de me donner à toi. Je sais que tu rendrais mes enfants heureux, que tu leur apprendrais à respecter le souvenir de leur mère, et, ma conscience étant en repos, je pourrais contenter mon cœur. J'ai toujours eu de l'amitié pour toi, et à présent je me sens si amoureux que si tu me demandais de faire toute ma vie tes mille volontés, je te le jurerais sur l'heure. Vois, je t'en prie, comme je t'aime, et tâche d'oublier mon âge. Pense que c'est une fausse idée qu'on se fait quand on croit qu'un homme de trente ans est vieux. D'ailleurs je n'ai que vingt-huit ans ! une jeune fille craint[a] de se faire critiquer en prenant un homme qui a dix ou douze ans de plus qu'elle, parce que ce n'est pas la coutume du pays ; mais j'ai entendu dire que dans d'autres pays on ne regardait point à cela [2] ;

---

1. Le même miracle se produit dans *Le Compagnon du Tour de France* (p. 300) : « Il sentit sa langue se délier, son sang circuler librement, ses idées s'éclaircir, et la crainte du ridicule céder à des considérations plus sérieuses. » Ce roman avait été publié en 1841.

2. C'est ainsi que la grand-mère de G. Sand, Marie-Aurore de Saxe, avait épousé, à vingt-neuf ans, Dupin de Francueil, qui en avait soixante-deux.

« Jamais jeune homme n'a rendu une jeune femme aussi heureuse que

qu'au contraire on aimait mieux donner pour soutien, à une jeunesse, un homme raisonnable et d'un courage bien éprouvé qu'un jeune gars qui peut se déranger, et, de bon sujet qu'on le croyait, devenir un mauvais garnement. D'ailleurs, les années ne font pas toujours l'âge. Cela dépend de la force et de la santé qu'on a [1]. Quand un homme est usé par trop de travail et de misère ou par la mauvaise conduite, il est vieux avant vingt-cinq ans. Au lieu que moi... Mais tu ne m'écoutes pas, Marie.

— Si fait, Germain, je vous entends bien, répondit la petite Marie, mais je songe à ce que m'a toujours dit ma mère : c'est qu'une femme de soixante ans est bien à plaindre quand son mari en a[a] soixante-dix ou soixante-quinze, et qu'il ne peut plus travailler pour la nourrir. Il devient infirme, et il faut qu'elle le soigne à l'âge où elle commencerait elle-même à avoir grand besoin de ménagement et de repos. C'est ainsi qu'on arrive à finir sur la paille.

— Les parents ont raison de dire cela, j'en conviens, Marie, reprit Germain; mais enfin ils sacrifieraient tout le temps de la jeunesse, qui est le meilleur, à prévoir ce qu'on deviendra à l'âge où[b] l'on n'est plus bon à rien, et où il est indifférent de finir d'une manière ou d'une autre [2]. Mais moi, je ne suis pas dans le danger de mourir de faim sur mes vieux jours. Je suis à même d'amasser quelque chose, puisque, vivant avec les

je le fus, disait-elle; nous ne nous quittions jamais et jamais je n'eus un instant d'ennui auprès de lui. » (*Histoire de ma Vie*, I, 2).

1. G. Sand a déjà dit en parlant de Germain (chap. v) : « Le travail ne l'avait pas creusé et flétri comme la plupart des paysans qui ont dix années de labourage sur la tête. »

2. Cette *réflexion* est conforme au caractère de Germain, qui est apparu, dans sa conversation avec le père Maurice (chap. iv), assez insouciant de l'avenir.

parents de ma femme, je travaille beaucoup et ne dépense rien. D'ailleurs, je t'aimerai tant, vois-tu, que ça m'empêchera de vieillir. On dit que quand un homme est heureux, il se conserve, et je sens bien que je suis plus jeune que Bastien pour t'aimer; car il ne t'aime pas, lui, il est trop bête, trop enfant pour comprendre comme tu es jolie et bonne, et faite pour être recherchée. Allons, Marie, ne me déteste pas, je ne suis pas un méchant homme : j'ai rendu ma Catherine heureuse, elle a dit devant Dieu à son lit de mort qu'elle n'avait jamais eu de moi que du contentement, et elle m'a recommandé de me remarier. Il semble que son esprit ait parlé ce soir à son enfant, au moment où il s'est endormi. Est-ce que tu n'as pas entendu ce qu'il disait? et comme sa petite bouche tremblait, pendant que ses yeux regardaient en l'air quelque chose que nous ne pouvions pas voir! Il voyait sa mère, sois-en sûre, et c'était elle qui lui faisait dire qu'il te voulait pour la remplacer.

— Germain, répondit Marie, tout étonnée et toute pensive, vous parlez honnêtement et tout ce que vous dites est vrai. Je suis sûre que je ferais bien de vous aimer, si ça ne mécontentait pas trop vos parents : mais que voulez-vous que j'y fasse? le cœur ne m'en dit pas pour vous. Je vous aime bien, mais quoique votre âge ne vous enlaidisse pas, il me fait peur. Il me semble que vous êtes quelque chose pour moi, comme un oncle ou un parrain[a]; que je vous dois le respect, et que vous auriez des moments où vous me traiteriez comme une petite fille plutôt que comme votre femme et votre égale. Enfin, mes camarades se moqueraient peut-être de moi, et quoique ça soit une sottise de faire attention à cela, je crois que je serais honteuse et un peu triste le jour de mes noces.

— Ce sont là des raisons d'enfant; tu parles tout à fait comme un enfant, Marie!

— Eh bien! oui, je suis un enfant[1], dit-elle, et c'est à cause de cela que je crains un homme trop raisonnable[a]. Vous voyez bien que je suis trop jeune pour vous, puisque déjà vous me reprochez de parler sans raison! Je ne puis pas avoir plus de raison que mon âge n'en comporte.

— Hélas! mon Dieu, que je suis donc à plaindre d'être si maladroit et de dire si mal ce que je pense! s'écria Germain. Marie, vous ne m'aimez pas, voilà le fait; vous me trouvez trop simple et trop lourd. Si vous m'aimiez un peu, vous ne verriez pas si clairement mes défauts. Mais vous ne m'aimez pas, voilà!

— Eh bien! ce n'est pas ma faute, répondit-elle, un peu blessée de ce qu'il ne la tutoyait plus; j'y fais mon possible en vous écoutant, mais plus je m'y essaie et moins je peux me mettre dans la tête que nous devions être mari et femme.

Germain ne répondit pas. Il mit sa tête dans ses deux mains et il fut impossible à la petite Marie de savoir s'il pleurait, s'il boudait, ou s'il était endormi. Elle fut un peu inquiète de le voir si morne et de ne pas deviner ce qui roulait[b] dans son esprit; mais elle n'osa pas lui parler davantage, et comme elle était trop étonnée de ce qui venait de se passer pour avoir envie de se rendormir, elle attendit le jour avec impatience, soignant toujours le feu et veillant l'enfant dont Germain paraissait ne plus se souvenir[c]. Cependant Germain ne dormait point; il ne réfléchissait pas à son sort et ne faisait ni projets de courage, ni plans de séduction.

---

1. Dans la langue littéraire du XIX[e] siècle le mot *enfant* reste habituellement au masculin alors même qu'il désigne une jeune fille.

Il souffrait, il avait une montagne d'ennui sur le cœur[a]. Il aurait voulu être mort. Tout paraissait devoir tourner mal pour lui, et s'il eût pu pleurer il ne l'aurait pas fait à demi. Mais il y avait un peu de colère contre lui-même, mêlée à sa peine, et il étouffait sans pouvoir et sans vouloir se plaindre.

Quand le jour fut venu et que les bruits de la campagne l'annoncèrent à Germain, il sortit son visage de ses mains et se leva. Il vit que la petite Marie n'avait pas dormi non plus, mais il ne sut rien lui dire pour marquer sa sollicitude. Il était tout à fait découragé. Il cacha de nouveau le bât de la Grise dans les buissons, prit son sac sur son épaule, et tenant son fils par la main :

— A présent, Marie, dit-il, nous allons tâcher d'achever notre voyage. Veux-tu que je te conduise aux Ormeaux ?

— Nous sortirons du bois ensemble, lui répondit-elle, et quand nous saurons où nous sommes, nous irons chacun de notre côté.

Germain ne répondit pas. Il était blessé de ce que la jeune fille ne lui demandait pas de la mener jusqu'aux Ormeaux[b], et il ne s'apercevait pas qu'il le lui avait offert d'un ton qui semblait provoquer un refus.

Un bûcheron qu'ils rencontrèrent au bout de deux cents pas [1] les mit dans le bon chemin, et leur dit qu'après avoir passé la grande prairie ils n'avaient qu'à prendre, l'un tout droit, l'autre sur la gauche, pour gagner leurs différents gîtes, qui étaient d'ailleurs si voisins qu'on voyait distinctement les maisons de Fourche de la ferme des Ormeaux, et réciproquement.

---

1. *Deux cents pas :* on ne se servait guère du mot mètre dans les campagnes berrichonnes. Cf. *La Petite Fadette*, chap. x : « La rivière... n'est large, dans tout son parcours, de plus de quatre ou cinq mètres (comme on dit dans ces temps nouveaux). »

Puis, quand ils eurent remercié et dépassé le bûcheron, celui-ci les rappela pour leur demander s'ils n'avaient pas perdu un cheval.

— J'ai trouvé, leur dit-il, une belle jument grise dans ma cour, où peut-être le loup l'aura forcée de chercher un refuge. Mes chiens ont *jappé à nuitée* [1], et au point du jour j'ai vu la bête chevaline [2] sous mon hangar; elle y est encore. Allons-y, et si vous la reconnaissez, emmenez-la.

Germain ayant donné d'avance le signalement de la Grise et s'étant convaincu qu'il s'agissait bien d'elle, se mit en route pour aller rechercher son bât. La petite Marie[a] lui offrit alors de conduire son enfant aux Ormeaux, où il viendrait le reprendre lorsqu'il aurait fait son entrée à Fourche.

— Il est un peu malpropre après la nuit que nous avons passée, dit-elle. Je nettoierai ses habits, je laverai son joli museau, je le peignerai, et quand il sera beau et brave [3], vous pourrez le présenter à votre nouvelle famille.

— Et qui te dit que je veuille aller à Fourche? répondit Germain avec humeur. Peut-être n'irai-je pas!

— Si fait, Germain, vous devez y aller, vous irez, reprit la jeune fille.

---

1. *Jappé à nuitée :* aboyé pendant toute la nuit. C'est une des rares expressions de patois berrichon qu'il y ait dans *La Mare au Diable :* c'est pourquoi G. Sand l'a soulignée.

2. *Bête chevaline :* expression qu'emploie volontiers G. Sand pour désigner un cheval ou une jument. Cf. La Fontaine, V, 8 :
> J'ai, dit la bête chevaline,
> Une apostume sous le pied.

Jaubert (*Vocabulaire du Berry*, 1842) signale l'expression « bête asine ».

3. *Brave :* bien habillé (sens classique). Mme de Sévigné écrit le 27 novembre 1689 : « Mme de Lafayette se fait brave pour la noce de son fils. » Le mot était encore assez couramment employé dans ce sens au milieu du xix[e] siècle.

— Tu es bien pressée que je me marie avec
une autre, afin d'être sûre que je ne t'ennuierai
plus[a] ?

— Allons, Germain, ne pensez plus à cela : c'est une
idée qui vous est venue dans la nuit, parce que cette
mauvaise aventure[b] avait un peu dérangé vos esprits.
Mais à présent il faut que la raison vous revienne ; je
vous promets d'oublier ce que vous m'avez dit et de
n'en jamais parler à personne.

— Eh! parles-en si tu veux. Je n'ai pas l'habitude
de renier mes paroles. Ce que je t'ai dit était vrai, honnête, et je n'en rougirai devant personne.

— Oui ; mais si votre femme savait qu'au moment
d'arriver, vous avez pensé à une autre, ça la disposerait
mal pour vous. Ainsi faites attention aux paroles que
vous direz maintenant ; ne me regardez pas comme ça
devant le monde avec un air tout singulier. Songez au
père Maurice qui compte sur votre obéissance, et qui
serait bien en colère contre moi si je vous détournais
de faire sa volonté. Bonjour, Germain ; j'emmène Petit-
Pierre afin de vous forcer d'aller à Fourche. C'est un
gage que je vous garde.

— Tu veux donc aller avec elle ? dit le laboureur à
son fils, en voyant qu'il s'attachait aux mains de la petite
Marie, et qu'il la suivait résolument[c].

— Oui, père, répondit l'enfant qui avait écouté et
compris à sa manière ce qu'on venait de dire sans
méfiance devant lui. Je m'en vais avec ma Marie
mignonne : tu viendras me chercher[d] quand tu auras
fini de te marier ; mais je veux que Marie reste ma
petite mère.

— Tu vois bien qu'il le veut, lui! dit Germain à la
jeune fille. Écoute, Petit-Pierre, ajouta-t-il, moi je le
souhaite[e], qu'elle soit ta mère et qu'elle reste toujours

avec toi; c'est elle qui ne le veut pas. Tâche qu'elle
t'accorde ce qu'elle me refuse.

— Sois tranquille, mon père, je lui ferai dire oui :
a petite Marie fait toujours ce que je veux [1].

Il s'éloigna avec la jeune fille. Germain resta seul,
plus triste, plus irrésolu que jamais.

---

1. Le chapitre se termine par un dialogue entre le père et l'enfant.
Sainte-Beuve écrit à ce sujet (*Causeries du Lundi*, I, p. 361) : « En général,
le petit Pierre reparaît dans toutes les situations décisives et vient clore
les choses; c'est l'ange, je l'ai dit, c'est le médiateur et comme le lien
entre la première femme et celle qui sera la seconde. Quand l'expression
manque, le petit Pierre arrive, et il est l'expression vivante. »

XII

LA LIONNE[1] DU VILLAGE

CEPENDANT, quand il eut réparé le désordre du voyage
dans ses vêtements et dans l'équipage de son cheval,
quand il fut monté sur la Grise et qu'on lui eut indiqué
le chemin de Fourche, il pensa qu'il n'y avait plus
à reculer, et qu'il fallait oublier cette nuit d'agitations
comme un rêve dangereux.

Il trouva le père Léonard au seuil de sa maison
blanche, assis sur un beau banc de bois peint en vert
épinard. Il y avait[a] six marches de pierre disposées en
perron, ce qui faisait voir que la maison avait une
cave[2]. Le mur du jardin et de la chènevière[3] était
crépi à chaux et à sable. C'était une belle habitation;
il s'en fallait de peu qu'on ne la prît pour une maison
de bourgeois.

Le futur beau-père vint au-devant de Germain, et

---

1. Vers le milieu du règne de Louis-Philippe et jusque sous le second
Empire, on donnait le nom de *lions* et de *lionnes* aux élégants et aux
élégantes du grand monde. « La lionne, écrivait Mme de Girardin, est
celle que les fêtes réclament et sans laquelle il n'est point de plaisir. »
2. Le détail est souligné comme un signe de richesse.
3. A cette époque tous les paysans berrichons avaient leur
chènevière. « Chaque ménage récoltait assez de chanvre pour suffire
à l'entretien du linge et des vêtements de toute la famille. »
(L. Vincent, *Le Berry dans l'œuvre de George Sand*, p. 172.)

après lui avoir demandé, pendant cinq minutes, des nouvelles de toute sa famille, il ajouta la phrase consacrée à questionner poliment ceux qu'on rencontre, sur le but de leur voyage : *Vous êtes donc venu pour vous promener par ici ?*

— Je suis venu vous voir, répondit le laboureur, et vous présenter ce petit cadeau de gibier de la part de mon beau-père, en vous disant, aussi de sa part, que vous devez savoir dans quelles intentions je viens chez vous.

— Ah! ah! dit le père Léonard en riant et en frappant sur son estomac rebondi [1], je vois, j'entends, j'y suis! Et, clignant de l'œil, il ajouta : Vous ne serez pas le seul à faire vos compliments, mon jeune homme. Il y en a déjà trois à la maison qui attendent comme vous. Moi, je ne renvoie personne, et je serais bien embarrassé de donner tort ou raison à quelqu'un, car ce sont tous de bons partis. Pourtant, à cause du père Maurice et de la qualité des terres que vous cultivez, j'aimerais mieux que ce fût vous. Mais ma fille est majeure et maîtresse de son bien; elle agira donc selon son idée. Entrez, faites-vous connaître; je souhaite que vous ayez le bon numéro!

— Pardon, excuse, répondit Germain, fort surpris de se trouver en surnuméraire [2] là où il avait compté

---

1. Cf. *Le Meunier d'Angibault*, VIII : « Tandis que le paysan est toujours maigre, bien proportionné et d'un teint basané qui a sa beauté, le bourgeois de campagne est toujours, dès l'âge de quarante ans, affligé d'un gros ventre, d'une démarche pesante, d'un coloris vineux qui vulgarisent et enlaidissent les plus belles organisations. » Ces lignes sont écrites à propos de M. Bricolin, dont le père Léonard est une réplique. G. Sand n'aime pas les bourgeois riches.

2. *Surnuméraire* est employé dans le même sens par J.-J. Rousseau : « Comment me souffrir surnuméraire près de celle pour qui j'avais été tout? » (*Confessions*, VI).

d'être seul. Je ne savais pas que votre fille fût[a] déjà pourvue de prétendants, et je n'étais pas venu pour la disputer aux autres.

— Si vous avez cru que, parce que vous tardiez à venir, répondit, sans perdre sa bonne humeur, le père Léonard, ma fille se trouvait au dépourvu, vous vous êtes grandement trompé, mon garçon. La Catherine a de quoi attirer les épouseurs [1], et elle n'aura que l'embarras du choix. Mais entrez à la maison, vous dis-je, et ne perdez pas courage. C'est une femme qui vaut la peine d'être disputée.

Et poussant Germain par les épaules avec une rude gaîté : — Allons, Catherine, s'écria-t-il en entrant dans la maison, en voilà un de plus !

Cette manière joviale mais grossière d'être présenté à la veuve, en présence de ses autres soupirants, acheva de troubler et de mécontenter le laboureur. Il se sentit gauche et resta quelques instants sans oser lever les yeux sur la belle et sur sa cour.

La veuve Guérin était bien faite et ne manquait pas de fraîcheur. Mais elle avait une expression de visage et une toilette qui déplurent tout d'abord à Germain. Elle avait l'air hardi et content d'elle-même, et ses cornettes [2] garnies d'un triple rang de dentelle, son tablier de soie [3], et son fichu de

---

1. *Épouseur* (ou *épouseux*) : prétendant. Vieux mot, très employé dans le Berry. Les finales en *-eur*, et plus encore en *-eux* sont fréquentes dans le langage berrichon. Cf. L. Vincent, *Langue et style rustiques de George Sand*, p. 51.

2. Sur ce genre de coiffe, G. Sand donne la précision suivante « Tant que vous verrez une coiffe à barbes coquettement relevées et rappelant les figures du moyen âge, vous n'êtes pas sorti de la Vallée Noire. »

3. Le jour de son mariage la petite Marie porte aussi un tablier de soie. (Cf. *Les Noces de Campagne*, I). Le tablier, en langage berrichon. s'appelle devanteau.

blonde[1] noire étaient peu en rapport avec l'idée qu'il s'était faite d'une veuve sérieuse et rangée.

Cette recherche d'habillement et ces manières dégagées la lui firent trouver vieille et laide, quoiqu'elle ne fût ni l'un ni l'autre. Il pensa qu'une si jolie parure et des manières si enjouées siéraient à l'âge et à l'esprit fin de la petite Marie, mais que cette veuve avait la plaisanterie lourde et hasardée, et qu'elle portait sans distinction ses beaux atours.

Les trois prétendants étaient assis à une table chargée de vins et de viandes, qui étaient là en permanence pour eux toute la matinée du dimanche; car le père Léonard aimait à faire montre de sa richesse, et la veuve n'était pas fâchée non plus d'étaler sa belle vaisselle, et de tenir table comme une rentière. Germain, tout simple et confiant qu'il était, observa les choses[a] avec assez de pénétration, et pour la première fois de sa vie il se tint sur la défensive en trinquant. Le père Léonard l'avait forcé de prendre place avec ses rivaux, et, s'asseyant lui-même vis-à-vis de lui, il le traitait de son mieux, et s'occupait de lui avec prédilection. Le cadeau de gibier, malgré la brèche que Germain y avait faite pour son propre compte, était encore assez copieux pour produire de l'effet. La veuve y parut sensible et les prétendants y jetèrent un coup d'œil de dédain.

Germain se sentait mal à l'aise en cette compagnie et ne mangeait pas de bon cœur. Le père Léonard l'en plaisanta. — Vous voilà bien triste, lui dit-il, et vous boudez contre votre verre [2]. Il ne faut pas que l'amour vous coupe l'appétit, car un galant à jeun ne sait point

---

1. *Blonde :* dentelle aux fuseaux, exécutée primitivement en soie écrue. D'où son nom.

2. Cette expression semble avoir été imaginée par analogie avec l'expression plus triviale : bouder contre son ventre.

trouver de jolies paroles comme celui qui s'est éclairci les idées avec une petite pointe de vin. — Germain fut mortifié qu'on le supposât déjà amoureux, et l'air maniéré de la veuve, qui baissa les yeux en souriant, comme une personne sûre de son fait, lui donna l'envie de protester contre sa prétendue défaite ; mais il craignit de paraître incivil, sourit et prit patience.

Les galants de la veuve lui parurent trois rustres. Il fallait qu'ils fussent bien riches pour qu'elle admît leurs prétentions. L'un avait plus de quarante ans et était quasi aussi gros que le père Léonard ; un autre était borgne et buvait tant qu'il en était abruti ; le troisième était jeune et assez joli garçon ; mais il voulait faire de l'esprit et disait des choses si plates que cela faisait pitié [1]. Pourtant la veuve en riait comme si elle eût admiré toutes ces sottises, et, en cela, elle ne faisait pas preuve de goût. Germain crut d'abord qu'elle en était coiffée ; mais bientôt il s'aperçut qu'il était lui-même encouragé d'une manière particulière, et qu'on souhaitait qu'il se livrât davantage. Ce lui fut une raison pour se sentir et se montrer plus froid et plus grave.

L'heure de la messe arriva, et on se leva de table pour s'y rendre ensemble. Il fallait aller jusqu'à Mers [2], à une bonne demi-lieue de là, et Germain était si fatigué qu'il eût fort souhaité avoir le temps de faire un somme

---

1. G. Sand excelle à dessiner en quelques mots d'amusantes silhouettes. Cf. dans la sixième *Lettre d'un voyageur* ce portrait de J. Néraud : « Un petit homme sec et cuivré, plus mal vêtu qu'un paysan. » George Sand aimait la gaieté. D'où cette verve un peu familière qui ne va jamais jusqu'à la vulgarité.

2. *Mers :* Village situé sur la Vauvre, à quatre kilomètres au sud-est de Fourche. G. Sand a fait une légère erreur dans l'évaluation de la distance (la lieue valait 2.000 toises, soit 3.898 mètres).

auparavant; mais il n'avait pas coutume de manquer la messe, et il se mit en route avec les autres.

Les chemins étaient couverts de monde, et la veuve marchait d'un air fier, escortée de ses trois prétendants, donnant le bras tantôt à l'un, tantôt à l'autre, se rengorgeant et portant haut la tête [1]. Elle eût fort souhaité produire le quatrième aux yeux des passants; mais Germain trouva si ridicule d'être traîné ainsi de compagnie, par un cotillon, à la vue de tout le monde, qu'il se tint à distance convenable, causant avec le père Léonard, et trouvant moyen de le distraire et de l'occuper assez pour qu'ils n'eussent point l'air de faire partie de la bande[a].

---

1. Dans la peinture des campagnards, G. Sand fait preuve quelquefois d'un réalisme savoureux. Ici nous n'avons que des esquisses. On trouvera des portraits plus complets dans *Valentine* (Mme Lhéry), *Le Compagnon du Tour de France* (M. Lerebours et son fils), *Jeanne* (le vieux Léonard), *Le Meunier d'Angibault* (M. Bricolin), *Le Péché de Monsieur Antoine* (Jean Jappeloup).

XIII

LE MAITRE[a]

Lorsqu'ils atteignirent le village[b], la veuve s'arrêta pour les attendre. Elle voulait absolument faire son entrée avec tout son monde ; mais Germain, lui refusant cette satisfaction, quitta le père Léonard, accosta plusieurs personnes de sa connaissance, et entra dans l'église par une autre porte. La veuve en eut du dépit.

Après la messe, elle se montra partout triomphante sur la pelouse [1] où l'on dansait, et ouvrit la danse avec ses trois amoureux successivement. Germain la regarda faire, et trouva qu'elle dansait bien, mais avec affectation.

— Eh bien ! lui dit Léonard en lui frappant sur l'épaule, vous ne faites donc pas danser ma fille ? Vous êtes aussi par trop timide !

— Je ne danse plus depuis que j'ai perdu ma femme, répondit le laboureur.

— Eh bien ! puisque vous en recherchez une autre, le deuil est fini dans le cœur comme sur l'habit.

— Ce n'est pas une raison, père Léonard ; d'ailleurs je me trouve trop vieux, je n'aime plus la danse.

— Écoutez, reprit Léonard en l'attirant dans un

---

1. Dans beaucoup de villages du Berry, les danses avaient lieu sur une place couverte de gazon. Chopin écrivait de Nohant, le 1er octobre 1845 : « Dimanche dernier on fêta la Sainte Anne, patronne de l'endroit... Les danses eurent lieu devant l'église sur le gazon. »

endroit isolé, vous avez pris du dépit en entrant chez moi, de voir la place déjà entourée d'assiégeants, et je vois que vous êtes très fier; mais ceci n'est pas raisonnable, mon garçon. Ma fille est habituée à être courtisée, surtout depuis deux ans qu'elle a fini son deuil, et ce n'est pas à elle à aller au-devant de vous.

— Il y a déjà deux ans que votre fille est à marier, et elle n'a pas encore pris son parti? dit Germain.

— Elle ne veut pas se presser, et elle a raison. Quoiqu'elle ait la mine éveillée et qu'elle vous paraisse peut-être ne pas beaucoup réfléchir, c'est une femme d'un grand sens, et qui sait fort bien ce qu'elle fait.

— Il ne me semble pas, dit Germain ingénuement, car elle a trois galants à sa suite, et si elle savait ce qu'elle veut, il y en aurait au moins deux qu'elle trouverait de trop et qu'elle prierait de rester chez eux.

— Pourquoi donc? vous n'y entendez rien, Germain. Elle ne veut ni du vieux, ni du borgne, ni du jeune, j'en suis quasi certain; mais si elle les renvoyait, on penserait qu'elle veut rester veuve, et il n'en viendrait pas d'autre.

— Ah! oui! ceux-là servent d'enseigne!

— Comme vous dites. Où est le mal, si cela leur convient?

— Chacun son goût! dit Germain.

— Je vois que ce ne serait pas le vôtre. Mais voyons, on peut s'entendre, à supposer que vous soyez préféré : on pourrait vous laisser la place.

— Oui, à supposer! Et en attendant qu'on puisse le savoir, combien de temps faudrait-il rester le nez au vent?

— Ça dépend de vous, je crois, si vous savez parler et persuader. Jusqu'ici ma fille a très bien compris que le meilleur temps de sa vie serait celui qu'elle passerait à se laisser courtiser, et elle ne se sent pas pressée de devenir la servante d'un homme [1], quand elle peut commander à plusieurs. Ainsi, tant que le jeu lui plaira elle peut se divertir; mais si vous plaisez plus que le jeu, le jeu pourra cesser. Vous n'avez qu'à ne pas vous rebuter. Revenez tous les dimanches, faites-la danser, donnez à connaître que vous vous mettez sur les rangs, et si on vous trouve plus aimable et mieux appris que les autres, un beau jour on vous le dira sans doute.

— Pardon, père Léonard, votre fille a le droit d'agir comme elle l'entend, et je n'ai pas celui de la blâmer. A sa place, moi, j'agirais autrement; j'y mettrais plus de franchise et je ne ferais pas perdre du temps à des hommes qui ont sans doute quelque chose de mieux à faire qu'à tourner autour d'une femme qui se moque d'eux [2]. Mais, enfin, si elle trouve son amusement et son bonheur à cela, cela ne me regarde point[a]. Seulement, il faut que je vous dise une chose qui m'embarrasse un peu à vous avouer depuis ce matin, vu que vous avez commencé par vous tromper sur mes intentions, et que vous ne m'avez pas donné le temps de vous répondre : si bien que vous croyez ce qui n'est point. Sachez donc que je ne suis pas venu ici dans la vue de demander votre fille en mariage, mais dans celle de vous acheter une paire de bœufs que vous voulez conduire en foire la semaine prochaine, et que mon beau-père suppose lui convenir.

---

1. Allusion aux mœurs du Berry. La femme doit obéir à son mari qu'elle appelle « notre maître ». (Cf. *La Petite Fadette*, chap. 1.) Le mari « tutoie sa femme, mais celle-ci ne le tutoie pas ». (Laisnel de La Salle, *Croyances et légendes du centre de la France*, II, p. 105.)

2. George Sand a toujours été sévère pour les manèges de la coquetterie féminine. Dans *Les Maîtres sonneurs* c'est le seul travers qu'elle reproche à Brulette, par ailleurs si charmante.

— J'entends, Germain, répondit Léonard fort tranquillement; vous avez changé d'idée en voyant ma fille avec ses amoureux. C'est comme il vous plaira. Il paraît que ce qui attire les uns rebute les autres, et vous avez le droit de vous retirer puisque aussi bien vous n'avez pas encore parlé. Si vous voulez sérieusement acheter mes bœufs, venez les voir au pâturage; nous en causerons, et, que nous fassions ou non ce marché, vous viendrez dîner avec nous avant de vous en retourner.

— Je ne veux pas que vous vous dérangiez, reprit Germain, vous avez peut-être affaire ici; moi je m'ennuie un peu de voir danser et de ne rien faire. Je vais voir vos bêtes, et je vous trouverai tantôt chez vous.

Là-dessus Germain s'esquiva et se dirigea vers les prés, où Léonard lui avait, en effet, montré de loin une partie de son bétail. Il était vrai que le père Maurice en avait à acheter, et Germain pensa que s'il lui ramenait une belle paire de bœufs d'un prix modéré, il se ferait mieux pardonner d'avoir manqué volontairement le but de son voyage.

Il marcha vite et se trouva bientôt à peu de distance des Ormeaux. Il éprouva alors le besoin d'aller embrasser son fils, et même de revoir la petite Marie, quoiqu'il eût perdu l'espoir et chassé la pensée de lui devoir son bonheur. Tout ce qu'il venait de voir et d'entendre, cette femme coquette et vaine, ce père à la fois rusé et borné[a], qui encourageait sa fille dans des habitudes d'orgueil et de déloyauté, ce luxe des villes, qui lui paraissait une infraction à la dignité des mœurs de la campagne [1], ce temps perdu à des paroles oiseuses et

---

1. Idée chère à G. Sand et empruntée à J.-J. Rousseau. Si le père Léonard est antipathique, c'est qu'il a été perverti par les mœurs des

niaises, cet intérieur si différent du sien, et surtout ce malaise profond que l'homme des champs éprouve lorsqu'il sort de ses habitudes laborieuses[a], tout ce qu'il avait subi d'ennui et de confusion depuis quelques heures donnait à Germain l'envie de se retrouver avec son enfant et sa petite voisine. N'eût-il pas été amoureux de cette dernière, il l'aurait encore cherchée pour se distraire et remettre ses esprits dans leur assiette accoutumée.

Mais il regarda en vain dans les prairies environnantes, il n'y trouva ni la petite Marie ni le petit Pierre : il était pourtant l'heure où les pasteurs[b] sont aux champs. Il y avait un grand troupeau dans une *chôme*[1]; il demanda à un jeune garçon [c], qui le gardait, si c'étaient les moutons de la métairie des Ormeaux.

— Oui, dit l'enfant.

— En êtes-vous le berger? est-ce que les garçons gardent les bêtes à laine des métairies dans votre endroit?

— Non. Je les garde aujourd'hui parce que la bergère est partie : elle était malade.

— Mais n'avez-vous pas une nouvelle bergère, arrivée de ce matin?

— Oh! bien oui! elle est déjà partie aussi.

— Comment, partie? n'avait-elle pas un enfant avec elle?

— Oui : un petit garçon qui a pleuré. Ils se sont en allés tous les deux au bout de deux heures.

— En allés, où?

---

villes. Nous savons, par les *Promenades autour d'un village*, que certains paysans subissaient, dans les environs de Nohant, l'influence des citadins.

1. *Chôme* (ou chaume) : terrain en jachère, souvent communal, servant de pacage aux bestiaux.

— D'où ils venaient, apparemment. Je ne leur ai pas demandé.

— Mais pourquoi donc s'en allaient-ils ? dit Germain de plus en plus inquiet.

— Dame ! est-ce que je sais ?

— On ne s'est pas entendu sur le prix ? ce devait être pourtant une chose convenue d'avance.

— Je ne peux rien vous en dire. Je les ai vus entrer et sortir, voilà tout.

Germain se dirigea vers la ferme et questionna les métayers. Personne ne put lui expliquer le fait; mais il était constant qu'après avoir causé avec le fermier, la jeune fille était partie sans rien dire, emmenant l'enfant qui pleurait.

— Est-ce qu'on a maltraité mon fils ? s'écria Germain dont les yeux s'enflammèrent.

— C'était donc votre fils ? Comment se trouvait-il avec cette petite ? D'où êtes-vous donc, et comment vous appelle-t-on ?

Germain, voyant que, selon l'habitude du pays, on allait répondre à ses questions par d'autres questions, frappa du pied avec impatience et demanda à parler au maître.

Le maître n'y était pas : il n'avait pas coutume de rester toute la journée entière quand il venait à la ferme. Il était monté à cheval [1], et il était parti on ne savait pour quelle autre de ses fermes.

— Mais enfin, dit Germain en proie à une vive anxiété[a], ne pouvez-vous savoir la raison du départ de cette jeune fille ?

---

1. G. Sand écrit dans *Le Meunier d'Angibault* (chap. VIII) : « Tous es campagnards à leur aise (passent)... leurs journées au grand air, à cheval la plupart du temps et (mènent) une vie active mais non pénible ».

Le métayer échangea un sourire étrange avec sa femme, puis il répondit qu'il n'en savait rien, que cela ne le regardait pas. Tout ce que Germain put apprendre, c'est que la jeune fille et l'enfant étaient allés du côté de Fourche. Il courut à Fourche : la veuve et ses amoureux n'étaient pas de retour, non plus que le père Léonard. La servante lui dit qu'une jeune fille et un enfant étaient venus le demander, mais que, ne les connaissant pas, elle n'avait pas voulu les recevoir, et leur avait conseillé d'aller à Mers.

— Et pourquoi avez-vous refusé de les recevoir? dit Germain avec humeur. On est donc bien méfiant dans ce pays-ci, qu'on n'ouvre pas la porte à son prochain?

— Ah dame! répondit la servante, dans une maison riche comme celle-ci on a raison de faire bonne garde. Je réponds de tout quand les maîtres sont absents, et je ne peux pas ouvrir aux premiers venus.

— C'est une laide[a] coutume, dit Germain, et j'aimerais mieux être pauvre que de vivre comme cela dans la crainte. Adieu, la fille! adieu à votre vilain pays!

Il s'enquit dans les maisons environnantes. On avait vu la bergère et l'enfant. Comme le petit était parti de Belair à l'improviste, sans toilette, avec sa blouse un peu déchirée et sa petite peau d'agneau sur le corps; comme aussi la petite Marie était, pour cause, fort pauvrement vêtue en tout temps, on les avait pris pour des mendiants. On leur avait offert du pain; la jeune fille en avait accepté un morceau pour l'enfant qui avait faim, puis elle était partie très vite avec lui, et avait gagné les bois.

Germain réfléchit un instant, puis il demanda si le fermier des Ormeaux n'était pas venu à Fourche.

— Oui, lui répondit-on; il a passé à cheval peu d'instants après cette petite.

— Est-ce qu'il a couru après elle?

— Ah! vous le connaissez donc? dit[a] en riant le cabaretier de l'endroit, auquel il s'adressait. Oui, certes; c'est un gaillard endiablé pour courir après les filles. Mais je ne crois pas qu'il ait attrapé celle-là; quoique après tout, s'il l'eût vue...

— C'est assez, merci! Et il vola plutôt qu'il ne courut à l'écurie de Léonard. Il jeta la bâtine sur la Grise, sauta dessus, et partit au grand galop dans la direction des bois de Chanteloube.

Le cœur lui bondissait d'inquiétude et de colère, la sueur lui coulait du front. Il mettait en sang les flancs de la Grise, qui, en se voyant sur le chemin de son écurie, ne se faisait pourtant pas prier pour courir.

XIV

LA VIEILLE

Germain se retrouva bientôt à l'endroit où il avait passé la nuit au bord de la mare. Le feu fumait encore; une vieille femme [1] ramassait le reste de la provision de bois mort que la petite Marie y avait entassée. Germain s'arrêta pour la questionner. Elle était sourde, et, se méprenant sur ses interrogations :

— Oui, mon garçon, dit-elle, c'est ici la Mare au Diable. C'est un mauvais endroit, et il ne faut pas en approcher sans jeter trois pierres dedans de la main gauche, en faisant le signe de la croix de la main droite : ça éloigne les esprits [2]. Autrement il arrive des malheurs à ceux qui en font le tour.

---

1. C'est la sorcière traditionnelle, à la fois comique et un peu effrayante. Mais George Sand, dédaignant un pittoresque facile, ne s'attarde pas à la décrire. Le mot de sorcière n'est même pas employé.

2. Le conseil donné par la vieille se rattache à des pratiques très anciennes, qui semblent remonter jusqu'à l'époque gauloise. « On jetait des offrandes dans les eaux courantes ou stagnantes : on offrait, dit dom Martin, des sacrifices au bord des fontaines, au fond desquelles on jetait de l'or, de l'argent, des pains, des hardes et une infinité d'autres choses, comme on faisait ailleurs, dans les temples, devant les idoles. Combien de ces coutumes sont restées vivaces dans le peuple berrichon! Actuellement encore, dans la Vallée Noire, à Saint-Chartier, jeter une bouchée de pain dans un puits, le premier jour de l'an, porte bonheur. » (L. Vincent, *Le Berry dans l'œuvre de George Sand*, p. 220).

— Je ne vous parle pas de ça, dit Germain en s'approchant d'elle et en criant à tue-tête :

— N'avez-vous pas vu passer dans le bois une fille et un enfant?

— Oui, dit la vieille, il s'est noyé un petit enfant!

Germain frémit de la tête aux pieds; mais heureusement, la vieille ajouta :

— Il y a bien longtemps de ça; en mémoire de l'accident on y avait planté une belle croix; mais, par une belle nuit de grand orage, les mauvais esprits l'ont jetée dans l'eau [1]. On peut en voir encore un bout. Si quelqu'un avait le malheur de s'arrêter ici la nuit, il serait bien sûr de ne pouvoir jamais en sortir avant le jour. Il aurait beau marcher, marcher, il pourrait faire deux cents lieues dans le bois et se retrouver toujours à la même place.

L'imagination du laboureur se frappa malgré lui de ce qu'il entendait, et l'idée du malheur qui devait arriver pour achever de justifier les assertions de la vieille femme, s'empara si bien de sa tête, qu'il se sentit froid par tout le corps. Désespérant d'obtenir d'autres renseignements, il remonta à cheval et recommença de parcourir le bois en appelant Pierre de toutes ses forces, et en sifflant, faisant claquer son fouet, cassant les branches pour emplir la forêt du bruit de sa marche, écoutant ensuite si quelque voix lui répondait; mais il n'entendait que la cloche des vaches éparses dans les taillis, et le cri sauvage des porcs qui se disputaient la glandée.

Enfin Germain entendit derrière lui le bruit d'un cheval qui courait sur ses traces, et un homme entre

---

1. Ce mélange de catholicisme et de superstition est un des traits caractéristiques de l'âme berrichonne.

deux âges, brun, robuste, habillé comme un demi-
bourgeois [1], lui cria de s'arrêter. Germain n'avait
jamais vu le fermier des Ormeaux; mais un instinct de
rage lui fit juger de suite [2] que c'était lui. Il se retourna,
et, le toisant de la tête aux pieds, il attendit ce qu'il
avait à lui dire.

— N'avez-vous pas vu passer par ici une jeune fille
de quinze ou seize ans, avec un petit garçon? dit le
fermier en affectant un air d'indifférence, quoiqu'il fût
visiblement ému.

— Et que lui voulez-vous? répondit Germain sans
chercher à déguiser sa colère.

— Je pourrais vous dire que ça ne vous regarde pas,
mon camarade! mais comme je n'ai pas de raisons pour
le cacher, je vous dirai que c'est une bergère que j'avais
louée pour l'année sans la connaître... Quand je l'ai vue
arriver, elle m'a semblé trop jeune et trop faible pour
l'ouvrage de la ferme. Je l'ai remerciée, mais je voulais
lui payer les frais de son petit voyage, et elle est partie
fâchée pendant que j'avais le dos tourné... Elle s'est
tant pressée, qu'elle a même oublié une partie de ses
effets et sa bourse[a], qui ne contient pas grand'chose,
à coup sûr; quelques sous probablement!... mais enfin,
comme j'avais à passer par ici, je pensais la rencontrer
et lui remettre ce qu'elle a oublié et ce que je lui dois.

Germain avait l'âme trop honnête pour ne pas hésiter

---

1. En 1845, G. Sand écrivait dans *Le Péché de Monsieur Antoine*
(XXIV) : « Si le costume bourgeois de notre époque est le plus triste,
le plus incommode et le plus disgracieux que la mode ait jamais inventé,
c'est surtout au milieu des champs que tous ses inconvénients et toutes
ses laideurs ressortent... Que viennent-ils faire à la lumière du soleil,
vos vêtements de deuil dont les épines semblent se rire comme d'une
proie ? »
2. L'expression *de suite* est souvent employée par George Sand à
la place de : *tout de suite*. Cf. Karénine, *George Sand*, t. IV, p. 294.

en entendant cette histoire, sinon très vraisemblable, du moins possible. Il attachait un regard perçant sur le fermier, qui soutenait cette investigation avec beaucoup d'impudence ou de candeur.

— Je veux en avoir le cœur net, se dit Germain, et, contenant son indignation :

— C'est une fille de chez nous, dit-il; je la connais : elle doit être par ici... Avançons ensemble... nous la retrouverons sans doute.

— Vous avez raison, dit le fermier. Avançons... et pourtant, si nous ne la trouvons pas au bout de l'avenue, j'y renonce... car il faut que je prenne le chemin d'Ardentes [1].

— Oh! pensa le laboureur, je ne te quitte pas! quand même je devrais[a] tourner pendant vingt-quatre heures avec toi autour de la Mare au Diable!

— Attendez! dit tout à coup Germain en fixant des yeux une touffe de genêts qui s'agitait singulièrement : holà! holà! Petit-Pierre, est-ce toi, mon enfant?

L'enfant, reconnaissant la voix de son père, sortit des genêts en sautant comme un chevreuil, mais quand il le vit dans la compagnie du fermier, il s'arrêta comme effrayé et resta incertain[b].

— Viens, mon Pierre! viens, c'est moi! s'écria le laboureur en courant après lui, et en sautant à bas de son cheval pour le prendre dans ses bras : et où est la petite Marie?

— Elle est là, qui se cache, parce qu'elle a peur de ce vilain homme noir, et moi aussi.

— Eh! sois tranquille; je suis là... Marie! Marie! c'est moi!

Marie approcha en rampant, et dès qu'elle vit Ger-

---

1. *Ardentes* : cf. p. 59, n. 4.

main, que le fermier suivait de près, elle courut se jeter dans ses bras ; et, s'attachant à lui comme une fille à son père :

— Ah ! mon brave Germain, lui dit-elle, vous me défendrez ; je n'ai pas peur avec vous.

Germain eut le frisson. Il regarda Marie : elle était pâle, ses vêtements étaient déchirés par les épines où elle avait couru, cherchant le fourré, comme une biche traquée par les chasseurs. Mais il n'y avait ni honte ni désespoir sur sa figure.

— Ton maître veut te parler, lui dit-il, en observant toujours ses traits.

— Mon maître ? dit-elle fièrement ; cet homme-là n'est pas mon maître et ne le sera jamais !... C'est vous, Germain, qui êtes mon maître. Je veux que vous me remeniez[a] avec vous... Je vous servirai pour rien !

Le fermier s'était avancé, feignant un peu d'impatience.

— Hé ! la petite, dit-il, vous avez oublié chez nous quelque chose que je vous rapporte.

— Nenni, Monsieur, répondit la petite Marie, je n'ai rien oublié, et je n'ai rien à vous demander...

— Écoutez un peu ici, reprit le fermier, j'ai quelque chose à vous dire moi !... Allons !... n'ayez pas peur... deux mots seulement...

— Vous pouvez les dire tout haut... je n'ai pas de secrets avec vous.

— Venez prendre votre argent, au moins.

— Mon argent ? Vous ne me devez rien, Dieu merci !

— Je m'en doutais bien, dit Germain à demi-voix ; mais c'est égal, Marie... écoute ce qu'il a à te dire... car, moi, je suis curieux de le savoir. Tu me le diras après j'ai mes raisons pour ça. Va auprès de son cheval... je ne te perds pas de vue.

Marie fit trois pas vers le fermier, qui lui dit, en se penchant sur le pommeau de sa selle et en baissant la voix :

— Petite, voilà un beau louis d'or pour toi! tu ne diras rien, entends-tu? Je dirai que je t'ai trouvée trop faible pour l'ouvrage de ma ferme... Et qu'il ne soit plus question de ça... Je repasserai par chez vous un de ces jours; et si tu n'as rien dit, je te donnerai encore quelque chose... Et puis, si tu es plus raisonnable, tu n'as qu'à parler : je te ramènerai chez moi, ou bien, j'irai causer avec toi à la brune dans les prés. Quel cadeau veux-tu que je te porte?

— Voilà, monsieur, le cadeau que je vous fais, moi! répondit à haute voix la petite Marie, en lui jetant son louis d'or au visage, et même assez rudement. Je vous remercie beaucoup, et vous prie, quand vous repasserez par chez nous, de me faire avertir : tous les garçons de mon endroit iront vous recevoir, parce que chez nous, on aime fort les bourgeois qui veulent en conter aux pauvres filles! Vous verrez ça, on vous attendra.

— Vous êtes une menteuse et une sotte langue! dit le fermier courroucé, en levant son bâton [1] d'un air de menace. Vous voudriez faire croire ce qui n'est point, mais vous ne me tirerez pas d'argent : on connaît vos pareilles!

Marie s'était reculée effrayée; mais Germain s'était

---

1. Dans les romans de George Sand le paysan berrichon est souvent représenté tenant à la main un bâton de houx. Cadet Blanchet, le meunier de *François le Champi* ne lâche guère le sien. Ce bâton pouvait servir d'arme. C'est avec « un bâton de courza noueux et court » que Malzac et Huriel s'affrontent dans *Les Maîtres sonneurs* (Quinzième Veillée).

élancé à la bride du cheval du fermier, et le secouant
avec force :

— C'est entendu, maintenant! dit-il, et nous voyons
de quoi il retourne... A terre! mon homme! à terre! et
causons tous les deux!

Le fermier ne se souciait pas d'engager la partie : il
éperonna son cheval pour se dégager, et voulut frapper
de son bâton les mains du laboureur pour lui faire
lâcher prise; mais Germain esquiva le coup, et, lui
prenant la jambe, il le désarçonna et le fit tomber sur la
fougère, où il le terrassa, quoique le fermier se fût
remis sur ses pieds et se défendît vigoureusement[a].
Quand il le tint sous lui :

— Homme de peu de cœur! lui dit Germain, je
pourrais te rouer de coups si je voulais! Mais je n'aime
pas à faire du mal, et d'ailleurs aucune correction
n'amenderait ta conscience...[b] Cependant, tu ne
bougeras pas d'ici que tu n'aies demandé pardon, à
genoux, à cette jeune fille [1].

Le fermier, qui connaissait ces sortes d'affaires,
voulut prendre la chose en plaisanterie. Il prétendit que
son péché n'était pas si grave, puisqu'il ne consistait
qu'en paroles, et qu'il voulait bien demander pardon, à
condition qu'il embrasserait la fille, que l'on irait boire
une pinte [2] de vin au prochain cabaret, et qu'on se
quitterait bons amis.

— Tu me fais peine! répondit Germain en lui
poussant la face contre terre, et j'ai hâte de ne plus voir

---

1. George Sand a montré plusieurs fois les paysans du Berry réglant
ainsi leurs querelles. Cf. en particulier *Valentine* (XXI) et *Les Maîtres
sonneurs* (Sixième et quinzième Veillées).

2. *Pinte :* ancienne mesure de capacité pour les liquides. La pinte
variait suivant les régions mais valait ordinairement une quantité voisine d'un litre.

ta méchante mine. Tiens, rougis si tu peux, et tâche de prendre le chemin des *affronteux* [1] quand tu passeras par chez nous.

Il ramassa le bâton de houx du fermier, le brisa sur son genou pour lui montrer la force de ses poignets, et en jeta[a] les morceaux au loin avec mépris.

Puis, prenant d'une main son fils, et de l'autre la petite Marie, il s'éloigna tout tremblant d'indignation[b].

---

1. « C'est le chemin qui détourne de la rue principale à l'entrée des villages et les côtoie à l'extérieur. On suppose que les gens qui craignent de recevoir quelque affront mérité le prennent pour éviter d'être vus. » (Note de George Sand.)

XV

LE RETOUR A LA FERME[a]

Au bout d'un quart d'heure ils avaient franchi les brandes. Ils trottaient sur la grand'route, et la Grise hennissait à chaque objet de sa connaissance. Petit-Pierre racontait à son père ce qu'il avait pu comprendre dans ce qui s'était passé.

— Quand nous sommes arrivés, dit-il, cet *homme-là* est venu pour parler à *ma Marie* [1] dans la bergerie où nous avons été tout de suite, pour voir les beaux moutons. Moi, j'étais monté dans la crèche pour jouer, et cet *homme-là* ne me voyait pas. Alors il a dit bonjour à ma Marie, et il l'a embrassée.

— Tu t'es laissé embrasser, Marie? dit Germain tout tremblant de colère.

— J'ai cru que c'était une honnêteté, une coutume de l'endroit aux arrivées, comme, chez vous, la grand'-mère embrasse les jeunes filles qui entrent à son service, pour leur faire voir qu'elle les adopte et qu'elle leur sera comme une mère.

— Et puis alors, reprit Petit-Pierre, qui était fier d'avoir à raconter une aventure, cet *homme-là* t'a dit quelque chose de vilain, quelque chose que tu m'as dit

---

1. G. Sand a souligné elle-même les expressions populaires qu'emploie Petit-Pierre.

de ne jamais répéter et de ne pas m'en souvenir [1] :
aussi je l'ai oublié bien vite. Cependant, si mon père
veut que je lui dise ce que c'était...

— Non, mon Pierre, je ne veux pas l'entendre, et je
veux que tu ne t'en souviennes jamais.

— En ce cas, je vas l'oublier encore, reprit l'enfant.
Et puis alors, cet *homme-là* a eu l'air de se fâcher parce
que Marie lui disait qu'elle s'en irait. Il lui a dit qu'il
lui donnerait tout ce qu'elle voudrait, cent francs [2]! Et
ma Marie s'est fâchée aussi. Alors il est venu contre
elle, comme s'il voulait lui faire du mal. J'ai eu peur et
je me suis jeté contre Marie en criant. Alors cet *homme-là*
a dit comme ça : « Qu'est-ce que c'est que ça ? d'où sort
cet enfant-là ? Mettez-moi ça dehors. » Et il a levé son
bâton pour me battre. Mais ma Marie l'a empêché, et
elle lui a dit comme ça : « Nous causerons plus tard,
monsieur; à présent il faut que je conduise cet enfant-là,
à Fourche, et puis je reviendrai. » Et aussitôt qu'il a été
sorti de la bergerie, ma Marie m'a dit comme ça :
« Sauvons-nous, mon Pierre, allons-nous-en d'ici bien
vite, car cet homme-là est méchant, et il ne nous ferait
que du mal. » Alors nous avons passé derrière les
granges, nous avons passé un petit pré, et nous avons
été à Fourche pour te chercher. Mais tu n'y étais pas et
on n'a pas voulu nous laisser t'attendre. Et alors cet
homme-là, qui était monté sur son cheval noir, est venu
derrière nous, et nous nous sommes sauvés plus loin,
et puis nous avons été nous cacher dans le bois. Et puis

---

1. La construction est incorrecte; en général G. Sand prête à ses
paysans un langage qui n'est pas contraire aux lois de la grammaire,
mais ici c'est un tout jeune enfant qui parle.

2. *Cent francs :* somme considérable pour l'époque et les paysans du
Berry. Un ouvrier agricole gagnait alors trois cents francs par an.
Cf. p. 13, n. 2.

il y est venu aussi, et quand nous l'entendions venir, nous nous cachions. Et puis, quand il avait passé, nous recommencions à courir pour nous en aller chez nous; et puis enfin tu es venu, et tu nous a trouvés; et voilà comme tout ça est arrivé. N'est-ce pas, Marie, que je n'ai rien oublié [1] ?

— Non, mon Pierre et c'est la vérité. A présent, Germain, vous rendrez témoignage pour moi, et vous direz à tout le monde de chez nous que si je n'ai pas pu rester là-bas ce n'est pas faute de courage et d'envie de travailler.

— Et toi, Marie, dit Germain, je te prierai de te demander à toi-même si, quand il s'agit de défendre une femme et de punir un insolent, un homme de vingt-huit ans n'est pas trop vieux! Je voudrais un peu savoir si Bastien, ou tout autre joli garçon, riche de dix ans moins que moi, n'aurait pas été[a] écrasé[b] par cet *homme-là*, comme dit Petit-Pierre : qu'en penses-tu?

— Je pense, Germain, que vous m'avez rendu un grand service, et que je vous en remercierai toute ma vie.

— C'est là tout!

— Mon petit père, dit l'enfant, je n'ai pas pensé à dire à la petite Marie ce que je t'avais promis [2]. Je n'ai pas eu le temps, mais je le lui dirai à la maison, et je le dirai aussi à ma grand'mère.

Cette promesse de son enfant donna enfin à réfléchir

---

1. A propos de ce passage Sainte-Beuve dit très justement (*Causeries du Lundi*, I, pp. 360-361) :

« Il est bien... que ce soit le petit Pierre qui raconte à Germain la mésaventure de Marie avec le fermier : en passant par la bouche de l'enfant, ce récit s'épure. »

2. Cf. ce qu'a dit Petit-Pierre à la fin du chapitre XI :

« Sois tranquille, mon père, je lui ferai dire oui : la petite Marie fait toujours ce que je veux. »

à Germain. Il s'agissait maintenant de s'expliquer avec ses parents, et, en leur disant ses griefs contre la veuve Guérin, de ne pas leur dire quelles autres idées l'avaient disposé à tant de clairvoyance et de sévérité. Quand on est heureux et fier, le courage de faire accepter son bonheur aux autres paraît facile; mais être rebuté d'un côté, blâmé de l'autre, ne fait pas une situation fort agréable.

Heureusement, le petit Pierre dormait quand ils arrivèrent à la métairie, et Germain le déposa, sans l'éveiller, sur son lit. Puis il entra sur toutes les explications qu'il put donner. Le père Maurice, assis sur son escabeau à trois pieds, à l'entrée de la maison, l'écouta gravement, et, quoiqu'il fût mécontent du résultat de ce voyage, lorsque Germain en racontant le système de coquetterie de la veuve, demanda à son beau-père s'il avait le temps d'aller les cinquante-deux dimanches de l'année faire sa cour, pour risquer d'être renvoyé au bout de l'an, le beau-père répondit, en inclinant la tête[a] en signe d'adhésion : — Tu n'as pas tort, Germain; ça ne se pouvait pas. — Et ensuite, quand Germain raconta comme quoi il avait été forcé de ramener la petite Marie au plus vite pour la soustraire aux insultes, peut-être aux violences d'un indigne maître, le père Maurice approuva encore de la tête en disant : — Tu n'as pas eu tort, Germain; ça se devait.

Quand Germain eut achevé son récit[b] et donné toutes ses raisons, le beau-père et la belle-mère firent simultanément un gros soupir de résignation, en se regardant. Puis, le chef de famille se leva en disant : — Allons! que la volonté de Dieu soit faite! l'amitié ne se commande pas!

— Venez souper, Germain, dit la belle-mère. Il est malheureux que ça ne se soit pas mieux arrangé; mais, enfin, Dieu ne le voulait pas, à ce qu'il paraît. Il faudra voir ailleurs.

— Oui, ajouta le vieillard, comme dit ma femme, on verra ailleurs.

Il n'y eut pas d'autre bruit à la maison, et quand, le lendemain, le petit Pierre se leva avec les alouettes, au point du jour, n'étant plus excité par les événements extraordinaires des jours précédents, il retomba dans l'apathie des petits paysans de son âge, oublia tout ce qui lui avait trotté par la tête, et ne songea plus qu'à jouer avec ses frères et à *faire l'homme* avec les bœufs et les chevaux.

Germain essaya d'oublier aussi, en se replongeant dans le travail; mais il devint si triste et si distrait, que tout le monde le remarqua. Il ne parlait pas à la petite Marie, il ne la regardait même pas; et pourtant, si on lui eût demandé dans quel pré elle était et par quel chemin elle avait passé, il n'était point d'heure du jour où il n'eût pu le dire s'il avait voulu répondre. Il n'avait pas osé demander à ses parents de la recueillir à la ferme pendant l'hiver, et pourtant il savait bien qu'elle devait souffrir de la misère. Mais elle n'en souffrit pas, et la mère Guillette ne put jamais comprendre comment sa petite provision de bois ne diminuait point, et comment son hangar se trouvait rempli le matin lorsqu'elle l'avait laissé presque vide le soir. Il en fut de même du blé et des pommes de terre. Quelqu'un passait par la lucarne du grenier, et vidait un sac sur le plancher sans réveiller personne et sans laisser de traces. La vieille en fut à la fois inquiète et réjouie; elle engagea sa fille à n'en point parler, disant que si on venait à savoir le miracle qui se faisait chez elle, on la tiendrait pour sorcière. Elle pensait bien que le diable s'en mêlait, mais elle n'était pas pressée de se brouiller avec lui en appelant les exorcismes du curé sur sa maison [1]; elle se disait qu'il serait temps, lorsque Satan viendrait lui demander son âme en retour de ses bienfaits.

La petite Marie comprenait mieux la vérité, mais elle n'osait en parler à Germain, de peur de le voir revenir à son idée de mariage, et elle feignait avec lui de ne s'apercevoir de rien.

---

[1]. Ce mélange de superstition et de ruse vient compléter, de façon amusante, le portrait de la Guillette. Cf. p. 109, n. 1.

XVI

LA MÈRE MAURICE

Un jour la mère Maurice [1] se trouvant seule dans le verger avec Germain, lui dit d'un air d'amitié : « Mon pauvre gendre, je crois que vous n'êtes pas bien. Vous ne mangez pas aussi bien qu'à l'ordinaire, vous ne riez plus, vous causez de moins en moins[a]. Est-ce que quelqu'un de chez nous, ou nous-mêmes, sans le savoir et sans le vouloir, vous avons fait de la peine?

— Non, ma mère, répondit Germain, vous avez toujours été aussi bonne pour moi que la mère qui m'a mis au monde, et je serais un ingrat si je me plaignais de vous, ou de votre mari, ou de personne de la maison.

— En ce cas, mon enfant, c'est le chagrin de la mort de votre femme qui vous revient. Au lieu de s'en aller avec le temps[b], votre ennui [2] empire et il faut absolument faire ce que votre beau-père vous a dit fort sagement : il faut vous remarier.

— Oui, ma mère, ce serait aussi mon idée; mais les femmes que vous m'avez conseillé de rechercher ne me

---

1. La mère Maurice est désignée par le prénom de son mari. De même les paysans de Nohant disaient « Madame Maurice », quand ils voulaient parler de Madame Maurice Dupin, mère de George Sand (*Histoire de ma Vie*, III, vi).

2. *Ennui* est pris dans le sens fort qu'il avait au xviie siècle. Cf. p. 83, n. 1.

conviennent pas. Quand je les vois, au lieu d'oublier ma Catherine, j'y pense davantage.

— C'est qu'apparemment, Germain, nous n'avons pas su deviner votre goût. Il faut donc que vous nous aidiez en nous disant la vérité. Sans doute il y a quelque part une femme qui est faite pour vous, car le bon Dieu ne fait personne sans lui réserver son bonheur dans une autre personne [1]. Si donc vous savez où la prendre, cette femme qu'il vous faut, prenez-là; et qu'elle soit belle ou laide, jeune ou vieille, riche ou pauvre, nous sommes décidés, mon vieux et moi, à vous donner consentement; car nous sommes fatigués de vous voir triste, et nous ne pouvons pas vivre tranquilles si vous ne l'êtes point.

— Ma mère vous êtes aussi bonne que le bon Dieu, et mon père pareillement, répondit Germain; mais votre compassion ne peut pas porter remède à mes ennuis : la fille que je voudrais ne veut point de moi.

— C'est donc qu'elle est trop jeune? S'attacher à une jeunesse est déraison pour vous.

— Eh bien! oui, bonne mère, j'ai cette folie de m'être attaché à une jeunesse, et je m'en blâme. Je fais mon possible pour n'y plus penser; mais que je travaille ou que je me repose, que je sois à la messe ou dans mon lit, avec mes enfants ou avec vous, j'y pense toujours, je ne peux penser à autre chose.

— Alors c'est comme un sort qu'on vous a jeté, Germain? Il n'y a à ça qu'un remède, c'est que cette fille change d'idée et vous écoute. Il faudra donc que je m'en mêle, et que je voie si c'est possible. Vous allez me dire où elle est et comment on l'appelle.

---

1. Cette idée, si naïvement populaire, est fort ancienne. On la trouve déjà dans *Le Banquet* de Platon.

— Hélas! ma chère mère, je n'ose pas, dit Germain, parce que vous allez vous moquer de moi.

— Je ne me moquerai pas de vous, Germain, parce que vous êtes dans la peine et que je ne veux pas vous y mettre davantage. Serait-ce point la Fanchette?

— Non, ma mère, ça ne l'est point.

— Ou la Rosette?

— Non.

— Dites donc, car je n'en finirai pas, s'il faut que je nomme toutes les filles du pays.

Germain baissa la tête et ne put se décider à répondre.

— Allons! dit la mère Maurice, je vous laisse tranquille pour aujourd'hui, Germain; peut-être que demain vous serez plus confiant avec moi, ou bien que votre belle-sœur sera plus adroite à vous questionner.

Et elle ramassa sa corbeille pour aller étendre son linge sur les buissons.

Germain fit comme les enfants qui se décident quand ils voient qu'on ne s'occupera plus d'eux. Il suivit sa belle-mère, et lui nomma enfin en tremblant *la petite Marie à la Guillette*.

Grande fut la surprise de la mère Maurice : c'était la dernière à laquelle elle eût songé. Mais elle eut la délicatesse de ne point se récrier, et de faire mentalement ses commentaires. Puis, voyant que son silence accablait Germain, elle lui tendit sa corbeille en lui disant. — Alors est-ce une raison pour ne point m'aider dans mon travail? Portez donc cette charge, et venez parler avec moi. Avez-vous bien réfléchi, Germain? êtes-vous bien décidé?

— Hélas! ma chère mère, ce n'est pas comme cela qu'il faut parler : je serais décidé si je pouvais réussir;

mais comme je ne serais pas écouté, je ne suis décidé qu'à
m'en guérir si je peux.

— Et si vous ne pouvez pas?

— Toute chose a son terme, mère Maurice : quand
le cheval est trop chargé, il tombe; et quand le bœuf
n'a rien à manger, il meurt.

— C'est donc à dire que vous mourrez, si vous ne
réussissez point? A Dieu ne plaise, Germain! Je n'aime
pas qu'un homme comme vous dise de ces choses-là,
parce que quand il les dit il les pense. Vous êtes d'un
grand courage, et la faiblesse est dangereuse chez les
gens forts. Allons, prenez de l'espérance. Je ne conçois
pas qu'une fille dans la misère, et à laquelle vous faites
beaucoup d'honneur en la recherchant, puisse vous
refuser.

— C'est pourtant la vérité, elle me refuse.

— Et quelles raisons vous en donne-t-elle?

— Que vous lui avez toujours fait du bien, que sa
famille doit beaucoup à la vôtre, et qu'elle ne veut point
vous déplaire en me détournant d'un mariage riche.

— Si elle dit cela, elle prouve de bons sentiments,
et c'est honnête de sa part. Mais en vous disant cela,
Germain, elle ne vous guérit point, car elle vous dit
sans doute qu'elle vous aime, et qu'elle vous épouserait
si nous le voulions?

— Voilà le pire! elle dit que son cœur n'est point
porté vers moi.

— Si elle dit ce qu'elle ne pense pas, pour mieux
vous éloigner d'elle, c'est une enfant qui mérite que
nous l'aimions et que nous passions par-dessus sa
jeunesse à cause de sa grande raison[a].

— Oui? dit Germain, frappé d'une espérance qu'il
n'avait pas encore conçue : ça serait bien sage et bien
comme il faut de sa part! mais si elle est si raisonnable,

je crains bien que c'est à cause que je lui déplais [1].

— Germain, dit la mère Maurice, vous allez me promettre de vous tenir tranquillement pendant toute la semaine, de ne point vous tourmenter, de manger, de dormir, et d'être gai comme autrefois. Moi, je parlerai à mon vieux, et si je le fais consentir, vous aurez alors le vrai sentiment de la fille à votre endroit.

Germain promit, et la semaine se passa sans que le père Maurice lui dît un mot en particulier et parût se douter de rien. Le laboureur s'efforça de paraître tranquille, mais il était toujours plus pâle et plus tourmenté.

---

1. Cette phrase de Germain présente plusieurs traits caractéristiques du style populaire : des expressions à la fois imprécises et familières : « ça », « comme il faut »; une répétition de mots : « si elle est si raisonnable »; une tournure archaïque : « à cause que ».

XVII

LA PETITE MARIE

Enfin, le dimanche matin, au sortir de la messe, sa belle-mère lui demanda ce qu'il avait obtenu de sa bonne amie depuis la conversation dans le verger.

— Mais, rien du tout, répondit-il. Je ne lui ai pas parlé.

— Comment donc voulez-vous la persuader si vous ne lui parlez pas ?

— Je ne lui ai parlé qu'une fois, répondit Germain. C'est quand nous avons été ensemble à Fourche; et, depuis ce temps-là, je ne lui ai pas dit un seul mot. Son refus [1] m'a fait tant de peine que j'aime mieux ne pas l'entendre recommencer à me dire qu'elle ne m'aime pas.

— Eh bien, mon fils, il faut lui parler maintenant; votre beau-père vous autorise à le faire. Allez, décidez-vous ! je vous le dis, et, s'il le faut, je le veux [2]; car vous ne pouvez pas rester dans ce doute-là.

---

1. Cf. au chap. xi, ce que dit la petite Marie : « Je suis sûre que je ferais bien de vous aimer, si ça ne mécontentait pas trop vos parents : mais que voulez-vous que j'y fasse ? le cœur ne m'en dit pas pour vous. »

2. La société paysanne décrite par George Sand a des mœurs patriarcales. Les parents y jouissent d'une grande autorité. Dans *Les Maîtres sonneurs*, le Grand-Bûcheux est l'objet d'un tel respect que son fils peut dire : « Là où règne mon père. » (12e Veillée).

Germain obéit. Il arriva chez la Guillette, la tête basse et l'air accablé. La petite Marie était seule au coin du feu, si pensive qu'elle n'entendit pas venir Germain. Quand elle le vit devant elle, elle sauta de surprise sur sa chaise, et devint toute rouge.

— Petite Marie, lui dit-il en s'asseyant auprès d'elle, je viens te faire de la peine et t'ennuyer, je le sais bien : mais *l'homme et la femme de chez nous* (désignant[a] ainsi, selon l'usage, les chefs de famille) veulent que je te parle[b] et que je te demande de m'épouser. Tu ne le veux pas, toi, je m'y attends.

— Germain, répondit la petite Marie, c'est donc décidé que vous m'aimez?

— Ça te fâche, je le sais, mais ce n'est pas ma faute : si tu pouvais changer d'avis, je serais trop content, et sans doute je ne mérite pas que cela soit. Voyons, regarde-moi, Marie, je suis donc bien affreux?

— Non, Germain, répondit-elle en souriant[c], vous êtes plus beau que moi.

— Ne te moque pas; regarde-moi avec indulgence; il ne me manque encore ni un cheveu ni une dent. Mes yeux te disent que je t'aime. Regarde-moi donc dans les yeux, ça y est écrit, et toute fille sait lire dans cette écriture-là.

Marie regarda dans les yeux de Germain avec son assurance enjouée; puis, tout à coup, elle détourna la tête et se mit à trembler.

— Ah! mon Dieu! je te fais peur, dit Germain, tu me regardes comme si j'étais le fermier des Ormeaux. Ne me crains pas, je t'en prie, cela me fait trop de mal. Je ne te dirai pas de mauvaises paroles, moi; je ne t'embrasserai pas malgré toi, et quand tu voudras que je m'en aille, tu n'auras qu'à me montrer la porte.

Voyons, faut-il que je sorte pour que tu finisses de trembler ?

Marie tendit la main au laboureur, mais sans détourner sa tête penchée vers le foyer, et sans dire un mot.

— Je comprends, dit Germain ; tu me plains, car tu es bonne ; tu es fâchée de me rendre malheureux : mais tu ne peux pourtant[a] pas m'aimer ?

— Pourquoi me dites-vous de ces choses-là, Germain ? répondit enfin la petite Marie, vous voulez donc me faire pleurer ?

— Pauvre petite fille, tu as bon cœur, je le sais ; mais tu ne m'aimes pas, et tu me caches ta figure parce que tu crains de me laisser voir ton déplaisir[b] et ta répugnance. Et moi ! je n'ose pas seulement te serrer la main ! Dans le bois, quand mon fils dormait, et que tu dormais aussi, j'ai failli t'embrasser tout doucement[c]. Mais je serais mort de honte plutôt que de te le demander et j'ai autant souffert dans cette nuit-là qu'un homme qui brûlerait à petit feu. Depuis ce temps-là j'ai rêvé à toi toutes les nuits. Ah ! comme je t'embrassais, Marie ! Mais toi, pendant ce temps-là, tu dormais sans rêver[d]. Et, à présent, sais-tu ce que je pense ? c'est que si tu te retournais pour me regarder avec les yeux que j'ai pour toi, et si tu approchais ton visage du mien, je crois que je tomberais mort de joie. Et toi, tu penses que si pareille chose t'arrivait tu en mourrais de colère et de honte !

Germain parlait comme dans un rêve sans entendre ce qu'il disait. La petite Marie tremblait toujours ; mais comme il tremblait encore davantage, il ne s'en apercevait plus. Tout à coup elle se retourna ; elle était toute en larmes et le regardait d'un air de reproche. Le pauvre laboureur crut que c'était le dernier coup, et, sans attendre son arrêt, il se leva pour partir, mais la jeune fille[a] l'arrêta en l'entourant de ses deux bras, et, cachant sa tête dans son sein [1] :

— Ah! Germain, lui dit-elle en sanglotant, vous n'avez donc pas deviné que je vous aime?

Germain serait devenu fou, si son fils qui le cherchait et qui entra dans la chaumière au grand galop sur un bâton, avec sa petite sœur en croupe qui fouettait avec une branche d'osier ce coursier imaginaire, ne l'eût rappelé à lui-même. Il le souleva dans ses bras, et le mettant dans ceux de sa fiancée :

— Tiens, lui dit-il, tu as fait plus d'un heureux en m'aimant [2]!

---

1. Cette jolie scène rappelle l'art du XVIIIe siècle, et en particulier les tableaux de Greuze : même subtilité, mêmes personnages idéalisés, mêmes attitudes gracieuses. Dans *L'Accordée de village*, la jeune fille baisse obstinément la tête, comme Marie au début de cette scène; le fiancé a le même air grave et passionné que doit avoir Germain.

2. Cette arrivée joyeuse permet de ne pas terminer ce roman sur une note trop émue, et fait reparaître un personnage essentiel que l'on avait un peu oublié.

APPENDICE[a]

I

LES NOCES DE CAMPAGNE[b]

Ici finit l'histoire du mariage de Germain, telle qu'il me l'a racontée lui-même, le fin laboureur qu'il est! Je te demande pardon, lecteur ami, de n'avoir pas su te la traduire mieux; car c'est une véritable traduction qu'il faut au langage antique et naïf des paysans de la contrée que *je chante* (comme on disait jadis). Ces gens-là parlent trop français pour nous, et, depuis Rabelais et Montaigne, les progrès de la langue nous ont fait perdre bien des vieilles richesses. Il en est ainsi de tous les progrès, il faut en prendre son parti. Mais c'est encore un plaisir d'entendre ces idiotismes pittoresques régner sur le vieux terroir du centre de la France; d'autant plus que c'est la véritable expression du caractère moqueusement tranquille et plaisamment disert des gens qui s'en servent. La Touraine a conservé un certain nombre précieux de locutions patriarcales. Mais la Touraine s'est grandement civilisée avec et depuis la Renaissance. Elle s'est couverte de châteaux, de routes, d'étrangers et de mouvement. Le Berry est resté stationnaire, et je crois qu'après la Bretagne

et quelques provinces de l'extrême midi de la France,
c'est le pays le plus *conservé* qui se puisse trouver à
l'heure qu'il est. Certaines coutumes sont si étranges,
si curieuses, que j'espère t'amuser encore un instant,
cher lecteur, si tu permets que je te raconte en détail
une noce de campagne, celle de Germain, par exemple,
à laquelle j'eus le plaisir d'assister il y a quelques
années[a].

Car, hélas! tout s'en va. Depuis seulement que
j'existe[b] il s'est fait plus de mouvement dans les idées
et dans les coutumes de mon village, qu'il ne s'en était
vu durant des siècles avant la Révolution. Déjà la
moitié des cérémonies celtiques, païennes ou moyen
âge, que j'ai vues encore en pleine vigueur dans mon
enfance, se sont effacées. Encore un ou deux ans peut-
être, et les chemins de fer passeront leur niveau sur
nos vallées profondes, emportant, avec la rapidité
de la foudre, nos antiques traditions et nos merveilleuses
légendes.

C'était en hiver, aux environs du[c] carnaval, époque
de l'année où il est séant et convenable chez nous de
faire les noces. Dans l'été on n'a guère le temps, et
les travaux[d] d'une ferme ne peuvent souffrir trois jours
de retard, sans parler des jours complémentaires affectés
à la digestion plus ou moins laborieuse de l'ivresse
morale et physique que laisse une fête. — J'étais assis
sous le vaste manteau d'une antique cheminée de cuisine, lorsque des coups de pistolet, des hurlements
de chiens, et les sons aigus de la cornemuse m'annoncèrent l'approche des fiancés. Bientôt le père et la
mère Maurice, Germain et la petite Marie, suivis de
Jacques et de sa femme, des principaux parents res-
pectifs et des parrains et marraines des fiancés, firent
leur entrée dans la cour.

La petite Marie n'ayant pas encore reçu les cadeaux de noces, appelés *livrées*, était vêtue de ce qu'elle avait de mieux dans ses hardes modestes : une robe de gros drap sombre, un fichu blanc à grands ramages de couleurs voyantes, un tablier d'*incarnat*, indienne rouge fort à la mode alors et dédaignée aujourd'hui, une coiffe de mousseline très blanche, et dans cette forme heureusement conservée, qui rappelle la coiffure d'Anne Boleyn [1] et d'Agnès Sorel[a] [2]. Elle était fraîche et souriante, point orgueilleuse du tout, quoiqu'il y eût bien de quoi. Germain était grave et attendri auprès d'elle, comme le jeune Jacob saluant Rachel aux citernes de Laban [3]. Toute autre fille eût pris un air d'importance[b] et une tenue de triomphe; car, dans tous les rangs, c'est quelque chose que d'être épousée pour ses beaux yeux. Mais les yeux de la jeune fille étaient humides et brillants d'amour; on voyait bien qu'elle était profondément éprise, et qu'elle n'avait point le loisir de s'occuper de l'opinion des autres. Son petit air résolu ne l'avait point abandonnée[c]; mais c'était toute franchise et tout bon vouloir chez elle; rien d'impertinent dans son succès, rien de personnel dans le sentiment de sa force. Je ne vis oncques si gentille fiancée, lorsqu'elle répondait nettement à ses jeunes amies qui lui demandaient si elle était contente.

— Dame! bien sûr! je ne me plains pas du bon Dieu.

---

1. Anne de Boleyn, reine d'Angleterre (1507-1536), épouse de Henri VIII.

2. Agnès Sorel, dame de Fromenteau et de Beauté, favorite du roi de France Charles VII (1422-1450). Jean Fouquet se serait inspiré du visage d'Agnès Sorel pour son tableau *La Vierge et l'Enfant*, où la Vierge porte « une coiffe de mousseline très blanche ».

3. *Genèse*, XXIX, 1 à 11. La rencontre de Rachel et de Jacob aux citernes de Laban a servi de thème à des tableaux de Raphaël, de Claude Lorrain et d'Ary Scheffer.

Le père Maurice porta la parole; il venait faire les
compliments et invitations d'usage. Il attacha d'abord
au manteau de la cheminée une branche de laurier
ornée de rubans; ceci s'appelle l'*exploit* [1], c'est-à-dire
la lettre de faire part; puis il distribua à chacun des
invités une petite croix faite d'un bout de ruban bleu
traversé[a] d'un autre bout de ruban rose; le rose pour
la fiancée, le bleu pour l'épouseur; et les invités des
deux sexes durent garder ce signe pour en orner les
uns leur cornette, les autres leur boutonnière le jour
de la noce. C'est la lettre d'admission, la carte d'entrée.

Alors le père Maurice prononça son compliment.
Il invitait le maître de la maison et toute *sa compagnie*,
c'est-à-dire tous ses enfants, tous ses parents, tous ses
amis et tous ses serviteurs, à la bénédiction, *au festin,
à la divertissance, à la dansière et à tout ce qui en suit*. Il
ne manqua pas de dire : — Je viens *vous faire l'honneur* de vous *semondre* [2]. Locution très juste, bien qu'elle
nous paraisse un contresens[b], puisqu'elle exprime
l'idée[c] de rendre les honneurs à ceux qu'on en juge
dignes.

Malgré la libéralité de l'invitation portée ainsi de
maison en maison dans toute la paroisse, la politesse,
qui est grandement discrète chez les paysans, veut que
deux personnes seulement de chaque famille en profitent, un chef de famille sur le ménage, un de leurs
enfants sur le nombre [d].

---

1. « *Exploit*. Allusion plaisante aux assignations des huissiers. On
appelle ainsi la petite branche de laurier ou de myrte, accompagnée
d'un nœud de ruban que les *prieux de noces* attachent avec une épingle
au lit de ceux qu'ils ont invités. » (Jaubert, *Glossaire*, I, p. 418.)

2. « Lorsque... les accordailles sont faites, les *semonneux* ou *prieux* de
noces songent à faire la *prévance* ou *convie*, c'est-à-dire les invitations...
Le plus âgé... va d'un pas solennel se camper devant la cheminée. Là,
debout, le dos au feu et le chapeau à la main, il débite la *prévance*, à peu

Ces invitations faites, les fiancés et leurs parents allèrent dîner [1] ensemble à la métairie.

La petite Marie garda ses trois moutons sur le communal, et Germain travailla la terre comme si de rien n'était.

La veille du jour marqué pour le mariage, vers deux heures de l'après-midi, la musique arriva, c'est-à-dire le *cornemuseux* et le *vielleux*, avec leurs instruments ornés de longs rubans flottants, et jouant une marche de circonstance, sur un rythme [a] un peu lent pour des pieds qui ne seraient pas indigènes, mais parfaitement combiné avec la nature du terrain gras et des chemins ondulés de la contrée. Des coups de pistolet, tirés par les jeunes gens et les enfants, annoncèrent le commencement de la noce. On se réunit peu à peu, et l'on dansa sur la pelouse devant la maison pour se mettre en train. Quand la nuit fut venue, on commença d'étranges préparatifs, on se sépara en deux bandes, et quand la nuit fut close, on procéda à la cérémonie des *livrées*.

Ceci se passait au logis [b] de la fiancée, la chaumière à la Guillette. La Guillette prit avec elle sa fille, une douzaine de jeunes et jolies *pastoures*, amies et parentes de sa fille, deux ou trois respectables matrones, voisines fortes en bec, promptes à la réplique et gardiennes rigides des anciens us. Puis elle choisit une douzaine

---

près en ces termes : « Nous venons de la part de N... et de N..., qui marient leur garçon ou leur fille, vous *s'monde* (vous prier), vous et toute votre maisonnée d'assister à la bénédiction du mariage, à la noce, au bon pain, au bon vin, à la bonne chair et à tous les divertissements qui doivent s'ensuivre, et rien ne vous sera caché. Excusez-moi si j'ai mal parlé. » Après ce petit discours traditionnel, au moins dans les environs de La Châtre, tous les *prieux de noces* se lèvent et attachent aux courtines des lits... un ou plusieurs exploits. » (Laisnel de La Salle, *Souvenirs du vieux temps, Le Berry*, 1902, II, 51).

1. *Dîner* : il s'agit du repas de midi.

de vigoureux champions, ses parents et amis; enfin le vieux *chanvreur* de la paroisse, homme disert et beau parleur s'il en fut.

Le rôle que joue en Bretagne le *bazvalan* [1], le tailleur du village, c'est le broyeur de chanvre ou le cardeur de laine (deux professions souvent réunies en une seule) qui le remplit[a] dans nos campagnes. Il est de toutes les solennités[b] tristes ou gaies, parce qu'il est essentiellement érudit et beau diseur, et dans ces occasions, il a toujours le soin de porter la parole pour accomplir dignement certaines formalités, usitées de temps immémorial. Les professions errantes, qui introduisent l'homme au sein[c] des familles sans lui permettre de se concentrer dans la sienne, sont propres à le rendre bavard, plaisant, conteur et chanteur.

Le broyeur de chanvre est particulièrement sceptique. Lui et un autre fonctionnaire rustique, dont nous parlerons tout à l'heure, le fossoyeur, sont toujours les esprits forts du lieu. Ils ont tant parlé de revenants et ils savent si bien tous les tours dont ces malins esprits sont capables, qu'ils ne les craignent guère. C'est particulièrement la nuit que tous, fossoyeurs, chanvreurs et revenants exercent leur industrie[d]. C'est aussi la nuit que le chanvreur raconte ses lamentables légendes. Qu'on me permette une digression...

Quand le chanvre est *arrivé* à point, c'est-à-dire

---

1. « C'est, en général, un tailleur qui est le *bazvalan*, ou messager d'amour du jeune homme, près des parents de la jeune fille; il a souvent pour caducée, dans l'exercice de ses fonctions, une branche de genêt fleuri, symbole d'amour et d'union; de là vient le nom qu'on lui donne (*Baz*, baguette, *balan*, de genêt). Tout bazvalan doit allier à une grande éloquence un fonds de bonne humeur et d'inépuisable gaieté. » (Hersart de la Villemarqué, *Chants populaires de la Bretagne*, 6e éd., 2e partie, Chants de noces, p. 411). G. Sand devait connaître cet ouvrage dont la 1re édition parut chez Charpentier en 1839.

suffisamment trempé dans les eaux courantes et à demi séché à la *rive*, on le rapporte dans la cour des habitations; on le place debout par petites gerbes qui, avec leurs tiges écartées du bas et leurs têtes liées en boules[a], ressemblent déjà passablement le soir à une longue procession de petits fantômes blancs, plantés sur leurs jambes grêles, et marchant sans bruit le long des murs.

C'est à la fin de septembre, quand les nuits sont encore tièdes, qu'à la pâle clarté de la lune[b] on commence à broyer. Dans la journée, le chanvre a été chauffé au four; on l'en retire, le soir, pour le broyer chaud. On se sert pour cela d'une sorte de chevalet surmonté d'un levier en bois[c], qui, retombant sur des rainures, hache la plante sans la couper. C'est alors qu'on entend la nuit, dans les campagnes[d], ce bruit sec et saccadé de trois coups frappés rapidement. Puis, un silence se fait; c'est le mouvement du bras qui retire la poignée de chanvre pour la broyer sur une autre partie de sa longueur. Et les trois coups recommencent; c'est l'autre bras qui agit sur le levier, et toujours ainsi jusqu'à ce que la lune soit voilée par les premières lueurs de l'aube. Comme ce travail ne dure que quelques jours dans l'année, les chiens ne s'y habituent pas et poussent des hurlements plaintifs vers tous les points de l'horizon.

C'est le temps des bruits insolites et mystérieux dans la campagne. Les grues émigrantes passent dans des régions où, en plein jour, l'œil les distingue à peine. La nuit, on les entend seulement; et ces voix rauques et gémissantes, perdues dans les nuages, semblent l'appel et l'adieu d'âmes tourmentées qui s'efforcent de trouver le chemin du ciel, et qu'une invincible fatalité force à planer non loin de la terre[e], autour de la demeure des hommes; car ces oiseaux voyageurs

ont d'étranges incertitudes et de mystérieuses anxiétés
dans le cours de leur traversée aérienne. Il leur arrive
parfois de perdre le vent, lorsque des brises capricieuses
se combattent ou se succèdent dans les hautes régions.
Alors on voit, lorsque ces déroutes arrivent durant le
jour, le chef de file flotter à l'aventure dans les airs,
puis faire volte-face, revenir se placer à la queue
de la phalange triangulaire, tandis qu'une savante
manœuvre de ses compagnons les ramène bientôt
en bon ordre derrière lui. Souvent, après de vains
efforts, le guide épuisé renonce à conduire la caravane;
un autre se présente, essaie à son tour[a], et cède la place
à un troisième, qui retrouve le courant et engage
victorieusement la marche. Mais que de cris, que de
reproches, que de remontrances, que de malédictions
sauvages ou de questions inquiètes[b] sont échangés,
dans une langue inconnue, entre[e] ces pèlerins ailés[1]!

Dans la nuit sonore, on entend ces clameurs sinistres[d] tournoyer parfois assez longtemps au-dessus[e]
des maisons; et comme on ne peut rien voir, on
ressent malgré soi une sorte de crainte[f] et de malaise
sympathique, jusqu'à ce que cette nuée sanglotante
se soit perdue dans l'immensité.

---

1. En janvier 1844, George Sand, faisant le compte rendu d'un
recueil de poésies d'H. de Latouche, *Adieux*, citait comme particulièrement dignes d'éloges les vers suivants :

... sur vos fronts, dans la nue...
Il passera le soir un frémissement d'ailes :
Ce sont les bataillons des oiseaux pèlerins;
Voyageurs, comme nous, dans des cieux plus sereins,
Quand les ombres déjà pèsent sur la chaumière,
Eux, du soleil encor poursuivent la lumière.
Enfant je les croyais l'essaim d'anges heureux
Qui de la terre au ciel allaient porter les vœux.

(Cf. George Sand, *Souvenirs de 1848*, p. 210).

Il y a d'autres bruits encore qui sont propres à ce moment de l'année, et qui se passent principalement dans les vergers. La cueille des fruits n'est pas encore faite, et mille crépitations inusitées font ressembler les arbres à des êtres animés. Une branche grince, en se courbant, sous un poids arrivé tout à coup à son dernier degré de développement; ou bien, une pomme se détache et tombe à vos pieds avec un son mat sur la terre humide. Alors vous entendez fuir, en frôlant les branches et les herbes, un être que vous ne voyez pas : c'est le chien du paysan, ce rôdeur curieux [a], inquiet, à la fois insolent et poltron, qui se glisse partout, qui ne dort jamais, qui cherche toujours on ne sait quoi, qui vous épie, caché dans les broussailles, et prend la fuite au bruit de la pomme tombée, croyant que vous lui lancez une pierre [1].

C'est durant ces nuits-là, nuits voilées et grisâtres, que le chanvreur raconte ses étranges aventures de follets [2] et de lièvres blancs [3], d'âmes en peine et de

---

1. A propos de cette description, H. de Latouche écrivait, le 6 avril 1846, à George Sand : « J'offrirais le peu de jours qui me restent à languir (si cela pouvait tenter le diable) pour avoir peint *une de ces nuits de septembre dans un verger*, quand le chien du paysan, rôdeur et curieux, insolent et poltron, prend la fuite au bruit de la pomme tombée, croyant que vous lui lancez une pierre; ou bien encore ces évolutions *des grues*, alors que le guide, épuisé, renonce à conduire et qu'un autre retrouve le vent et commande la caravane. »

2. « Le *follet, fadet* ou *farfadet*, n'est point un animal, bien qu'il lui plaise d'avoir des ergots et une tête de coq; mais il a le corps d'un petit homme, et en somme, il n'est ni vilain, ni méchant, moyennant qu'on ne le contrariera pas. C'est un pur esprit, un bon génie connu en tout pays, un peu fantasque, mais fort actif et soigneux des intérêts de la maison. » (G. Sand, *Promenades autour d'un village, Le Berry*, p. 214).

3. Dans les quatre articles qu'elle écrivit pour *l'Illustration* (1851, 1852 et 1855) et qui ont pour titre *Les Visions de la Nuit dans les Campagnes*, G. Sand parle longuement des superstitions berrichonnes et

sorciers transformés en loups, de sabbat au carrefour
et de chouettes prophétesses au cimetière. Je me souviens d'avoir passé ainsi les premières heures de la
nuit autour des *broyes* [1] en mouvement, dont la per-
cussion impitoyable[a], interrompant le récit du chanvreur à l'endroit le plus terrible, nous faisait passer
un frisson glacé dans les veines. Et souvent aussi le
bonhomme continuait à parler en broyant; et il y avait
quatre à cinq mots perdus : mots effrayants, sans doute,
que nous n'osions pas lui faire répéter, et dont l'omis-
sion ajoutait un mystère plus affreux aux mystères
déjà si sombres de son histoire. C'est en vain que les
servantes nous avertissaient qu'il était bien tard pour
rester dehors, et que l'heure de dormir était depuis
longtemps sonnée pour nous : elles-mêmes mouraient
d'envie d'écouter encore; et avec quelle terreur ensuite
nous traversions le hameau[b] pour rentrer chez nous!
comme le porche de l'église nous paraissait profond[c],
et l'ombre des vieux arbres épaisse et noire[d]! Quant
au cimetière, on ne le voyait point; on fermait les
yeux en le côtoyant [2].

Mais le chanvreur n'est pas plus que le sacristain
adonné exclusivement au plaisir de faire peur; il aime
à faire rire, il est moqueur et sentimental au besoin,

---

des « animaux sorciers ». Ces articles étaient accompagnés de dessins de
Maurice Sand. Le texte en a été reproduit dans le volume *Promenades
autour d'un village* (*Le Berry*, chap. II).

1. *Broyes :* instruments qui servent à briser la tige du chanvre et à
faciliter la décortication.

2. George Sand avait treize ans ou quatorze lorsqu'elle assistait à ces
veillées rustiques : « J'étais avide de tous ces récits, dit-elle, j'aurais
passé la nuit à les entendre, mais ils me faisaient beaucoup de mal; ils
m'ôtaient le sommeil. Mon frère, plus âgé que moi de cinq ans, en
avait été plus affecté encore... Il était halluciné, il croyait aux choses
surnaturelles. » (*Histoire de ma Vie*, 3e partie, chap. IX).

quand il faut chanter l'amour et l'hyménée; c'est lui
qui recueille et conserve dans sa mémoire les chansons
les plus anciennes, et qui les transmet à la postérité.
C'est donc lui qui est chargé, dans les noces, du personnage que nous allons lui voir jouer[a] à la présentation
des livrées de la petite Marie.

II

LES LIVRÉES

Quand tout le monde fut réuni dans la maison[a], on ferma, avec le plus grand soin, les portes et les fenêtres; on alla même barricader la lucarne du grenier; on mit des planches, des tréteaux, des souches et des tables en travers de toutes les issues, comme si on se préparait à soutenir un siège; et il se fit dans cet intérieur fortifié un silence d'attente assez solennel, jusqu'à ce qu'on entendît au loin des chants, des rires, et le son des instruments rustiques. C'était la bande de l'épouseur, Germain en tête, accompagné de ses plus hardis compagnons, du fossoyeur, des parents, amis et serviteurs, qui formaient un joyeux et solide cortège [1].

Cependant, à mesure qu'ils approchèrent de la maison, ils se ralentirent, se concertèrent et firent silence. Les jeunes filles, enfermées dans le logis, s'étaient ménagé aux fenêtres de petites fentes, par lesquelles elles les virent arriver et se développer en ordre de bataille. Il tombait une pluie fine et froide, qui ajoutait au piquant de la situation, tandis qu'un grand feu pétillait dans l'âtre de la maison. Marie eût voulu abréger les lenteurs inévitables de ce siège en

_____

1. Cette scène a été dessinée par Maurice Sand dans L'*Illustration* de 1851.

règle; elle n'aimait pas à voir ainsi se morfondre son fiancé, mais elle n'avait pas voix au chapitre dans la circonstance, et même elle devait partager ostensiblement la mutine cruauté de ses compagnes.

Quand les deux camps furent ainsi en présence, une décharge d'armes à feu, partie du dehors, mit en grande rumeur tous les chiens des environs. Ceux de la maison se précipitèrent vers la porte en aboyant, croyant qu'il s'agissait d'une attaque réelle, et les petits enfants que leurs mères s'efforçaient en vain de rassurer, se mirent à pleurer et à trembler. Toute cette scène fut si bien jouée qu'un étranger y eût été pris, et eût songé peut-être à se mettre en état de défense contre une bande de chauffeurs[a] [1].

Alors le fossoyeur, barde et orateur du fiancé, se plaça devant la porte, et, d'une voix lamentable, engagea avec le chanvreur, placé à la lucarne qui était située au-dessus de la même porte, le dialogue suivant :

LE FOSSOYEUR

Hélas! mes bonnes gens, mes chers paroissiens, pour l'amour de Dieu, ouvrez-moi[b] la porte.

LE CHANVREUR

Qui êtes-vous donc, et pourquoi prenez-vous la licence de nous appeler vos chers paroissiens? Nous ne vous connaissons pas.

---

1. On a donné ce nom à des brigands qui, réunis en association au temps de la Terreur, brûlaient les pieds de leurs victimes pour leur faire avouer où elles cachaient leur argent. Les *chauffeurs* se montrèrent d'abord sur les rives du Rhin et dans le nord de la France, mais on les rencontra assez vite dans le Centre et dans le Berry. Dans *Le Meunier d'Angibault* (XXXIII) George Sand conte l'histoire d'un paysan qui a été torturé par les chauffeurs.

LE FOSSOYEUR

Nous sommes d'honnêtes gens bien en peine. N'ayez peur de nous, mes amis! donnez-nous l'hospitalité. Il tombe du verglas, nos pauvres pieds sont gelés, et nous revenons de si loin que nos sabots en sont fendus.

LE CHANVREUR

Si vos sabots sont fendus, vous pouvez chercher par terre; vous trouverez bien un brin d'oisil (osier) pour faire des *arcelets* (petites lames de fer en forme d'arcs qu'on place sur les sabots fendus pour les consolider).

LE FOSSOYEUR

Des arcelets d'oisil, ce n'est guère solide. Vous vous moquez de nous, bonnes gens, et vous feriez mieux de nous ouvrir. On voit luire[a] une belle flamme dans votre logis; sans doute vous avez mis la broche, et on se réjouit chez vous le cœur et le ventre. Ouvrez[b] donc à de pauvres pèlerins qui mourront à votre porte si vous ne leur faites merci.

LE CHANVREUR

Ah! ah! vous êtes des pèlerins? vous ne nous disiez pas cela. Et de quel pèlerinage arrivez-vous, s'il vous plaît!

LE FOSSOYEUR

Nous vous dirons cela quand vous nous aurez ouvert la porte, car nous venons de si loin que vous ne voudriez pas le croire.

LE CHANVREUR

Vous ouvrir la porte? oui-da! nous ne saurions nous fier à vous. Voyons : est-ce de Saint-Sylvain de Pouligny [1] que vous arrivez?

LE FOSSOYEUR

Nous avons été à Saint-Sylvain de Pouligny, mais nous avons été bien plus loin encore.

LE CHANVREUR

Alors vous avez été jusqu'à Sainte-Solange [2]?

LE FOSSOYEUR

A Sainte-Solange nous avons été, pour sûr; mais nous avons été plus loin encore.

LE CHANVREUR

Vous mentez; vous n'avez même jamais été jusqu'à Sainte-Solange.

LE FOSSOYEUR

Nous avons été plus loin, car, à cette heure, nous arrivons de Saint-Jacques de Compostelle [3].

---

1. Il existe deux villages du nom de Pouligny à quelques kilomètres au sud de La Châtre : Pouligny-Saint-Martin et Pouligny-Notre-Dame.

2. Sainte-Solange est une commune du Cher. Elle possède une église des XIIe et XIIIe siècles, où l'on trouve cinq tapisseries représentant la vie de sainte Solange, et une chapelle bâtie sur le lieu où fut longtemps le tombeau de sainte Solange, et qui est le centre du culte de cette sainte. Le village s'appelait Saint-Martin-du-Crot avant la seconde moitié du IXe siècle, époque où une bergère y fut mise à mort par un jeune seigneur pour avoir résisté à ses sollicitations. Sainte Solange est vénérée dans le Berry et le Bourbonnais. A la fin du XIXe siècle les paysans revenant du pèlerinage de Sainte-Solange rapportaient sur « leurs grands chapeaux des touffes de graminées cueillies sur les bords de la fontaine où la bergère menait boire ses moutons ». (A. Allier, *L'ancien Bourbonnais*.)

3. *Compostelle* : ville d'Espagne, en Galice, qui est le lieu d'un célèbre pèlerinage.

LE CHANVREUR

Quelle bêtise nous contez-vous? Nous ne connaissons pas cette paroisse-là. Nous voyons bien que vous êtes de mauvaises gens, des brigands, des *rien du tout* et des menteurs. Allez plus loin chanter vos sornettes; nous sommes sur nos gardes, et vous n'entrerez point céans.

LE FOSSOYEUR

Hélas! mon pauvre homme, ayez pitié de nous! Nous ne sommes pas des pèlerins, vous l'avez deviné; mais nous sommes de malheureux braconniers poursuivis par des gardes. Mêmement les gendarmes sont après nous, et, si vous ne nous faites point cacher dans votre fenil, nous allons être pris et conduits en prison.

LE CHANVREUR

Et qui nous prouvera que, cette fois-ci, vous soyez[a] ce que vous dites? car voilà déjà un mensonge que vous n'avez pas pu soutenir.

LE FOSSOYEUR

Si vous voulez nous ouvrir, nous vous montrerons une belle pièce de gibier que nous avons tuée.

LE CHANVREUR

Montrez-la tout de suite, car nous sommes en méfiance.

LE FOSSOYEUR

Eh bien, ouvrez une porte ou une fenêtre, qu'on vous passe la bête.

LE CHANVREUR

Oh! que nenni! pas si sot! Je vous regarde par un petit pertuis! et je ne vois parmi vous ni chasseurs, ni gibier.

Ici un garçon bouvier, trapu et d'une force herculéenne, se détacha du groupe où il se tenait inaperçu, éleva vers la lucarne une oie[a] plumée, passée dans une forte broche de fer, ornée de bouquets de paille et de rubans.

— Oui-da! s'écria le chanvreur[b], après avoir passé avec précaution un bras dehors pour tâter le rôt; ceci n'est point une caille, ni une perdrix; ce n'est ni un lièvre, ni un lapin; c'est quelque chose comme une oie ou un dindon. Vraiment, vous êtes de beaux chasseurs! et ce gibier-là ne vous a guère fait courir. Allez plus loin, mes drôles! toutes vos menteries sont connues, et vous pouvez bien aller chez vous faire cuire votre souper. Vous ne mangerez pas le nôtre.

LE FOSSOYEUR

Hélas! mon Dieu, où irons-nous faire cuire notre gibier[c]? C'est bien peu de chose pour tant de monde que nous sommes; et, d'ailleurs, nous n'avons ni feu ni lieu. A cette heure-ci toutes les portes sont fermées, tout le monde est couché; il n'y a que vous qui fassiez la noce dans votre maison, et il faut que vous ayez le cœur bien dur pour nous laisser transir dehors. Ouvrez-nous, braves gens, encore une fois; nous ne vous occasionnerons pas de dépenses. Vous voyez bien que nous apportons le rôti; seulement un peu de place à votre foyer, un peu de flamme pour le faire cuire, et nous nous en irons contents.

LE CHANVREUR

Croyez-vous qu'il y ait trop de place[a] chez nous, et que le bois ne nous coûte rien?

LE FOSSOYEUR

Nous avons là une petite botte de paille pour faire le feu, nous nous en contenterons; donnez-nous seulement la permission de mettre la broche en travers à votre cheminée.

LE CHANVREUR

Cela ne sera point; vous nous faites dégoût[b] et point du tout pitié. M'est avis que vous êtes ivres, que vous n'avez besoin de rien, et que vous voulez entrer chez nous pour voler notre feu et nos filles.

LE FOSSOYEUR

Puisque vous ne voulez entendre à aucune bonne raison, nous allons entrer chez vous par force.

LE CHANVREUR

Essayez, si vous voulez. Nous sommes assez bien renfermés pour ne pas vous craindre. Et puisque vous êtes insolents, nous ne vous répondrons pas davantage.

Là-dessus le chanvreur ferma à grand bruit l'huis de la lucarne, et redescendit dans la chambre au-dessous, par une échelle. Puis il reprit la fiancée par la main, et les jeunes gens des deux sexes se joignant à eux, tous se mirent à danser et à crier joyeusement tandis que les matrones chantaient d'une voix perçante, et poussaient de grands éclats de rire en signe de mépris et de bravade contre ceux du dehors qui tentaient l'assaut[c].

Les assiégeants, de leur côté, faisaient rage[a] : ils déchargeaient leurs pistolets dans les portes, faisaient gronder les chiens, frappaient de grands coups sur les murs, secouaient les volets, poussaient des cris effroyables ; enfin c'était un vacarme à ne pas s'entendre, une poussière et une fumée à ne se point voir.

Pourtant cette attaque était simulée : le moment n'était pas venu de violer l'étiquette. Si l'on parvenait, en rôdant, à trouver un passage[b] non gardé, une ouverture quelconque, on pouvait chercher à s'introduire par surprise, et alors, si le porteur de la broche arrivait à mettre son rôti au feu, la prise de possession du foyer ainsi constatée, la comédie finissait et le fiancé était vainqueur.

Mais les issues de la maison n'étaient pas assez nombreuses pour qu'on eût négligé les précautions d'usage, et nul ne se fût arrogé le droit d'employer la violence avant le moment fixé pour la lutte.

Quand on fut las de sauter et de crier, le chanvreur songea à capituler. Il remonta à sa lucarne, l'ouvrit avec précaution, et salua les assiégeants désappointés par un éclat de rire.

— Eh bien, mes gars, dit-il, vous voilà bien penauds ! Vous pensiez que rien n'était plus facile que d'entrer céans, et vous voyez que notre défense est bonne. Mais nous commençons à avoir pitié de vous, si vous voulez vous soumettre et accepter nos conditions.

LE FOSSOYEUR

Parlez, mes braves gens ; dites ce qu'il faut faire pour approcher de votre foyer.

LE CHANVREUR

Il faut chanter, mes amis, mais chanter une chanson que nous ne connaissions pas, et à laquelle nous ne puissions pas répondre par une meilleure.

— Qu'à cela ne tienne! répondit le fossoyeur, et il entonna d'une voix puissante :

Voila six mois que c'était le printemps,

— *Me promenais sur l'herbette naissante* [1], répondit le chanvreur d'une voix un peu enrouée, mais terrible. Vous moquez-vous, mes pauvres gens, de nous chanter une pareille vieillerie? vous voyez bien que nous vous arrêtons au premier mot!

— *C'était la fille d'un prince...*

— *Qui voulait se marier*, répondit le chanvreur. Passez, passez à une autre! nous connaissons celle-là un peu trop.

LE FOSSOYEUR

Voulez-vous celle-ci?

— *En revenant de Nantes...*

LE CHANVREUR

— *J'étais bien fatigué, voyez! J'étais bien fatigué* [2]. Celle-là est du temps de ma grand'mère. Voyons-en une autre!

LE FOSSOYEUR

— *L'autre jour en me promenant...*

---

1. Cette chanson est citée en entier par L. Vincent, *Le Berry dans l'œuvre de G. Sand*, p. 275.

2. L. Vincent (*ouvrage cité*, p. 278) dit qu'elle n'a pu compléter ces deux chansons, mais que leur origine est très ancienne.

LE CHANVREUR

— *Le long de ce bois charmant* [1]! En voilà une qui est bête! Nos petits enfants ne voudraient pas se donner la peine de vous répondre! Quoi! voilà tout ce que vous savez?

LE FOSSOYEUR

Oh! nous vous en dirons tant que vous finirez par rester court.

Il se passa bien une heure à combattre ainsi. Comme les deux antagonistes étaient les deux plus forts du pays sur la chanson, et que leur répertoire semblait inépuisable, cela eût pu durer toute la nuit, d'autant plus que le chanvreur mit un peu de malice à laisser chanter certaines complaintes en dix, vingt ou trente couplets, feignant, par son silence, de se déclarer vaincu. Alors on triomphait dans le camp du fiancé, on chantait en chœur à pleine voix, et on croyait que cette fois la partie adverse ferait défaut; mais, à la moitié du couplet final[a], on entendait la voix rude et enrhumée du vieux chanvreur beugler[b] les derniers vers; après quoi[c] il s'écriait : — Vous n'aviez pas besoin de vous fatiguer à en dire une si longue, mes enfants! Nous la savions sur le bout du doigt!

Une ou deux fois pourtant le chanvreur fit la grimace, fronça le sourcil et se retourna d'un air désappointé vers les matrones attentives. Le fossoyeur chantait quelque chose de si vieux, que son adversaire l'avait oublié, ou peut-être qu'il ne l'avait jamais su; mais

---

1. Chanson citée en entier par L. Vincent (p. 277) avec le texte suivant pour les deux premiers vers !

L'aut'ceux jours en m'y promenant
Ah! tout l'long de ce bois charmant.

aussitôt les bonnes commères nasillaient, d'une voix aigre comme celle de la mouette, le refrain victorieux; et le fossoyeur, sommé de se rendre, passait à d'autres essais.

Il eût été trop long d'attendre de quel côté resterait la victoire. Le parti de la fiancée déclara qu'il faisait grâce à condition qu'on offrirait à celle-ci un présent digne d'elle.

Alors commença le chant des livrées sur un air solennel comme un chant d'église.

Les hommes du dehors dirent en basse-taille à l'unisson :

> Ouvrez la porte, ouvrez,
> Marie, ma mignonne,
> *J'ons* de beaux cadeaux à vous présenter.
> Hélas! ma mie, laissez-nous entrer.

A quoi les femmes répondirent de l'intérieur, et en fausset, d'un ton dolent :

> Mon père est en chagrin, ma mère en grand tristesse,
> Et moi je suis fille de trop grand merci [1]
> Pour ouvrir ma porte *à cette heure ici.*

Les hommes reprirent le premier couplet jusqu'au quatrième vers, qu'ils modifièrent de la sorte :

> *J'ons un beau mouchoir à vous présenter.*

Mais, au nom de la fiancée, les femmes répondirent de même que la première fois.

Pendant vingt couplets, au moins, les hommes énumérèrent tous les cadeaux de la livrée, mentionnant toujours un objet nouveau dans le dernier vers : un beau *devanteau* (tablier), de beaux rubans, un habit

---

1. *Merci :* prix. Sens vieilli.

de drap, de la dentelle, une croix d'or, et jusqu'à *un cent d'épingles* pour compléter la modeste corbeille de la mariée. Le refus des matrones était irrévocable; mais enfin les garçons se décidèrent à parler *d'un beau mari à leur présenter*, et elles répondirent en s'adressant à la mariée, en lui chantant avec les hommes :

> Ouvrez la porte, ouvrez,
> Marie, ma mignonne,
> C'est un beau mari qui vient vous chercher,
> Allons, ma mie, laissons-les entrer.

III

LE MARIAGE

Aussitôt le chanvreur tira la cheville de bois qui fermait la porte à l'intérieur : c'était encore, à cette époque, la seule serrure connue dans la plupart des habitations de notre hameau. La bande du fiancé fit irruption dans la demeure de la fiancée, mais non sans combat; car les garçons cantonnés dans la maison, même le vieux chanvreur et les vieilles commères se mirent en devoir de garder le foyer. Le porteur de la broche, soutenu par les siens, devait arriver à planter le rôti dans l'âtre. Ce fut une véritable bataille, quoiqu'on s'abstînt de se frapper et qu'il n'y eût point de colère dans cette lutte. Mais on se poussait et on se pressait si étroitement, et il y avait tant d'amour-propre en jeu dans cet essai de forces musculaires, que les résultats pouvaient être plus sérieux qu'ils ne le paraissaient à travers les rires et les chansons. Le pauvre vieux chanvreur, qui se débattait comme un lion, fut collé à la muraille et serré par la foule, jusqu'à perdre la respiration[a]. Plus d'un champion renversé fut foulé aux pieds involontairement, plus d'une main cramponnée à la broche fut ensanglantée. Ces jeux sont dangereux, et les accidents ont été assez graves dans les derniers temps pour que nos paysans aient résolu de laisser tomber en désuétude la cérémonie des livrées [1]. Je crois que nous avons vu la dernière à la noce de Françoise Meillant et encore la lutte ne fut-elle que simulée [2].

Cette lutte fut encore[a] assez passionnée à la noce de Germain. Il y avait une question de point d'honneur de part et d'autre à envahir et à défendre le foyer de la Guillette. L'énorme broche de fer fut tordue comme une vis[b] sous les vigoureux poignets qui se la disputaient. Un coup de pistolet mit le feu à une petite provision de chanvre en *poupées*, placée sur une claie, au plafond. Cet incident fit diversion, et, tandis que les uns s'empressaient[c] d'étouffer ce germe d'incendie, le fossoyeur, qui était grimpé au grenier sans qu'on s'en aperçût, descendit par la cheminée, et saisit la broche au moment où le bouvier, qui la défendait auprès de l'âtre, l'élevait au-dessus de sa tête pour empêcher qu'elle ne lui fût arrachée. Quelque temps avant la prise d'assaut, les matrones avaient eu le soin d'éteindre le feu, de crainte qu'en se débattant auprès, quelqu'un ne vînt à y tomber et à se brûler. Le facétieux fossoyeur, d'accord avec le bouvier, s'empara donc du trophée sans difficulté et le jeta en travers sur les *landiers*. C'en était fait! il n'était

---

1. « Un jour, la scène fut ensanglantée par un accident sérieux. Un des conviés fut littéralement embroché dans la bataille. Dès lors la cérémonie tomba en désuétude; on fut d'accord sur tous les points de la supprimer et nous avons vu la dernière il y a dix ans... Je regrette pourtant les chansons à la porte, et la belle mélodie de « Ouvrez la porte, ouvrez! » qui n'ayant plus d'emploi se perdra. » (G. Sand, *Promenades autour d'un village*, *Le Berry*, 1866, pp. 174 et 175).

2. Françoise Meillant était une domestique de G. Sand. Mariée en 1827 avec André Caillaud, elle était devenue veuve et se remaria, le 12 septembre 1843, avec Jean Aucante. Ce mariage fut célébré à Saint-Chartier « en présence d'Urbain Caillaud, beau-père de l'épouse, de Sylvain Biaud, aubergiste de Nohant, de Maurice Dudevant, de Mme Dudevant et de Julien Champy, musicien ». (Extrait du registre des actes de mariage de Saint-Chartier, année 1843).

plus permis d'y toucher. Il sauta au milieu de la chambre et alluma un reste de paille, qui entourait la broche, pour faire le simulacre de la cuisson du rôti, car l'oie était en pièces et jonchait le plancher de ses membres épars.

Il y eut alors beaucoup de rires et de discussions fanfaronnes. Chacun montrait les horions qu'il avait reçus, et comme c'était souvent la main d'un ami qui avait frappé, personne ne se plaignit ni se querella. Le chanvreur, à demi aplati, se frottait les reins, disant qu'il s'en souciait fort peu, mais qu'il protestait contre la ruse de son compère le fossoyeur, et que, s'il n'eût été à demi mort, le foyer n'eût pas été conquis si facilement. Les matrones balayaient le pavé[a], et l'ordre se faisait. La table se couvrait de brocs de vin nouveau. Quand on eut trinqué ensemble et repris haleine, le fiancé fut amené au milieu de la chambre, et, armé d'une baguette, il dut se soumettre à une nouvelle épreuve.

Pendant la lutte, la fiancée avait été cachée avec trois de ses compagnes par sa mère, sa marraine et ses tantes, qui avaient fait asseoir les quatre jeunes filles sur un banc, dans un coin reculé de la salle, et les avaient couvertes d'un grand drap blanc. Les trois compagnes avaient été choisies de la même taille que Marie, et leurs cornettes de hauteur identique, de sorte que le drap leur couvrant la tête et les enveloppant jusque par-dessous les pieds, il était impossible de les distinguer l'une de l'autre.

Le fiancé ne devait les toucher qu'avec le bout de sa baguette, et seulement pour désigner celle qu'il jugeait être sa femme. On lui donnait le temps d'examiner, mais avec les yeux seulement, et les matrones, placées à ses côtés, veillaient rigoureusement à ce qu'il n'y eût point de supercherie. S'il se trompait, il ne pouvait danser de la soirée avec sa fiancée, mais seulement avec celle qu'il avait choisie par erreur.

Germain, se voyant en présence de ces fantômes enveloppés sous le même suaire, craignait fort de se tromper; et, de fait, cela était arrivé à bien d'autres, car les précautions étaient toujours prises avec un soin consciencieux. Le cœur lui battait. La petite Marie essayait bien de respirer fort et d'agiter un peu le drap, mais ses malignes rivales en faisaient autant, poussaient le drap avec leurs doigts, et il y avait autant de signes mystérieux que de jeunes filles sous le voile. Les cornettes carrées maintenaient ce voile si également qu'il était impossible de voir la forme d'un front dessiné par ses plis.

Germain, après dix minutes d'hésitation, ferma les yeux, recommanda son âme à Dieu, et tendit la baguette au hasard. Il toucha le front de la petite Marie, qui jeta le drap loin d'elle en criant victoire. Il eut alors la permission de l'embrasser, et, l'enlevant dans ses bras robustes, il la porta au milieu de la chambre, et ouvrit avec elle le bal, qui dura jusqu'à deux heures du matin.

Alors on se sépara pour se réunir à huit heures. Comme il y avait un certain nombre de jeunes gens venus des environs, et qu'on n'avait pas de lits pour tout le monde, chaque invitée du village reçut dans son lit deux ou trois jeunes compagnes, tandis que les garçons allèrent pêle-mêle s'étendre sur[a] le fourrage du grenier de la métairie. Vous pouvez bien penser que là ils ne dormirent guère, car ils ne songèrent qu'à se lutiner les uns les autres, à échanger des lazzis et à se conter de folles histoires. Dans les noces, il y a de rigueur trois nuits blanches, qu'on ne regrette point.

A l'heure marquée pour le départ, après qu'on eut

mangé la soupe au lait relevée d'une forte dose de poivre, pour se mettre en appétit, car le repas de noces promettait d'être copieux, on se rassembla dans la cour de la ferme. Notre paroisse étant supprimée, c'est à une demi-lieue de chez nous qu'il fallait aller chercher la bénédiction nuptiale. Il faisait un beau temps frais, mais les chemins étant fort gâtés, chacun s'était muni d'un cheval, et chaque homme prit en croupe une compagne jeune ou vieille. Germain partit sur la *Grise*, qui, bien pansée, ferrée à neuf et ornée de rubans, piaffait et jetait le feu par les naseaux. Il alla chercher sa fiancée à la chaumière avec son beau-frère Jacques, lequel, monté sur la vieille *Grise*, prit la bonne mère Guillette en croupe[a] tandis que Germain rentra dans la cour de la ferme, amenant sa chère petite femme d'un air de triomphe[b].

Puis la joyeuse cavalcade se mit en route, escortée par les enfants à pied, qui couraient en tirant des coups de pistolet et faisaient bondir les chevaux. La mère Maurice était montée sur une petite charrette avec les trois enfants de Germain et les ménétriers. Ils ouvraient la marche au son des instruments. Petit-Pierre était si beau, que la vieille grand'mère en était tout orgueilleuse. Mais l'impétueux enfant ne tint pas longtemps à ses côtés. A un temps d'arrêt qu'il fallut faire à mi-chemin pour s'engager dans un passage difficile, il s'esquiva et alla supplier son père de l'asseoir devant lui sur la *Grise*.

— Oui-da! répondit Germain, cela va nous attirer de mauvaises plaisanteries! il ne faut point.

— Je ne me soucie guère de ce que diront les gens de Saint-Chartier [1], dit la petite Marie. Prenez-le,

---

1. L'église de Saint-Chartier, où eurent lieu les noces de Germain et de Marie, date des XIIe et XVe siècles. L'édifice lui-même n'a guère

Germain, je vous en prie : je serai encore plus fière
de lui que de ma toilette de noces.

Germain céda, et le beau trio s'élança dans les rangs
au galop triomphant de la *Grise*.

Et, de fait, les gens de Saint-Chartier, quoique
très railleurs et un peu taquins à l'endroit des paroisses
environnantes réunies à la leur, ne songèrent point à
rire en voyant un si beau marié, une si jolie mariée, et
un enfant qui eût fait envie à la femme d'un roi. Petit-
Pierre avait un habit complet de drap bleu barbeau,
un gilet rouge[a] si coquet et si court qu'il ne lui descen-
dait guère au-dessous du menton. Le tailleur du village
lui avait si bien serré les entournures qu'il ne pouvait
rapprocher ses deux petits bras. Aussi comme il était
fier ! Il avait un chapeau rond avec une ganse noir et
or[b], et une plume de paon sortant crânement d'une touffe[c]
de plumes de pintade. Un bouquet de fleurs plus gros
que sa tête lui couvrait l'épaule, et les rubans lui flot-
taient jusqu'aux pieds. Le chanvreur, qui était aussi
le barbier et le perruquier de l'endroit, lui avait coupé
les cheveux en rond, en lui couvrant la tête d'une écuelle
et retranchant tout ce qui passait, méthode infaillible
pour assurer le coup de ciseau. Ainsi accoutré, le pauvre
enfant était moins poétique, à coup sûr, qu'avec ses

---

changé d'aspect depuis cent ans, si ce n'est que le toit moussu « à tuiles
de pays » a été remplacé par une couverture en ardoise. En revanche,
le cadre était assez différent : la façade de l'église était en partie cachée
par les noyers d'un cimetière, aujourd'hui désaffecté, et occupant
l'emplacement d'une petite place. Au lieu des maisons bien alignées
qui bordent maintenant celle-ci, il y avait des constructions très basses,
avec perron branlant, rangées suivant on ne sait quel caprice. L'église
de Saint-Chartier desservait également les paroisses de Nohant, de Vic,
de Verneuil et de Lourouer. (H. de Corlay. *Le Saint-Chartier des romans
pastoraux de George Sand*, La Châtre, 1911). C'est à Saint-Chartier que
George Sand enfant avait suivi le catéchisme.

longs cheveux au vent et sa peau de mouton à la saint
Jean-Baptiste; mais il n'en croyait rien, et tout le monde
l'admirait, disant qu'il avait l'air d'un petit homme.
Sa beauté[a] triomphait de tout, et de quoi ne triomphe-
rait pas, en effet, l'incomparable beauté de l'enfance?

Sa petite sœur Solange avait, pour la première fois
de sa vie, une cornette à la place du béguin d'indienne
que portent les petites filles jusqu'à l'âge de deux ou
trois ans. Et quelle cornette! plus haute[b] et plus large
que tout le corps de la pauvrette. Aussi comme elle se
trouvait belle! Elle n'osait pas tourner la tête, et se
tenait toute raide, pensant qu'on la prendrait pour la
mariée.

Quant au petit Sylvain, il était encore en robe, et,
endormi sur les genoux de sa grand'mère, il ne se
doutait guère de ce que c'est qu'une noce.

Germain regardait ses enfants avec amour, et en
arrivant à la mairie, il dit à sa fiancée :

— Tiens, Marie, j'arrive là un peu plus content que
le jour où je t'ai ramenée chez nous, des bois de Chanteloube, croyant que tu ne m'aimerais jamais; je te pris
dans mes bras pour te mettre à terre comme à présent;
mais je pensais que nous ne nous retrouverions plus
jamais sur la pauvre bonne Grise avec cet enfant[c]
sur nos genoux. Tiens, je t'aime tant, j'aime tant ces
pauvres petits, je suis si heureux que tu m'aimes, et que
tu les aimes, et que mes parents t'aiment, et j'aime
tant ta mère et mes amis, et tout le monde aujourd'hui,
que je voudrais avoir trois ou quatre cœurs pour y
suffire. Vrai, c'est trop peu d'un pour y loger tant
d'amitiés et tant de contentement! J'en ai comme mal
à l'estomac.

Il y eut une foule à la porte de la mairie et de l'église
pour regarder la jolie mariée. Pourquoi ne dirions-nous

pas son costume ? il lui allait si bien ! Sa cornette de mousseline claire et brodée partout, avait les barbes[1] garnies de dentelle. Dans ce temps-là les paysannes ne se permettaient pas de montrer un seul cheveu ; et quoiqu'elles cachent sous leurs cornettes de magnifiques chevelures roulées dans des rubans de fil blanc pour soutenir la coiffe, encore aujourd'hui ce serait une action indécente et honteuse que de se montrer aux hommes la tête nue. Cependant elles se permettent à présent de laisser sur le front un mince bandeau qui les embellit beaucoup. Mais je regrette la coiffure classique de mon temps ; ces dentelles blanches à cru sur la peau avaient un caractère d'antique chasteté qui me semblait plus solennel, et quand une figure était belle ainsi, c'était d'une beauté dont rien ne peut exprimer le charme et la majesté naïve.

La petite Marie portait encore cette coiffure, et son front était si blanc et si pur, qu'il défiait le blanc du linge de l'assombrir. Quoiqu'elle n'eût pas fermé l'œil de la nuit, l'air du matin et surtout la joie intérieure d'une âme aussi limpide que le ciel, et puis encore un peu de flamme secrète, contenue par la pudeur de l'adolescence, lui faisaient monter aux joues un éclat aussi suave que la fleur du pêcher aux premiers rayons d'avril.

Son fichu blanc, chastement croisé sur son sein, ne laissait voir que les contours délicats d'un cou arrondi comme celui d'une tourterelle ; son déshabillé de drap fin vert myrte dessinait sa petite taille, qui semblait parfaite, mais qui devait grandir et se développer encore, car elle n'avait pas dix-sept ans. Elle portait un tablier de soie violet pensée, avec la bavette, que nos

---

1. Il s'agit des bandes de toile qui pendaient à la cornette que décrit G. Sand.

villageoises ont eu le tort de supprimer et qui donnait tant d'élégance et de modestie à la poitrine [1]. Aujourd'hui elles étalent leur fichu avec plus d'orgueil, mais il n'y a plus dans leur toilette cette fine fleur d'antique pudicité qui les faisait ressembler à des vierges d'Holbein*ᵃ* [2]. Elles sont plus coquettes, plus gracieuses. Le bon genre autrefois était une sorte de raideur sévère qui rendait leur rare sourire plus profond et plus idéal.

A l'offrande, Germain mit, selon l'usage, le *treizain* [3], c'est-à-dire treize pièces d'argent, dans la main de sa fiancée. Il lui passa au doigt une bague d'argent, d'une forme invariable depuis des siècles [4], mais que *l'alliance d'or* a remplacée désormais. Au sortir de l'église, Marie lui dit tout bas : Est-ce bien la bague que je souhaitais ? celle que je vous ai demandée, Germain ?

— Oui, répondit-il, celle que ma Catherine avait

---

1. D'après un vieillard de Charon, M. Hémery, L. Vincent donne de la toilette d'une mariée du Berry la description suivante : « Robe marron en sergette. Foulard au fichu de cent sous, à fleurs et à franges. Tablier à bavette. Coiffe en tulle garnie d'une floque de rubans et de trois ou quatre épingles. Sabots garnis de cuir, pour ce jour-là. C'était la seule chaussure en usage en Bas-Berry, il y a cinquante ou soixante ans, vu l'état des chemins. » (L. Vincent, *Le Berry dans l'œuvre de George Sand*, p. 295, note 2).

2. Holbein a peint deux Vierges célèbres, la Madone de Soleure (1522) et surtout la Madone du bourgmestre Meyer (1526).

3. « L'usage d'offrir le *treizain* est encore général. Ces pièces étaient de valeurs très différentes et variaient suivant la fortune des mariés. Chacune pouvait être seulement de quatre liards et aller jusqu'à dix francs. Dans les familles très riches, cette pièce atteignait le chiffre de quarante francs. On recherchait, pour faire ce présent, des pièces étrangères, anglaises, belges » (L. Vincent, *ouvrage cité*, p. 295, note 3).

4. « Cette bague qu'on ne trouve plus, même au doigt des femmes de soixante ans, était un anneau plat, orné de rayures et de fleurs gravées. » (L. Vincent, *ouvrage cité*, p. 295, note 4).

au doigt lorsqu'elle est morte. C'est la même bague pour mes deux mariages.

— Je vous remercie, Germain, dit la jeune femme d'un ton sérieux et pénétré. Je mourrai avec, et si c'est avant vous, vous la garderez pour le mariage de votre petite Solange.

IV

LE CHOU

On remonta à cheval et on revint très vite à Belair. Le repas fut splendide, et dura, entremêlé de danses et de chants, jusqu'à minuit. Les vieux ne quittèrent point la table pendant quatorze heures[1]. Le fossoyeur fit la cuisine et la fit fort bien. Il était renommé pour cela, et il quittait ses fourneaux pour venir danser et chanter entre chaque service. Il était épileptique pourtant, ce pauvre père Bontemps! Qui s'en serait douté[a]? Il était frais, fort, et gai comme un jeune homme. Un jour nous le trouvâmes comme mort, tordu par son mal dans un fossé, à l'entrée de la nuit. Nous le rapportâmes chez nous dans une brouette, et nous passâmes la nuit à le soigner. Trois jours après il était de noce, chantait comme une grive[b] et sautait comme un cabri, se trémoussant à l'ancienne mode. En sortant d'un mariage, il allait creuser une fosse et clouer une bière. Il s'en acquittait pieusement, et quoiqu'il n'y parût point ensuite à sa belle humeur, il en conservait une impression sinistre qui hâtait le retour de son accès[c].

---

1. « Le mariage est la seule grande fête de la vie d'une paysanne. Il y a encore ce généreux amour-propre qui consiste à faire manger la subsistance d'une année dans les trois jours de la noce. » (G. Sand, *Promenades autour d'un village*, *Le Berry*, p. 151).

Sa femme, paralytique, ne bougeait de sa chaise depuis vingt ans. Sa mère en a cent quatre[a], et vit encore. Mais lui, le pauvre homme, si gai, si bon, si amusant[b], il s'est tué l'an dernier en tombant de son grenier sur le pavé. Sans doute, il était en proie au fatal accès de son mal, et, comme d'habitude, il s'était caché dans le foin pour ne pas effrayer et affliger sa famille. Il termina ainsi, d'une manière tragique, une vie étrange comme lui-même, un mélange de choses lugubres et folles, terribles et riantes, au milieu desquelles son cœur était toujours resté bon et son caractère aimable.

Mais nous arrivons à la troisième journée des noces, qui est la plus curieuse, et qui s'est maintenue dans toute sa rigueur jusqu'à nos jours. Nous ne parlerons pas de la rôtie que l'on porte au lit nuptial; c'est un assez sot usage qui fait souffrir la pudeur de la mariée et tend à détruire celle des jeunes filles qui y assistent. D'ailleurs je crois que c'est un usage de toutes les provinces, et qui n'a chez nous rien de particulier.

De même que la cérémonie des *livrées* est le symbole de la prise de possession du cœur et du domicile de la mariée, celle du *chou* est le symbole de la fécondité de l'hymen. Après le déjeuner du lendemain de noces commence cette bizarre représentation d'origine gauloise, mais qui, en passant par le christianisme primitif est devenue peu à peu une sorte de *mystère*, ou de moralité bouffonne du moyen âge [1].

Deux garçons (les plus enjoués et les mieux disposés de la bande) disparaissent pendant le déjeuner, vont se

---

1. « Lorsque le christianisme s'introduisit dans les campagnes de France, il n'y put vaincre le paganisme qu'en donnant droit de cité dans son culte à diverses cérémonies antiques pour lesquelles les paysans avaient un attachement invincible. » (G. Sand, *Promenades autour d'un village, Le Berry*, p. 160).

costumer, et enfin reviennent escortés de la musique, des chiens, des enfants et des coups de pistolet. Ils représentent un couple de gueux, mari et femme, couverts des haillons les plus misérables[a]. Le mari est le plus sale des deux : c'est le vice qui l'a ainsi dégradé; la femme n'est que malheureuse et avilie par les désordres de son époux.

Ils s'intitulent le *jardinier* et la *jardinière*, et se disent préposés à la garde et à la culture du chou sacré. Mais le mari porte diverses qualifications qui toutes ont un sens. On l'appelle indifféremment le *pailloux*, parce qu'il est coiffé d'une perruque de paille et de chanvre, et que, pour cacher sa nudité mal garantie par ses guenilles, il s'entoure les jambes et une partie du corps de paille. Il se fait aussi un gros ventre ou une bosse avec de la paille ou du foin cachés sous sa blouse. Le *peilloux*, parce qu'il est couvert de *peille* (de guenilles)[1]. Enfin, le *païen*, ce qui est plus significatif encore, parce qu'il est censé, par son cynisme et ses débauches, résumer en lui l'antipode de toutes les vertus chrétiennes.

Il arrive, le visage barbouillé de suie et de lie de vin, quelquefois affublé d'un masque grotesque. Une mauvaise tasse de terre ébréchée, ou un vieux sabot, pendu à sa ceinture par une ficelle, lui sert à demander l'aumône du vin. Personne ne lui refuse, et il feint de boire, puis il répand le vin par terre, en signe de libation. A chaque pas, il tombe[b], il se roule dans la boue; il affecte d'être en proie à l'ivresse la plus honteuse. Sa pauvre femme court après lui, le ramasse, appelle

---

1. « Le *peilloux*, parce qu'il est couvert de peilles (guenilles, en vieux français; Rabelais dit *peilleroux* et *loqueteux* quand il parle de mendiants). » (G. Sand, *Promenades autour d'un village*, Le Berry, p. 153).

au secours, arrache les cheveux de chanvre qui sortent en mèches hérissées de sa cornette immonde, pleure sur l'abjection de son mari et lui fait des reproches pathétiques.

— Malheureux! lui dit-elle, vois où nous a réduits ta mauvaise conduite! J'ai beau filer, travailler pour toi, raccommoder tes habits! tu te déchires, tu te souilles sans cesse. Tu m'as mangé mon pauvre bien, nos six enfants sont sur la paille, nous vivons dans une étable avec les animaux; nous voilà réduits à demander l'aumône, et encore tu es si laid, si dégoûtant, si méprisé, que bientôt on nous jettera le pain comme à des chiens. Hélas! mes pauvres *mondes*[1] (mes pauvres gens), ayez pitié de nous! ayez pitié de moi! Je n'ai pas mérité mon sort, et jamais femme n'a eu un mari plus malpropre et plus détestable. Aidez-moi à le ramasser, autrement les voitures l'écraseront comme un vieux tesson de bouteille, et je serai veuve, ce qui achèverait de me faire mourir de chagrin, quoique tout le monde dise que ce serait un bonheur pour moi.

Tel est le rôle de la jardinière et ses lamentations continuelles durant toute la pièce. Car c'est une véritable comédie libre, improvisée, jouée en plein air, sur les chemins, à travers champs, alimentée par tous les accidents fortuits qui se présentent, et à laquelle tout le monde prend part, gens de la noce et du dehors, hôtes des maisons et passants des chemins pendant trois ou quatre heures de la journée, ainsi qu'on va le voir. Le thème est invariable, mais on brode à l'infini sur ce thème, et c'est là qu'il faut voir l'instinct mimique,

---

1. *Mondes :* l'emploi de ce mot au pluriel est assez fréquent dans le langage des paysans de George Sand. On trouve dans *Les Maîtres sonneurs* (Première Veillée) cette phrase : « Nous avons rencontré plus de cinq cents mondes ce matin. »

l'abondance d'idées bouffonnes, la faconde, l'esprit de répartie, et même l'éloquence naturelle de nos paysans.

Le rôle de la jardinière est ordinairement confié à un homme mince, imberbe et à teint frais, qui sait donner une grande vérité à son personnage, et jouer le désespoir burlesque avec assez de naturel pour qu'on en soit égayé et attristé en même temps comme d'un fait réel. Ces hommes maigres et imberbes ne sont pas rares dans nos campagnes, et, chose étrange, ce sont parfois les plus remarquables pour la force musculaire.

Après que le malheur de la femme est constaté, les jeunes gens de la noce l'engagent à laisser là son ivrogne de mari, et à se divertir avec eux. Ils lui offrent le bras et l'entraînent. Peu à peu elle s'abandonne, s'égaie et se met à courir, tantôt avec l'un, tantôt avec l'autre, prenant des allures dévergondées : nouvelle *moralité*, l'inconduite du mari provoque et amène celle de la femme.

Le païen se réveille alors de son ivresse, il cherche des yeux sa compagne, s'arme d'une corde et d'un bâton, et court après elle. On le fait courir, on se cache, on passe la femme de l'un à l'autre, on essaie de la distraire et de tromper le jaloux. Ses *amis* s'efforcent[a] de l'enivrer. Enfin il rejoint son infidèle et veut la battre. Ce qu'il y a de plus réel et de mieux observé dans cette parodie des misères de la vie conjugale, c'est que le jaloux ne s'attaque jamais à ceux qui lui enlèvent sa femme. Il est fort poli et prudent avec eux, il ne veut s'en prendre qu'à la coupable, parce qu'elle est censée ne pouvoir lui résister.

Mais au moment où il lève son bâton et apprête sa corde pour attacher la délinquante, tous les hommes de la noce s'interposent et se jettent entre les deux

époux. — *Ne la battez pas ! ne battez jamais votre femme !*
est la formule qui se répète à satiété dans ces scènes.
On désarme le mari, on le force à pardonner, à embrasser sa femme, et bientôt il affecte de l'aimer plus que
jamais. Il s'en va bras dessus, bras dessous avec elle,
en chantant et en dansant, jusqu'à ce qu'un nouvel
accès d'ivresse le fasse rouler par terre ; et alors recommencent les lamentations de la femme, son décourage-
ment, ses égarements simulés, la jalousie du mari,
l'intervention des voisins, et le raccommodement. Il
y a dans tout cela un enseignement naïf, grossier même,
qui sent fort son origine moyen âge, mais qui fait
toujours impression, sinon sur les mariés, trop amoureux ou trop raisonnables aujourd'hui pour en avoir
besoin, du moins sur les enfants et les adolescents.
Le païen effraie et dégoûte tellement les jeunes filles,
en courant après elles et en feignant de vouloir les
embrasser, qu'elles fuient avec une émotion qui n'a
rien de joué. Sa face barbouillée et son grand bâton
(inoffensif pourtant) font jeter les hauts cris aux marmots. C'est de la comédie de mœurs à l'état le plus
élémentaire, mais aussi le plus frappant [1].

Quand cette farce est bien mise en train, on se dispose
à aller chercher le chou. On apporte une civière sur
laquelle on place le païen armé d'une bêche, d'une corde
et d'une grande corbeille. Quatre hommes vigoureux
l'enlèvent sur leurs épaules. Sa femme le suit à pied,
les *anciens* viennent en groupe après lui d'un air grave
et pensif puis la noce marche par couple au pas réglé
par la musique. Les coups de pistolet recommencent,

---

[1]. « Je ne recule pas devant les bonnes grosses moralités », écrira
plus tard George Sand à propos du théâtre. (Lettre à Auguste Vac-
querie, 4 janvier 1864.)

les chiens hurlent plus que jamais à la vue du païen immonde, ainsi porté en triomphe. Les enfants l'encensent dérisoirement avec des sabots au bout d'une ficelle[1].

Mais pourquoi cette ovation à un personnage si repoussant? On marche à la conquête du chou sacré, emblème de la fécondité matrimoniale, et c'est cet ivrogne abruti qui, seul, peut porter la main sur la plante symbolique. Sans doute il y a là un mystère antérieur au christianisme, et qui rappelle la fête des Saturnales, ou quelque bacchanale antique. Peut-être ce païen, qui est en même temps le jardinier par excellence, n'est-il rien moins que Priape en personne, le dieu des jardins et de la débauche, divinité qui dut être pourtant chaste et sérieuse dans son origine, comme le mystère de la reproduction, mais que la licence des mœurs et l'égarement des idées ont dégradée insensiblement[2].

Quoi qu'il en soit, la marche triomphale arrive au logis de la mariée et s'introduit dans son jardin. Là on choisit le plus beau chou, ce qui ne se fait pas vite, car les anciens tiennent conseil et discutent à perte de vue, chacun plaidant pour le chou qui lui paraît le plus convenable[3]. On va aux voix, et quand le choix est

---

1. Une gravure de Maurice Sand représentant cette scène a été publiée dans *L'Illustration*, en 1851.

2. G. Sand idéalise quelque peu ce dieu, fils de Dionysos et d'Aphrodite. Priape était en effet considéré comme la personnification de la virilité féconde et de l'amour dans l'expression de ses instincts physiques. Il symbolisait aussi la fertilité du sol, surtout au regard de la culture des jardins et de la vigne.

3. G. Sand décrit la même scène dans *Promenades autour d'un village* (p. 152) : « Ce jour-là, les noceux quittent la maison avec les mariés et la musique; on s'en va en cortège arracher dans quelque jardin le plus beau chou qu'on puisse trouver. Cette opération dure au moins une heure. Les anciens se forment en cortège autour des légumes soumis à la discussion qui précède le choix définitif : ils se font passer, de nez

fixé, le *jardinier* attache sa corde autour de la tige, et s'éloigne autant que[a] le permet l'étendue du jardin. La jardinière veille à ce que, dans sa chute, le légume sacré ne soit point endommagé. Les *Plaisants*[1] de la noce, le chanvreur, le fossoyeur, le charpentier ou le sabotier (tous ceux enfin qui ne travaillent pas la terre, et qui, passant leur vie chez les autres, sont réputés avoir, et ont réellement plus d'esprit et de babil que les simples ouvriers agriculteurs), se rangent autour du chou. L'un ouvre une tranchée à la bêche, si profonde qu'on dirait qu'il s'agit d'abattre un chêne. L'autre met sur son nez une *drogue*[2] en bois ou en carton qui simule une paire de lunettes : il fait l'office d'*ingénieur*, s'approche, s'éloigne, lève un plan, lorgne les travailleurs, tire des lignes, fait le pédant, s'écrie qu'on va tout gâter, fait abandonner et reprendre le travail selon sa fantaisie, et, le plus longuement, le plus ridiculement possible dirige la besogne. Ceci est-il une addition au formulaire antique de la cérémonie, en moquerie des théoriciens[b] en général que le paysan coutumier méprise souverainement, ou en haine des arpenteurs qui règlent le cadastre et répartissent l'impôt, ou enfin des employés aux ponts et chaussées qui convertissent des communaux[3] en routes, et font supprimer de vieux abus chers au paysan? Tant il y a

à nez, une immense paire de lunettes grotesques, ils se tiennent de longs discours, ils dissertent, ils consultent, ils se disent à l'oreille des paroles mystérieuses, ils se prennent le menton ou se grattent la tête comme pour méditer; enfin ils jouent une sorte de comédie à laquelle doit se prêter quiconque a de l'esprit et de l'usage parmi les graves parents et invités de la noce. »

1. Ceux qui font rire.

2. D'après Littré la *drogue* était une sorte de jeu usité parmi les soldats et qui se jouait avec des cartes. Dans ce jeu le perdant portait sur le nez un petit morceau de bois fendu pinçant le nez et dit *drogue*.

3. Cf. p. 40, n. 4.

que ce personnage de la comédie s'appelle le *géomètre*,
et qu'il fait son possible pour se rendre insupportable
à ceux qui tiennent la pioche et la pelle [1].

Enfin, après un quart d'heure de difficultés et de
mômeries, pour ne pas couper les racines du chou
et le déplanter sans dommage, tandis que des pelletées
de terre sont lancées au nez des assistants (tant pis
pour qui ne se range pas assez vite; fût-il évêque ou
prince, il faut qu'il reçoive le baptême de la terre),
le *païen*[a] tire la corde, la païenne tend son tablier, et le
chou tombe majestueusement aux *vivats* des spectateurs.
Alors on apporte la corbeille, et le couple païen y
plante le chou avec toutes sortes de soins et de précautions. On l'entoure de terre fraîche, on le soutient avec
des baguettes et des liens, comme font les bouquetières
des villes pour leurs splendides camellias en pot;
on pique des pommes rouges au bout des baguettes,
des branches de thym, de sauge et de laurier tout autour;
on chamarre le tout de rubans et de banderoles; on
recharge le trophée sur la civière avec le païen, qui
doit le maintenir en équilibre et le préserver d'accident,
et enfin on sort du jardin en bon ordre et au pas de
marche.

Mais là quand il s'agit de franchir la porte, de même
lorsque ensuite il s'agit d'entrer dans la cour de la maison du marié, un obstacle imaginaire s'oppose au passage[b]. Les porteurs du fardeau trébuchent, poussent[c]

---

1. L. Vincent écrit au sujet de cette comédie : « Il n'est pas un vieillard de soixante ou soixante-dix ans qui, autour de Nohant, n'ait été
acteur dans ces scènes burlesques. M. Bonnin, à Evaux, près Saint-
Chartier, a rempli au moins trente fois le rôle du jardinier ou de
l'ingénieur. Il a porté la fameuse *drogue*, instrument nécessaire pour
mieux examiner les obstacles insurmontables qui s'opposaient à
l'extraction du chou. » (*Le Berry dans l'œuvre de George Sand*, p. 298.)

de grandes exclamations, reculent, avancent encore, et, comme repoussés par une force invincible, feignent de succomber sous le poids. Pendant cela, les assistants crient, excitent et calment l'attelage humain. — Bellement, bellement, enfant! Là, là, courage! Prenez garde! patience! Baissez-vous. La porte est trop basse! Serrez-vous, elle est trop étroite! un peu à gauche; à droite à présent! allons, du cœur, vous y êtes!

C'est ainsi que dans les années de récolte abondante, le char à bœufs, chargé outre mesure de fourrage ou de moisson, se trouve trop large ou trop haut pour entrer sous le porche de la grange. C'est ainsi qu'on crie après les robustes animaux pour les retenir ou les exciter, c'est ainsi qu'avec de l'adresse et de vigoureux efforts on fait passer la montagne des richesses, sans l'écrouler, sous l'arc de triomphe rustique. C'est surtout le dernier charroi, appelé la *gerbaude* [1], qui demande ces précautions, car c'est aussi une fête champêtre[a], et la dernière gerbe enlevée au dernier sillon est placée au sommet du char, ornée de rubans et de fleurs, de même que[b] le front des bœufs et l'aiguillon du bouvier. Ainsi, l'entrée triomphale et pénible du chou dans la maison est un simulacre de la prospérité et de la fécondité qu'il représente.

Arrivé dans la cour du marié, le chou est enlevé et porté au plus haut de la maison ou de la grange. S'il est une cheminée, un pignon, un pigeonnier plus élevé que les autres faîtes, il faut, à tout risque porter ce fardeau au point culminant de l'habitation. Le païen l'accompagne jusque-là, le fixe, et l'arrose d'un grand broc de vin, tandis qu'une salve de coups de pistolet

---

1. Dans le premier acte de *Claudie* (1851), G. Sand a fait une longue description de cette fête de la *gerbaude*.

et les contorsions joyeuses de la païenne signalent son inauguration [1].

La même cérémonie recommence immédiatement. On va déterrer un autre chou dans le jardin du marié pour le porter avec les mêmes formalités sur le toit que sa femme vient d'abandonner pour le suivre. Ces trophées restent là jusqu'à ce que le vent et la pluie détruisent les corbeilles et emportent le chou. Mais ils y vivent assez longtemps pour donner quelque chance de succès à la prédiction que font les anciens et les matrones en le saluant : —Beau chou, disent-ils, vis et fleuris, afin que notre jeune mariée ait un beau petit enfant avant la fin de l'année; car si tu mourais trop vite ce serait signe de stérilité, et tu serais là-haut sur sa maison comme un mauvais présage.

La journée est déjà avancée quand toutes ces choses sont accomplies. Il ne reste plus qu'à faire la conduite aux parrains et marraines des conjoints. Quand[a] ces parents putatifs demeurent au loin, on les accompagne avec la musique et toute la noce jusqu'aux limites de la paroisse. Là, on danse encore sur le chemin et on les embrasse en se séparant d'eux. Le païen et sa femme sont alors débarbouillés et rhabillés proprement, quand la fatigue de leur rôle ne les a pas forcés à aller faire un somme.

On dansait, on chantait, et on mangeait encore à la métairie de Belair, ce troisième jour de noce, à minuit, lors du mariage de Germain. Les anciens, attablés, ne pouvaient s'en aller, et pour cause. Ils ne retrouvè-

---

1. « Ce que l'auteur des *Noces de Campagne* ne nous a point dit, c'est que souvent le cornemuseux accompagnait le chou sur le toit. Là il devait jouer ses plus beaux airs, en se tenant en équilibre sur un pied. C'est ainsi que, plus d'une fois, il arriva de graves accidents. »(L. Vincent, *ouvrage cité*, p. 298, note 1.)

rent leurs jambes et leurs esprits que le lendemain
au petit jour. Alors, tandis que ceux-là regagnaient
leurs demeures, silencieux et trébuchants, Germain,
fier et dispos, sortit pour aller lier ses bœufs, laissant
sommeiller sa jeune compagne jusqu'au lever du soleil.
L'alouette, qui chantait en montant vers les cieux, lui
semblait être la voix de son cœur rendant grâce à la
Providence. Le givre, qui brillait aux buissons décharnés, lui semblait la blancheur des fleurs d'avril précé-
dant l'apparition des feuilles. Tout était riant et serein
pour lui dans la nature. Le petit Pierre avait tant ri
et tant sauté la veille, qu'il ne vint pas l'aider à conduire
ses bœufs; mais Germain était content d'être seul.
Il se mit à genoux dans le sillon qu'il allait refendre,
et fit la prière du matin avec une effusion si grande que
deux larmes coulèrent sur ses joues encore humides
de sueur.

On entendait au loin les chants des jeunes garçons
des paroisses voisines, qui partaient pour retourner
chez eux, et qui redisaient d'une voix un peu enrouée
les refrains joyeux de la veille[1].

---

1. Sainte-Beuve écrit dans les *Causeries du Lundi* (I, pp. 361-362) à
propos des *Noces de campagne* : « Cette fin de *La Mare au Diable*, dans la
description des noces, semble peut-être un peu longue; mais on n'est
pas fâché, malgré tout, de s'arrêter sur ces images d'abondance rurale
et de copieux bonheur, qui rappellent, à leur manière, le tableau de
Théocrite dans *Les Fêtes de Cérès*, et celui de Virgile célébrant les vertus
des vieux Sabins : *casta pudicitiam servat domus*. Mme Sand, même quand
elle se complaît à des images douces, a en elle le puissant et le plan-
tureux. Quoi qu'elle fasse, même dans les touches gracieuses, on sent
une nature riche et *drue*, comme on dirait en ce vieux langage. »

FRANÇOIS LE CHAMPI

PRÉSENTATION

Lorsque, *dans l'Avant-propos de* François le Champi, *George Sand compare le rêve pastoral à* « un Eden parfumé où les âmes tourmentées et lassées du tumulte du monde ont essayé de se réfugier », *elle songe plus particulièrement au plaisir qu'elle prit à composer ce roman, en un temps où elle avait grand besoin de consolation et de réconfort.*

Elle venait de traverser toute une série d'ennuis amenés par le mariage de sa fille Solange et du sculpteur Clésinger. Mauvais mariage qu'elle avait rendu nécessaire par sa propre imprudence et sur les suites duquel il ne lui fut pas possible de se faire longtemps illusion. Chopin, bien avant elle, avait vu juste. Il plaignait la belle et capricieuse fille d'être livrée à un brutal. Prétextant son état de santé, il n'avait pas quitté Paris pour assister au mariage, qui fut célébré à Nohant le 20 mai 1847. Il avait d'autres sujets de mécontentement plus intimes. Il s'apercevait qu'après neuf années d'une vie presque rangée, George était à nouveau en quête d'aventures, qu'elle n'avait plus de scrupule à le trahir. Il se raidissait dans son orgueil blessé.

A Nohant l'atmosphère familiale fut bientôt troublée par les méchancetés de Solange et la brutalité de son mari. La douce Augustine Brault, une petite cousine, que George Sand traitait comme sa fille adoptive, était jalousée et détestée de Solange. Elle devait se marier avec le peintre Théodore Rousseau. Solange raconta sur elle des infamies et fit échouer le mariage. De son côté Clésinger, qui était couvert de dettes et qui voulait de l'argent, manifesta des exigences intolérables. Maurice et lui faillirent « s'égorger ». En cherchant à les séparer, George Sand reçut de son gendre un coup de poing dans la poitrine. Elle mit à la porte les Clésinger.

Chopin, qui de Paris suivait tout ce drame, prit le parti des jeunes époux, intervint même en leur faveur, ce qui mécontenta la mère. Il s'en expliqua auprès d'elle dans une lettre dédaigneuse et froide. Le mercredi 28 juillet elle lui répondit en termes si blessants que désormais il garda le silence, attendant un mot de regret, un geste de tendresse qui ne vinrent jamais. Ainsi s'était dénouée « sans aucune bataille ni scène », une liaison qui avait duré neuf ans[1].

La romancière pouvait dire avec raison qu'elle venait de traverser « la plus grave et la plus douloureuse phase de sa vie[2] ».

Les derniers mois de l'année lui procurent quelque détente. A Nohant le calme est revenu. L'affection de Maurice, la présence de Victor Borie lui font oublier les mauvais jours. Les deux jeunes gens préparent une édition expurgée et modernisée de Rabelais. Elle s'intéresse à leur travail, qu'elle guide plus ou moins. Un nouveau projet de mariage est envisagé pour Augustine. En novembre 1847 Mazzini vient passer quelques jours à Nohant: grande joie pour George Sand, qui admirait depuis longtemps Mazzini, correspondait avec lui mais ne le connaissait pas encore. Pourtant elle délaisse un peu la politique. Elle est presque complètement détachée de Leroux, qui fut naguère le maître de sa pensée, et elle ne le voit plus que rarement.

---

1. Sur tout cet épisode, cf. P. Salomon, *Un amour de Chopin, Solange Sand (Revue des Sciences humaines,* octobre-décembre 1950).
2. Lettre à Charles Poncy, 14 décembre 1847.

*
* *

*C'est dans cette atmosphère de tranquillité retrouvée,
au milieu de la paix des champs, qu'elle écrit son roman.
Elle le présente comme la transcription d'un récit entendu à
la veillée. Elle fait dire par son ami Rollinat :* « Nous avons
assisté hier à une veillée rustique à la ferme. Le chanvreur a conté des histoires jusqu'à deux heures du
matin. La servante du curé l'aidait ou le reprenait. »
Un peu plus loin Rollinat corrige ; il ne dit plus : « des
histoires », *il parle d'une seule histoire,* « une histoire
vraie assez longue et qui avait l'air d'un roman intime ».
*En réalité les contes du chanvreur n'ont jamais ressemblé à
des romans intimes. C'étaient de* « lamentables légendes...
étranges aventures de follets et de lièvres blancs,
d'âmes en peine et de sorciers transformés en loups,
de sabbat au carrefour et de chouettes prophétesses
au cimetière[1] ». *George Sand aimait ces contes, qui, dans
son enfance, lui* « troublaient la cervelle. » *Les chanvreurs
s'installaient alors* « à la petite porte de la cour qui donne
sur la place, tout à côté du cimetière, dont on voyait
les croix au clair de lune par-dessus un mur très bas.
Les vieilles femmes relayaient les narrateurs[2]. » *Dans*
François le Champi *on retrouve le chanvreur et la vieille
femme, la jeune fille curieuse et l'auditoire attentif, mais
plus rien de ce mystère effrayant qui caractérisait les veillées
rustiques.* François le Champi *ne saurait être considéré
comme un authentique conte de la veillée.*

Est-ce du moins une histoire véritable ? Mlle *Vincent
paraît le croire, lorsqu'elle écrit :* « Le Champi était, dit-on,

---

1. *Les Noces de Campagne*, I.
2. *Histoire de ma vie.* Troisième partie, IX.

connu aux environs de Nohant, mais je n'ai pu retrouver sa trace [1] ». *Une phrase de George Sand donnerait quelque vraisemblance à cette hypothèse :* « J'ai fait élever plusieurs champis des deux sexes, qui sont venus à bien au physique et au moral [2]. » *Mais ces champis nous sont inconnus, à l'exception d'une petite fille, nommée Fanchette, dont elle s'occupa en 1843. La réflexion ironique du chanvreur à la fin du récit suffirait à décourager les curiosités indiscrètes :* « L'histoire est donc vraie de tous points ? » *demande Sylvine Courtioux. Et le chanvreur répond :* « Si elle ne l'est pas, elle le pourrait être, et si vous ne me croyez, allez y voir ».

Il n'y a d'ailleurs aucune raison de ne pas prendre à la lettre les indications données par George Sand sur la genèse de son roman. La rencontre qu'elle fit d'un enfant abandonné et la conversation qu'elle eut avec Rollinat, quelques jours plus tard, sur la technique du roman champêtre suffirent à donner le branle à son imagination. De la même manière, en 1845, lorsqu'elle avait écrit La Mare au Diable, *son travail de création artistique avait eu pour origine le rapprochement qui s'était imposé à son esprit entre une gravure d'Holbein et une scène de labour.*

Ces données initiales, insuffisantes pour constituer la matière d'un roman, se sont enrichies d'impressions et de souvenirs vécus, selon le processus habituellement suivi par l'imagination de l'auteur.

L'aventure de François le Champi, que sa mère adoptive

1. L. Vincent. *Le Berry dans l'œuvre de George Sand*, p. 181.
2. Notice de *François le Champi*.

*tente de ramener à l'hospice, est la transposition littéraire
d'un épisode réel. En mars 1843 une petite fille, nommée
Fanchette, avait été trouvée errante aux portes de La Châtre.
Un peu simple d'esprit, elle n'avait pas su dire d'où elle
venait. Les religieuses de l'hospice, après l'avoir gardée
quelque temps, la placèrent chez une femme du voisinage.
La petite s'échappa et retourna à l'hospice, où elle se plaisait davantage. A plusieurs reprises les religieuses essayèrent
de renvoyer Fanchette. Chaque fois elle revint. Pour se débarrasser d'elle, la supérieure la fit conduire un matin, à la
sortie de la ville, sur le passage de la diligence d'Aubusson.
Elle fut installée dans la voiture. A une lieue d'Aubusson
le conducteur, selon les instructions qu'il avait reçues, l'abandonna sur la route. George Sand et ses amis, avertis de ce
scandale, firent rechercher Fanchette. Elle ne fut retrouvée
qu'après six semaines d'absence. George Sand ouvrit alors
une souscription en sa faveur, songea à la confier, et la confia
peut-être, à une* « femme honnête et pauvre de Nohant
qui trouverait son compte à la bien soigner. » *Poussée
à la fois par un sentiment humanitaire et par son zèle de
propagandiste, elle raconta dans deux articles de* La Revue
indépendante *(25 octobre et 25 novembre 1843) ce lamentable
fait divers.*

Lorsqu'elle reprend ce thème dans François le Champi,
*elle obéit à des préoccupations du même ordre. Elle entre
en lutte contre les préjugés sociaux, elle dit leur fait aux
riches. Par là* François le Champi *se rattache à son inspiration socialiste.*

*Il se rattache également à son goût pour les situations
romanesques : amours irrégulières, naissances illégitimes,
enfants abandonnés ou séparés de leurs parents, mystérieuse
tendresse de ceux qu'unissent à leur insu les liens du sang.
Elle chercha souvent dans ce pathétique facile l'inspiration
de ses romans. A l'époque même du* Champi *ce genre de*

sujet la hante. Le Péché de M. Antoine (1845) *pourrait aussi bien s'appeler : l'enfant du péché.* Le Piccinino (1847) *conte l'histoire d'un bâtard, Michel Lavoratori, fils d'une princesse sicilienne violée à la fleur de l'âge par un chef de brigands. Mis en présence de la princesse, le jeune homme croit d'abord l'aimer d'amour, jusqu'au jour où apprenant qu'elle est sa mère, il reconnaît la vraie nature de son sentiment.*

On rejoint ici l'autre thème du Champi, *le thème amoureux, la passion d'un jeune homme pour une femme déjà mûre. Mais alors que les sentiments de Michel Lavoratori passaient de la curiosité amoureuse à l'amour filial, ceux de François suivent une progression inverse, rendue possible par le fait que François est seulement le fils adoptif de Madeleine.*

George Sand a toujours pris plaisir à imaginer le cas d'une femme aimée par un homme beaucoup plus jeune qu'elle ou socialement inférieur à elle, ou encore, comme François vis-à-vis de Madeleine, présentant ces deux particularités à la fois. Elle-même s'est trouvée souvent dans cette situation, précisément parce qu'elle rêve ainsi l'amour et que le rêve finit toujours par modeler la vie. En 1847 l'amour vient de lui apparaître une fois de plus sous un tel visage. Par là s'explique cette sensualité si particulière qui enveloppe l'idylle de Madeleine et de François.

Le nouvel élu, celui pour lequel elle avait éloigné puis sacrifié Chopin, était Victor Borie. Il avait quatorze ans de moins qu'elle, étant né en 1818. Elle le connaissait depuis 1844. Recommandé par les frères Leroux, il avait été choisi par elle comme rédacteur de son journal, L'Éclaireur de l'Indre. *Pendant trois ans elle l'avait traité avec une*

*affection quasi maternelle. Et voilà que, cédant elle aussi
au vertige amoureux qui entraînait tous ceux de son entourage, Maurice et Augustine, Solange et ses prétendants,
elle s'était engagée avec lui dans une liaison sur laquelle on
ne possède pas de précisions, en dehors de l'aveu formel
qu'elle en a fait. Cet aveu se trouve dans une lettre adressée
à Hetzel en avril 1850 et publiée seulement en 1953* [1].
Bien que le nom de Borie n'y soit pas cité, on ne peut pas
douter qu'il s'agisse de lui. L' « histoire incroyable » que
W. Karénine repousse avec indignation* [2] est donc parfaitement
réelle et dans* François le Champi *George Sand l'a poéti-
quement transposée.*

*
* *

*A travers la fiction, la réalité reste reconnaissable. François
n'est pas le portrait frappant de Borie mais il a l'* « air simple
et un peu endormi » *de celui qu'à Nohant on surnommait
le Pôtu et dont on se moquait pour son accent corrézien,
son flegme et son robuste appétit. Doué, comme François, de
beaucoup de sens pratique, — il fera plus tard une brillante
carrière de banquier, — Borie avait soutenu, dans l'affaire
de* L'Éclaireur *de l'Indre, les intérêts matériels de
George Sand contre l'avidité quémandeuse de Pierre Leroux
et de ses frères. Elle aurait pu lui dire ce que Jean Vertaud
dit à François :* « Tu t'es donné à mes intérêts comme
si c'étaient les tiens... Tu ne te laisses pas duper comme
moi et pourtant tu aimes comme moi à secourir le
prochain. »
On pourrait faire d'autres rapprochements. Borie était

---

1. Cf. Parménie et Bonnier de la Chapelle, *Histoire d'un Éditeur et
de ses Auteurs*, P.J. Hetzel, p. 135.
2. W. Karénine, *George Sand. Sa vie et ses œuvres.* T. III, p. 588.

*l'ami de Maurice, comme François celui de Jeannie, et il
y avait entre eux la même différence d'âge, cinq ans. Jeannie
fait songer à Maurice, enfant de santé longtemps délicate,
devenu un gentil jeune homme, superficiel et léger. On recon-
nait en Madeleine Blanchet quelques-uns des traits d'Aurore Dudevant, la mal mariée, fière, un peu dolente, charitable aux infortunes, et, plus lointainement, d'Aurore Dupin,
la jeune couventine, qui entretenait son ardeur religieuse par
la lecture de l'*Évangile et de la* Vie des Saints. *Amusante
superposition d'images. Portrait dessiné avec complaisance,
incomplet mais non pas inexact. Quant au médiocre Cadet
Blanchet, qui fréquente de mauvaises compagnies, s'entend
mal aux affaires et se fâche, alors même qu'il est dans son
tort, il évoque irrésistiblement Casimir Dudevant. Tels
sont les jeux auxquels se plaît l'imagination de la romancière.*

**

Pour la peinture du cadre elle ne fait pas tant de frais.
Elle se contente de décrire ou d'évoquer sa chère *Vallée
Noire.*

Elle a cependant pris la précaution de donner un nom
fictif au moulin de Cadet Blanchet. Ce nom de *Cormouer*
ne figure sur aucune des cartes de la région que nous avons
consultées, dont l'une, la carte d'état-major de 1847, est
contemporaine du roman, et, de ce fait, particulièrement
précieuse. La rivière sur laquelle est situé le moulin, n'est
pas non plus désignée. Cette absence de précisions géogra-
phiques tend à dépister les curiosités indiscrètes. George Sand
n'ignorait pas que ceux qui croyaient se reconnaître dans ses
personnages n'en étaient pas toujours satisfaits. Récemment,
alors qu'elle visitait les ruines de Châteaubrun, décrites dans
Le Péché de M. Antoine, *elle avait reçu des reproches de*

*la vieille gardienne du château, concernant la prétendue
inexactitude de ses portraits.* « Cela m'a prouvé, *écrivait-elle,*
qu'il fallait être fort circonspect quand on parlait de
la Marche et du Berry. Voilà bien la dixième fois que
cela m'arrive, et, chaque fois, il se trouve que des
individus portant le nom de quelqu'un de mes personnages, ou demeurant dans la localité que j'ai décrite,
se fâchent tout rouge contre moi, et m'accusent de
les avoir calomniés, sans daigner croire que j'ai pris
leur nom par hasard et que je ne connaissais pas même
leur existence [1]. »

*Ayant ainsi donné au moulin de Cadet Blanchet un nom
imaginaire, George Sand croit en avoir assez fait. Toutes
les autres indications de lieux contenues dans le roman
correspondent à la réalité, sauf peut-être le moulin de Guérin,
que nous n'avons trouvé mentionné nulle part. S'insérant
au milieu de ce paysage authentique, le moulin du Cormouer,
malgré son nom de fantaisie, doit pouvoir s'identifier. Charles
Duvernet, qui fut lié d'amitié avec la romancière, écrit qu'on
peut le reconnaître sans peine* « en remontant un des petits
ruisseaux affluents de l'Indre [2] ». Mlle *Vincent est d'un
avis un peu différent. Se fiant aux renseignements fournis
par un chercheur berrichon, elle le place sur l'Indre, à proximité de deux hameaux qu'elle appelle Ripoton et Barbotte* [3],
*et dont les vrais noms, si l'on se reporte à la carte d'état-
major de 1847, sont Ripoton et Barboton.*

*C'est dans le texte du roman qu'il faut chercher la solution
du problème. Suivons François, lorsqu'il se rend, un jour
d'hiver, d'Aigurande au Cormouer. Il ne commence à souffler
que lorsqu'il a* « laissé la grand'route et attrapé par le

---

1. *Le Piccinino*, ch. I.
2. Cité par L. Vincent, *Le Berry dans l'œuvre de George Sand*, p. 83.
3. L. Vincent, *Ibid.*

dévers du chemin de Presles la croix du Plessys ». *Il n'y avait alors dans le pays qu'une seule grand-route, celle de La Châtre à Châteauroux. François, une fois arrivé à La Châtre, prend cette route en direction de Châteauroux. Il la quitte pour s'engager dans le chemin de Presles, qui descend à l'ouest vers l'Indre. Il atteint la passerelle, traverse la rivière et poursuit sa route en laissant Montipouret à sa gauche. Il parvient à une autre rivière, la Vauvre. Le moulin Blanchet ne peut se trouver que là, entre Mers et Angibault, plus près de Mers que d'Angibault.*

Les bords de la Vauvre offrent un aspect très particulier. George Sand les a décrits avec beaucoup de précision dans Le Meunier d'Angibault : « C'était une suite de terrains minés et bouleversés par les eaux, couverts de la plus épaisse végétation... Des aunes, des hêtres et des trembles magnifiques à demi renversés et laissant à découvert leurs énormes racines sur le sable humide... des festons de ronces vigoureuses et cent variétés d'herbes sauvages, hautes comme des buissons[1]. » *Le paysage du Cormouer est absolument identique :* « Un recoin de terrain que la course des eaux avait mangé tout autour et où il avait poussé tant de rejets et de branchages sur les vieilles souches d'arbres qu'on ne s'y voyait point à deux pas. » *Il n'est pas douteux que dans les deux cas l'écrivain songe à la même rivière.*

Une fois admise cette localisation du Cormouer, toutes les indications topographiques, tous les itinéraires du roman s'expliquent de façon parfaite. Une seule inexactitude : entre le moulin Vertaud et le moulin Blanchet il y a non pas six, mais dix lieues. C'est entre La Châtre et Aigurande qu'il y a six lieues. Lorsque George Sand a cité ce chiffre, elle a dû songer à la distance qui sépare ces deux villes sans

---

1. *Le Meunier d'Angibault*, ch. V.

prendre garde qu'il fallait y ajouter la distance du Cormouer à La Châtre et celle d'Aigurande au moulin Vertaud.

Dans ce roman, comme dans La Mare au Diable, *George Sand apparaît donc très soucieuse d'exactitude géographique. Elle n'estime pas nécessaire de rien changer au décor pastoral qu'elle a sous les yeux.*

*
* *

Le seul problème ici qui la préoccupe vraiment est celui du style. Elle en expose les données dans son Avant-propos. Son ambition serait d'être comprise et goûtée à la fois d'un « Parisien parlant la langue moderne », et d'un paysan ne connaissant que le parler de son terroir. Quels moyens emploie-t-elle pour obtenir ce double résultat ?

Puisque, d'un bout à l'autre du récit, elle donne la parole à des paysans, elle peut se permettre, plus souvent que dans La Mare au Diable, *de faire des emprunts au patois berrichon : termes faciles à comprendre* (locature, le respire, précipiteux, amiteux, aiseté, dormille, folleté, parlage); *termes plus particuliers, nécessitant une explication qui tantôt est donnée* (alochons, pive), *tantôt ne l'est pas* (tabâtres, trigauderies, croquabeilles, courza, bouchures, guarriot, désenfarger, rouffer). *Même lorsqu'ils ne sont pas exactement compris, ces mots ne gênent pas la lecture. On les devine vaguement. Ils plaisent et ils amusent par leur sonorité. Ils contribuent à entretenir dans tout le roman une poésie rustique.*

Il existe dans la langue berrichonne bien d'autres mots qui auraient pu produire les mêmes effets. Une liste en est donnée dans le livre de L. Vincent [1]. *George Sand n'ignorait*

---

[1]. L. Vincent. *La langue et le style rustiques de George Sand dans les romans champêtres*, pp. 78, sq.

pas les ressources que lui offrait le patois. Elle avait constitué une sorte de lexique de cinq cent quatre-vingt-dix mots berrichons recueillis par elle [1]. *Dans ses romans elle ne les a pas tous utilisés. Comment a-t-elle fait son choix ? Par la volonté capricieuse de l'artiste, qui est l'une des formes de l'inspiration.*

En général elle ne pousse pas le goût du pittoresque jusqu'à transcrire exactement la prononciation du patois. Elle n'écrit pas beurbiaige, amignouner, dégaïocher, *mais* brebiage, amignonner, dégalocher. *Elle emploie les formes non pas les plus authentiques, mais celles qui choquent le moins. Par exception elle conserve à certains mots toute leur physionomie paysanne, lorsqu'il lui semble que le lecteur ne peut pas s'en formaliser. On trouvera donc* parpillon *pour* papillon, fouger *pour* foyer. *Mais elle préfère* femelle *à* fumelle, faîtière *à* faîtiau. *Elle ne suit ici aucune règle, sauf celle du bon goût. Elle évite la vulgarité plutôt que l'incorrection. Et si elle ne tolère que peu d'incorrections, c'est précisément parce que les incorrections font vulgaire. Elle veut bien que le langage de ses paysans soit dru, savoureux. Mais elle reste très soucieuse de tenue littéraire.*

Elle semble quelquefois employer un patois de son invention. On ne saurait lui en faire grief. « Le patois est une langue vivante : la forme des mots est variable, le jeu des suffixes et des préfixes est libre, les mots changent de sens suivant le contexte, ou, plus exactement, n'ont pas un sens rigoureusement défini. Tous les patoisants créent du patois et ont le droit de créer du patois [2]. » *Il est donc parfaitement normal de rencontrer dans* François

---

1. Ce manuscrit appartient à la Bibliothèque historique de la Ville de Paris. Il a été publié dans le *Bulletin de la Faculté des Lettres de Strasbourg* (mai-juin 1954).

2. Bruneau. *Histoire de la langue française.* T. XII. *L'Époque romantique,* p. 429.

le Champi *des mots comme* écloché, veillance, acertainé, *qui ne sont pas attestés par l'usage. Leur nombre est d'ailleurs peu considérable. Le génie inventif de George Sand s'exerce à propos des alliances de mots, tournures grammaticales, comparaisons, locutions proverbiales. Il est difficile dans ce domaine d'établir des distinctions nettes, de déterminer ce qui est authentiquement paysan, ce qui pourrait l'être, ce qui ne l'est pas du tout.*

Parfois on peut saisir sur le vif le procédé employé. Les paysans berrichons n'ont vraisemblablement jamais dit: les hommes de la loi, ... un petit le toit de sa maison qui faisait l'eau de tous côtés, ... un mauvais coup de sa tête, ... il se mit à faire l'examen de sa conscience. *Dans tous ces cas George Sand déforme une expression courante en y introduisant un détail insolite. L'effet de gaucherie qui en résulte lui paraît rendre suffisamment l'allure du style paysan. Lorsqu'elle écrit* donner ouverture à un secret, *use-t-elle d'un artifice du même genre? C'est déjà moins certain. Pour les tournures syntaxiques, il est encore plus délicat de se prononcer. La phrase:* elle lui servit à rafraîchir, *semble appartenir à la langue paysanne. Mais dans cette autre phrase:* elle avait consenti son père à tâter François, *l'allure incontestablement naïve de la construction n'est pas une garantie certaine de son authenticité.*

En somme George Sand connaît suffisamment le patois berrichon pour en retrouver l'esprit dans la plupart de ses propres créations linguistiques. Alors le procédé n'apparaît plus. Elle s'exprime exactement comme un paysan qui posséderait un don exceptionnel du style.

Elle a pourtant commis une erreur. Frappée par la ressemblance entre le parler berrichon et certaines formes du vieux langage, celles-là même qu'elle rencontrait en lisant Rabelais avec Maurice et Borie, elle s'est imaginée que dans les provinces du Centre l'évolution linguistique s'était arrêtée et que le français d'autrefois y subsistait, miraculeusement conservé, presque aussi pur qu'au XVIᵉ siècle. D'où sa tendance à introduire dans les propos de ses paysans des termes archaïques, depuis longtemps inusités, comme planté *(qu'elle écrit* plantée*),* esrénée.

Elle pousse la confusion jusqu'à adopter parfois dans son style le genre moyen âge. Ainsi lorsqu'elle décrit le chagrin de Madeleine : « Elle pleura tant et tant que c'est miracle qu'elle en revint, car elle fut si suffoquée, qu'elle en chut tout de son long sur l'herbage, et y demeura privée de sens pendant plus d'une heure ». *On croirait lire une adaptation de roman courtois plutôt qu'un récit paysan du* XIXᵉ *siècle.*

C'est peut-être surtout par la structure de ses phrases que George Sand s'éloigne du style paysan. Non pas toujours. Lorsqu'elle fait parler des personnages à l'âme fruste, la mère Blanchet, la servante Catherine, elle emploie d'instinct des phrases simples, souvent incomplètes, ponctuées d'arrêts, de reprises, d'exclamations. Mais ordinairement elle use de phrases complexes, trop harmonieusement balancées, trop savantes. Parfois même elle semble avoir tout à fait oublié qu'elle fait parler des paysans.

Ces réserves faites, la langue paysanne de George Sand représente un admirable effort et une exquise réussite. On l'a dédaigneusement traitée de « poétique jargon [1] ». *Mais était-il possible de faire mieux ? Il fallait unifier deux modes de parler pratiquement inconciliables, en faire un seul style possédant à la fois des qualités littéraires et une saveur paysanne, et par d'innombrables retouches rendre le langage du paysan acceptable à l'homme cultivé, celui de l'homme cultivé accessible au paysan.*

Cet art sans doute est factice. Mais les données du problème

---

1. L. Ratisbonne, *Morts et Vivants* (1860), p. 223.

excluaient toute autre possibilité. Et puis l'art, même le plus naturel, n'est-il pas toujours fondé sur quelque convention? D'ailleurs qu'importe? L'essentiel ici est de savoir si le style réussit à évoquer la réalité paysanne. Or il n'est pas douteux qu'il la rend étonnamment présente et vivante. C'est lui qui fait pour une bonne part le charme des romans champêtres, et particulièrement de celui-ci.

*
* *

François le Champi, *d'abord divisé en treize chapitres, fut publié dans le* Journal des Débats *le vendredi* 31 *décembre* 1847, *puis les* 1er, 6, 7, 8, 9, 13, 14, 15, 16, 20, 21, 22, 23, 27, 28, 29, 30 *janvier,* 3 *et* 4 *février* 1848. *Le* 4 *février, à la suite du feuilleton comprenant le chapitre XII, se trouvait la mention:* « *la suite à demain* ». *En réalité, par suite des événements politiques, le chapitre XIII et dernier ne parut que le* 14 *mars, cependant que continuaient à paraître, assez irrégulièrement il est vrai, les feuilletons dramatiques et littéraires et les chroniques relatives aux séances de l'Académie des Sciences.*

Le 15 *août* 1848 *George Sand signa avec l'éditeur Paul Delavigne un traité lui cédant pour deux années* « le droit de réimprimer, tirage à mille exemplaires, un roman intitulé *François le Champi,* publié par le *Journal des Débats* ». *En réalité il ne parut pendant ces deux années qu'une édition belge du roman. Elle est de format in-18 et fut imprimée en* 1848 *à Bruxelles, chez Méline, Cans et Cie. Elle recopie exactement le texte du* Journal des Débats, *et le roman y est divisé comme dans ce journal en treize chapitres.*

La véritable édition originale date de 1850. *Elle fut publiée chez Alexandre Cadot en deux volumes in-8o. Selon le procédé employé pour la publication de* La Mare au Diable, la division en chapitres a été remaniée. On aboutit ainsi à vingt-cinq chapitres au lieu de treize, chacun des anciens chapitres en donnant deux, à l'exception du premier et du dernier, qui restent intacts, et du septième, qui en donne trois. L'édition Cadot présente cette particularité que les chapitres du premier tome sont numérotés de I à XI et ceux du second de I à XIV. Dans les éditions ultérieures de François le Champi, on retrouve la division en vingt-cinq chapitres mais ils sont numérotés de I à XXV.

   Nous donnons ci-dessous le texte de l'édition Calmann-Lévy.

   De son roman G. Sand a tiré une comédie en trois actes qui porte le même titre et qui fut représentée à l'Odéon le 25 novembre 1849. Elle y obtint un grand succès [1].

---

1. Voir Dorrya Fahmi, *George Sand auteur dramatique*, p. 116.

BIBLIOGRAPHIE

TEXTES

Feuilleton du *Journal des Débats* (31 décembre 1847, 1ᵉʳ, 6 au 9, 13 au 16, 20 au 23, 27 au 30 janvier, 3 et 4 février, 14 mars 1848).

François le Champi, par George Sand. Bruxelles, Méline, Cans et Cⁱᵉ, 1848. In-18.

François le Champi, par George Sand, Paris, Alexandre Cadot, 1850. 2 vol. in-8º.

Œuvres de George Sand. François le Champi. Les Mosaïstes. Paris, J. Hetzel, 1852. In-18. (Le titre de départ de la deuxième partie porte : *Les Maîtres mosaïstes.*)

Œuvres illustrées de George Sand. Préfaces et notices nouvelles par l'auteur. Dessins de Tony Johannot [et Maurice Sand]. Paris, Hetzel, Blanchard et Marescq. 9 vol. gr. in-8º, fig. — III. *François le Champi. Monsieur Rousset. Les Maîtres mosaïstes. Relation d'un voyage chez les sauvages de Paris. Indiana. Melchior. Les Mississipiens. Jeanne.* 1853.

François le Champi, par George Sand. Paris, Hachette, 1855. In-16. (Bibliothèque des chemins de fer.)

François le Champi, par George Sand, Paris, Michel-Lévy frères, 1856. In-18.

George Sand. *Romans champêtres*, illustrés par Tony Johannot... Précédés d'une étude sur les romans champêtres par P.-J. Stahl. Paris, Hachette, 1860. 2 vol. in-8º fig. — I. *La Mare au Diable. François le Champi. Promenades autour d'un village.*

George Sand. *François le Champi.* Compositions par A. Robaudi, gravées au burin et à l'eau-forte par Henri Manesse. Paris L. Carteret, 1905. Gr. in-8º.

George Sand. *François le Champi*. Paris, Calmann-Lévy. Un vol. in-18.

ÉTUDES LITTÉRAIRES

CARRÈRE (Casimir). *George Sand amoureuse. Ses amants, ses amitiés tendres.* Paris, La Palatine, 1967.

DOUMIC (René). *George Sand.* Paris, Perrin, 1909.

KARÉNINE (Wladimir). *George Sand. Sa vie et ses œuvres.* Paris, Ollendorff, Plon-Nourrit, 1899-1926 (4 vol.).

L'HOPITAL (Madeleine). *La Notion d'artiste chez George Sand.* Paris, Boivin, 1946.

LUBIN (Georges). *George Sand en Berry* (Albums littéraires de la France). Paris, Hachette, 1967.

MAUROIS (André). *Lélia ou la vie de George Sand.* Paris, Hachette, 1952.

PAILLERON (Marie-Louise). *George Sand et les hommes de 48.* Paris, Grasset, 1953.

PARMÉNIE (A.) et C. BONNIER DE LA CHAPELLE. *Histoire d'un éditeur et de ses auteurs, P. J. Hetzel.* Paris, Albin Michel, 1953.

SALOMON (Pierre). *George Sand.* Paris, Hatier (*Connaissance des lettres*), 1968.

SEILLIÈRE (Ernest). *George Sand mystique de la passion, de la politique et de l'art.* Paris, Alcan, 1920.

VINCENT (Louise). *George Sand et le Berry.* I. *Nohant* (1808-1816). II. *Le Berry dans l'œuvre de George Sand.* Paris, Champion, 1919 (2 vol.).

ZELLWEGER (Rudolf). *Les débuts du roman rustique. Suisse, Allemagne, France.* Paris, Droz, 1941.

ÉTUDES LINGUISTIQUES

[JAUBERT (Comte)]. *Vocabulaire du Berry et de quelques cantons voisins par un amateur de vieux langage.* Paris, Roret, 1842.

JAUBERT (Comte). *Glossaire du centre de la France*. Paris, Chaix, 1856 (2 vol.)[1].

PARENT (Monique). *George Sand et le patois berrichon*. (*Bulletin de la Faculté des Lettres de Strasbourg*, mai-juin 1954.)

VINCENT (Louise). *La langue et le style rustiques de George Sand dans les romans champêtres*. Paris, Champion, 1916 [2].

ÉTUDES SUR LE BERRY

LAISNEL DE LA SALLE. *Croyances et légendes du centre de la France*. Paris, Chaix, 1875 (2 vol.).

LAISNEL DE LA SALLE. *Anciennes mœurs. Scènes et tableaux de la vie provinciale aux* XVIIIe *et* XIXe *siècles*. La Châtre, Montu, 1900.

TRAMBLAIS (de la) et de la VILLEGILLE. *Esquisses pittoresques sur le département de l'Indre*. Châteauroux, Migné, 1854.

CORRESPONDANCE

George Sand. *Correspondance*. Édition de Georges Lubin. Paris, Garnier. (En cours de publication).

---

1. Ce livre complète et corrige le précédent.

2. Toutes les fois que dans nos notes il est fait allusion à JAUBERT, sans autre précision, il faut comprendre : JAUBERT, *Glossaire du centre de la France* (Paris, Chaix, 1856, 2 vol.).

De même les renvois à VINCENT, *La langue et le style rustiques de George Sand dans les romans champêtres* (Paris, Champion, 1916), sont indiqués par ce seul mot : VINCENT.

L'indication : GEORGE SAND, *Glossaire*, renvoie à l'étude de M. PARENT, *George Sand et le patois berrichon* (*Bulletin de la Faculté des Lettres de Strasbourg*, mai-juin 1954), où ce glossaire est publié.

FRANÇOIS LE CHAMPI

NOTA. — Les indices d'appel en lettres que l'on trouvera dans le texte de *La Mare au Diable* renvoient aux variantes à la fin du volume (p. 407 à 432).

NOTICE[1]

Fʀᴀɴᴄ̧ᴏɪѕ ʟᴇ Cʜᴀᴍᴘɪ a paru pour la première fois
dans le feuilleton du *Journal des Débats*[2]. Au moment
où le roman arrivait à son dénoûment, un autre dénoûment plus sérieux trouvait sa place dans le *premier
Paris*[3] dudit journal. C'était la catastrophe finale de
la monarchie de Juillet, aux derniers jours de février
1848[4].

Ce dénoûment fit naturellement beaucoup de tort
au mien, dont la publication, interrompue et retardée,
ne se compléta, s'il m'en souvient, qu'au bout d'un
mois. Pour ceux des lecteurs qui, artistes de profes-
sion ou d'instinct, s'intéressent aux procédés de fabri-
cation des œuvres d'art, j'ajouterai à ma préface,
que quelques jours avant la causerie dont cette préface
est le résumé, je passais par le *chemin aux Napes*. Le

----

1. Cette notice fut écrite pour l'édition des *Œuvres illustrées* de
George Sand publiée par J. Hetzel en neuf volumes (1851-1856).
François le Champi figure en tête du troisième volume de cette édition
populaire.

2. La publication de *François le Champi* commença le 31 décembre
1847 et se poursuivit, avec des arrêts, jusqu'au 4 février 1848. Interrompue à cette date, elle ne fut reprise et terminée que le 14 mars
1848. Le *Journal des Débats* défendait, sous la monarchie de Juillet,
la politique gouvernementale.

3. On appelait *Premiers-Paris* les articles de tête des journaux pari-
siens.

4. Exactement le 24 février.

mot *nape*, qui dans le langage figuré du pays désigne
la belle plante appelée *nénufar*, *nymphéa*, décrit fort bien
ces larges feuilles qui s'étendent sur l'eau comme des
nappes sur une table; mais j'aime mieux croire qu'il
faut l'écrire avec un seul *p*, et le faire dériver de *napée* [1],
ce qui n'altère en rien son origine mythologique.

Le chemin aux Napes, où aucun de vous, chers
lecteurs, ne passera probablement jamais, car il ne
conduit à rien qui vaille la peine de s'y embourber,
est un casse-cou bordé d'un fossé, où, dans l'eau
vaseuse, croissent les plus beaux nymphéas du monde,
plus blancs que les camélias, plus parfumés que les
lis, plus purs que des robes de vierge, au milieu des
salamandres et des couleuvres qui vivent là dans la
fange et dans les fleurs, tandis que le martin-pêcheur,
ce vivant éclair des rivages, rase d'un trait de feu
l'admirable végétation sauvage du cloaque.

Un enfant de six ou sept ans, monté à poil sur
un cheval nu, sauta avec sa monture le buisson qui
était derrière moi, se laissa glisser à terre, abandonna
le poulain échevelé au pâturage et revint pour sauter
lui-même l'obstacle qu'il avait si lestement franchi à
cheval un moment auparavant. Ce n'était plus aussi
facile pour ses petites jambes; je l'aidai, et j'eus avec
lui une conversation assez semblable à celle rapportée
au commencement du *Champi*, entre la meunière et
l'enfant trouvé. Quand je l'interrogeai sur son âge,
qu'il ne savait pas, il accoucha textuellement de cette
belle repartie : *deux ans*. Il ne savait ni son nom, ni
celui de ses parents, ni celui de sa demeure : tout ce
qu'il savait c'était se tenir sur un cheval indompté,

---

1. Alors que les Nymphes sont les divinités des sources, les *Napées*
sont celles des prairies et des bois.

comme un oiseau sur une branche secouée par l'orage.

J'ai fait élever plusieurs champis des deux sexes qui sont venus à bien au physique et au moral. Il n'en est pas moins certain que ces pauvres enfants sont généralement disposés, par l'absence d'éducation, dans les campagnes, à devenir des bandits. Confiés aux gens les plus pauvres, à cause du secours insuffisant qui leur est attribué, ils servent souvent à exercer, au profit de leurs parents putatifs, le honteux métier de la mendicité. Ne serait-il pas possible d'augmenter ce secours, et d'y mettre pour condition que les champis ne mendieront pas, même à la porte des voisins et des amis [1]?

J'ai fait aussi cette expérience, que rien n'est plus difficile que d'inspirer le sentiment de la dignité et l'amour du travail aux enfants qui ont commencé par vivre sciemment de l'aumône.

GEORGE SAND.

Nohant, 20 mai 1852.

---

1. Ce développement rattache *François le Champi* aux idées sociales de George Sand : persuadée que la nature humaine est bonne, elle n'admet pas le préjugé qui pèse comme une malédiction sur les enfants abandonnés; elle pense que par l'éducation on peut remédier à l'infortune de la naissance. Cette thèse s'exprime discrètement dans le roman lui-même.

AVANT-PROPOS

Nous revenions de la promenade, R***[1] et moi,
au clair de la lune, qui argentait faiblement les sentiers
dans la campagne assombrie. C'était une soirée d'automne tiède et doucement voilée; nous remarquions la
sonorité de l'air dans cette saison et ce je ne sais quoi
de mystérieux qui règne alors dans la nature. On dirait
qu'à l'approche du lourd sommeil de l'hiver chaque
être et chaque chose s'arrangent furtivement pour jouir
d'un reste de vie et d'animation avant l'engourdissement fatal de la gelée : et, comme s'ils voulaient tromper la marche du temps, comme s'ils craignaient d'être
surpris et interrompus dans les derniers ébats de leur
fête, les êtres et les choses de la nature procèdent sans
bruit et sans activité apparente à leurs ivresses nocturnes. Les oiseaux font entendre des cris étouffés au

---

1. L'initiale R*** désigne François Rollinat. Né le 15 juin 1806,
il était l'aîné d'une famille de dix enfants. Avocat à vingt-deux ans,
il avait pris la suite de son père, homme insouciant, « fou de poésie ».
Il avait courageusement élevé tous ses frères et sœurs. George Sand,
qui le connaissait depuis 1832, le considéra toujours comme « un ange
de bonté, de courage, de dévouement » (Lettre à Flaubert, 18 août
1867). Il était républicain et fut représentant du peuple en 1848 et
1849. Il avait éprouvé pour George Sand un sentiment tellement vif,
qu'il avait pu lui écrire : « Je n'entrevois de bonheur possible pour moi
dans ce monde que dans une existence qui me rapprocherait de toi »
(24 octobre 1834). Il faisait partie, disait méchamment Marie d'Agoult
(6 octobre 1839) des « séides berrichons » de la romancière.

lieu des joyeuses fanfares de l'été. L'insecte des sillons laisse échapper parfois une exclamation indiscrète; mais tout aussitôt il s'interrompt, et va rapidement porter son chant ou sa plainte à un autre point de rappel[1]. Les plantes se hâtent d'exhaler un dernier parfum, d'autant plus suave qu'il est plus subtil et comme contenu. Les feuilles jaunissantes n'osent frémir au souffle de l'air, et les troupeaux paissent en silence sans cris d'amour ou de combat.

Nous-mêmes, mon ami et moi, nous marchions avec une certaine précaution, et un recueillement instinctif nous rendait muets et comme attentifs à la beauté adoucie de la nature, à l'harmonie enchanteresse de ses derniers accords, qui s'éteignaient dans un *pianissimo* insaisissable. L'automne est un *andante* mélancolique et gracieux qui prépare admirablement le solennel *adagio* de l'hiver[2].

— Tout cela est si calme, me dit enfin mon ami, qui, malgré notre silence, avait suivi mes pensées comme je suivais les siennes; tout cela paraît absorbé dans une rêverie si étrangère et si indifférente aux travaux, aux prévoyances et aux soucis de l'homme, que je me demande quelle expression, quelle couleur, quelle manifestation d'art et de poésie l'intelligence humaine pourrait donner en ce moment à la physionomie de la nature. Et, pour mieux te définir le but de ma recherche,

---

1. George Sand parle ici en naturaliste autant qu'en artiste. Son goût naturel de l'observation avait été renforcé par la pratique assidue des sciences de la nature, auxquelles son ami Jules Néraud l'avait initiée dans les années qui suivirent son mariage.

2. Les comparaisons tirées de la musique ne sont pas rares dans la littérature du XIXᵉ siècle. Musset, par exemple, compare les divers épisodes d'une intrigue amoureuse aux éléments d'une symphonie (*La Nuit vénitienne*, II). Cf. T. Marix-Spire, *Les romantiques et la musique*, p. 29.

je compare cette soirée, ce ciel, ce paysage, éteints et cependant harmonieux et complets, à l'âme d'un paysan religieux [1] et sage qui travaille et profite de son labeur, qui jouit de la vie qui lui est propre, sans besoin, sans désir et sans moyen de manifester et d'exprimer sa vie intérieure [2]. J'essaie de me placer au sein de ce mystère de la vie rustique et naturelle, moi civilisé, qui ne sais pas jouir par l'instinct seul, et qui suis toujours tourmenté du désir de rendre compte aux autres et à moi-même de ma contemplation ou de ma méditation.

« Et alors, continua mon ami, je cherche avec peine quel rapport peut s'établir entre mon intelligence qui agit trop et celle de ce paysan qui n'agit pas assez; de même que je me demandais tout à l'heure ce que la peinture, la musique, la description, la traduction de l'art, en un mot, pourrait ajouter à la beauté de cette nuit d'automne qui se révèle à moi par une réticence mystérieuse, et qui me pénètre sans que je sache par quelle magique communication.

— Voyons, répondis-je, si je comprends bien comment la question est posée : Cette nuit d'octobre, ce ciel incolore, cette musique sans mélodie marquée ou suivie [3], ce calme de la nature, ce paysan qui se trouve plus près de nous, par sa simplicité, pour en jouir et la comprendre sans la décrire, mettons tout cela ensemble, et appelons-le *la vie primitive*, relativement à notre vie développée et compliquée, que j'appellerai *la vie factice*. Tu demandes quel est le rapport possible, le lien direct

---

1. George Sand emploie le mot *religieux* dans son sens le plus large, pour désigner ceux qui accomplissent scrupuleusement leur devoir.

2. Dans *La Mare au Diable* (ch. II) il est déjà fait allusion à « cette mystérieuse intuition de la poésie » qui existe chez le paysan « à l'état d'instinct et de vague rêverie ».

3. *Cette musique sans mélodie marquée ou suivie* : les « cris étouffés » des oiseaux, l' « exclamation indiscrète » de l'insecte des sillons.

entre ces deux états opposés de l'existence des choses et des êtres, entre le palais et la chaumière, entre l'artiste et la création, entre le poète et le laboureur.

— Oui, reprit-il, et précisons : entre la langue que parlent cette nature, cette vie primitive, ces instincts, et celle que parlent l'art, la science, la *connaissance*, en un mot ?

— Pour parler le langage que tu adoptes, je te répondrai qu'entre la *connaissance* et la *sensation*, le rapport c'est le *sentiment*.

— Et c'est sur la définition de ce sentiment que précisément je t'interroge en m'interrogeant moi-même. C'est lui qui est chargé de la manifestation qui m'embarrasse ; c'est lui qui est l'art, l'artiste, si tu veux, chargé de traduire cette candeur, cette grâce, ce charme de la vie primitive, à ceux qui ne vivent que de la vie factice, et qui sont, permets-moi de le dire, en face de la nature et de ses secrets divins, les plus grands crétins du monde.

— Tu ne me demandes rien moins[1] que le secret de l'art : cherche-le dans le sein de Dieu, car aucun artiste ne pourra te le révéler. Il ne sait pas lui-même, et ne pourrait rendre compte des causes de son inspiration ou de son impuissance. Comment faut-il s'y prendre pour exprimer le beau, le simple et le vrai ? Est-ce que je le sais ? Et qui pourrait nous l'apprendre ? les plus grands artistes ne le pourraient pas non plus, parce que s'ils cherchaient à le faire ils cesseraient d'être artistes, ils deviendraient critiques ; et la critique... !

— Et la critique, reprit mon ami, tourne depuis des siècles autour du mystère sans y rien comprendre. Mais

---

1. Le sens exigerait : *rien de moins*. Mais George Sand n'est pas un écrivain puriste.

pardonne-moi, ce n'est pas là précisément ce que je demandais. Je suis plus sauvage que cela dans ce moment-ci; je révoque en doute la puissance de l'art. Je la méprise, je l'anéantis, je prétends que l'art n'est pas né, qu'il n'existe pas, ou bien que, s'il a vécu, son temps est fait. Il est usé, il n'a plus de formes, il n'a plus de souffle, il n'a plus de moyens pour chanter la beauté du vrai. La nature est une œuvre d'art, mais Dieu est le seul artiste qui existe, et l'homme n'est qu'un arrangeur de mauvais goût. La nature est belle, le sentiment s'exhale de tous ses pores; l'amour, la jeunesse, la beauté y sont impérissables. Mais l'homme n'a pour les sentir et les exprimer que des moyens absurdes et des facultés misérables. Il vaudrait mieux qu'il ne s'en mêlât pas, qu'il fût muet et se renfermât dans la contemplation. Voyons, qu'en dis-tu?

— Cela me va, et je ne demanderais pas mieux, répondis-je.

— Ah! s'écria-t-il, tu vas trop loin, et tu entres trop dans mon paradoxe. Je plaide [1], réplique.

— Je répliquerai donc qu'un sonnet de Pétrarque a sa beauté relative, qui équivaut à la beauté de l'eau de Vaucluse [2], qu'un beau paysage de Ruysdaël [3] a son charme qui équivaut à celui de la soirée que voici; que Mozart chante dans la langue des hommes aussi bien que Philomèle [4] dans celle des oiseaux; que Shaks-

---

1. *Je plaide :* Rollinat était avocat.

2. George Sand se représente la fontaine de Vaucluse non pas dans sa réalité (c'est une source puissante, jaillissant au pied d'un grand rocher blanchâtre), mais à travers les descriptions de Pétrarque (1304-1374), qui en vante la fraîcheur, la douceur et la suavité.

3. *Ruysdaël :* peintre hollandais né vers 1628, mort à Haarlem en 1682. C'est seulement au XIXe siècle que Ruysdaël fut reconnu comme le plus grand paysagiste de l'école hollandaise.

4. *Philomèle :* nom poétique du rossignol. Selon la légende ce n'est pas Philomèle mais sa sœur Procné qui fut changée en rossignol.

peare fait passer les passions, les sentiments et les instincts, comme l'homme le plus primitif et le plus vrai
peut les ressentir. Voici l'art, le rapport, le sentiment,
en un mot.

— Oui, c'est une œuvre de transformation! mais
si elle ne me satisfait pas? quand même tu aurais mille
fois raison de par les arrêts du goût et de l'esthétique,
si je trouve les vers de Pétrarque moins harmonieux
que le bruit de la cascade; et ainsi du reste? Si je soutiens qu'il y a dans la soirée que voici un charme que
personne ne pourrait me révéler si je n'en avais joui par
moi-même; et que toute la passion de Shakspeare [1] est
froide au prix de celle que je vois briller dans les yeux
du paysan jaloux qui bat sa femme, qu'auras-tu à me
répondre? Il s'agit de persuader mon sentiment. Et
s'il échappe à tes exemples, s'il résiste à tes preuves?
L'art n'est donc pas un démonstrateur invincible, et le
sentiment n'est pas toujours satisfait par la meilleure
des définitions.

— Je n'y vois rien à répondre, en effet, sinon que l'art
est une démonstration dont la nature est la preuve;
que le fait préexistant de cette preuve est toujours là
pour justifier et contredire la démonstration, et qu'on
n'en peut pas faire de bonne si on n'examine pas la
preuve avec amour et religion.

— Ainsi la démonstration ne pourrait se passer de
la preuve; mais la preuve ne pourrait-elle se passer
de la démonstration?

— Dieu pourrait s'en passer sans doute; mais toi
qui parles comme si tu n'étais pas des nôtres, je parie

---

1. *Toute la passion de Shakspeare:* allusion évidente à la tragédie
d'*Othello*.

bien que tu ne comprendrais rien à la preuve si tu n'avais trouvé dans la tradition de l'art la démonstration sous mille formes, et si tu n'étais toi-même une démonstration toujours agissant sur la preuve.

— Eh! voilà ce dont je me plains. Je voudrais me débarrasser de cette éternelle démonstration qui m'irrite; anéantir dans ma mémoire les enseignements et les formes de l'art; ne jamais penser à la peinture quand je regarde le paysage, à la musique quand j'écoute le vent, à la poésie quand j'admire et goûte l'ensemble. Je voudrais jouir de tout par l'instinct, parce que ce grillon qui chante me paraît plus joyeux et plus enivré que moi.

— Tu te plains d'être homme, en un mot?

— Non; je me plains de n'être plus l'homme primitif.

— Reste à savoir si, ne comprenant pas, il jouissait.

— Je ne le suppose pas semblable à la brute. Du moment qu'il fut homme, il comprit et sentit autrement. Mais je ne peux pas me faire une idée nette de ses émotions, et c'est là ce qui me tourmente. Je voudrais être, du moins, ce que la société actuelle permet à un grand nombre d'hommes d'être, du berceau à la tombe, je voudrais être paysan; le paysan qui ne sait pas lire, celui à qui Dieu a donné de bons instincts, une organisation paisible, une conscience droite; et je m'imagine que, dans cet engourdissement des facultés inutiles, dans cette ignorance des goûts dépravés, je serais aussi heureux que l'homme primitif rêvé par Jean-Jacques.

— Et moi aussi, je fais souvent ce rêve; qui ne l'a fait? Mais il ne donnerait pas la victoire à ton raisonnement, car le paysan le plus simple et le plus naïf est encore artiste; et moi, je prétends même que leur art est supérieur au nôtre [1]. C'est une autre forme, mais elle parle plus à mon âme que toutes celles de notre civilisation. Les chansons, les récits, les contes rustiques, peignent en peu de mots ce que notre littérature ne sait qu'amplifier et déguiser.

— Donc, je triomphe? reprit mon ami. Cet art-là est le plus pur et le meilleur, parce qu'il s'inspire davantage de la nature, qu'il est en contact plus direct avec elle. Je veux bien avoir poussé les choses à l'extrême en disant que l'art n'était bon à rien; mais j'ai dit aussi que je voudrais sentir à la manière du paysan, et je ne m'en dédis pas. Il y a certaines complaintes bretonnes, faites par des mendiants, qui valent tout Gœthe et tout Byron, en trois couplets, et qui prouvent que l'appréciation du vrai et du beau a été plus spontanée et plus complète dans ces âmes simples que dans celles des plus illustres poëtes [2]. Et la musique donc! N'avons-

---

1. Cette affirmation n'est pas un paradoxe. Depuis des années George Sand cherche la vérité, en art comme en religion, dans les révélations de l'instinct. Ses *Dialogues familiers sur la poésie des prolétaires* (*Revue indépendante*, 1842), les encouragements qu'elle prodigue aux poètes ouvriers (Poncy, Magu, Gilland), les pages de *Consuelo* et de *La Comtesse de Rudolstadt*, où elle met en scène des musiciens inspirés (Albert de Rudolstadt, Gottlieb), le développement de *La Mare au Diable* sur le chant des laboureurs berrichons, autant de preuves de sa prédilection pour l'art instinctif, dont l'art populaire n'est qu'une variété.

2. George Sand a consacré aux complaintes bretonnes plusieurs pages des essais intitulés *Mœurs et coutumes du Berry* (1851-1852), et *Les Visions de la nuit dans les campagnes* (1851-1855). Elle avait lu le livre d'Hersart de La Villemarqué sur la poésie bretonne, *Les Barza Breiz*. Dans l'introduction de son livre (p. XXV), de La Villemarqué développe exactement la même idée : « Les hommes très près de la nature, selon la remarque de Chateaubriand, se contentent dans leurs chansons de peindre exactement ce qu'ils voient; l'artiste, au contraire, cherche l'idéal; l'un copie, l'autre crée; l'un poursuit le vrai, l'autre la chimère; l'un ne sait pas mentir et doit à ses naïvetés des grâces par quoi ses œuvres se comparent à la principale beauté de la poésie

nous pas dans notre pays des mélodies admirables [1] ? Quant à la peinture, ils n'ont pas cela ; mais ils le possèdent dans leur langage, qui est plus expressif, plus énergique et plus logique cent fois que notre langue littéraire.

— J'en conviens, répondis-je ; et quant à ce dernier point surtout, c'est pour moi une cause de désespoir que d'être forcé d'écrire la langue de l'Académie, quand j'en sais beaucoup mieux une autre [2] qui est si supérieure pour rendre tout un ordre d'émotions, de sentiments et de pensées.

— Oui, oui, le monde naïf ! dit-il, le monde inconnu, fermé à notre art moderne, et que nulle étude ne te fera exprimer à toi-même, paysan de nature, si tu veux l'introduire dans le domaine de l'art civilisé, dans le commerce intellectuel de la vie factice.

— Hélas ! répondis-je, je me suis beaucoup préoccupé de cela. J'ai vu et j'ai senti par moi-même, avec tous les êtres civilisés, que la vie primitive était le rêve, l'idéal de tous les hommes et de tous les temps. Depuis les bergers de Longus [3] jusqu'à ceux de Trianon, la vie

---

parfaite selon l'art, comme l'a si bien dit Montaigne ; l'autre se plaît à peindre et réussit par la fiction. » Cette opinion est aussi celle des frères Grimm. « Nous pouvons affirmer, observent-ils, que nous n'avons pu parvenir à découvrir un seul mensonge dans les chants du peuple. Aussi, quand un paysan breton veut louer une œuvre de ce genre, il ne dit pas : *C'est beau ;* il dit : *C'est vrai.* »

1. Ces mélodies sont les cantilènes rustiques désignées sous le nom de briolage. Cf. *La Mare au Diable*, II.

2. George Sand a toujours prétendu qu'elle connaissait mal le français. Elle l'avait appris toute seule, à Nohant, à l'âge de seize ans (*Correspondance*, T. I, p. 328). Toutefois elle avoue qu'elle le connaît encore mieux que la plupart de ses contemporains (*Histoire de ma Vie*, Troisième partie, III).

3. *Longus :* écrivain grec, auteur de *Daphnis et Chloé*. On ne sait pas à quelle époque il a vécu (entre le IIe et le Ve siècle de notre ère).

pastorale est un Eden parfumé où les âmes tourmentées
et lassées du tumulte du monde ont essayé de se réfugier. L'art, ce grand flatteur, ce chercheur complaisant de
consolations pour les gens trop heureux, a traversé une
suite ininterrompue de *bergeries*. Et sous ce titre :
Histoire des bergeries, j'ai souvent désiré de faire un livre
d'érudition et de critique où j'aurais passé en revue tous
ces différents rêves champêtres dont les hautes classes
se sont nourries avec passion.

« J'aurais suivi leurs modifications toujours en rapport inverse de la dépravation des mœurs, et se faisant
pures et sentimentales d'autant plus que la société était
corrompue et impudente. Je voudrais pouvoir *commander* ce livre à un écrivain plus capable que moi de le
faire, et je le lirais ensuite avec plaisir. Ce serait un traité
d'art complet, car la musique, la peinture, l'architecture,
la littérature dans toutes ses formes : théâtre, poëme,
roman, églogue, chanson; les modes, les jardins, les
costumes même, tout a subi l'engouement du rêve
pastoral. Tous ces types de l'âge d'or, ces bergères,
qui sont des nymphes et puis des marquises, ces bergères de l'*Astrée* [1] qui passent par le Lignon [2] de Florian, qui portent de la poudre et du satin sous Louis XV
et auxquels Sedaine [3] commence, à la fin de la monar-

---

1. George Sand appréciait beaucoup le roman d'Honoré d'Urfé.
Elle en cite dans *Les Beaux Messieurs de Bois-Doré* (T. I, p. 64 sq.) les
principaux épisodes.
2. Le Lignon est la rivière du Forez près de laquelle se déroule
l'action de l'*Astrée*. Les pastorales de Florian, *Galatée* (1783), *Estelle
et Némorin* (1788), se situent l'une sur les bords du Tage, l'autre sur les
bords du Gardon. George Sand connaissait suffisamment d'Urfé et
Florian pour ne pas les confondre. Cette expression obscure : *le
Lignon de Florian* semble désigner les rivières qui dans l'œuvre de Florian
correspondent au Lignon de l'*Astrée*.
3. Les œuvres les plus célèbres de Sedaine (1719-1797) sont deux
drames bourgeois : *Le Philosophe sans le savoir* (1765), et *La Gageure*

chie, à donner des sabots, sont tous plus ou moins faux, et aujourd'hui ils nous paraissent niais et ridicules. Nous en avons fini avec eux, nous n'en voyons plus guère que sous forme de fantômes à l'Opéra, et pourtant ils ont régné sur les cours et ont fait les délices des rois qui leur empruntaient la houlette et la panetière [1].

« Je me suis demandé souvent pourquoi il n'y avait plus de bergers, car nous ne nous sommes pas tellement passionnés pour le vrai dans ces derniers temps, que nos arts et notre littérature soient en droit de mépriser ces types de convention plutôt que ceux que la mode inaugure. Nous sommes aujourd'hui à l'énergie et à l'atrocité [2], et nous brodons sur le canevas de ces passions des ornements qui seraient d'un terrible à faire dresser les cheveux sur la tête, si nous pouvions les prendre au sérieux.

— Si nous n'avons plus de bergers, reprit mon ami, si la littérature n'a plus cet idéal faux qui valait bien celui d'aujourd'hui, ne serait-ce pas une tentative que l'art fait, à son insu, pour se niveler [3], pour se mettre à la portée de toutes les classes d'intelligences ? Le rêve de l'égalité jeté dans la société ne pousse-t-il pas l'art à se faire brutal et fougueux, pour réveiller les instincts

---

imprévue (1768). George Sand aimait beaucoup cet écrivain dont elle a imité la manière dans *Le Mariage de Victorine* (1851), qui est une suite du *Philosophe sans le savoir*. Ici elle semble songer à son opéra-comique *Rose et Colas* (1764), dont la musique est de Monsigny.

1. *La panetière*, accessoire traditionnel de l'équipement des bergers, est un sac de cuir ou de toile dans lequel on emporte du pain.

2. Comme elle l'avait déjà fait dans le prologue de *La Mare au Diable*, la romancière s'en prend ici aux écrivains qui peignent « le réel enlaidi » : Eugène Sue (*Les Mystères de Paris*, 1842), Paul Féval (*Les Mystères de Londres*, 1844).

3. Le rêve socialiste de George Sand tend à l'égalité des biens et des jouissances, même artistiques.

et les passions qui sont communs à tous les hommes, de
quelque rang qu'ils soient? On n'arrive pas au vrai
encore. Il n'est pas plus dans le réel enlaidi que dans
l'idéal pomponné; mais on le cherche, cela est évident,
et, si on le cherche mal, on n'en est que plus avide de
le trouver. Voyons : le théâtre, la poésie et le roman [1]
ont quitté la houlette pour prendre le poignard, et
quand ils mettent en scène la vie rustique [2], ils lui donnent un certain caractère de réalité qui manquait aux
bergeries du temps passé. Mais la poésie n'y est guère,
et je m'en plains; et je ne vois pas encore le moyen de
relever l'idéal champêtre sans le farder ou le noircir.
Tu y as souvent songé, je le sais; mais peux-tu réussir?

— Je ne l'espère point, répondis-je, car la forme me
manque, et le sentiment que j'ai de la simplicité rustique
ne trouve pas de langage pour s'exprimer. Si je fais
parler l'homme des champs comme il parle, il faut une
traduction en regard pour le lecteur civilisé, et si je le
fais parler comme nous parlons, j'en fais un être impossible, auquel il faut supposer un ordre d'idées qu'il n'a
pas.

— Et puis quand même tu le ferais parler comme
il parle, ton langage à toi ferait à chaque instant un
contraste désagréable; tu n'es pas pour moi à l'abri
de ce reproche. Tu peins une fille des champs, tu
l'appelles *Jeanne* [3], et tu mets dans sa bouche des paroles

---

1. L'allusion est claire en ce qui concerne le roman (Cf. p. 214, n. 2)
et le théâtre, influencé par le mélodrame, genre à la mode depuis les dernières années du XVIIIe siècle. (Les principaux auteurs de mélodrames
vers 1847 étaient : Bouchardy, Dennery, Félix Pyat.) Quant à la
poésie, elle avait tendance à perdre son caractère élégiaque. Il y a ici
comme un pressentiment de son évolution vers un certain réalisme.

2. Comme Balzac dans *Les Paysans* (1844).

3. *Jeanne* avait paru en feuilleton dans *Le Constitutionnel*, du 25 avril
au 2 juin 1844, et en volumes l'année suivante.

qu'à la rigueur elle peut dire. Mais toi, romancier, qui veux faire partager à tes lecteurs l'attrait que tu éprouves à peindre ce type, tu la compares à une druidesse, à Jeanne d'Arc, que sais-je ? Ton sentiment et ton langage font avec les siens un effet disparate comme la rencontre de tons criards dans un tableau ; et ce n'est pas ainsi que je peux entrer tout à fait dans la nature, même en l'idéalisant. Tu as fait, depuis, une meilleure étude du vrai dans *la Mare au Diable*. Mais je ne suis pas encore content ; *l'auteur* y montre encore de temps en temps le bout de l'oreille ; il s'y trouve des *mots d'auteur* [1], comme dit Henri Monnier [2], artiste qui a réussi à être *vrai* dans la *charge* et qui, par conséquent, a résolu le problème qu'il s'était posé. Je sais que ton problème à toi n'est pas plus facile à résoudre. Mais il faut encore essayer, sauf à ne pas réussir ; les chefs-d'œuvre ne sont jamais que des tentatives heureuses. Console-toi de ne pas faire de chefs-d'œuvre, pourvu que tu fasses des tentatives consciencieuses.

— J'en suis consolé [3] d'avance, répondis-je, et je recommencerai quand tu voudras ; conseille-moi.

— Par exemple, dit-il, nous avons assisté hier à une veillée rustique à la ferme. Le chanvreur [4] a conté des

---

1. Il est difficile de préciser quels sont ces « mots d'auteur ». Mais certains passages du roman, par exemple la déclaration de Germain à Marie (ch. XI) ont peut-être un caractère littéraire trop marqué. D'autre part le style, malgré sa simplicité voulue, est encore très éloigné de la réalité paysanne.

2. Henri Monnier, acteur, littérateur et caricaturiste (1805-1877), a créé le type de Joseph Prudhomme.

3. Fidèle à la fiction de son pseudonyme, George Sand parle toujours d'elle-même au masculin dans ses œuvres.

4. A l'époque de George Sand, le chanvreur jouait un rôle important dans les villages berrichons, non seulement par son activité professionnelle mais par son intervention presque obligatoire dans « toutes les solennités tristes ou gaies ». Cf. *Les Noces de Campagne*, I. Dans l'*Histoire*

histoires jusqu'à deux heures du matin. La servante du curé l'aidait ou le reprenait; c'était une paysanne un peu cultivée; lui, un paysan inculte, mais heureusement doué et fort éloquent à sa manière. A eux deux[a], ils nous ont raconté une histoire vraie, assez longue, et qui avait l'air d'un roman intime. L'as-tu retenue?

— Parfaitement, et je pourrais la redire mot à mot dans leur langage.

— Mais leur langage exige une traduction; il faut écrire en français, et ne pas se permettre un mot qui ne le soit pas, à moins qu'il ne soit si intelligible qu'une note devienne inutile pour le lecteur.

— Je le vois, tu m'imposes un travail à perdre l'esprit, et dans lequel je ne me suis jamais plongé que pour en sortir mécontent de moi-même et pénétré de mon impuissance.

— N'importe! tu t'y plongeras encore, car je vous connais, vous autres artistes; vous ne vous passionnez que devant les obstacles, et vous faites mal ce que vous faites sans souffrir. Tiens, commence, raconte-moi l'histoire du *Champi*, non pas telle que je l'ai entendue avec toi. C'était un chef-d'œuvre de narration pour nos esprits et pour nos oreilles du terroir. Mais raconte-la-moi comme si tu avais à ta droite un Parisien parlant la langue moderne, et à ta gauche un paysan devant lequel tu ne voudrais pas dire une phrase, un mot où il ne pourrait pas pénétrer. Ainsi tu dois parler clairement pour le Parisien, naïvement pour le paysan. L'un te reprochera de manquer de couleur, l'autre d'élégance. Mais je serai là aussi, moi qui cherche par quel rapport

---

de ma Vie (Troisième partie, ix), George Sand a raconté comment se déroulaient à Nohant, lorsqu'elle était enfant, les veillées rustiques et la part qu'y prenait le chanvreur.

l'art, sans cesser d'être l'art pour tous, peut entrer dans
le mystère de la simplicité primitive, et communiquer
à l'esprit le charme répandu dans la nature.

— C'est donc une *étude* que nous allons faire à nous
deux?

— Oui, car je t'arrêterai où tu broncheras.

— Allons, asseyons-nous sur ce tertre jonché de
serpolet. Je commence; mais auparavant permets que,
pour m'éclaircir la voix, je fasse quelques gammes.

— Qu'est-ce à dire? je ne te savais pas chanteur.

— C'est une métaphore. Avant de commencer un
travail d'art, je crois qu'il faut se remettre en mémoire
un thème quelconque qui puisse vous servir de type
et faire entrer votre esprit dans la disposition voulue.
Ainsi, pour me préparer à ce que tu demandes, j'ai
besoin de réciter l'histoire du chien de Brisquet [1], qui
est courte, et que je sais par cœur.

— Qu'est-ce que cela? Je ne m'en souviens pas.

— C'est un trait [2] pour ma voix, écrit par Charles
Nodier, qui essayait la sienne sur tous les modes pos-
sibles; un grand artiste, à mon sens, qui n'a pas eu
toute la gloire qu'il méritait, parce que, dans le nombre
varié de ses tentatives, il en a fait plus de mauvaises

---

1. *Le Chien de Brisquet* fut publié en 1844, l'année même de la mort
de Nodier. Dans ce conte, Nodier met en scène un pauvre bûcheron,
Brisquet, dont les deux enfants, Biscotin et Biscotine, s'éloignent
un soir de la maison. Ils rencontrent le loup qui les dévorerait, si
Bichonne, la bonne chienne, ne venait à leur secours. Elle fait face
au loup assez longtemps pour que Brisquet survienne. Les deux enfants
sont sains et saufs. Mais la chienne tombe morte.

2. *Trait:* phrase musicale formée d'une suite de notes rapides.
Ce terme, quelque peu technique, avait été rendu familier à George Sand
par la fréquentation de la cantatrice Pauline Garcia, sœur de la Mali-
bran. Elle l'emploie souvent dans *Consuelo,* dont l'héroïne est précisément une cantatric .

que de bonnes : mais quand un homme a fait deux ou trois chefs-d'œuvre, si courts qu'ils soient, on doit le couronner et lui pardonner ses erreurs. Voici le chien de Brisquet. Écoute.

Et je récitai à mon ami l'histoire de la *Bichonne*, qui l'émut jusqu'aux larmes, et qu'il déclara être un chef-d'œuvre de genre.

— Je devrais être découragé de ce que je vais tenter, lui dis-je; car cette odyssée du *Pauvre chien à Brisquet*, qui n'a pas duré cinq minutes à réciter, n'a pas une tache, pas une ombre; c'est un pur diamant taillé par le premier lapidaire du monde ; car Nodier était essentiellement lapidaire en littérature. Moi, je n'ai pas de science, et il faut que j'invoque le sentiment. Et puis, je ne peux promettre d'être bref, et d'avance je sais que la première des qualités, celle de faire bien et court, manquera à mon étude.

— Va toujours, dit mon ami ennuyé de mes préliminaires.

— C'est donc l'histoire de François *le Champi*, repris-je, et je tâcherai de me rappeler le commencement sans altération. C'était Monique, la vieille servante du curé, qui entra en matière.

— Un instant, dit mon auditeur sévère, je t'arrête au titre. *Champi* n'est pas français.

— Je te demande bien pardon, répondis-je. Le dictionnaire le déclare *vieux*, mais Montaigne l'emploie [1], et je ne prétends pas être plus Français que les grands écrivains qui font la langue. Je n'intitulerai donc pas

---

1. Montaigne emploie en effet ce mot, mais comme adjectif : « Et ces *champisses* contenances de nos laquais y estoient aussi [*chez les Romains*]. » (*Essais*, livre I, chapitre 49). Le mot *champis* se trouve également chez Rabelais et chez Agrippa d'Aubigné.

mon conte François l'Enfant-Trouvé, François le
Bâtard, mais François *le Champi*, c'est-à-dire l'enfant
abandonné dans les champs, comme on disait autrefois
dans le monde, et comme on dit encore aujourd'hui
chez nous.

I

Un matin que Madeleine Blanchet, la jeune meunière du Cormouer [1], s'en allait au bout de son pré pour laver à la fontaine, elle trouva un petit enfant assis devant sa planchette, et jouant avec la paille qui sert de coussinet aux genoux des lavandières. Madeleine Blanchet, ayant avisé cet enfant, fut étonnée de ne pas le connaître, car il n'y a pas de route bien achalandée de passants de ce côté-là, et on n'y rencontre que des gens de l'endroit.

— Qui es-tu, mon enfant? dit-elle au petit garçon, qui la regardait d'un air de confiance, mais qui ne parut pas comprendre sa question. Comment t'appelles-tu? reprit Madeleine Blanchet en le faisant asseoir à côté d'elle et en s'agenouillant pour laver.

— François, répondit l'enfant.

— François qui?

— Qui? dit l'enfant d'un air simple.

— A qui es-tu fils?

— Je ne sais pas, allez!

— Tu ne sais pas le nom de ton père!

---

1. Ce moulin tire vraisemblablement son nom du grand cormier qui l'ombrageait (Cf. Ch. xv). Il « n'existe pas nominativement » (Ch. Duvernet, *Une promenade dans la Vallée Noire*). Mais George Sand a en vue un endroit précis que des recoupements permettent de situer au bord de la Vauvre, un peu au sud de Mers. C'est d'ailleurs à Mers que sera célébré le mariage de Madeleine et de François. Dans *Mouny Robin* (1841), George Sand parle d'un moulin Blanchet, abrité « par le versant rapide du coteau d'Urmont ». Sa situation ne correspond pas à celle du Cormouer.

— Je n'en ai pas.

— Il est donc mort?

— Je ne sais pas.

— Et ta mère?

— Elle est par là, dit l'enfant en montrant une maisonnette fort pauvre qui était à deux portées de fusil [1] du moulin et dont on voyait le chaume à travers les saules.

— Ah! je sais, reprit Madeleine, c'est la femme qui est venue demeurer ici, qui est emménagée d'hier soir?

— Oui, répondit l'enfant.

— Et vous demeuriez à Mers [2]!

— Je ne sais pas.

— Tu es un garçon peu savant. Sais-tu le nom de ta mère, au moins?

— Oui, c'est la Zabelle [3].

— Isabelle qui? tu ne lui connais pas d'autre nom?

— Ma foi non, allez!

— Ce que tu sais ne te fatiguera pas la cervelle, dit Madeleine en souriant et en commençant à battre son linge.

— Comment dites-vous? reprit le petit François.

Madeleine le regarda encore; c'était un bel enfant,

---

1. *Deux portées de fusil:* les paysans de George Sand évaluent volontiers les distances de cette façon sommaire. Cf. *La Mare au Diable,* Ch. v, et *Les Maîtres sonneurs,* Première Veillée. Les fusils de cette époque ne portaient pas bien loin. La maison de François se trouve peut-être à deux ou trois cents mètres du moulin.

2. *Mers:* village situé sur la rive gauche de la Vauvre, à moins d'un kilomètre du confluent de cette rivière avec l'Indre.

3. *Zabelle,* pour Isabelle : déformation populaire fréquente dans le Berry. On disait de même Bastien pour Sébastien (*La Mare au Diable,* Ch. x). Le demi-frère de George Sand, Hippolyte, était habituellement appelé Polyte.

il avait des yeux magnifiques. C'est dommage, pensa-t-elle, qu'il ait l'air si niais. — Quel âge as-tu ? reprit-elle. Peut-être que tu ne le sais pas non plus.

La vérité est qu'il n'en savait pas plus long là-dessus que sur le reste. Il fit ce qu'il put pour répondre, honteux peut-être de ce que la meunière lui reprochait d'être si borné, et il accoucha de cette belle repartie : — Deux ans !

— Oui-da ! reprit Madeleine en tordant son linge sans le regarder davantage, tu es un véritable oison, et on n'a guère pris soin de t'instruire, mon pauvre petit. Tu as au moins six ans pour la taille, mais tu n'as pas deux ans pour le raisonnement.

— Peut-être bien ! répliqua François. — Puis, faisant un autre effort sur lui-même, comme pour secouer l'engourdissement de sa pauvre âme, il dit : — Vous demandiez comment je m'appelle ? On m'appelle François le Champi.

— Ah ! ah ! je comprends, dit Madeleine en tournant vers lui un œil de compassion ; et Madeleine ne s'étonna plus de voir ce bel enfant si malpropre, si déguenillé et si abandonné à l'hébétement de son âge.

— Tu n'es guère couvert, lui dit-elle, et le temps n'est pas chaud. Je gage que tu as froid ?

— Je ne sais pas, répondit le pauvre champi, qui était si habitué à souffrir qu'il ne s'en apercevait plus.

Madeleine soupira. Elle pensa à son petit Jeannie qui n'avait qu'un an et qui dormait bien chaudement dans son berceau, gardé par sa grand'mère, pendant que ce pauvre champi grelottait tout seul au bord de la fontaine, préservé de s'y noyer par le seule bonté de la Providence, car il était assez simple pour ne pas se douter qu'on meurt en tombant dans l'eau.

Madeleine, qui avait le cœur très charitable, prit le bras de l'enfant et le trouva chaud, quoiqu'il eût par instants le frisson et que sa jolie figure fût très pâle.

— Tu as la fièvre? lui dit-elle.

— Je ne sais pas, allez! répondit l'enfant, qui l'avait toujours.

Madeleine Blanchet détacha le chéret [1] de laine qui lui couvrait les épaules et en enveloppa le champi qui se laissa faire, et ne témoigna ni étonnement ni contentement. Elle ôta toute la paille qu'elle avait sous ses genoux et lui en fit un lit où il ne chôma pas de s'endormir, et Madeleine acheva de laver les nippes de son petit Jeannie, ce qu'elle fit lestement, car elle le nourrissait, et avait hâte d'aller le retrouver.

Quand tout fut lavé, le linge mouillé était devenu plus lourd de moitié, et elle ne put emporter le tout. Elle laissa son battoir et une partie de sa provision au bord de l'eau, se promettant de réveiller le champi lorsqu'elle reviendrait de la maison, où elle porta de suite [2] tout ce qu'elle put prendre avec elle. Madeleine Blanchet n'était ni grande ni forte. C'était une très jolie femme, d'un fier courage, et renommée pour sa douceur et son bon sens.

Quand elle ouvrit la porte de sa maison, elle entendit sur le petit pont de l'écluse un bruit de sabots qui courait après elle, et, en se virant, elle vit le champi qui

---

1. *Chéret :* sorte de large écharpe de laine dont les paysannes berrichonnes se couvraient les épaules et le haut du corps. Ce vêtement ne se porte plus depuis longtemps. Dans son glossaire manuscrit George Sand en donne cette définition : « manteau de laine beige des bergères ».

2. George Sand a tendance à employer *de suite* là où il faudrait *tout de suite*. Cf. Karénine, *George Sand*, T. IV, p. 294 et *La Mare au Diable*, p. 110, n. 2.

l'avait rattrapée et qui lui apportait son battoir, son savon, le reste de son linge et son chéret de laine.

— Oh! oh! dit-elle en lui mettant la main sur l'épaule, tu n'es pas si bête que je croyais, toi, car tu es serviable, et celui qui a bon cœur n'est jamais sot. Entre, mon enfant, viens te reposer. Voyez ce pauvre petit! il porte plus lourd que lui-même!

« Tenez, mère, dit-elle à la vieille meunière qui lui présentait son enfant bien frais et tout souriant, voilà un pauvre champi qui a l'air malade. Vous qui vous connaissez à la fièvre, il faudrait tâcher de le guérir.

— Ah! c'est la fièvre de misère! répondit la vieille en regardant François; ça se guérirait avec de la bonne soupe; mais ça n'en a pas. C'est le champi à cette femme qui a emménagé d'hier. C'est la locataire à ton homme, Madeleine. Ça paraît bien malheureux, et je crains que ça ne paie pas souvent.

Madeleine ne répondit rien. Elle savait que sa belle-mère et son mari avaient peu de pitié, et qu'ils aimaient l'argent plus que le prochain [1]. Elle allaita son enfant, et quand la vieille fut sortie pour aller chercher ses oies, elle prit François par la main, Jeannie sur son autre bras, et s'en fut avec eux chez la Zabelle.

La Zabelle, qui se nommait en effet Isabelle Bigot, était une vieille fille de cinquante ans, aussi bonne qu'on peut l'être pour les autres quand on n'a rien à soi

---

1. *Ils aimaient l'argent plus que le prochain :* c'est ce que George Sand pardonne difficilement. Dans *Le Meunier d'Angibault* (1845), *Le Péché de M. Antoine* (1845), elle prêche le mépris de l'argent. Tout son socialisme tend à obtenir des riches qu'ils se dépouillent au profit des pauvres. Le 13 février 1849 elle écrit : « J'ai longtemps cru au communisme absolu de la propriété et peut-être que même en admettant une propriété individuelle, comme je le fais aujourd'hui, je ferais cette dernière part si petite que fort peu de gens s'en contenteraient. »

et qu'il faut toujours trembler pour sa pauvre vie.
Elle avait pris François, au sortir de nourrice, d'une
femme qui était morte à ce moment-là, et elle l'avait
élevé depuis, pour avoir tous les mois quelques pièces
d'argent blanc [1] et pour faire de lui son petit serviteur;
mais elle avait perdu ses bêtes et elle devait en acheter
d'autres à crédit, dès qu'elle pourrait, car elle ne vivait
pas d'autre chose que d'un petit lot de brebiage [2] et
d'une douzaine de poules qui, de leur côté, vivaient sur
le communal [3]. L'emploi de François, jusqu'à ce qu'il
eût gagné l'âge de la première communion [4], devait
être de garder ce pauvre troupeau sur le bord des
chemins, après quoi on le louerait comme on pourrait,
pour être porcher ou petit valet de charrue, et, s'il avait
de bons sentiments, il donnerait à sa mère par adoption
une partie de son gage.

On était au lendemain de la Saint-Martin [5], et la
Zabelle avait quitté Mers, laissant sa dernière chèvre en
paiement d'un reste dû[a] sur son loyer. Elle venait
habiter la petite locature [6] dépendante du moulin du
Cormouer, sans autre objet de garantie qu'un grabat,

---

1. *Argent blanc* désignait anciennement la monnaie d'argent par
opposition aux monnaies d'or et de cuivre.

2. *Brebiage* : nom générique s'appliquant aux moutons, aux brebis
et aux agneaux. Se prononçait berbiage ou barbiage (Jaubert). George
Sand le cite dans son glossaire sous la forme beurbiage, qu'elle s'est
bien gardée de transcrire ici.

3. Le terme de *communal* désigne « des terres *vaines et vagues* ». Les
pauvres y menaient paître leurs bêtes. C'était leur « propriété sacrée
et inaliénable ». (George Sand, *Lettre d'un paysan de la Vallée Noire*.)

4. François fera sa première communion vers l'âge de douze ans.
Cf. Ch. IV.

5. *La Saint-Martin* (11 novembre) était le terme des fermages
l'une des dates où se louaient les domestiques.

6. *Locature* : « Petite maison de cultivateur sans labourage » (Jaubert).

deux chaises, un bahut et quelques vaisseaux [1] de terre.
Mais la maison était si mauvaise, si mal close et de si
chétive valeur, qu'il fallait la laisser déserte ou courir les
risques attachés à la pauvreté des locataires.

Madeleine causa avec la Zabelle, et vit bientôt que
ce n'était pas une mauvaise femme, qu'elle ferait en
conscience tout son possible pour payer, et qu'elle ne
manquait pas d'affection pour son champi. Mais elle
avait pris l'habitude de le voir souffrir en souffrant elle-
même, et la compassion que la riche meunière témoi-
gnait à ce pauvre enfant lui causa d'abord plus d'étonnement que de plaisir.

Enfin, quand elle fut revenue de sa surprise et qu'elle
comprit que Madeleine ne venait pas pour lui demander,
mais pour lui rendre service, elle prit confiance, lui
conta longuement toute son histoire, qui ressemblait
à celle de tous les malheureux, et lui fit grand remerciement de son intérêt. Madeleine l'avertit qu'elle ferait
tout son possible pour la secourir; mais elle la pria de
n'en jamais parler à personne, avouant qu'elle ne pourrait l'assister qu'en cachette, et qu'elle n'était pas sa
maîtresse à la maison[a].

Elle commença par laisser à la Zabelle son chéret de
laine, en lui faisant donner promesse de le couper dès
le même soir pour en faire un habillement au champi,
et de n'en pas montrer les morceaux avant qu'il fût
cousu. Elle vit bien que la Zabelle s'y engageait à
contre-cœur, et qu'elle trouvait le chéret bien bon et
bien utile pour elle-même. Elle fut obligée de lui dire
qu'elle l'abandonnerait si, dans trois jours, elle ne

---

1. *Vaisseaux*, en langage berrichon, signifie vaisselle et plus particulièrement mauvaise vaisselle. Le mot est d'ailleurs relativement
peu employé (L. Vincent).

voyait pas le champi chaudement vêtu. — Croyez-vous donc, ajouta-t-elle, que ma belle-mère, qui a l'œil à tout, ne reconnaîtrait pas mon chéret sur vos épaules ? Vous voudriez donc me faire avoir des ennuis ? Comptez que je vous assisterai autrement encore, si vous êtes un peu secrète dans ces choses-là. Et puis, écoutez : votre champi a la fièvre, et, si vous ne le soignez pas bien, il mourra.

— Croyez-vous ? dit la Zabelle ; ça serait une peine pour moi, car cet enfant-là, voyez-vous, est d'un cœur comme on n'en trouve guère ; ça ne se plaint jamais, et c'est aussi soumis qu'un enfant de famille ; c'est tout le contraire des autres champis, qui sont terribles et tabâtres [1], et qui ont toujours l'esprit tourné à la malice.

— Parce qu'on les rebute et parce qu'on les maltraite. Si celui-là est bon, c'est que vous êtes bonne pour lui, soyez-en assurée [2].

— C'est la vérité, reprit la Zabelle ; les enfants ont plus de connaissance qu'on ne croit. Tenez, celui-là n'est pas malin, et pourtant il sait très bien se rendre utile. Une fois que j'étais malade, l'an passé (il n'avait que cinq ans), il m'a soignée comme ferait une personne.

— Écoutez, dit la meunière : vous me l'enverrez tous les matins et tous les soirs, à l'heure où je donnerai la soupe à mon petit. J'en ferai trop, et il mangera le reste ; on n'y prendra pas garde.

— Oh ! c'est que je n'oserai pas vous le conduire, et,

---

1. *Tabâtre :* tapageur. On dit aussi : tabâte. Jaubert rapproche ce terme de rabâter : faire du bruit.

2. George Sand a toujours pensé que l'éducation devait être indulgente. « Non seulement ne frappez jamais mais n'élevez jamais la voix ; n'ayez ni parole ni mouvements brusques, faites ce que vous feriez pour apprivoiser un oiseau. L'enfant est un petit sauvage qu'il s'agit de civiliser sans qu'il s'en aperçoive. » (*Les Idées d'un maître d'école*, 1872).

de lui-même, il n'aura jamais l'esprit de savoir l'heure.

— Faisons une chose. Quand la soupe sera prête, je poserai ma quenouille sur le pont de l'écluse. Tenez, d'ici, ça se verra très bien. Alors, vous enverrez l'enfant avec un sabot dans la main, comme pour chercher du feu [1], et puisqu'il mangera ma soupe, toute la vôtre vous restera. Vous serez mieux nourris tous les deux.

— C'est juste, répondit la Zabelle. Je vois que vous êtes une femme d'esprit, et j'ai du bonheur d'être venue ici. On m'avait fait grand'peur de votre mari qui passe pour être un rude homme, et si j'avais pu trouver ailleurs, je n'aurais pas pris sa maison, d'autant plus qu'elle est mauvaise, et qu'il en demande beaucoup d'argent. Mais je vois que vous êtes bonne au [2] pauvre monde, et que vous m'aiderez à élever mon champi. Ah! si la soupe pouvait lui couper sa fièvre! Il ne me manquerait plus que de perdre cet enfant-là! C'est un pauvre profit, et tout ce que je reçois de l'hospice [3] passe à son entretien. Mais je l'aime comme mon enfant, parce que je vois qu'il est bon, et qu'il m'assistera plus tard. Savez-vous qu'il est beau pour son âge, et qu'il sera de bonne heure en état de travailler?

C'est ainsi que François le Champi fut élevé par les soins et le bon cœur de Madeleine la meunière. Il retrouva la santé très vite, car il était bâti, comme on dit chez nous, à chaux et à sable, et il n'y avait point de

---

1. Usage paysan, déjà signalé dans *La Mare au Diable*, où la mère Guillette vient tous les soirs chez son voisin, le père Maurice, chercher de la braise pour allumer son feu.

2. Dans le langage des paysans de George Sand comme dans le vieux langage, l'usage de la préposition *à* est très étendu. Cf. *La Mare au Diable*, Ch. III : « J'avais une brave femme... bonne à ses père et mère, bonne à ses enfants, bonne au travail. »

3. L'hospice jouait alors le rôle de l'Assistance publique. Cf. Ch. XIII : le « secours accordé par le gouvernement à ceux de mon espèce ».

richard dans le pays qui n'eût souhaité d'avoir un fils aussi joli de figure et aussi bien construit de ses membres. Avec cela, il était courageux comme un homme; il allait à la rivière comme un poisson, et plongeait jusque sous la pelle [1] du moulin, ne craignant pas plus l'eau que le feu; il sautait sur les poulains les plus folâtres et les conduisait au pré sans même leur passer une corde autour du nez, jouant des talons pour les faire marcher droit et les tenant aux crins pour sauter les fossés avec eux. Et ce qu'il y avait de singulier, c'est qu'il faisait tout cela d'une manière fort tranquille, sans embarras, sans rien dire, et sans quitter son air simple et un peu endormi.

Cet air-là était cause qu'il passait pour sot; mais il n'en est pas moins vrai que s'il fallait dénicher des pies à la pointe du plus haut peuplier, ou retrouver une vache perdue bien loin de la maison, ou encore abattre une grive d'un coup de pierre, il n'y avait pas d'enfant plus hardi, plus adroit et plus sûr de son fait. Les autres enfants attribuaient cela au *bonheur du sort*, qui passe pour être le lot du champi dans ce bas monde. Aussi le laissaient-ils toujours passer le premier dans les amusettes dangereuses.

— Celui-là, disaient-ils, n'attrapera jamais dè mal, parce qu'il est champi. Froment de semence craint la vimère [2] du temps; mais folle graine ne périt point.

Tout alla bien pendant deux ans. La Zabelle se trouva le moyen d'acheter quelques bêtes, on ne sut trop comment. Elle rendit beaucoup de petits services au moulin, et obtint que maître Cadet Blanchet le meunier fît

---

1. *La pelle :* la vanne.
2. *Vimère* ou *vimaire :* tout fléau qui frappe l'agriculture. Le mot se trouve chez Rabelais. Jaubert le fait dériver de *vis major :* force majeure. L. Vincent n'en a pas trouvé trace dans le parler berrichon.

réparer un petit le toit de sa maison qui faisait l'eau [1]
de tous côtés. Elle put s'habiller un peu mieux, ainsi
que son champi, et elle parut peu à peu moins misérable
que quand elle était arrivée. La belle-mère de Madeleine
fit bien quelques réflexions assez dures sur la perte de
quelques effets et sur la quantité de pain [2] qui se mangeait à la maison. Une fois même, Madeleine fut obligée
de s'accuser pour ne pas laisser soupçonner la Zabelle;
mais, contre l'attente de la belle-mère, Cadet Blanchet
ne se fâcha presque point, et parut même vouloir
fermer les yeux.

Le secret de cette complaisance, c'est que Cadet
Blanchet était encore très amoureux de sa femme.
Madeleine était jolie et nullement coquette, on lui en
faisait compliment en tous endroits, et ses affaires
allaient fort bien d'ailleurs; comme il était de ces
hommes qui ne sont méchants que par crainte[a] d'être
malheureux [3], il avait pour Madeleine plus d'égards
qu'on ne l'en aurait cru capable. Cela causait un peu de
jalousie à la mère Blanchet, et elle s'en vengeait par de
petites tracasseries que Madeleine supportait en silence
et sans jamais s'en plaindre à son mari.

C'était bien la meilleure manière de les faire finir plus
vite, et jamais on ne vit à cet égard de femme plus
patiente et plus raisonnable que Madeleine. Mais on dit
chez nous que le profit de la bonté est plus vite usé que
celui de la malice, et un jour vint où Madeleine fut

---

1. *Qui faisait l'eau :* George Sand croit volontiers que, pour donner
une impression de style paysan, il suffit (comme ici par l'adjonction
d'un article) de défigurer une locution courante.

2. Le pain était la nourriture presque exclusive des paysans. « Un
morceau de pain, le plus noir et le plus grossier, est, à la fin de la journée, l'unique récompense et l'unique profit attachés à un si dur labeur. »
(*La Mare au Diable*, Ch. II.)

3. *Par crainte d'être malheureux :* par crainte d'une infortune conjugale.

questionnée et tancée tout de bon pour ses charités.

C'était une année où les blés avaient grêlé et où la rivière, en débordant, avait gâté les foins [1]. Cadet Blanchet n'était pas de bonne humeur. Un jour qu'il revenait du marché avec un sien confrère qui venait d'épouser une fort belle fille, ce dernier lui dit : — Au reste, tu n'as pas été à plaindre non plus, *dans ton temps*, car ta Madelon était aussi une fille très agréable.

— Qu'est-ce que tu veux dire avec *mon temps* et ta *Madelon était*? Dirait-on pas que nous sommes vieux elle et moi? Madeleine n'a encore que vingt ans et je ne sache pas qu'elle soit devenue laide.

— Non, non, je ne dis pas ça, reprit l'autre. Certainement Madeleine est encore bien; mais enfin, quand une femme se marie si jeune, elle n'en a pas pour longtemps à être regardée. Quand ça a nourri un enfant, c'est déjà fatigué; et ta femme n'était pas forte, à preuve que la voilà bien maigre et qu'elle a perdu sa bonne mine. Est-ce qu'elle est malade, cette pauvre Madelon?

— Pas que je sache. Pourquoi donc me demandes-tu ça?

— Dame! je ne sais pas. Je lui trouve un air triste comme quelqu'un qui souffrirait ou qui aurait de l'ennui. Ah! les femmes, ça n'a qu'un moment, c'est comme la vigne en fleur. Il faut que je m'attende aussi à voir la mienne prendre une mine allongée et un air sérieux. Voilà comme nous sommes, nous autres! Tant que nos femmes nous donnent de la jalousie, nous en sommes amoureux. Ça nous fâche, nous crions, nous battons même quelquefois; ça les chagrine, elles pleu-

---

1. La correspondance de George Sand fait parfois allusion à des calamités de ce genre. On apprend ainsi qu'en juillet 1845 les rivières avaient débordé, rendant les communications très difficiles, et qu'à la fin de septembre les pluies recommencèrent.

rent; elles restent à la maison, elles nous craignent, elles s'ennuient, elles ne nous aiment plus. Nous voilà bien contents, nous sommes les maîtres !... Mais voilà aussi qu'un beau matin nous nous avisons que si personne n'a plus envie de notre femme, c'est parce qu'elle est devenue laide, et alors, voyez le sort ! nous ne les aimons plus et nous avons envie de celles des autres... Bonsoir, Cadet Blanchet ; tu as embrassé ma femme un peu trop fort à ce soir ; je l'ai bien vu et je n'ai rien dit. C'est pour te dire à présent que nous n'en serons pas moins bons amis et que je tâcherai de ne pas la rendre triste comme la tienne, parce que je me connais : si je suis jaloux, je serai méchant, et quand je n'aurai plus sujet d'être jaloux, je serai peut-être encore pire.

Une bonne leçon profite à un bon esprit ; mais Cadet Blanchet, quoique intelligent et actif, avait trop d'orgueil pour avoir une bonne tête. Il rentra l'œil rouge et l'épaule haute. Il regarda Madeleine comme s'il ne l'avait pas vue depuis longtemps. Il s'aperçut qu'elle était pâle et changée. Il lui demanda si elle était malade, d'un ton si rude, qu'elle devint encore plus pâle et répondit qu'elle se portait bien, d'une voix très faible. Il s'en fâcha, Dieu sait pourquoi, et se mit à table avec l'envie de chercher querelle à quelqu'un. L'occasion ne se fit pas longtemps attendre. On parla de la cherté du blé, et la mère Blanchet remarqua, comme elle le faisait tous les soirs, qu'on mangeait trop de pain. Madeleine ne dit mot. Cadet Blanchet voulut la rendre responsable du gaspillage. La vieille déclara qu'elle avait surpris, le matin même, le champi emportant une demi-tourte [1]... Madeleine aurait dû se fâcher et leur tenir tête, mais elle ne sut que pleurer. Blanchet pensa

----

1. *Tourte :* pain bis de forme ronde.

à ce que lui avait dit son compère et n'en fut que plus
acrêté[a][1] ; si bien que, de ce jour-là, expliquez comment
cela se fit, si vous pouvez, il n'aima plus sa femme et la
rendit malheureuse [2].

---

1. *Acrêté :* agressif comme un coq dont la crête se dresse. Ce vieux
mot, qui se trouve chez Rabelais, plaisait à George Sand. Elle l'emploie
parfois dans ses lettres familières. Selon L. Vincent il était déjà
d'un usage peu courant dans le langage berrichon.
2. La situation du ménage Blanchet fait songer à celle du ménage
Dudevant. Au bout de deux ans de mariage, la jeune baronne elle
aussi se sentait déjà malheureuse. Ses airs dolents apitoyèrent d'abord
son mari, puis finirent par l'exaspérer. Devant sa mauvaise humeur
elle affectait une attitude soumise. Elle ne se révolta que plus tard.

II

Iʟ la rendit malheureuse; et, comme jamais bien heureuse il ne l'avait rendue, elle eut doublement mauvaise chance dans le mariage. Elle s'était laissé marier, à seize ans, à ce rougeot qui n'était pas tendre, qui buvait beaucoup le dimanche, qui était en colère tout le lundi, chagrin le mardi, et qui, les jours suivants, travaillant comme un cheval pour réparer le temps perdu, car il était avare, n'avait pas le loisir de songer à sa femme. Il était moins malgracieux le samedi, parce qu'il avait fait sa besogne et pensait à se divertir le lendemain. Mais un jour par semaine de bonne humeur ce n'est pas assez, et Madeleine n'aimait pas le voir guilleret, parce qu'elle savait que le lendemain soir il rentrerait tout enflambé de colère.

Mais comme elle était jeune et gentille, et si douce qu'il n'y avait pas moyen d'être longtemps fâché contre elle, il avait encore des moments de justice et d'amitié, où il lui prenait les deux mains, en lui disant : — Madeleine, il n'y a pas de meilleure femme que vous, et je crois qu'on vous a faite exprès pour moi. Si j'avais épousé une coquette comme j'en vois tant, je l'aurais tuée, ou je me serais jeté sous la roue de mon moulin. Mais je reconnais que tu es sage, laborieuse, et que tu vaux ton pesant d'or.

Mais quand son amour fut passé, ce qui arriva au

bout de quatre ans de ménage [1], il n'eut plus de bonne
parole à lui dire, et il eut du dépit de ce qu'elle ne
répondait rien à ses mauvaisetés [2]. Qu'eût-elle répondu!
Elle sentait que son mari était injuste, et elle ne voulait
pas lui en faire de reproches, car elle mettait tout son
devoir à respecter le maître qu'elle n'avait jamais pu
chérir.

La belle-mère fut contente de voir que son fils rede-
venait l'homme de chez lui [3]; c'est ainsi qu'elle disait,
comme s'il avait jamais oublié de l'être et de le faire
sentir! Elle haïssait sa bru, parce qu'elle la voyait
meilleure qu'elle. Ne sachant quoi lui reprocher, elle
lui tenait à méfait de n'être pas forte, de tousser tout
l'hiver [4], et de n'avoir encore qu'un enfant. Elle la
méprisait pour cela et aussi pour ce qu'elle savait lire
et écrire, et que le dimanche elle lisait des prières dans
un coin du verger au lieu de venir caqueter et mar-
motter avec elle et les commères d'alentour.

Madeleine avait remis son âme à Dieu, et, trouvant
inutile de se plaindre, elle souffrait comme si cela lui
était dû. Elle avait retiré son cœur de la terre, et rêvait
souvent au paradis comme une personne qui serait bien

---

1. *Quatre ans de ménage :* c'est à peu près le temps qu'il fallut à Casimir
Dudevant pour se détacher de sa femme.

2. *Mauvaiseté :* vieux mot, couramment employé par les paysans
berrichons dans le sens de méchanceté. Cf. *La Petite Fadette*, VII :
« Cette mauvaiseté d'enfant chagrina grandement Landry. »

3. *L'homme de chez lui :* le maître de maison. En Berry la femme
appelle son mari *notre maître* ou *l'homme de chez nous*. Le mari dit également en parlant de sa femme : *la femme de chez nous*. Ces expressions
sont assez fréquemment employées par George Sand. Cf. *La Mare
au Diable*, Ch. XVII : « *L'homme et la femme de chez nous...* veulent que je
te parle et que je te demande de m'épouser. »

4. *Tousser tout l'hiver :* encore un détail vécu. Cf. la lettre écrite
par Aurore à sa mère le 21 avril 1828 : « J'ai beaucoup toussé en hiver
et beaucoup souffert de la poitrine. C'est une mauvaise habitude que
j'ai prise depuis trois hivers. »

aise de mourir. Pourtant elle soignait sa santé et s'ordonnait le courage, parce qu'elle sentait que son enfant ne serait heureux que par elle, et qu'elle acceptait tout en vue de l'amour qu'elle lui portait [1].

Elle n'avait pas grande amitié pour la Zabelle, mais elle en avait un peu, parce que cette femme, moitié bonne, moitié intéressée, continuait à soigner de son mieux le pauvre champi; et Madeleine, voyant combien deviennent mauvais ceux qui ne songent qu'à eux-mêmes, était portée à n'estimer que ceux qui pensaient un peu aux autres. Mais comme elle était la seule, dans son endroit, qui n'eût pas du tout souci d'elle-même, elle se trouvait bien esseulée et s'ennuyait beaucoup, sans trop connaître la cause de son ennui.

Peu à peu cependant elle remarqua que le champi, qui avait alors dix ans, commençait à penser comme elle. Quand je dis penser, il faut croire qu'elle le jugea à sa manière d'agir; car le pauvre enfant ne montrait guère plus son raisonnement dans ses paroles que le jour où elle l'avait questionné pour la première fois. Il ne savait dire mot, et quand on voulait le faire causer, il était arrêté tout de suite, parce qu'il ne savait rien de rien. Mais s'il fallait courir pour rendre service, il était toujours prêt; et même quand c'était pour le service de Madeleine, il courait avant qu'elle eût parlé. A son air on eût dit qu'il n'avait pas compris de quoi il s'agissait, mais il faisait la chose commandée si vite et si bien qu'elle-même en était émerveillée.

Un jour qu'il portait le petit Jeannie dans ses bras et qu'il se laissait tirer les cheveux par lui pour le faire rire, Madeleine lui reprit l'enfant avec un brin de méconten-

---

1. Telle fut aussi la raison pour laquelle Aurore Dudevant dans son ménage se montra patiente et résignée.

tement, disant comme malgré elle : — François, si tu
commences déjà à tout souffrir des autres, tu ne sais
pas où ils s'arrêteront. — Et à son grand ébahissement,
François lui répondit : — J'aime mieux souffrir le mal
que de le rendre.

Madeleine, étonnée, regarda dans les yeux du champi.
Il y avait dans les yeux de cet enfant-là quelque chose
qu'elle n'avait jamais trouvé même dans ceux des personnes les plus raisonnables; quelque chose de si bon
et de si décidé en même temps, qu'elle en fut comme
étourdie dans ses esprits; et s'étant assise sur le gazon
avec son petit sur les genoux[a], elle fit asseoir le champi
sur le bord de sa robe, sans oser lui parler. Elle ne
pouvait pas s'expliquer à elle-même pourquoi elle avait
comme de la crainte et de la honte d'avoir souvent
plaisanté cet enfant sur sa simplicité. Elle l'avait toujours
fait avec douceur, il est vrai, et peut-être que sa niaiserie
le lui avait fait plaindre et aimer d'autant plus. Mais
dans ce moment-là elle s'imagina qu'il avait toujours
compris ses moqueries et qu'il en avait souffert, sans
pouvoir y répondre.

Et puis elle oublia cette petite aventure, car ce fut
peu de temps après que son mari, s'étant coiffé d'une
drôlesse des environs, se mit à la détester tout à fait et
à lui défendre de laisser la Zabelle et son gars remettre
les pieds dans le moulin. Alors Madeleine ne songea
plus qu'aux moyens de les secourir encore plus secrète-
ment. Elle en avertit la Zabelle en lui disant que pendant
quelque temps elle aurait l'air de l'oublier.

Mais la Zabelle avait grand'peur du meunier, et elle
n'était pas femme, comme Madeleine, à tout souffrir
pour l'amour d'autrui. Elle raisonna à part soi, et se dit
que le meunier, étant le maître, pouvait bien la mettre
à la porte ou augmenter son loyer, ce à quoi Madeleine

ne pourrait porter remède. Elle songea aussi qu'en faisant soumission à la mère Blanchet, elle se remettrait bien avec elle, et que sa protection lui serait plus utile que celle de la jeune femme. Elle alla donc trouver la vieille meunière, et s'accusa d'avoir accepté des secours de sa belle-fille, disant que c'était bien malgré elle, et seulement par commisération pour le champi, qu'elle n'avait pas le moyen de nourrir. La vieille haïssait le champi, tant seulement [1] parce que Madeleine s'intéressait à lui. Elle conseilla à la Zabelle de s'en débarrasser, lui promettant, à tel prix, d'obtenir six mois de crédit pour son loyer. On était encore, cette fois-là, au lendemain de la Saint-Martin [2], et la Zabelle n'avait pas d'argent, vu que l'année était mauvaise [3]. On surveillait Madeleine de si près depuis quelque temps, qu'elle ne pouvait lui en donner. La Zabelle prit bravement son parti, et promit que dès le lendemain elle reconduirait le champi à l'hospice.

Elle n'eut pas plus tôt fait cette promesse qu'elle s'en repentit, et qu'à la vue du petit François qui dormait sur son pauvre grabat, elle se sentit le cœur aussi gros que si elle allait commettre un péché mortel. Elle ne dormit guère; mais, dès avant le jour, la mère Blanchet entra dans son logis et lui dit :

— Allons, debout, Zabeau! vous avez promis, il faut tenir. Si vous attendez que ma bru vous ait parlé, je sais que vous n'en ferez rien. Mais dans son intérêt, voyez-vous, tout aussi bien que dans le vôtre, il faut

---

1. *Tant seulement* fut employé couramment dans le sens de seulement jusqu'au début du XVIIe siècle.
2. Il y a quatre ans que Madeleine a fait la rencontre du Champi, puisqu'il a maintenant dix ans. Elle-même en a vingt-deux.
3. Comme deux ans plus tôt. Cf. p. 232, n. 1.

faire partir ce gars. Mon fils l'a pris en malintention [1]
à cause de sa bêtise et de sa gourmandise; ma bru l'a
trop affriandé, et je suis sûre qu'il est déjà voleur. Tous
les champis le sont de naissance, et c'est une folie que
de compter sur ces canailles-là. En voilà un qui vous
fera chasser d'ici, qui vous donnera mauvaise réputation, qui sera cause que mon fils battra sa femme
quelque jour, et qui, en fin de compte, quand il sera
grand et fort, deviendra bandit sur les chemins, et vous
fera honte. Allons, allons, en route! Conduisez-le-moi
jusqu'à Corlay [2] par les prés. A huit heures, la diligence
passe. Vous y monterez avec lui, et sur le midi au plus
tard vous serez à Châteauroux. Vous pouvez revenir
ce soir, voilà une pistole [3] pour faire le voyage, et vous
aurez encore là-dessus de quoi goûter à la ville.

La Zabelle réveilla l'enfant, lui mit ses meilleurs
habits, fit un paquet du reste de ses hardes, et, le
prenant par la main, elle partit avec lui au clair de lune.

Mais à mesure qu'elle marchait et que le jour montait, le cœur lui manquait; elle ne pouvait aller vite, elle
ne pouvait parler, et quand elle arriva au bord de la
route, elle s'assit sur la berge du fossé, plus morte que
vive. La diligence approchait. Il n'était que temps de
se trouver là.

Le champi n'avait coutume de se tourmenter, et
jusque-là il avait suivi sa mère sans se douter de rien.
Mais quand il vit, pour la première fois de sa vie, rouler
vers lui une grosse voiture, il eut peur du bruit qu'elle

---

1. *Malintention* (antipathie) n'est pas attesté dans l'usage berrichon.
2. *Corlay :* hameau situé sur une hauteur, près de la route de La
Châtre à Châteauroux, à douze kilomètres environ au nord-ouest de
La Châtre. Dans *La Mare au Diable* (ch. VII), Germain et Marie s'arrê-
tent pour déjeuner à Corlay, à l'auberge du Point-du-Jour.
3. *Pistole :* monnaie de compte, valant dix livres.

faisait, et se mit à tirer la Zabelle vers le pré d'où ils venaient de déboucher sur la route. La Zabelle crut qu'il comprenait son sort, et lui dit :

— Allons, mon pauvre François, il le faut!

Ce mot fit encore plus de peur à François. Il crut que la diligence était un gros animal toujours courant qui allait l'avaler et le dévorer. Lui qui était si hardi dans les dangers qu'il connaissait, il perdit la tête et s'enfuit dans le pré en criant. La Zabelle courut après lui; mais le voyant pâle comme un enfant qui va mourir, le courage lui manqua tout à fait. Elle le suivit jusqu'au bout du pré et laissa passer la diligence.

Ils revinrent par où ils étaient venus, jusqu'à mi-chemin du moulin, et là, de fatigue, ils s'arrêtèrent. La Zabelle était inquiète de voir l'enfant trembler de la tête aux pieds, et son cœur sauter si fort qu'il soulevait sa pauvre chemise. Elle le fit asseoir et tâcha de le consoler. Mais elle ne savait ce qu'elle disait, et François n'était pas en état de le deviner. Elle tira un morceau de pain de son panier, et voulut lui persuader de manger; mais il n'en avait nulle envie, et ils restèrent là longtemps sans se rien dire.

Enfin, la Zabeau, qui revenait toujours à ses raisonnements, eut honte de sa faiblesse et se dit que si elle reparaissait au moulin avec l'enfant, elle était perdue. Une autre diligence passait vers le midi, elle décida de se reposer là jusqu'au moment à propos pour retourner à la route; mais comme François était épeuré jusqu'à en perdre le peu d'esprit qu'il avait, comme, pour la première fois de sa vie, il était capable de faire de la résistance, elle essaya de le rapprivoiser avec les grelots des chevaux, le bruit des roues et la vitesse de la grosse voiture.

Mais, tout en essayant de lui donner confiance, elle en dit plus qu'elle ne voulait; peut-être que le repentir la faisait parler malgré elle : ou bien François avait entendu en s'éveillant, le matin, certaines paroles de la mère Blanchet qui lui revenaient à l'esprit; ou bien

encore ses pauvres idées s'éclaircissaient tout d'un coup
à l'approche du malheur : tant il y a qu'il se mit à dire,
en regardant la Zabelle avec les mêmes yeux qui
avaient tant étonné et presque effarouché Madeleine :
— Mère, tu veux me renvoyer d'avec toi ! tu veux me
conduire bien loin d'ici et me laisser. — Puis le mot
d'*hospice*, qu'on avait plus d'une fois lâché devant lui,
lui revint à la mémoire. Il ne savait ce que c'était que
l'hospice, mais cela lui parut encore plus épouvantant [1]
que la diligence, et il s'écria en frissonnant : — Tu
veux me mettre dans l'hospice !

La Zabelle s'était portée trop avant pour reculer.
Elle croyait l'enfant plus instruit de son sort qu'il ne
l'était, et, sans songer qu'il n'eût guère été malaisé de
le tromper et de se débarrasser de lui par surprise, elle
se mit à lui expliquer la vérité et à vouloir lui faire comprendre qu'il serait plus heureux à l'hospice qu'avec elle,
qu'on y prendrait plus de soin de lui, qu'on lui enseigne-
rait à travailler, qu'on le placerait pour un temps chez
quelque femme moins pauvre qu'elle qui lui servirait
encore de mère.

Ces consolations achevèrent de désoler le champi.
L'inconnaissance [2] du temps à venir lui fit plus de
peur que tout ce que la Zabelle essayait de lui montrer
pour le dégoûter de vivre avec elle. Il aimait d'ailleurs,
il aimait de toutes ses forces cette mère ingrate qui ne
tenait pas à lui autant qu'à elle-même. Il aimait quelqu'un encore, et presque autant que la Zabelle, c'était
Madeleine ; mais il ne savait pas qu'il l'aimait et il n'en

---

1. Le langage berrichon emploie beaucoup d'adjectifs et de participes
en *ant* : épouvantant, ennuyant, imaginant (= surprenant).

2. *Inconnaissance* ne figure pas dans le glossaire de Jaubert. C'est
un mot d'ancien français. Il est cité par Godefroy (*Dictionnaire de
l'ancienne langue française*), et par Littré.

parla pas. Seulement il se coucha par terre en sanglotant, en arrachant l'herbe avec ses mains et en s'en couvrant la figure, comme s'il fût tombé du gros mal [1]. Et quand la Zabelle, tourmentée et impatientée de le voir ainsi, voulut le relever de force en le menaçant, il se frappa la tête si fort sur les pierres qu'il se mit tout en sang et qu'elle vit l'heure où il allait se tuer.

Le bon Dieu [2] voulut que dans ce moment-là Madeleine Blanchet vînt à passer. Elle ne savait rien du départ de la Zabelle et de l'enfant. Elle avait été chez la bourgeoise de Presles [3] pour lui remettre de la laine qu'on lui avait donné à filer très menu, parce qu'elle était la meilleure filandière du pays. Elle en avait touché l'argent et elle s'en revenait au moulin avec dix écus [4] dans sa poche. Elle allait traverser la rivière sur un de ces petits ponts de planche à fleur d'eau comme il y en a dans les prés de ce côté-là, lorsqu'elle entendit des cris à fendre l'âme et reconnut tout d'un coup la voix du pauvre champi. Elle courut du côté, et vit l'enfant tout sanguifié [5] qui se débattait dans les bras de la Zabelle. Elle ne comprit pas d'abord; car, à voir cela, on eût dit que la Zabelle l'avait frappé mauvaisement

---

1. *Gros mal* (se prononçait *grous mal*) : épilepsie.

2. *Le bon Dieu :* c'est la servante du curé qui parle. D'ailleurs George Sand souligne fréquemment la naïve piété des paysans berrichons.

3. *Presles :* hameau situé à cinq kilomètres à l'ouest de Corlay, près de l'Indre. Le lieu de la rencontre n'est pas précisé. Madeleine vient de l'ouest (Presles), la Zabelle vient de l'est (Corlay). Toutes deux se trouvent sur la rive droite de l'Indre, qu'il leur faudra ensuite traverser pour gagner le Cormouer, au sud. Cf. p. 221, n. 1.

4. *Dix écus :* cinquante francs. Somme importante à une époque où un petit domestique se payait vingt écus par an (Cf. Ch. VII), et un bon domestique dix-huit pistoles (cent quatre-vingts francs). Cf. Ch. XI.

5. *Sanguifié :* vieux mot qui, même à l'époque de George Sand, ne devait guère être employé dans le parler berrichon. Il n'est pas cité par Jaubert, mais il se trouve dans Cotgrave (*A french and english Dictionary*, London, 1660).

et voulait se défaire de lui. Elle le crut d'autant plus que François, en l'apercevant, se prit à courir vers elle, se roula autour de ses jambes comme un petit serpent, et s'attacha à ses cotillons en criant : — Madame Blanchet, madame Blanchet, sauvez-moi !

La Zabelle était grande et forte, et Madeleine était petite et mince comme un brin de jonc. Elle n'eut cependant pas peur, et, dans l'idée que cette femme, devenue folle, voulait assassiner l'enfant, elle se mit au-devant de lui, bien déterminée à le défendre ou à se laisser tuer pendant qu'il se sauverait.

Mais il ne fallut pas beaucoup de paroles pour s'expliquer. La Zabelle, qui avait plus de chagrin que de colère, raconta les choses comme elles étaient. Cela fit que François comprit enfin tout le malheur de son état, et, cette fois, il fit son profit de ce qu'il entendait avec plus de raison qu'on ne lui en eût jamais supposé. Quand la Zabelle eut tout dit, il commença à s'attacher aux jambes et aux jupons de la meunière, en disant : — Ne me renvoyez pas, ne me laissez pas renvoyer ! Et il allait de la Zabeau qui pleurait, à la meunière qui pleurait encore plus fort, disant toutes sortes de mots et de prières qui n'avaient pas l'air de sortir de sa bouche car c'était la première fois qu'il trouvait moyen de dire ce qu'il voulait : — O ma mère, ma mère mignonne ! disait-il à la Zabelle, pourquoi veux-tu me quitter ? Tu veux donc que je meure du chagrin de ne plus te voir ? Qu'est-ce que je t'ai fait pour que tu ne m'aimes plus ? Est-ce que je ne t'ai pas toujours obéi dans tout ce que tu m'as commandé ? Est-ce que j'ai fait du mal ? J'ai toujours eu bien soin de nos bêtes, tu le disais toi-même, tu m'embrassais tous les soirs, tu me disais que j'étais ton enfant, tu ne m'as jamais dit que tu n'étais pas ma mère ! Ma mère, garde-moi, garde-moi, je t'en prie comme on prie le bon Dieu! j'aurai toujours soin de toi; je travaillerai toujours pour toi; si tu n'es pas contente de moi, tu me battras et je ne dirai rien; mais attends pour me renvoyer que j'aie fait quelque chose de mal [1].

Et il allait à Madeleine en lui disant : — Madame la meunière, ayez pitié de moi. Dites à ma mère de me garder. Je n'irai plus jamais chez vous, puisqu'on ne le veut pas, et quand vous voudrez me donner quelque chose, je saurai que je ne dois pas le prendre. J'irai parler à monsieur Cadet Blanchet, je lui dirai de me battre et de ne pas vous gronder pour moi. Et quand vous irez aux champs, j'irai toujours avec vous, je porterai votre petit, je l'amuserai encore toute la journée. Je ferai tout ce que vous me direz, et si je fais quelque chose de mal, vous ne m'aimerez plus. Mais ne me laissez pas renvoyer, je ne veux pas m'en aller, j'aime mieux me jeter dans la rivière.

Et le pauvre François regardait la rivière en s'approchant si près qu'on voyait bien que sa vie ne tenait qu'à un fil, et qu'il n'eût fallu qu'un mot de refus pour le faire noyer. Madeleine parlait pour l'enfant, et la Zabelle mourait d'envie de l'écouter; mais elle se voyait près du moulin, et ce n'était plus comme lorsqu'elle était auprès de la route.

— Va, méchant enfant, disait-elle, je te garderai; mais tu seras cause que demain je serai sur les chemins demandant mon pain. Toi, tu es trop bête pour comprendre que c'est par ta faute que j'en serai réduite là,

---

1. Le style de cette longue phrase ne présente aucun des caractères du style rustique. De même dans *La Mare au Diable* (Ch. xi) lorsque Germain fait sa déclaration à Marie, il s'exprime avec une facilité et une éloquence surprenantes de la part d'un paysan.

et voilà à quoi m'aura servi de me mettre sur le corps
l'embarras d'un enfant qui ne m'est rien, et qui ne me
rapporte pas le pain qu'il mange.

— En voilà assez, Zabelle, dit la meunière en prenant le champi dans ses bras et en l'enlevant de terre
pour l'emporter, quoiqu'il fût déjà bien lourd. Tenez,
voilà dix écus pour payer votre ferme ou pour emmé-
nager ailleurs, si on s'obstine à vous chasser de chez
nous. C'est de l'argent à moi, de l'argent que j'ai gagné ;
je sais bien qu'on me le redemandera, mais ça m'est
égal. On me tuera si l'on veut, j'achète cet enfant-là,
il est à moi, il n'est plus à vous. Vous ne méritez pas de
garder un enfant d'un aussi grand cœur, et qui vous
aime tant. C'est moi qui serai sa mère, et il faudra bien
qu'on le souffre[a]. On peut tout souffrir pour ses enfants.
Je me ferais couper par morceaux pour mon Jeannie ;
eh bien ! j'en endurerai autant pour celui-là. Viens,
mon pauvre François. Tu n'es plus champi, entends-
tu ? Tu as une mère, et tu peux l'aimer à ton aise ; elle
te le rendra de tout son cœur.

Madeleine disait ces paroles-là sans trop savoir ce
qu'elle disait. Elle qui était la tranquillité même, elle
avait en ce moment la tête tout en feu. Son bon cœur
s'était regimbé, et elle était vraiment en colère contre
la Zabelle. François avait jeté ses deux bras autour du
cou de la meunière, et il serrait si fort qu'elle en perdit
la respiration, en même temps qu'il remplissait de sang
sa coiffe et son mouchoir, car il s'était fait plusieurs
trous à la tête.

Tout cela fit un tel effet sur Madeleine, elle eut à la
fois tant de pitié, tant d'effroi, tant de chagrin et tant
de résolution, qu'elle se mit à marcher vers le moulin
avec autant de courage qu'un soldat qui va au feu. Et,
sans songer que l'enfant était lourd et qu'elle était si

faible qu'à peine pouvait-elle porter son petit Jeannie, elle traversa le petit pont qui n'était guère bien assis et qui enfonçait sous ses pieds.

Quand elle fut au milieu elle s'arrêta. L'enfant devenait si pesant qu'elle fléchissait et que la sueur lui coulait du front. Elle se sentit comme si elle allait tomber en faiblesse, et tout d'un coup il lui revint à l'esprit une belle et merveilleuse histoire qu'elle avait lue, la veille, dans son vieux livre de la *Vie des Saints* [1]; c'était l'histoire de saint Christophe portant l'enfant Jésus pour lui faire traverser la rivière et le trouvant si lourd, que la crainte l'arrêtait [2]. Elle se retourna pour regarder le champi. Il avait les yeux tout retournés. Il ne la serrait plus avec ses bras; il avait eu trop de chagrin, ou il avait perdu trop de sang. Le pauvre enfant s'était pâmé.

---

1. *La Vie des Saints.* Dans l'*Histoire de ma Vie* (Troisième partie, XIII), George Sand a dit l'influence que ce livre avait exercée sur elle.

2. Cette légende populaire s'exprime dans le nom même du saint. Christophoros signifie en effet : qui porte le Christ.

IV

Quand la Zabelle le vit ainsi, elle le crut mort. Son amitié lui revint dans le cœur, et ne songeant plus ni au meunier, ni à la méchante vieille, elle reprit l'enfant à Madeleine et se mit à l'embrasser en criant et en pleurant. Elles le couchèrent sur leurs genoux, au bord de l'eau, lavèrent ses blessures et en arrêtèrent le sang avec leurs mouchoirs ; mais elles n'avaient rien pour le faire revenir. Madeleine, réchauffant sa tête contre son cœur, lui soufflait sur le visage et dans la bouche comme on fait aux noyés. Cela le réconforta, et dès qu'il ouvrit les yeux et qu'il vit le soin qu'on prenait de lui, il embrassa Madeleine et la Zabelle l'une après l'autre avec tant de cœur qu'elles furent obligées de l'arrêter, craignant qu'il ne retombât en pâmoison.

— Allons, allons, dit la Zabelle, il faut retourner chez nous. Non, jamais, jamais je ne pourrai quitter cet enfant-là, je le vois bien, et je n'y veux plus songer. Je garde vos dix écus, Madeleine, pour payer ce soir si on m'y force. Mais n'en dites rien ; j'irai trouver demain la bourgeoise de Presles pour qu'elle ne nous démente pas, et elle dira, au besoin, qu'elle ne vous a pas encore payé le prix de votre filage ; ça nous fera gagner du temps, et je ferai si bien, quand je devrais mendier, que je m'acquitterai envers vous pour que vous ne soyez pas molestée à cause de moi. Vous ne pouvez pas prendre cet enfant au moulin, votre mari le tuerait.

Laissez-le-moi, je jure d'en avoir autant de soin qu'à l'ordinaire, et si on nous tourmente encore nous aviserons.

Le sort voulut que la rentrée du champi se fît sans bruit et sans que personne y prît garde; car il se trouva que la mère Blanchet venait de tomber bien malade d'un coup de sang, avant d'avoir pu avertir son fils de ce qu'elle avait exigé de la Zabelle à l'endroit du champi; et maître Blanchet n'eut rien de plus pressé que d'appeler cette femme pour venir aider au ménage, pendant que Madeleine et la servante soignaient sa mère. Pendant trois jours on fut sens dessus dessous au moulin. Madeleine ne s'épargna pas, et passa trois nuits debout au chevet de sa belle-mère, qui rendit l'esprit entre ses bras.

Ce coup du sort abattit pendant quelque temps l'humeur malplaisante du meunier. Il aimait sa mère autant qu'il pouvait aimer, et il mit de l'amour-propre à la faire enterrer selon ses moyens. Il oublia sa maîtresse pendant le temps voulu, et il s'avisa même de faire le généreux, en donnant les vieilles nippes de la défunte aux pauvres voisines. La Zabelle eut sa part dans ces aumônes, et le champi lui-même eut une pièce de vingt sous, parce que Blanchet se souvint que, dans un moment où l'on était fort pressé d'avoir des sangsues pour la malade, tout le monde ayant couru inutilement pour s'en procurer, le champi avait été en pêcher, sans rien dire, dans une mare où il en savait, et en avait rapporté, en moins de temps qu'il n'en avait fallu aux autres pour se mettre en route.

Si bien que Cadet Blanchet avait à peu près oublié sa rancœur, et que personne ne sut au moulin l'équipée de la Zabelle pour remettre son champi à l'hospice. L'affaire des dix écus de la Madeleine revint plus tard, car le meunier n'avait pas oublié de faire payer la ferme de sa chétive maison à la Zabelle. Mais Madeleine prétendit les avoir perdus dans les prés en se mettant à courir, à la nouvelle de l'accident de sa belle-mère. Blanchet les chercha longtemps et gronda fort, mais il ne sut pas l'emploi de cet argent, et la Zabelle ne fut pas soupçonnée.

A partir de la mort de sa mère, le caractère de Blanchet changea peu à peu, sans pourtant s'amender. Il s'ennuya davantage à la maison, devint moins regardant à ce qui s'y passait et moins avare dans ses dépenses. Il n'en fut que plus étranger aux profits d'argent, et comme il engraissait, qu'il devenait dérangé et n'aimait plus le travail, il chercha son aubaine dans des marchés de peu de foi et dans un petit maquignonnage d'affaires qui l'aurait enrichi s'il ne se fût mis à dépenser d'un côté ce qu'il gagnait de l'autre. Sa concubine prit chaque jour plus de maîtrise sur lui. Elle l'emmenait dans les foires et assemblées pour tripoter dans des trigauderies[1] et mener la vie de cabaret. Il apprit à jouer et fut souvent heureux; mais il eût mieux valu pour lui perdre toujours, afin de s'en dégoûter; car ce dérèglement acheva de le faire sortir de son assiette, et, à la moindre perte qu'il essuyait, il devenait furieux contre lui-même et méchant envers tout le monde[2].

Pendant qu'il menait cette vilaine vie, sa femme, toujours sage et douce, gardait la maison et élevait avec amour leur unique enfant. Mais elle se regardait comme doublement mère, car elle avait pris pour le

---

1. *Trigauderies:* filouteries. De *trigaud*, que George Sand traduit dans son glossaire manuscrit par escroc, maquignon, et qu'elle considère comme un terme marchois.

2. George Sand avait connu un joueur qui supportait très mal ses pertes au jeu : Alfred de Musset.

champi une amitié très grande et veillait sur lui presque
autant que sur son propre fils. A mesure que son mari
devenait plus débauché, elle devenait moins servante
et moins malheureuse. Dans les premiers temps de son
libertinage il se montra encore très rude, parce qu'il
craignait les reproches et voulait tenir sa femme en
état de peur et de soumission. Quand il vit que par
nature elle haïssait les querelles et qu'elle ne montrait
pas de jalousie, il prit le parti de la laisser tranquille.
Sa mère n'étant plus là pour l'exciter contre elle, force
lui était bien de reconnaître qu'aucune femme n'était
plus économe pour elle-même que Madeleine. Il s'ac-
coutuma à passer des semaines entières hors de chez lui,
et quand il y revenait un jour, en humeur de faire du
train, il y était désencoléré par un silence si patient qu'il
s'en étonnait d'abord et finissait par s'endormir. Si bien
qu'on ne le revoyait plus que lorsqu'il était fatigué et
qu'il avait besoin de se reposer.

Il fallait que Madeleine fût une femme bien chrétienne [1] pour vivre ainsi seule avec une vieille fille et
deux enfants. Mais c'est qu'en fait elle était meilleure
chrétienne peut-être qu'une religieuse; Dieu lui avait
fait une grande grâce en lui ayant permis d'apprendre à
lire et de comprendre ce qu'elle lisait. C'était pourtant
toujours la même chose, car elle n'avait possession que
de deux livres, le saint Évangile et un accourci de la
Vie des Saints [2]. L'Évangile la sanctifiait et la faisait

---

1. Les héros champêtres de George Sand, surtout ceux auxquels
va sa sympathie, sont en général d'une grande piété. La romancière
a « bien compris et bien rendu le sentiment religieux des paysans »
(L. Vincent, *Le Berry dans l'œuvre de George Sand*, p. 208).

2. Tels sont également les deux livres dont Aurore Dupin faisait
sa lecture habituelle à quinze ans. (Cf. *Histoire de ma Vie*, Troisième
partie, XIII). *Accourci* (abrégé) n'est pas indiqué par Jaubert, et L. Vincent n'en a pas trouvé trace dans le parler berrichon.

pleurer toute seule lorsqu'elle lisait le soir auprès du lit
de son fils. La Vie des Saints lui faisait un autre effet :
c'était, sans comparaison, comme quand les gens qui
n'ont rien à faire lisent des contes et se montent la tête
pour des rêvasseries et des mensonges. Toutes ces
belles histoires lui donnaient des idées de courage et
même de gaieté [1]. Et quelquefois aux champs, le
champi la vit sourire et devenir rouge, quand elle avait
son livre sur les genoux. Cela l'étonnait beaucoup, et
il eut bien du mal à comprendre comment les histoires
qu'elle prenait la peine de lui raconter en les arrangeant
un peu pour les lui faire entendre (et aussi parce qu'elle
ne les entendait peut-être pas toutes très bien d'un bout
jusqu'à l'autre), pouvaient sortir de cette chose qu'elle
appelait son livre. L'envie lui vint d'apprendre à lire
aussi, et il apprit si vite et si bien avec elle, qu'elle en
fut étonnée [2], et qu'à son tour il fut capable d'enseigner
au petit Jeannie. Quand François fut en âge de faire sa
première communion, Madeleine l'aida à s'instruire
dans le catéchisme, et le curé de leur paroisse fut tout
réjoui de l'esprit et de la bonne mémoire de cet enfant,
qui pourtant passait toujours pour un nigaud, parce
qu'il n'avait point de conversation et n'était hardi
avec personne.

---

1. George Sand transpose ici dans une âme paysanne les impressions
qu'elle avait elle-même éprouvées, lorsqu'elle avait fait cette lecture
(1819) : « Je pris un livre qu'on m'avait donné... C'était un abrégé
de la Vie des Saints. J'ouvris au hasard. Je tombai sur la légende
excentrique de Saint Siméon le Stylite... Cette légende me fit sourire
d'abord, puis son étrangeté me surprit, m'intéressa; je la relus plus
attentivement, et j'y trouvai plus de poésie que d'absurdité. » (*Histoire
de ma Vie*, Troisième partie, XIII).

2. George Sand a raconté (*Les Idées d'un maître d'école*, 1872) qu'elle
fut assez souvent sollicitée par des paysans, jeunes ou vieux, de leur
apprendre à lire, et que certains d'entre eux apprenaient avec une grande
rapidité.

Quand il eut communié, comme il était en âge d'être loué, la Zabelle le vit de bon cœur entrer domestique au moulin, et maître Blanchet ne s'y opposa point, car il était devenu clair pour tout le monde que le champi était bon sujet, très laborieux, très serviable, plus fort, plus dispos et plus raisonnable que tous les enfants de son âge. Et puis, il se contentait de dix écus [1] de gage, et il y avait toute économie à le prendre. Quand François se vit tout à fait au service de Madeleine et du cher petit Jeannie qu'il aimait tant, il se trouva bien heureux, et quand il comprit qu'avec l'argent qu'il gagnait, la Zabelle pourrait payer sa ferme et avoir de moins le plus gros de ses soucis, il se trouva aussi riche que le roi.

Malheureusement la pauvre Zabelle ne jouit pas longtemps de cette récompense. A l'entrée de l'hiver, elle fit une grosse maladie, et, malgré tous les soins du champi et de Madeleine, elle mourut le jour de la Chandeleur, après avoir été si mieux qu'on la croyait guérie. Madeleine la regretta et la pleura beaucoup, mais elle tâcha de consoler le pauvre champi, qui, sans elle, n'aurait jamais surmonté son chagrin.

Un an après, il y pensait encore tous les jours et quasi à chaque instant, et une fois il dit à la meunière :

— J'ai comme un repentir quand je prie pour l'âme de ma pauvre mère : c'est de ne l'avoir pas assez aimée. Je suis bien sûr d'avoir toujours fait mon possible pour la contenter, de ne lui avoir jamais dit que de bonnes paroles, et de l'avoir servie en toutes choses comme je vous sers vous-même ; mais il faut, madame Blanchet ,

---

1. *Dix écus :* cinquante francs. C'est un faible salaire comparé aux dix-huit pistoles (cent quatre-vingts francs) qu'il gagnera plus tard quand il sera devenu garçon de moulin chez Jean Vertaud.

que je vous avoue une chose qui me peine et dont je demande pardon à Dieu bien souvent : c'est que depuis le jour où ma pauvre mère a voulu me reconduire à l'hospice, et où vous avez pris mon parti pour l'en empêcher, l'amitié que j'avais pour elle avait, bien malgré moi, diminué dans mon cœur. Je ne lui en voulais pas, je ne me permettais pas même de penser qu'elle avait mal fait en voulant m'abandonner. Elle était dans son droit ; je lui faisais du tort, elle avait crainte de votre belle-mère, et enfin elle le faisait bien à contre-cœur ; car j'ai bien vu là qu'elle m'aimait grandement. Mais je ne sais comment la chose s'est retournée dans mon esprit, ç'a été plus fort que moi. Du moment où vous avez dit des paroles que je n'oublierai jamais, je vous ai aimée plus qu'elle, et, j'ai eu beau faire, je pensais à vous plus souvent qu'à elle. Enfin, elle est morte, et je ne suis pas mort de chagrin comme je mourrais si vous mourriez.

— Et quelles paroles est-ce que j'ai dites, mon pauvre enfant, pour que tu m'aies donné comme cela toute ton amitié ? Je ne m'en souviens pas.

— Vous ne vous en souvenez pas ? dit le champi en s'asseyant aux pieds de la Madeleine qui filait son rouet en l'écoutant. Eh bien ! vous avez dit en donnant des écus à ma mère : « Tenez, je vous achète cet enfant-là ; il est à moi. » Et vous m'avez dit en m'embrassant : « A présent, tu n'es plus champi, tu as une mère qui t'aimera comme si elle t'avait mis au monde [1]. » N'avez-vous pas dit comme cela, madame Blanchet ?

— C'est possible, et j'ai dit ce que je pensais, ce que

1. Ce ne sont pas exactement les paroles prononcées par Madeleine. Elles marquent encore plus fortement le lien d'adoption maternelle.

je pense encore. Est-ce que tu trouves que je t'ai manqué de parole?

— Oh non! Seulement...

— Seulement, quoi?

— Non, je ne le dirai pas, car c'est mal de se plaindre,
et je ne veux pas faire l'ingrat et le méconnaissant.

— Je sais que tu ne peux pas être ingrat, et je veux
que tu dises ce que tu as sur le cœur. Voyons, qu'as-tu
qui te manque pour n'être pas mon enfant? Dis, je te
commande comme je commanderais à Jeannie.

— Eh bien, c'est que... c'est que vous embrassez
Jeannie bien souvent, et que vous ne m'avez jamais
embrassé depuis le jour que nous disions tout à l'heure.
J'ai pourtant grand soin d'avoir toujours la figure et
les mains bien lavées, parce que je sais que vous n'aimez
pas les enfants malpropres et que vous êtes toujours
après laver et peigner Jeannie. Mais vous ne m'embrassez pas davantage pour ça, et ma mère Zabelle ne m'embrassait guère non plus. Je vois bien pourtant que toutes
les mères caressent leurs enfants et c'est à quoi je vois
que je suis toujours un champi et que vous ne pouvez
pas l'oublier.

— Viens m'embrasser, François, dit la meunière
en asseyant l'enfant sur ses genoux et en l'embrassant
au front avec beaucoup de sentiment. J'ai eu tort, en
effet, de ne jamais songer à cela, et tu méritais mieux
de moi. Tiens, tu vois, je t'embrasse de grand cœur,
et tu es bien sûr à présent que tu n'es plus champi,
n'est-ce pas?

L'enfant se jeta au cou de Madeleine, et devint si
pâle qu'elle en fut étonnée et l'ôta doucement de dessus
ses genoux en essayant de le distraire. Mais il la quitta
au bout d'un moment, et s'enfuit tout seul comme pour
se cacher, ce qui donna de l'inquiétude à la meunière.

Elle le chercha et le trouva à genoux dans un coin de la grange et tout en larmes.

— Allons, allons, François, lui dit-elle en le relevant, je ne sais pas ce que tu as. Si c'est que tu penses à ta pauvre mère Zabelle, il faut faire une prière pour elle et tu te sentiras plus tranquille.

— Non, non, dit l'enfant en tortillant le bord du tablier de Madeleine et en le baisant de toutes ses forces, je ne pensais pas à ma pauvre mère. Est-ce que ce n'est pas vous qui êtes ma mère ?

— Et pourquoi pleures-tu donc ? Tu me fais de la peine.

— Oh non! oh non! je ne pleure pas, répondit François en essuyant vitement ses yeux et en prenant un air gai; c'est-à-dire, je ne sais pas pourquoi je pleurais. Vrai, je n'en sais rien, car je suis content comme[a] si j'étais en paradis.

V

Depuis ce jour-là Madeleine embrassa cet enfant matin et soir, ni plus ni moins que s'il eût été à elle, et la seule différence qu'elle fît entre Jeannie et François, c'est que le plus jeune était le plus gâté et le plus cajolé, comme son âge le comportait. Il n'avait que sept ans lorsque le champi en avait douze, et François comprenait fort bien qu'un grand garçon comme lui ne pouvait être amijolé [1] comme un petit. D'ailleurs ils étaient encore plus différents d'apparence que d'âge. François était si grand et si fort, qu'il paraissait un garçon de quinze ans, et Jeannie était mince et petit comme sa mère, dont il avait toute la retirance [2].

En sorte qu'il arriva qu'un matin qu'elle recevait son bonjour sur le pas de sa porte, et qu'elle l'embrassait comme de coutume, sa servante lui dit :

— M'est avis, sans vous offenser, notre maîtresse, que ce gars est bien grand pour se faire embrasser comme une petite fille.

— Tu crois ? répondit Madeleine étonnée. Mais tu ne sais donc pas l'âge qu'il a ?

— Si fait ; aussi je n'y verrais pas de mal, n'était qu'il est champi, et que moi, qui ne suis que votre servante, je n'embrasserais pas ça pour bien de l'argent.

---

1. *Amijoler* est donné par Jaubert avec les sens de : enjôler, séduire. Ici *amijolé* a le sens de cajolé, dont il évite la répétition.

2. *Retirance* : ressemblance.

— Ce que vous dites là est mal, Catherine, reprit madame Blanchet, et surtout vous ne devriez pas le dire devant ce pauvre enfant.

— Qu'elle le dise et que tout le monde le dise, répliqua François avec beaucoup de hardiesse. Je ne m'en fais pas de peine. Pourvu que je ne sois pas champi pour vous, madame Blanchet, je suis très content.

— Tiens, voyez donc! dit la servante. C'est la première fois que je l'entends causer si longtemps. Tu sais donc mettre trois paroles au bout l'une de l'autre, François? Eh bien! vrai, je croyais que tu ne comprenais pas seulement ce qu'on disait. Si j'avais su que tu écoutais, je n'aurais pas dit devant toi ce que j'ai dit, car je n'ai nulle envie de te molester. Tu es bon garçon, très tranquille et complaisant. Allons, allons, n'y pense pas; si je trouve drôle que notre maîtresse t'embrasse, c'est parce que tu me parais trop grand pour ça, et que ta câlinerie te fait paraître encore plus sot que tu n'es.

Ayant ainsi raccommodé la chose, la grosse Catherine alla faire sa soupe et n'y pensa plus.

Mais le champi suivit Madeleine au lavoir, et s'asseyant auprès d'elle, il lui parla encore comme il savait parler avec elle et pour elle seule.

— Vous souvenez-vous, madame Blanchet, lui dit-il, d'une fois que j'étais là, il y a bien longtemps, et que vous m'avez fait dormir dans votre chéret [1]?

— Oui, mon enfant, répondit-elle, et c'est même la première fois que nous nous sommes vus.

— C'est donc la première fois? Je n'en étais pas certain, je ne m'en souviens pas[a] bien; car quand je pense à ce temps-là, c'est comme dans un rêve. Et combien d'années est-ce qu'il y a de ça?

---

1. *Chéret :* Cf. p. 224, n. 1.

— Il y a... attends donc, il y a environ six ans, car mon Jeannie avait quatorze mois.

— Comme cela je n'étais pas si vieux qu'il est à présent? Croyez-vous que quand il aura fait sa première communion, il se souviendra de tout ce qui lui arrive à présent?

— Oh! oui, je m'en souviendrai bien, dit Jeannie.

— Ça dépend, reprit François. Qu'est-ce que tu faisais hier à cette heure-ci?

Jeannie, étonné, ouvrit la bouche pour répondre, et resta court d'un air penaud.

— Eh bien! et toi? je parie que tu n'en sais rien non plus, dit à François la meunière qui avait coutume de s'amuser à les entendre deviser et babiller ensemble.

— Moi, moi? dit le champi embarrassé, attendez donc... J'allais aux champs et j'ai passé par ici... et j'ai pensé à vous; c'est hier, justement, que je me suis souvenu du jour où vous m'avez plié dans votre chéret.

— Tu as bonne mémoire, et c'est étonnant que tu te souviennes de si loin. Et te souviens-tu que tu avais la fièvre?

— Non, par exemple!

— Et que tu m'as rapporté mon linge à la maison sans que je te le dise?

— Non plus.

— Moi, je m'en suis toujours souvenue, parce que c'est à cela que j'ai connu que tu étais de bon cœur.

— Moi aussi, je suis d'un bon cœur, pas vrai, mère? dit le petit Jeannie en présentant à sa mère une pomme qu'il avait à moitié rongée.

— Certainement, toi aussi, et tout ce que tu vois faire de bien à François, tu le feras aussi plus tard.

— Oui, oui, répliqua l'enfant bien vite; je monterai ce soir sur la pouliche jaune, et j'irai la conduire au pré.

— Oui-da, dit François en riant; et puis tu monteras aussi sur le grand cormier pour dénicher les croquabeilles [1]? Attends, que je vas te laisser faire, petiot! Mais dites-moi donc, madame Blanchet, il y a une chose que je veux vous demander, mais je ne sais pas si vous voudrez me la dire.

— Voyons.

— C'est pourquoi ils croient me fâcher en m'appelant champi. Est-ce que c'est mal d'être champi?

— Mais non, mon enfant, puisque ce n'est pas ta faute.

— Et à qui est-ce la faute?

— C'est la faute aux riches.

— La faute aux riches! comment donc ça?

— Tu m'en demandes bien long aujourd'hui; je te dirai ça plus tard.

— Non, non, tout de suite, madame Blanchet.

— Je ne peux pas t'expliquer... D'abord sais-tu toi-même ce que c'est que d'être champi?

— Oui, c'est d'avoir été mis à l'hospice par ses père et mère, parce qu'ils n'avaient pas le moyen pour vous nourrir et vous élever.

— C'est ça. Tu vois donc bien que s'il y a des gens assez malheureux pour ne pouvoir pas élever leurs enfants eux-mêmes, c'est la faute aux riches qui ne les assistent pas [2].

— Ah! c'est juste! répondit le champi tout pensif. Pourtant il y a de bons riches, puisque vous l'êtes, vous, madame Blanchet; c'est le tout de se trouver au droit [3] pour les rencontrer.

---

1. *Croquabeilles:* mésanges.

2. Ici s'exprime à nouveau le rêve collectiviste de George Sand. Cf. p. 225, n. 1.

3. *Au droit* (se prononçait *au dret*): à l'endroit exact. Littéralement: en face.

VI

Cependant le champi, qui allait toujours rêvassant et cherchant des raisons à tout, depuis qu'il savait lire et qu'il avait fait sa première communion, rumina dans sa tête ce que la Catherine avait dit à madame Blanchet à propos de lui ; mais il eut beau y songer, il ne put jamais comprendre pourquoi, de ce qu'il devenait grand, il ne devait plus embrasser Madeleine. C'était le garçon le plus innocent de la terre, et il ne se doutait point de ce que les gars de son âge apprennent bien trop vite à la campagne.

Sa grande honnêteté d'esprit lui venait de ce qu'il n'avait pas été élevé comme les autres. Son état de champi, sans lui faire honte, l'avait toujours rendu malhardi ; et, bien qu'il ne prît point ce nom-là pour une injure, il ne s'accoutumait pas à l'étonnement de porter une qualité qui le faisait toujours différent de ceux avec qui il se trouvait. Les autres champis sont presque toujours humiliés de leur sort, et on le leur fait si durement comprendre qu'on leur ôte de bonne heure la fierté du chrétien [1]. Ils s'élèvent en détestant ceux qui les ont mis au monde, sans compter qu'ils n'aiment pas davantage ceux qui les y ont fait

---

1. *Chrétien* semble employé ici dans un sens très large. En langage berrichon, *chrétien* signifie couramment homme. *La fierté du chrétien* c'est donc le sentiment de la dignité humaine.

rester. Mais il se trouva que François était tombé dans les mains de la Zabelle qui l'avait aimé et qui ne le maltraitait point, et ensuite qu'il avait rencontré Madeleine dont la charité était plus grande et les idées plus humaines que celles de tout le monde. Elle avait été pour lui ni plus ni moins qu'une bonne mère, et un champi qui rencontre de l'amitié est meilleur qu'un autre enfant, de même qu'il est pire quand il se voit molesté et avili.

Aussi François n'avait-il jamais eu d'amusement et de contentement parfait que dans la compagnie de Madeleine, et au lieu de rechercher les autres pastours [1] pour se divertir, il s'était élevé tout seul, ou pendu aux jupons des deux femmes qui l'aimaient. Quand il était avec Madeleine surtout, il se sentait aussi heureux que pouvait l'être Jeannie, et il n'était pas pressé d'aller courir avec ceux qui le traitaient bien vite de champi, puisque avec eux il se trouvait tout d'un coup, et sans savoir pourquoi, comme un étranger.

Il arriva donc en âge de quinze ans sans connaître la moindre malice, sans avoir l'idée du mal, sans que sa bouche eût jamais répété un vilain mot, et sans que ses oreilles l'eussent compris. Et pourtant depuis le jour où Catherine avait critiqué sa maîtresse sur l'amitié qu'elle lui montrait, cet enfant eut le grand sens et le grand jugement de ne plus se faire embrasser par la meunière.

---

1. *Pastours :* jeunes pâtres. George Sand a dit (*Histoire de ma Vie*, Troisième partie, ix) quels étaient les jeux des pastours : « Nous faisions le *ravage* dans les fossés, sur les arbres, dans les ruisseaux. Nous gardions les troupeaux, c'est-à-dire que nous ne les gardions pas du tout, et que, pendant que les chèvres et les moutons faisaient bonne chère dans les jeunes blés, nous formions des danses échevelées, ou bien nous goûtions sur l'herbe avec nos galettes, nos fromages et notre pain bis. On ne se gênait pas pour traire les chèvres et les brebis... On faisait cuire des oiseaux et des pommes de terre sous la cendre. »

Il eut l'air de ne pas y penser, et peut-être d'avoir honte de faire la petite fille et le câlin, comme disait Catherine. Mais, au fond, ce n'était pas cette honte-là qui le tenait. Il s'en serait bien moqué, s'il n'eût comme deviné qu'on pouvait faire un reproche à cette chère femme de l'aimer. Pourquoi un reproche? Il ne se l'expliquait point; et voyant qu'il ne le trouverait pas de lui-même, il ne voulut pas se le faire expliquer par Madeleine. Il savait qu'elle était capable de supporter la critique par amitié et par bon cœur; car il avait bonne mémoire, et il se souvenait bien que Madeleine avait été tancée et en danger d'être battue [1] dans le temps, pour lui avoir fait du bien.

En sorte que, par son bon instinct, il lui épargna l'ennui d'être reprise et moquée à cause de lui. Il comprit, et c'est merveille! il comprit, ce pauvre enfant, qu'un champi ne devait pas être aimé autrement qu'en secret [2], et plutôt que de causer un désagrément à Madeleine, il eût consenti à ne pas être aimé du tout.

Il était attentif à son ouvrage, et comme, à mesure qu'il devenait grand, il avait plus de travail sur les bras, il advint que peu à peu il fut moins souvent avec Madeleine. Mais il ne s'en faisait pas de chagrin, parce qu'en travaillant il se disait que c'était pour elle, et qu'il serait bien récompensé par le plaisir de la voir aux repas.

---

1. Réminiscence de La Fontaine (*La Laitière et le Pot au lait*) :
... En grand danger d'être battue.

2. George Sand aime le mystère des sentiments secrets : celui du marquis de Boisguilbault pour Gilberte de Châteaubrun, fille illégitime de sa propre femme (*Le Péché de M. Antoine*), celui de la princesse Agathe pour Michel Lavoratori, le fils qui lui a été enlevé à sa naissance (*Le Piccinino*). La romancière elle-même avait éprouvé pour sa mère une passion romanesque et presque clandestine. Cf. *Histoire de ma Vie*, Troisième partie, v.

Le soir, quand Jeannie était endormi, Catherine allait se coucher, et François restait encore, dans les temps de veillée, pendant une heure ou deux avec Madeleine. Il lui faisait lecture de livres ou causait avec elle pendant qu'elle travaillait [1]. Les gens de campagne ne lisent pas vite ; si bien que les deux livres qu'ils avaient suffisaient pour les contenter. Quand ils avaient lu trois pages dans la soirée, c'était beaucoup, et quand le livre était fini, il s'était passé assez de temps depuis le commencement, pour qu'on pût reprendre la première page, dont on ne se souvenait pas trop. Et puis il y a deux manières de lire, et il serait bon de dire cela aux gens qui se croient bien instruits. Ceux qui ont beaucoup de temps à eux, et beaucoup de livres, en avalent tant qu'ils peuvent et se mettent tant de sortes de choses dans la tête, que le bon Dieu n'y connaît plus goutte. Ceux qui n'ont pas le temps et les livres, sont heureux quand ils tombent sur le bon morceau. Ils le recommencent cent fois sans se lasser, et chaque fois, quelque chose qu'ils n'avaient pas bien remarqué leur fait venir une nouvelle idée. Au fond, c'est toujours la même idée, mais elle est si retournée, si bien goûtée et digérée, que l'esprit qui la tient est mieux nourri et mieux portant, à lui tout seul, que trente mille cervelles remplies de vents et de fadaises. Ce que je vous dis là, mes enfants, je le tiens de M. le curé, qui s'y connaît.

Or donc, ces deux personnes-là vivaient contentes de ce qu'elles avaient à consommer en fait de savoir, et elles le consommaient tout doucement, s'aidant l'une l'autre à comprendre et à aimer ce qui fait qu'on est

---

1. Les soirées de la meunière ressemblent un peu trop à celles de la châtelaine de Nohant : elle aimait qu'on lui fît la lecture pendant qu'elle travaillait à sa tapisserie ou à quelque ouvrage de couture.

juste et bon. Il leur venait par là une grande religion [1] et un grand courage, et il n'y avait pas de plus grand bonheur pour elles que de se sentir bien disposées pour tout le monde, et d'être d'accord en tout temps et en tout lieu, sur l'article de la vérité et la volonté de bien agir.

---

1. *Religion :* sentiment du devoir.

VII

M. Blanchet ne regardait plus trop à la dépense
qui se faisait chez lui, parce qu'il avait réglé le compte
de l'argent qu'il donnait chaque mois à sa femme pour
l'entretien de la maison, et que c'était aussi peu que
possible. Madeleine pouvait, sans le fâcher, se priver de
ses propres aises, et donner à ceux qu'elle savait malheureux autour d'elle, un jour un peu de bois, un autre
jour une partie de son repas, et un autre jour encore
quelques légumes, du linge, des œufs, que sais-je? Elle
venait à bout d'assister son prochain, et quand les
moyens lui manquaient, elle faisait de ses mains
l'ouvrage des pauvres gens, et empêchait que la maladie
ou la fatigue ne les fît mourir [1]. Elle avait tant d'économie, elle raccommodait si soigneusement ses hardes,
qu'on eût dit qu'elle vivait bien; et pourtant, comme
elle voulait que son monde ne souffrît pas de sa charité,
elle s'accoutumait à ne manger presque rien, à ne
jamais se reposer, et à dormir le moins possible. Le
champi voyait tout cela, et le trouvait tout simple; car,
par son naturel aussi bien que par l'éducation qu'il

---

1. Ici encore George Sand prête à Madeleine ses propres façons
d'agir. « Elle a secouru avec assiduité les pauvres de Nohant et des
environs... Du château on envoyait aux malades vin vieux, consommé,
confiture, café, chocolat... Les visites du médecin ainsi que les médi-
caments étaient à la charge de George Sand... Jeune femme elle préparait des remèdes pour ses malades, les visitait, les soignait elle-même. »
(L. Vincent, *George Sand et le Berry*, pp. 577 et 578).

recevait de Madeleine, il se sentait porté au même goût et au même devoir. Seulement quelquefois il s'inquiétait de la fatigue que se donnait la meunière, et se reprochait[a] de trop dormir et de trop manger. Il aurait voulu pouvoir passer la nuit à coudre et à filer à sa place, et quand elle voulait lui payer son gage qui était monté à peu près à vingt écus [1], il se fâchait et l'obligeait de le garder en cachette du meunier.

— Si ma mère Zabelle n'était pas morte, disait-il, cet argent-là aurait été pour elle. Qu'est-ce que vous voulez que je fasse avec de l'argent? Je n'en ai pas besoin, puisque vous prenez soin de mes hardes et que vous me fournissez les sabots. Gardez-le donc pour de plus malheureux que moi. Vous travaillez déjà tant pour le pauvre monde! Eh bien, si vous me donnez de l'argent, il faudra donc que vous travailliez encore plus, et si vous veniez à tomber malade et à mourir comme ma pauvre Zabelle, je demande un peu à quoi me servirait de l'argent dans mon coffre? ça vous ferait-il revenir, et ça m'empêcherait-il de me jeter dans la rivière?

— Tu n'y songes pas, mon enfant, lui dit Madeleine, un jour qu'il revenait à cette idée-là, comme il lui arrivait de temps en temps : se donner la mort n'est pas d'un chrétien, et si je mourais, ton devoir serait de me survivre pour consoler et soutenir mon Jeannie. Est-ce que tu ne le ferais pas, voyons?

— Oui, tant que Jeannie serait enfant et aurait besoin de mon amitié. Mais après!... Ne parlons pas de ça, madame Blanchet. Je ne peux pas être bon chrétien sur cet article-là. Ne vous fatiguez pas tant,

---

1. *Vingt écus :* cent francs, c'est-à-dire à peu près la moitié de ce que gagnait habituellement un domestique. Cf. p. 300, n. 1.

ne mourez pas, si vous voulez que je vive sur la terre.

— Sois donc tranquille, je n'ai pas envie de mourir. Je me porte bien. Je suis faite au travail, et même je suis plus forte à présent que je ne l'étais dans ma jeunesse.

— Dans votre jeunesse! dit François étonné; vous n'êtes donc pas jeune?

Et il avait peur qu'elle ne fût en âge de mourir.

— Je crois que je n'ai pas eu le temps de l'être, répondit Madeleine en riant comme une personne qui fait contre mauvaise fortune bon cœur; et à présent j'ai vingt-cinq ans [1], ce qui commence à compter pour une femme de mon étoffe; car je ne suis pas née solide comme toi, petit, et j'ai eu des peines qui m'ont avancée plus que l'âge.

— Des peines! oui, mon Dieu! Dans le temps que monsieur Blanchet vous parlait si durement, je m'en suis bien aperçu. Ah! que le bon Dieu me le pardonne! je ne suis pourtant pas méchant; mais un jour qu'il avait levé la main sur vous, comme s'il voulait vous frapper... Ah! il a bien fait de s'en priver, car j'avais empoigné un fléau, — personne n'y avait fait attention, — et j'allais tomber dessus... Mais il y a déjà longtemps de ça, madame Blanchet, car je me souviens que je n'étais pas si grand que lui de toute la tête, et à présent je vois le dessus de ses cheveux. Et à cette heure, madame Blanchet, il ne vous dit quasiment plus rien, vous n'êtes plus malheureuse?

— Je ne le suis plus! tu crois? dit Madeleine un peu vivement, en songeant qu'elle n'avait jamais eu d'amour

---

1. Puisque François a quinze ans (Ch. VI), Madeleine devrait en avoir vingt-sept. A la fin du roman (Ch. XXIV), George Sand rajeunira encore son héroïne et lui donnera « quasi trente ans », au lieu de trente-trois qu'elle devrait avoir.

dans son mariage. Mais elle se reprit, car cela ne regardait pas le champi, et elle ne devait pas faire entendre ces idées-là à un enfant. — A cette heure, dit-elle, tu as raison, je ne suis plus malheureuse; je vis comme je l'entends. Mon mari est beaucoup plus honnête avec moi; mon fils profite bien, et je n'ai à me plaindre d'aucune chose.

— Et moi, vous ne me faites pas entrer en ligne de compte? moi... je...

— Eh bien! toi aussi tu profites bien, et ça me donne du contentement.

— Mais je vous en donne peut-être encore autrement?

— Oui, tu te conduis bien, tu as bonne idée en toutes choses, et je suis contente de toi.

— Oh! si vous n'étiez pas contente de moi, quel mauvais drôle, quel rien du tout je serais, après la manière dont vous m'avez traité! Mais il y a encore autre chose qui devrait vous rendre heureuse, si vous pensiez comme moi.

— Eh bien, dis-le, car je ne sais pas quelle finesse tu arranges pour me surprendre.

— Il n'y a pas de finesse, madame Blanchet, je n'ai qu'à regarder en moi, et j'y vois une chose; c'est que, quand même je souffrirais la faim, la soif, le chaud et le froid, et que par-dessus le marché je serais battu à mort tous les jours, et qu'ensuite je n'eusse pour me reposer qu'un fagot d'épines ou un tas de pierres, eh bien!... comprenez-vous?

— Je crois que oui, mon François; tu ne te trouverais pas malheureux de tout ce mal-là, pourvu que ton cœur fût en paix avec le bon Dieu?

— Il y a ça d'abord, et ça va sans dire. Mais moi je voulais dire autre chose.

— Je n'y suis point, et je vois que tu es devenu plus malin que moi.

— Non, je ne suis pas malin. Je dis que je souffrirais toutes les peines que peut avoir un homme vivant vie mortelle, et que je serais encore content en pensant que Madeleine Blanchet a de l'amitié pour moi. Et c'est pour ça que je disais tout à l'heure que si vous pensiez de même, vous diriez : François m'aime tant que je suis contente d'être au monde.

— Tiens! tu as raison, mon pauvre cher enfant, répondit Madeleine, et les choses que tu me dis me donnent des fois comme une envie de pleurer. Oui, de vrai, ton amitié pour moi est un des biens de ma vie, et le meilleur peut-être, après... non, je veux dire *avec* celui de mon Jeannie. Comme tu es plus avancé en âge, tu comprends mieux ce que je te dis, et tu sais mieux me dire ce que tu penses. Je te certifie que je ne m'ennuie jamais avec vous deux, et que je ne demande au bon Dieu qu'une chose à présent, c'est de pouvoir rester longtemps comme nous voilà, en famille, sans nous séparer.

— Sans nous séparer, je le crois bien! dit François; j'aimerais mieux être coupé par morceaux que de vous quitter. Qui est-ce qui m'aimerait comme vous m'avez aimé? Qui est-ce qui se mettrait en danger d'être maltraitée pour un pauvre champi, et qui l'appellerait son enfant, son cher fils? car vous m'appelez bien souvent, presque toujours comme ça. Et mêmement [1] vous me dites souvent, quand nous sommes seuls : Appelle-moi *ma mère*, et non pas toujours madame Blan-

---

1. *Mêmement* : cet ancien mot, dont c'est ici le premier emploi dans le roman, va s'y retrouver souvent avec ses deux sens classiques : même et de même.

chet. Et moi je n'ose pas, parce que j'ai trop peur de m'y accoutumer et de lâcher ce mot-là devant le monde.

— Eh bien, quand même ?

— Oh ! quand même ! on vous le reprocherait, et moi je ne veux pas qu'on vous ennuie à cause de moi. Je ne suis pas fier, allez ! je n'ai pas besoin qu'on sache que vous m'avez relevé de mon état de champi. Je suis bien assez heureux de savoir, à moi tout seul, que j'ai une mère dont je suis l'enfant ! Ah ! il ne faut pas que vous mouriez, madame Blanchet, surajouta le pauvre François en la regardant d'un air triste, car il avait depuis quelque temps des idées de malheur : si je vous perdais, je n'aurais plus personne sur la terre, car vous irez pour sûr dans le paradis du bon Dieu, et moi je ne sais pas si je suis assez méritant pour avoir la récompense d'y aller avec vous.

François avait dans tout ce qu'il disait et dans tout ce qu'il pensait comme un avertissement de quelque gros malheur, et, à quelque temps de là, ce malheur tomba sur lui.

Il était devenu le garçon du moulin. C'était lui qui allait chercher le blé des pratiques sur son cheval, et qui le leur reportait en farine. Ça lui faisait faire souvent de longues courses, et mêmement il allait souvent chez la maîtresse de Blanchet, qui demeurait à une petite lieue du moulin [1]. Il n'aimait guère cette commission-là, et il ne s'arrêtait pas une minute dans la maison quand son blé était pesé et mesuré...

. . . .

En cet endroit de l'histoire, la raconteuse s'arrêta.

---

1. Si l'on admet que le Cormouer se trouve sur la Vauvre, vers l'emplacement du moulin de la Rame (Cf. p. 221, n. 1), la distance qui le sépare de Dolins, où habite la Sévère, est effectivement d'environ trois kilomètres.

— Savez-vous qu'il y a longtemps que je parle? dit-elle aux paroissiens qui l'écoutaient. Je n'ai plus le poumon comme à quinze ans, et m'est avis que le chanvreur, qui connaît l'affaire mieux que moi-même, pourrait bien me relayer. D'autant mieux que nous arrivons à un endroit où je ne me souviens plus si bien.

— Et moi, répondit le chanvreur, je sais bien pourquoi vous n'êtes plus mémorieuse [1] au milieu comme vous l'étiez au commencement; c'est que ça commence à mal tourner pour le champi, et que ça vous fait peine, parce que vous avez un cœur de poulet, comme toutes les dévotes, aux histoires d'amour.

— Ça va donc tourner en histoire d'amour? dit Sylvine Courtioux qui se trouvait là.

— Ah! bon! repartit le chanvreur, je savais bien que je ferais dresser l'oreille aux jeunes filles en lâchant ce mot-là. Mais patience, l'endroit où je vais reprendre, avec charge de mener l'histoire à bonne fin, n'est pas encore ce que vous voudriez savoir. Où en êtes-vous restée, mère Monique?

— J'en étais sur la maîtresse à Blanchet.

— C'est ça, dit le chanvreur. Cette femme-là s'appelait Sévère [2], et son nom n'était pas bien ajusté sur elle, car elle n'avait rien de pareil dans son idée. Elle en savait long pour endormir les gens dont elle voulait voir reluire les écus au soleil. On ne peut pas dire qu'elle fût méchante, car elle était d'humeur réjouissante et sans souci, mais elle rapportait tout à elle, et ne se mettait guère en peine du dommage des autres, pourvu

---

1. *Mémorieuse:* cet adjectif n'est pas cité par Jaubert.
2. « *Sévère:* nom propre répandu en Marche. » (George Sand, *Glossaire*).

qu'elle fût brave [1] et fêtée. Elle avait été à la mode dans
le pays, et, disait-on, elle avait trouvé trop de gens à
son goût. Elle était encore très belle femme et très
avenante, vive quoique corpulente, et fraîche comme
une guigne. Elle ne faisait pas grande attention au
champi, et si elle le rencontrait dans son grenier ou
dans sa cour, elle lui disait quelque fadaise pour se
moquer de lui, mais sans mauvais vouloir, et pour
l'amusement de le voir rougir; car il rougissait comme
une fille quand cette femme lui parlait, et il se sentait
mal à son aise. Il lui trouvait un air hardi, et elle lui
faisait l'effet d'être laide et méchante, quoiqu'elle ne fût
ni l'une ni l'autre; du moins la méchanceté ne lui venait
que quand on la contrariait dans ses intérêts ou dans
son contentement d'elle-même; et mêmement il faut
dire qu'elle aimait à donner presque autant qu'à recevoir. Elle était généreuse par braverie, et se plaisait
aux remerciements [2]. Mais dans l'idée du champi, ce
n'était qu'une diablesse qui réduisait madame Blanchet
à vivre de peu et à travailler au-dessus de ses forces.

Pourtant il se trouva que le champi entrait dans ses
dix-sept ans, et que madame Sévère trouva qu'il était
diablement beau garçon. Il ne ressemblait pas aux
autres enfants de campagne, qui sont trapus et comme
tassés à cet âge-là, et qui ne font mine de se dénouer et
de devenir quelque chose que deux ou trois ans plus
tard. Lui, il était déjà grand, bien bâti; il avait la peau
blanche, même en temps de moisson, et des cheveux
tout frisés qui étaient comme brunets à la racine et
finissaient en couleur d'or.

------

1. *Brave :* bien habillée (sens classique). Un peu plus loin *braverie*
est employé dans le sens plus général de coquetterie.

2. L'indulgence relative de ce portrait sera démentie dans la suite
par les agissements de la Sévère.

... Est-ce comme ça que vous les aimez, dame Monique? les cheveux, je dis, sans aucunement parler des garçons.

— Ça ne vous regarde pas, répondit la servante du curé. Dites votre histoire.

— Il était toujours pauvrement habillé, mais il aimait la propreté, comme Madeleine Blanchet le lui avait appris; et tel qu'il était, il avait un air qu'on ne trouvait point aux autres. La Sévère vit tout cela petit à petit, et enfin elle le vit si bien, qu'elle se mit en tête de le dégourdir un peu. Elle n'avait point de préjugés, et quand elle entendait dire : « C'est dommage qu'un si beau gars soit un champi », elle répondait : « Les champis ont moyen d'être beaux, puisque c'est l'amour qui les a mis dans le monde. »

Voilà ce qu'elle inventa pour se trouver avec lui. Elle fit boire Blanchet plus que de raison à la foire de Saint-Denis-de-Jouhet [1], et quand elle vit qu'il n'était plus capable de mettre un pied devant l'autre, elle le recommanda à ses amis de l'endroit pour qu'on le fît coucher. Et alors elle dit à François, qui était venu là avec son maître pour conduire ses bêtes[a] en foire :

— Petit, je laisse ma jument à ton maître pour revenir demain matin; toi, tu vas monter sur la sienne et me prendre en croupe pour me ramener chez moi.

L'arrangement n'était point du goût de François. Il dit que la jument du moulin n'était pas assez forte pour porter deux personnes, et qu'il s'offrait à reconduire la Sévère, elle montée sur sa bête, lui sur celle de Blanchet; qu'il s'en retournerait aussitôt chercher son maître avec une autre monture, et qu'il se portait

---

1. *Saint-Denis-de-Jouhet* se trouve à environ quinze kilomètres au sud de l'emplacement présumé du Cormouer.

caution d'être de grand matin à Saint-Denis-de-Jouhet : mais la Sévère ne l'écouta non plus que le tondeur le[a] mouton [1], et lui commanda d'obéir. François avait peur d'elle, parce que comme Blanchet ne voyait que par ses yeux, elle pouvait le faire renvoyer du moulin s'il la mécontentait, d'autant qu'on était à la Saint-Jean [2]. Il la prit donc en croupe, sans se douter, le pauvre gars, que ce n'était pas un meilleur moyen pour échapper à son mauvais sort.

---

1. *Non plus que le tondeur* (n'écoute) *le mouton :* comparaison naturelle dans un pays où l'on pratique presque partout l'élevage du mouton.

2. Non pas le jour de la Saint-Jean, mais aux approches de la Saint-Jean. En effet l'explication qui aura lieu un peu plus tard entre Madeleine et François (Ch. x) se place la veille de cette fête.

VIII

Quand ils se mirent en chemin, c'était à la brune, et quand ils passèrent sur la pelle [1] de l'étang de Rochefolle [2], il faisait nuit grande. La lune n'était pas encore sortie des bois, et les chemins qui sont, de ce côté-là, tout ravinés par les eaux de source, n'avaient rien de bon. Et si [3], François talonnait la jument et allait vite, car il s'ennuyait tout à fait avec la Sévère, et il aurait déjà voulu être auprès de madame Blanchet.

Mais la Sévère, qui n'était pas si pressée d'arriver à son logis, se mit à faire la dame et à dire qu'elle avait peur, qu'il fallait marcher le pas, parce que la jument ne relevait pas bien ses pieds et qu'elle risquait de s'abattre.

— Bah! dit François sans l'écouter, ce serait donc la première fois qu'elle prierait le bon Dieu; car, sans comparaison du saint baptême [4], jamais je ne vis jument si peu dévote!

— Tu as de l'esprit, François, dit la Sévère en rica-

---

1. *La pelle :* la vanne.
2. *L'étang de Rochefolle* se trouve à trois kilomètres au nord de Saint-Denis-de-Jouhet, dans une région relativement accidentée et boisée.
3. *Si :* pour cette raison.
4. L'expression se retrouve dans *Les Maîtres sonneurs,* (Treizième Veillée). C'est la transposition littéraire d'une expression authentiquement berrichonne, citée par Jaubert sous la forme : *réserve le baptême,* et par L. Vincent sous la forme *au réserve du baptême.*

nant, comme si François avait dit quelque chose de bien drôle et de bien nouveau.

— Ah! pas du tout, ma foi, répondit le champi, qui pensa qu'elle se moquait de lui.

— Allons, tu ne vas pas trotter à la descente, que je compte?

— N'ayez pas peur, nous trotterons bien tout de même.

Le trot, en descendant, coupait le respire [1] à la grosse Sévère et l'empêchait de causer, ce dont elle fut contrariée, car elle comptait enjôler le jeune homme avec ses paroles. Mais elle ne voulut pas faire voir qu'elle n'était plus assez jeune ni assez mignonne pour endurer la fatigue, et elle ne dit mot pendant un bout de chemin.

Quand ça fut dans le bois de châtaigniers, elle s'avisa de dire :

— Attends, François, il faut t'arrêter, mon ami François : la jument vient de perdre un fer.

— Quand même elle serait déferrée, dit François, je n'ai là ni clous ni marteau pour la rechausser.

— Mais il ne faut pas perdre le fer. Ça coûte! Descends, je te dis, et cherche-le.

— Pardine, je le chercherais bien deux heures sans le trouver, dans ces fougères! Et mes yeux ne sont pas des lanternes.

— Si fait, François, dit la Sévère d'un ton moitié sornette, moitié amitié; tes yeux brillent comme des vers luisants.

— C'est donc que vous les voyez derrière mon chapeau? répondit François pas du tout content de ce qu'il prenait pour des moqueries.

---

1. *Respire* (ou *respir*) appartient à la fois au patois du Centre et à l'ancien français.

— Je ne les vois pas à cette heure, dit la Sévère avec un soupir aussi gros qu'elle; mais je les ai vus d'autres fois!

— Ils ne vous ont jamais rien dit, reprit l'innocent champi. Vous pourriez bien les laisser tranquilles, car ils ne vous ont pas fait d'insolence, et ne vous en feront mie.

— Je crois, dit en cet endroit la servante du curé, que vous pourriez passer un bout de l'histoire. Ce n'est pas bien intéressant de savoir toutes les mauvaises raisons que chercha cette mauvaise femme pour surprendre la religion [1] de notre champi.

— Soyez tranquille, mère Monique, répondit le chanvreur, j'en passerai tout ce qu'il faudra. Je sais que je parle devant des jeunesses, et je ne dirai parole de trop.

Nous en étions restés aux yeux de François, que la Sévère aurait voulu rendre moins honnêtes qu'il ne se vantait de les avoir avec elle. — Quel âge avez-vous donc, François? qu'elle lui dit, essayant de lui donner du *vous*, pour lui faire comprendre qu'elle ne voulait plus le traiter comme un gamin.

— Oh! ma foi! je n'en sais rien au juste, répondit le champi qui commençait à la voir venir avec ses gros sabots. Je ne m'amuse pas souvent à faire le compte de mes jours.

— On dit que vous n'avez que dix-sept ans, reprit-elle; mais moi, je gage que vous en avez vingt car, vous voilà grand, et bientôt vous aurez de la barbe.

— Ça m'est très égal, dit François en bâillant.

---

1. L'expression *surprendre la religion* paraît bien recherchée dans la bouche d'une paysanne.

— Oui-da! vous allez trop vite, mon garçon. Voilà que j'ai perdu ma bourse!

— Diantre! dit François, qui ne la supposait pas encore si madrée qu'elle était, il faut donc que vous descendiez pour la chercher, car c'est peut-être de conséquence?

Il descendit et l'aida à dévaler [1]; elle ne se fit point faute de s'appuyer sur lui, et il la trouva plus lourde qu'un sac de blé.

Elle fit mine de chercher sa bourse, qu'elle avait dans sa poche, et il s'en alla à cinq ou six pas d'elle, tenant la jument par la bride.

— Eh! vous ne m'aidez point à chercher? fit-elle.

— Il faut bien que je tienne la jument, fit-il, car elle pense à son poulain, et elle se sauverait si on la lâchait.

La Sévère chercha sous les pieds de la jument, tout à côté de François, et à cela il vit bien qu'elle n'avait rien perdu, si ce n'est l'esprit.

— Nous n'étions pas encore là, dit-il, quand vous avez crié après votre boursicot [2]. Il ne se peut donc guère que vous le retrouviez par ici.

— Tu crois donc que c'est une frime, malin? répondit-elle en voulant lui tirer l'oreille; car je crois que tu fais le malin...

Mais François se recula et ne voulut point batifoler.

— Non, non, dit-il, si vous avez retrouvé vos écus, partons, car j'ai plus envie de dormir que de plaisanter.

---

1. *Dévaler* signifie descendre une pente. Son emploi ici relève de la fantaisie mais permet d'éviter la répétition de descendre.

2. Le *boursicot* où les paysans berrichons mettaient leur argent les jours de foire était un petit sac en toile ou en coutil.

— Alors nous deviserons, dit la Sévère quand elle fut rejuchée derrière lui; ça charme, comme on dit, l'ennui du chemin.

— Je n'ai pas besoin de charme, répliqua le champi; je n'ai point d'ennuis.

— Voilà la première parole aimable que tu me dis, François!

— Si c'est une jolie parole, elle m'est donc venue malgré moi, car je n'en sais pas dire.

La Sévère commença d'enrager; mais elle ne se rendit pas encore à la vérité. « Il faut que ce garçon soit aussi simple qu'un linot, se dit-elle. Si je lui faisais perdre son chemin, il faudrait bien qu'il s'attardât un peu avec moi. »

Et la voilà d'essayer de le tromper, et de le pousser sur la gauche quand il voulait prendre sur la droite.

— Vous nous égarez, lui disait-elle; c'est la première fois que vous passez par ces endroits-là. Je les connais mieux que vous. Ecoutez-moi donc, ou vous me ferez passer la nuit dans les bois, jeune homme!

Mais François, quand il avait passé seulement une petite fois par un chemin, il en avait si bonne connaissance qu'il s'y serait retrouvé au bout d'un an.

— Non pas, non pas, fit-il, c'est par là, et je ne suis pas toqué, moi. La jument se reconnaît bien aussi, et je n'ai pas envie de passer la nuit à trimer dans les bois.

Si bien qu'il arriva au domaine des Dollins [1], où demeurait la Sévère, sans s'être laissé détempcer [2] d'un quart d'heure, et sans avoir ouvert l'oreille

---

1. Le nom est orthographié *Dolins* sur les cartes de la région. *Dolins* se trouve à trois kilomètres de l'emplacement présumé du moulin Blanchet.

2. *Détempcer :* retarder. Ce terme berrichon signifie exactement : faire perdre du temps. Se prononce détancer.

grand comme un pertuis d'aiguille à ses honnêtetés. Quand ce fut là, elle voulut le retenir, exposant que la nuit était trop noire, que l'eau avait monté, et que les gués étaient couverts. Mais le champi n'avait cure de ces dangers-là, et ennuyé de tant de sottes paroles, il serra les chevilles des pieds [1], mit la jument au galop sans demander son reste, et s'en revint vitement au moulin, où Madeleine Blanchet l'attendait, chagrinée de le voir si attardé.

---

1. *Cheville du pied* (au lieu de cheville) est un archaïsme.

IX

Le champi ne raconta point à Madeleine les choses que la Sévère lui avait donné à entendre; il n'eût osé, et il n'osait y penser lui-même. Je ne dis point que j'eusse été aussi sage que lui dans la rencontre; mais enfin sagesse ne nuit point, et puis je dis les choses comme elles sont. Ce gars était aussi comme il faut qu'une fille de bien.

Mais, en songeant la nuit, madame Sévère se choqua contre lui, et s'avisa qu'il n'était peut-être pas si benêt que méprisant. Sur ce penser, sa cervelle s'échauffa et sa bile aussi, et grands soucis de revengement [1] lui passèrent par la tête.

A telles enseignes que le lendemain, lorsque Cadet Blanchet fut de retour auprès d'elle, à moitié dégrisé, elle lui fit entendre que son garçon de moulin était un petit insolent, qu'elle avait été obligée de le tenir en bride et de lui essuyer le bec d'un coup de coude, parce qu'il avait eu idée de lui chanter fleurette et de l'embrasser en revenant de nuit par les bois avec elle.

Il n'en fallait pas tant pour déranger les esprits de Blanchet; mais elle trouva qu'il n'y en avait pas encore assez, et elle se gaussa de lui pour ce qu'il laissait dans

---

1. *Revengement* ne figure pas dans les glossaires du patois berrichon. Par contre on y trouve la forme *revenge*.

sa maison, auprès de sa femme, un valet en âge et
en humeur de la désennuyer.

Voilà, d'un coup, Blanchet jaloux de sa maîtresse
et de sa femme. Il prend son bâton de courza [1], enfonce
son chapeau sur ses yeux comme un éteignoir sur un
cierge, et il court au moulin sans prendre vent.

Par bonheur qu'il n'y trouva pas le champi. Il avait
été abattre et débiter un arbre que Blanchet avait
acheté à Blanchard [2] de Guérin [3], et il ne devait rentrer
que le soir. Blanchet aurait bien été le trouver à son
ouvrage, mais il craignait, s'il montrait du dépit,
que les jeunes meuniers de Guérin ne vinssent à se
gausser de lui et de sa jalousie, qui n'était guère de
saison après l'abandon et le mépris qu'il faisait de sa
femme.

Il l'aurait bien attendu à rentrer, n'était qu'il s'ennuyait de passer le reste du jour chez lui, et que la
querelle qu'il voulait chercher à sa femme ne serait
pas de durée pour l'occuper jusqu'au soir. On ne peut
pas se fâcher longtemps quand on se fâche tout seul.

En fin de compte, il aurait bien été au-devant des
moqueries et au-dessus de l'ennui pour le plaisir
d'étriller le pauvre champi; mais comme, en marchant, il s'était un peu raccoisé [4], il songea que ce
champi de malheur n'était plus un petit enfant, et
que puisqu'il était d'âge à se mettre l'amour en tête,

---

1. *Courza :* houx. Dans *La Mare au Diable* (ch. XIV) « le maître »
porte également un bâton de houx. D'autre part, lorsque Malzac et
Huriel se battent, dans *Les Maîtres sonneurs* (Quinzième Veillée),
ils sont armés chacun d' « un bâton de courza noueux et court ».

2. *Blanchard :* en rédigeant *La Mare au Diable*, George Sand avait
d'abord songé à ce nom pour le personnage qu'elle a appelé ensuite
le père Maurice.

3. Ce nom ne figure pas sur les cartes que nous avons consultées.

4. *Raccoisé :* apaisé. Jaubert orthographie : racoisé.

il était bien d'âge aussi à se mettre la colère ou la défense au bout des mains. Tout cela fit qu'il tenta de se remettre les sens[1] en buvant chopine sans rien dire, tournant dans sa tête le discours qu'il allait faire à sa femme et ne sachant par quel bout entamer.

Il lui avait dit en entrant, d'un air rêche, qu'il avait à se faire écouter, et elle se tenait là, dans sa manière accoutumée, triste, un peu fière, et ne disant mot.

— Madame Blanchet, fit-il enfin, j'ai un commandement à vous donner, et si vous étiez la femme que vous paraissez et que vous passez pour être, vous n'auriez pas attendu d'en être avertie.

Là-dessus, il s'arrêta, comme pour reprendre son haleine, mais, de fait, il était quasi honteux de ce qu'il allait lui dire, car la vertu était écrite sur la figure de sa femme comme une prière dans un livre d'Heures.

Madeleine ne lui donna point assistance pour s'expliquer. Elle ne souffla, et attendit la fin, pensant qu'il allait lui reprocher quelque dépense, et ne s'attendant guère à ce dont il retournait.

— Vous faites comme si vous ne m'entendiez pas, madame Blanchet, ramena le meunier, et, si pourtant [2], la chose est claire. Il s'agit donc de me jeter cela dehors, et plus tôt que plus tard, car j'en ai prou et déjà trop.

— Jeter quoi? fit Madeleine ébahie.

— Jeter quoi! Vous n'oseriez dire jeter qui?

— Vrai Dieu! non; je n'en sais rien, dit-elle. Parlez, si vous voulez que je vous entende.

— Vous me feriez sortir de mon sang-froid, cria

---

1. Il eût été plus correct d'écrire : *les sangs*. Cette négligence est habituelle chez G. Sand. Cf. *Les Maîtres sonneurs* (Sixième Veillée) : « Il a les sens bien vifs. »

2. *Si pourtant :* cependant. L'expression se trouve chez Racine (*Les Plaideurs*, **I**, vii) :
   Si pourtant j'ai bon droit.

Cadet Blanchet en bramant comme un taureau. Je vous dis que ce champi est de trop chez moi, et que s'il y est encore demain matin, c'est moi qui lui ferai la conduite à grand renfort de bras, à moins qu'il n'aime mieux passer sous la roue de mon moulin.

— Voilà de vilaines paroles et une mauvaise idée, maître Blanchet, dit Madeleine qui ne put se retenir de devenir blanche comme sa cornette [1]. Vous achèverez de perdre votre métier si vous renvoyez ce garçon; car vous n'en retrouverez jamais un pareil pour faire votre ouvrage et se contenter de peu. Que vous a donc fait ce pauvre enfant pour que vous le vouliez chasser si durement?

— Il me fait faire la figure d'un sot [2], je vous le dis, madame ma femme, et je n'entends pas être la risée du pays. Il est le maître chez moi, et l'ouvrage qu'il y fait mérite d'être payé à coups de trique.

Il fut besoin d'un peu de temps pour que Madeleine entendît ce que son mari voulait dire. Elle n'en avait du tout l'idée, et elle lui présenta toutes les bonnes raisons qu'elle put trouver pour le rapaiser et l'empêcher de s'obstiner dans sa fantaisie.

Mais elle y perdit ses peines; il ne s'en fâcha que plus fort, et quand il vit qu'elle s'affligeait de perdre son bon serviteur François, il se remit en humeur de jalousie, et lui dit là-dessus des paroles si dures qu'elle ouvrit à la fin l'oreille, et se prit à pleurer de honte, de fierté et de grand chagrin.

La chose n'en alla que plus mal; Blanchet jura qu'elle était amoureuse de cette marchandise d'hôpital,

---

1. *Cornette* désigne ici non pas la coiffe, qui ne se portait qu'aux jours de fête, mais le calot, sorte de bonnet de toile dont les cordons se nouaient sous le cou.

2. *Sot* est pris dans son sens classique de mari trompé.

qu'il en rougissait pour elle, et que si elle ne mettait pas ce champi à la porte sans délibérer, il se promettait de l'assommer et de le moudre comme grain.

Sur quoi elle lui répondit plus haut qu'elle n'avait coutume, qu'il était bien le maître de renvoyer de chez lui qui bon lui semblait, mais non d'offenser ni d'insulter son honnête femme, et qu'elle s'en plaindrait au bon Dieu et aux saints du paradis comme d'une injustice qui lui faisait trop de tort et trop de peine. Et par ainsi, de mot en mot, elle en vint malgré son propre vouloir, à lui reprocher son mauvais comportement, et à lui pousser cette raison bien vraie, que quand on est mécontent sous son sien bonnet, on voudrait faire tomber celui des autres dans la boue.

La chose se gâta davantage ainsi, et quand Blanchet commença à voir qu'il était dans son tort, la colère fut son seul remède. Il menaça Madeleine de lui clore la bouche d'un revers de main, et il l'eût fait si Jeannie, attiré par le bruit, ne fût venu se mettre entre eux sans savoir ce qu'ils avaient, mais tout pâle et déconfit d'entendre cette chamaillerie. Blanchet voulut le renvoyer, et il pleura, ce qui donna sujet à son père de dire qu'il était mal élevé, capon, pleurard, et que sa mère n'en ferait rien de bon. Puis il prit cœur et se leva en coupant l'air de son bâton et en jurant qu'il allait tuer le champi [1].

---

1. Il n'est pas impossible que la romancière se souvienne ici de certains épisodes de sa vie conjugale, par exemple de cette querelle rapportée par l'un des témoins au procès en séparation des époux Dudevant : « Il s'éleva entre Madame et Monsieur une altercation très calme de la part de Madame et très emportée de la part de Monsieur qui alla même jusqu'à dire à sa femme : *Sors toi aussi...* Sommé... de déclarer ce qu'il ferait, si elle ne sortait pas, il lui dit : *Je te f... une gifle pour commencer.* Il se leva en ce moment et s'approcha de Madame pour la frapper; il en fut empêché par les personnes présentes... Ne pouvant

Quand Madeleine le vit si affolé de fureur, elle se jeta au-devant de lui, et avec tant de hardiesse qu'il en fut démonté et se laissa faire par surprise; elle lui ôta des mains son bâton et le jeta au loin dans la rivière. Puis elle lui dit, sans caller[1] aucunement : —Vous ne ferez point votre perte en écoutant votre mauvaise tête. Songez qu'un malheur est bientôt arrivé quand on ne se connaît plus, et si vous n'avez point d'humanité, pensez à vous-même et aux suites qu'une mauvaise action peut donner à la vie d'un homme. Depuis longtemps, mon mari, vous menez mal la vôtre, et vous allez croissant de train et de galop dans un mauvais chemin. Je vous empêcherai, à tout le moins aujourd'hui, de vous jeter dans un pire mal qui aurait sa punition dans ce bas monde et dans l'autre. Vous ne tuerez personne, vous retournerez plutôt d'où vous venez que de vous buter à chercher revenge[2] d'un affront qu'on ne vous a point fait. Allez-vous-en, c'est moi qui vous le commande dans votre intérêt, et c'est la première fois de ma vie que je vous donne un commandement. Vous l'écouterez, parce que vous allez voir que je ne perds point pour cela le respect que je vous dois. Je vous jure sur ma foi et mon honneur que demain le champi ne sera plus céans, et que vous pourrez y revenir sans danger de le rencontrer.

Cela dit, Madeleine ouvrit la porte de la maison pour faire sortir son mari, et Cadet Blanchet, tout confondu de la voir prendre ces façons-là, content, au fond, de s'en aller et d'avoir obtenu soumission

---

atteindre sa femme, il se retira du côté de la porte en proférant des menaces. » (Cité par L. Vincent, *George Sand et Le Berry*, p. 225-226).

1. *Caller* : céder (qui devrait être orthographié caler) est une expression populaire plutôt que spécialement berrichonne.

2. *Revenge* : forme berrichonne du mot revanche.

sans exposer sa peau, replanta son chapeau sur son chef, et sans rien dire de plus, s'en retourna auprès de la Sévère. Il se vanta bien à elle et à d'autres d'avoir fait sentir le bois vert à sa femme et au champi ; mais comme de cela il n'était rien, la Sévère goûta son plaisir en fumée [1].

Quand Madeleine Blanchet fut toute seule, elle envoya ses ouailles et sa chèvre aux champs sous la garde de Jeannie, et elle s'en fut au bout de l'écluse du moulin, dans un recoin de terrain que la course des eaux avait mangé tout autour, et où il avait poussé tant de rejets et de branchages sur les vieilles souches d'arbres, qu'on ne s'y voyait point à deux pas [2]. C'était là qu'elle allait souvent dire ses raisons au bon Dieu, parce qu'elle n'y était pas dérangée et qu'elle pouvait s'y tenir cachée derrière les grandes herbes folles, comme une poule d'eau dans son nid de vertes brindilles.

Sitôt qu'elle y fut, elle se mit à deux genoux pour faire une bonne prière, dont elle avait grand besoin et dont elle espérait grand confort ; mais elle ne put songer à autre chose qu'au pauvre champi qu'il fallait renvoyer et qui l'aimait tant qu'il en mourrait de chagrin. Si bien qu'elle ne put rien dire au bon Dieu, sinon qu'elle était trop malheureuse de perdre son seul soutien et de se départir de l'enfant de son cœur. Et alors elle pleura tant et tant, que c'est miracle qu'elle en revint, car elle fut si suffoquée, qu'elle en chut tout de son long sur l'herbage, et y demeura privée de sens pendant plus d'une heure.

---

1. L'allusion au jugement du fol conté par Rabelais (*Tiers Livre*, XXXVII) est évidente.
2. On peut reconnaître à cette description les bords de la Vauvre.

A la tombée de la nuit elle tâcha pourtant de se ravoir ; et comme elle entendit Jeannie qui ramenait ses bêtes en chantant, elle se leva comme elle put et alla préparer le souper. Peu après elle entendit venir les bœufs qui rapportaient le chêne acheté par Blanchet, et Jeannie courut bien joyeux au-devant de son ami François qu'il s'ennuyait de n'avoir pas vu de la journée. Ce pauvre petit Jeannie avait eu du chagrin, dans le moment, de voir son père faire de mauvais yeux à sa chère mère, et il avait pleuré aux champs sans pouvoir comprendre ce qu'il y avait entre eux. Mais chagrin d'enfant et rosée du matin n'ont pas de durée, et déjà il ne se souvenait plus de rien. Il prit François par la main, et, sautant comme un petit perdreau, il l'amena auprès de Madeleine.

Il ne fallut pas que le champi regardât la meunière par deux fois pour aviser ses yeux rouges et sa figure toute blêmie. « Mon Dieu, se dit-il, il y a un malheur dans la maison », et il se mit à blêmir aussi et à trembler, et à regarder Madeleine, pensant qu'elle lui parlerait. Mais elle le fit asseoir et lui servit son repas sans rien dire, et il ne put avaler une bouchée. Jeannie mangeait et devisait tout seul, et il n'avait plus de souci, parce que sa mère l'embrassait de temps en temps et l'encourageait à bien souper.

Quand il fut couché, pendant que la servante rangeait la chambre, Madeleine sortit et fit signe à François d'aller avec elle. Elle descendit le pré et marcha jusqu'à la fontaine. Là, prenant son courage à deux mains : — Mon enfant, lui dit-elle, le malheur est sur toi et sur moi, et le bon Dieu nous frappe d'un rude coup. Tu vois comme j'en souffre ; par amitié pour moi, tâche d'avoir le cœur moins faible, car si tu ne me soutiens, je ne sais ce que je deviendrai.

François ne devina rien, bien qu'il supposât tout d'abord que le mal venait de M. Blanchet.

— Qu'est-ce que vous me dites là? dit-il à Madeleine en lui embrassant les mains comme si elle eût été sa mère. Comment pouvez-vous penser que je manquerai de cœur pour vous consoler et vous soutenir? Est-ce que je ne suis pas votre serviteur pour tant que j'ai à rester sur terre? Est-ce que je ne suis pas votre enfant qui travaillera pour vous, et qui a bien assez de force à cette heure pour ne vous laisser manquer de rien? Laissez faire monsieur Blanchet, laissez-le manger son fait [1], puisque c'est son idée. Moi je vous nourrirai, je vous habillerai, vous et notre Jeannie. S'il faut que je vous quitte pour un temps, j'irai me louer, pas loin d'ici, par exemple! afin de pouvoir vous rencontrer tous les jours et venir passer avec vous les dimanches. Mais me voilà assez fort pour labourer et pour gagner l'argent qu'il vous faudra. Vous êtes si raisonnable et vous vivez de si peu! Eh bien! vous ne vous priverez plus tant pour les autres, et vous en serez mieux. Allons, allons, madame Blanchet, ma chère mère, rapaisez-vous et ne pleurez pas, car si vous pleurez, je crois que je vas mourir de chagrin.

Madeleine ayant vu qu'il ne devinait pas et qu'il fallait lui dire tout, recommanda son âme à Dieu et se décida à la grande peine qu'elle était obligée de lui faire.

---

1. *Son fait :* son bien (sens classique).

X

— Allons, allons, François, mon fils, lui dit-elle,
il ne s'agit pas de cela. Mon mari n'est pas encore
ruiné, autant que je peux savoir l'état de ses affaires;
et si ce n'était que la crainte de manquer, tu ne me
verrais pas tant de peine. N'a point peur de la misère
qui se sent courageux pour travailler. Puisqu'il faut
te dire de quoi j'ai le cœur malade, apprends que
monsieur Blanchet s'est monté contre toi, et qu'il
ne veut plus te souffrir à la maison.

— Eh bien! est-ce cela? dit François en se levant.
Qu'il me tue donc tout de suite, puisque aussi bien
je ne peux exister après un coup pareil. Oui, qu'il en
finisse de moi, car il y a longtemps que je le gêne,
et il en veut à mes jours, je le sais bien. Voyons, où
est-il? Je veux aller le trouver, et lui dire : « Signi-
fiez-moi pourquoi vous me chassez. Peut-être que je
trouverai de quoi répondre à vos mauvaises raisons.
Et si vous vous y entêtez, dites-le, afin que... afin que... »
Je ne sais pas ce que je dis, Madeleine; vrai! je ne le
sais pas; je ne me connais plus, et je ne vois plus clair;
j'ai le cœur transi et la tête me vire; bien sûr, je vas
mourir ou devenir fou.

Et le pauvre champi se jeta par terre et se frappa
la tête de ses poings, comme le jour où la Zabelle
avait voulu le reconduire à l'hospice.

Voyant cela, Madeleine retrouva son grand courage.

Elle lui prit les mains, les bras, et le secouant bien fort, elle l'obligea de l'écouter.

— Si vous n'avez non plus de volonté et de sou-mission qu'un enfant, lui dit-elle, vous ne méritez pas l'amitié que j'ai pour vous, et vous me ferez honte de vous avoir élevé comme mon fils. Levez-vous. Voilà pourtant que vous êtes en âge d'homme, et il ne convient pas à un homme de se rouler comme vous le faites. Entendez-moi, François, et dites-moi si vous m'aimez assez pour surmonter votre chagrin et passer un peu de temps sans me voir. Vois, mon enfant, c'est à propos pour ma tranquillité et pour mon honneur, puisque, sans cela, mon mari me causera des souffrances et des humiliations. Par ainsi, tu dois me quitter aujourd'hui par amitié, comme je t'ai gardé jusqu'à cette heure par amitié. Car l'amitié se prouve par des moyens différents, selon le temps et les aven-tures. Et tu dois me quitter tout de suite, parce que, pour empêcher monsieur Blanchet de faire un mauvais coup de sa tête [1], j'ai promis que tu serais parti demain matin. C'est demain la Saint-Jean, il faut que tu ailles te louer, et pas trop près d'ici, car si nous étions à même de nous revoir souvent, ce serait pire dans l'idée de monsieur Blanchet.

— Mais quelle est donc son idée, Madeleine? Quelle plainte fait-il de moi? En quoi me suis-je mal comporté? Il croit donc toujours que vous faites du tort à la maison pour me faire du bien? Ça ne se peut pas, puisque j'en suis, à présent, de la maison! Je n'y mange pas plus que ma faim, et je n'en fais pas

---

1. *Un mauvais coup de sa tête:* l'expression paraît artificiellement construite d'après plusieurs expressions courantes : un mauvais coup, un coup de tête, un coup de sa façon.

sortir un fétu. Peut-être qu'il croit que je touche mon
gage, et qu'il le trouve de trop grande coûtance [1].
Eh bien! laissez-moi suivre mon idée d'aller lui parler
pour lui expliquer que depuis le décès de ma pauvre
mère Zabelle, je n'ai jamais voulu accepter de vous
un petit écu; — ou si vous ne voulez pas que je lui
dise ça — et au fait, s'il le savait il voudrait vous faire
rendre tout le dû de mes gages que vous avez employé
en œuvres de charité, — eh bien, je lui en ferai, pour
le terme qui vient, la proposition. Je lui offrirai de
rester à votre service pour rien. De cette manière-là,
il ne pourra plus me trouver dommageable [2], et il
me souffrira auprès de vous.

— Non, non, non, François, répliqua vivement
Madeleine, ça ne se peut; et si tu lui disais pareille
chose, il entrerait contre toi et contre moi dans une
colère qui amènerait des malheurs.

— Mais pourquoi donc? dit François; à qui en
a-t-il? C'est donc seulement pour le plaisir de nous
causer de la peine qu'il fait celui qui se méfie?

— Mon enfant, ne me demande pas la raison
de son idée contre toi; je ne peux pas te la dire. J'en
aurais trop de honte pour lui, et mieux vaut pour
nous tous que tu n'essaies pas de te l'imaginer. Ce
que je peux t'affirmer, c'est que c'est remplir ton devoir
envers moi que de t'en aller. Te voilà grand et fort,
tu peux te passer de moi; et mêmement tu gagneras
mieux ta vie ailleurs, puisque tu ne veux rien recevoir
de moi. Tous les enfants quittent leur mère pour aller
travailler, et beaucoup s'en vont au loin. Tu feras donc

---

1. Le vieux mot *coûtance* et l'adjectif *coûtanceux* étaient d'un emploi
courant dans le parler berrichon.

2. *Dommageabl* ne s'applique habituellement pas aux personnes.

comme les autres, et moi j'aurai du chagrin comme en
ont toutes les mères, je pleurerai, je penserai à toi, je
prierai Dieu matin et soir pour qu'il te préserve du
mal...

— Oui! Et vous prendrez un autre valet qui vous
servira mal, et qui n'aura nul soin de votre fils et de
votre bien, qui vous haïra peut-être, parce que monsieur Blanchet lui commandera de ne pas vous écouter,
et qui ira lui redire tout ce que vous faites de bien en le
tournant en mal. Et vous serez malheureuse; et moi je
ne serai plus là pour vous défendre et vous consoler!
Ah! vous croyez que je n'ai pas de courage, parce que
j'ai du chagrin? Vous croyez que je ne pense qu'à moi,
et vous me dites que j'aurai profit à être autre part!
Moi, je ne songe pas à moi en tout ceci. Qu'est-ce que
ça me fait de gagner ou de perdre? Je ne demande pas
seulement comment je gouvernerai mon chagrin. Que
j'en vive ou que j'en meure, c'est comme il plaira à
Dieu, et ça ne m'importe pas, puisqu'on m'empêche
d'employer ma vie pour vous. Ce qui m'angoisse et à
quoi je ne peux pas me soumettre, c'est que je vois venir
vos peines. Vous allez être foulée à votre tour, et si on
m'écarte du chemin, c'est pour mieux marcher sur
votre droit.

— Quand même le bon Dieu permettrait cela, dit
Madeleine, il faut savoir souffrir ce qu'on ne peut
empêcher. Il faut surtout ne pas empirer son mauvais
sort en regimbant contre. Imagine-toi que je suis bien
malheureuse[a], et demande-toi combien plus je le deviendrai si j'apprends que tu es malade, dégoûté de vivre et
ne voulant pas te consoler. Au lieu que si je trouve un
peu de soulagement dans mes peines, ce sera de savoir
que tu te comportes bien et que tu te maintiens en
courage et santé pour l'amour de moi.

Cette dernière bonne raison donna gagné [1] à Madeleine. Le champi s'y rendit, et lui promit à deux genoux, comme on promet en confession, de faire tout son possible pour porter bravement sa peine.

— Allons, dit-il en essuyant ses yeux moites, je partirai de grand matin, et je vous dis adieu ici, ma mère Madeleine! Adieu pour la vie, peut-être; car vous ne me dites point si je pourrai jamais vous revoir et causer avec vous. Si vous pensez que ce bonheur-là ne doive plus m'arriver, ne m'en dites rien, car je perdrais le courage de vivre. Laissez-moi garder l'espérance de vous retrouver un jour ici à cette claire fontaine, où je vous ai trouvée pour la première fois il y aura tantôt onze ans. Depuis ce jour jusqu'à celui d'aujourd'hui, je n'ai eu que du contentement : et le bonheur que Dieu et vous m'avez donné, je ne dois pas le mettre en oubli, mais en souvenance pour m'aider à prendre, à compter de demain, le temps et le sort comme ils viendront. Je m'en vais avec un cœur tout transpercé et morfondu d'angoisse, en songeant que je ne vous laisse pas heureuse, et que je vous ôte, en m'ôtant d'à côté de vous, le meilleur de vos amis; mais vous m'avez dit que si je n'essayais pas de me consoler, vous seriez plus désolée. Je me consolerai donc comme je pourrai en pensant à vous, et je suis trop ami de votre amitié pour vouloir la perdre en devenant lâche. Adieu, madame Blanchet, laissez-moi un peu ici tout seul; je serai mieux quand j'aurai pleuré tout mon soûl. S'il tombe de mes larmes dans cette fontaine, vous songerez à moi toutes les fois que vous y viendrez laver. Je veux aussi y cueillir de la

---

1. *Donna gagné :* George Sand défigure ici pour la rendre plus proche du langage paysan l'expression courante *donna gain de cause.* Cf. Vincent, p. 86.

menthe pour embaumer mon linge, car je vas tout à l'heure faire mon paquet ; et tant que je sentirai sur moi cette odeur-là, je me figurerai que je suis ici et que je vous vois. Adieu, adieu, ma chère mère, je ne veux pas retourner à la maison. Je pourrais bien embrasser mon Jeannie sans l'éveiller, mais je ne m'en sens pas le courage. Vous l'embrasserez pour moi, je vous en prie, et pour ne pas qu'il me pleure, vous lui direz demain que je dois retourner bientôt. Comme cela, en m'attendant, il m'oubliera un peu ; et, par la suite du temps, vous lui parlerez de son pauvre François, afin qu'il ne m'oublie trop. Donnez-moi votre bénédiction, Madeleine, comme vous me l'avez donnée le jour de ma première communion. Il me la faut pour avoir la grâce de Dieu.

Et le pauvre champi se mit à deux genoux en disant à Madeleine que si jamais, contre son gré, il lui avait fait quelque offense, elle eût à la lui pardonner.

Madeleine jura qu'elle n'avait rien à lui pardonner, et qu'elle lui donnait une bénédiction dont elle voudrait pouvoir rendre l'effet aussi propice que de celle de Dieu[a].

— Eh bien ! dit François, à présent que je vas redevenir champi et que personne ne m'aimera plus, ne voulez-vous pas m'embrasser comme vous m'avez embrassé, par faveur, le jour de ma première communion ? j'aurai grand besoin de me remémorer tout cela, pour être bien sûr que vous continuez, dans votre cœur, à me servir de mère.

Madeleine embrassa le champi dans le même esprit de religion[1] que quand il était petit enfant. Pourtant si le monde l'eût vu, on aurait donné raison à M. Blanchet

---

1. *Religion :* honnêteté.

de sa fâcherie, et on aurait critiqué cette honnête femme
qui ne pensait point à mal, et à qui la vierge Marie ne
fit point péché de son action.

— Ni moi non plus, dit la servante de M. le curé.

— Et moi encore moins, repartit le chanvreur. Et
continuant :

Elle s'en revint à la maison, dit-il, où de la nuit
elle ne dormit miette. Elle entendit bien rentrer François qui vint faire son paquet dans la chambre à côté,
et elle l'entendit aussi sortir à la piquette du jour [1].
Elle ne se dérangea qu'il ne fût un peu loin, pour ne
point changer son courage en faiblesse, et quand elle
l'entendit passer sur le petit pont, elle entre-bâilla
subtilement[a] sa porte sans se montrer, afin de le voir de
loin encore une fois. Elle le vit s'arrêter et regarder la
rivière et le moulin, comme pour leur dire adieu. Et
puis il s'en alla bien vite, après avoir cueilli un feuillage
de peuplier qu'il mit à son chapeau, comme c'est la
coutume quand on va à la loue, pour montrer qu'on
cherche une place.

Maître Blanchet arriva sur le midi et ne dit mot,
jusqu'à ce que sa femme lui dit :

— Eh bien, il faut aller à la loue pour avoir un autre
garçon de moulin, car François est parti, et vous voilà
sans serviteur.

— Cela suffit, ma femme, répondit Blanchet, j'y
vais aller, et je vous avertis de ne pas compter sur un
jeune.

Voilà tout le remerciement qu'il lui fit de sa soumission, et elle se sentit si peinée qu'elle ne put s'empêcher
de le montrer.

---

1. *La piquette du jour :* « Nous ne croyons pas, écrit Jaubert, que ce
mot soit authentique. » L'expression authentique, employée plus bas
(Ch. xv), est : la pique du jour.

— Cadet Blanchet, dit-elle, j'ai obéi à votre volonté : j'ai renvoyé un bon sujet sans motif, et à regret, je ne vous le cache pas. Je ne vous demande pas de m'en savoir gré; mais, à mon tour, je vous donne un commandement : c'est de ne pas me faire d'affront, parce que je n'en mérite pas.

Elle dit cela d'une manière que Blanchet ne lui connaissait point et qui fit de l'effet sur lui.

— Allons, femme, dit-il en lui tendant la main, faisons la paix sur cette chose-là et n'y pensons plus. Peut-être que j'ai été un peu trop précipiteux[1] dans mes paroles; mais c'est que, voyez-vous, j'avais des raisons pour ne point me fier à ce champi. C'est le diable qui met ces enfants-là dans le monde, et il est toujours après eux. Quand ils sont bons sujets d'un côté, ils sont mauvais garnements sur un autre point. Ainsi je sais bien que je trouverai malaisément un domestique aussi rude au travail que celui-là; mais le diable, qui est son père[a], lui avait soufflé le libertinage dans l'oreille, et je sais une femme qui a eu à s'en plaindre.

— Cette femme-là n'est pas la vôtre, répondit Madeleine, et il se peut qu'elle mente. Quand elle dirait vrai, ce ne serait point de quoi me soupçonner.

— Est-ce que je te soupçonne? dit Blanchet haussant les épaules; je n'en avais qu'après lui, et à présent qu'il est parti, je n'y pense plus. Si je t'ai dit quelque chose qui t'ait déplu, prends que je plaisantais.

— Ces plaisanteries-là ne sont pas de mon goût, répliqua Madeleine. Gardez-les pour celles qui les aiment.

---

1. *Précipiteux* est authentiquement berrichon, mais moins usité que *précipitant*. Cf. Vincent, p. 172.

XI

Dans les premiers jours, Madeleine Blanchet porta assez bien son chagrin. Elle apprit de son nouveau domestique, qui avait rencontré François à la loue, que le champi s'était accordé pour dix-huit pistoles [1] par an avec un cultivateur du côté d'Aigurande [2], qui avait un fort moulin et des terres. Elle fut contente de le savoir bien placé, et elle fit son possible pour se remettre à ses occupations sans trop de regret. Mais, malgré elle, le regret fut grand, et elle en fut longtemps malade d'une petite fièvre qui la consumait tout doucettement, sans que personne y fît attention. François avait bien dit qu'en s'en allant il lui emmenait son meilleur ami. L'ennui la prit de se voir toute seule, et de n'avoir personne à qui causer. Elle en choya d'autant plus son fils, Jeannie, qui était, de vrai, un gentil gars, et pas plus méchant qu'un agneau.

---

1. *Pistole :* monnaie de compte valant dix livres. Selon George Sand (*Lettre d'un paysan de la Vallée Noire*), un ouvrier agricole gagnait pour lui et sa famille deux cents francs par an tout au plus (un franc par jour en été, dix sous en hiver). François, tout en étant nourri et logé, reçoit cent quatre-vingts francs. C'est donc un salaire relativement important. Il est cependant légèrement inférieur à celui que George Sand donnait à ses propres domestiques. Le 24 juin 1845 elle avait engagé Sylvain Brunet « à raison de 205 francs, nourri et blanchi ».

2. Chef-lieu de canton de l'Indre, à vingt-six kilomètres au sud-ouest de La Châtre.

Mais outre qu'il était trop jeune pour comprendre tout ce qu'elle aurait pu dire à François, il n'avait pas pour elle les soins et les attentions qu'au même âge le champi avait eus. Jeannie aimait bien sa mère, et plus même que le commun des enfants ne fait, parce qu'elle était une mère comme il ne s'en voit pas tous les jours. Mais il ne s'étonnait et ne s'émeuvait pas tant pour elle que François. Il trouvait tout simple d'être aimé et caressé si fidèlement. Il en profitait comme de son bien, et y comptait comme sur son dû. Au lieu que le champi n'était méconnaissant de la plus petite amitié et en faisait si grand remerciement par sa conduite, sa manière de parler, et de regarder, et de rougir, et de pleurer, qu'en se trouvant avec lui, Madeleine oubliait qu'elle n'avait eu ni repos, ni amour, ni consolation dans son ménage.

Elle resongea à son malheur quand elle retomba dans son désert [1], et remâcha longuement toutes les peines que cette amitié et cette compagnie avaient tenues en suspens. Elle n'avait plus personne pour lire avec elle, pour s'intéresser à la misère du monde avec elle, pour prier d'un même cœur, et même pour badiner honnêtement quand et quand [2], en paroles de bonne foi et de bonne humeur. Tout ce qu'elle voyait, tout ce qu'elle faisait n'avait plus de goût pour elle, et lui rappelait le temps où elle avait eu ce bon compagnon si tranquille et si amiteux [3]. Allait-elle à sa vigne, ou à ses arbres fruitiers, ou dans le moulin, il n'y avait pas un coin grand comme la main où elle n'eût repassé

1. *Désert :* solitude (sens classique).

2. Le sens habituel de *quand et quand* (en même temps) apparaît mal ici.

3. Ce mot est employé plus fréquemment dans le patois berrichon et par George Sand elle-même sous la forme *amitieux.*

dix mille fois avec cet enfant pendu à sa robe, ou ce courageux serviteur empressé à son côté. Elle était comme si elle avait perdu un fils de grande valeur et de grand espoir, et elle avait beau aimer celui qui lui restait, il y avait une moitié de son amitié dont elle ne savait plus que faire [1].

Son mari, la voyant traîner un malaise, et prenant en pitié l'air de tristesse et d'ennui qu'elle avait, craignit qu'elle ne fît une forte maladie, et il n'avait pas envie de la perdre, parce qu'elle tenait son bien en bon ordre et ménageait de son côté ce qu'il mangeait du sien. La Sévère ne voulant pas le souffrir à son moulin, il sentait bien que tout irait mal pour lui dans cette partie de son avoir si Madeleine n'en avait plus la charge, et, tout en la réprimandant à l'habitude, et se plaignant qu'elle n'y mettait pas assez de soin, il n'avait garde d'espérer mieux de la part d'une autre.

Il s'ingénia donc, pour la soigner et la désennuyer, de lui trouver une compagnie, et la chose vint à point que, son oncle étant mort, la plus jeune de ses sœurs, qui était sous sa tutelle, lui tomba sur les bras. Il avait pensé d'abord à la mettre de résidence chez la Sévère, mais ses autres parents lui en firent honte; et d'ailleurs quand la Sévère eut vu que cette fillette prenait quinze ans et qu'elle s'annonçait pour jolie comme le jour, elle n'eut plus envie d'avoir dans sa maison le bénéfice de cette tutelle, et elle dit à Blanchet que la garde et la veillance [2] d'une jeunesse lui paraissaient trop chanceuses.

En raison de quoi Blanchet, qui voyait du profit à

---

1. Si l'on songe que Chopin venait de s'éloigner pour toujours de George Sand, on se demande dans quelle mesure l'amertume de cette séparation ne s'exprime pas ici.

2. *Veillance* (surveillance) ne se trouve dans aucun lexique berrichon et L. Vincent n'en a relevé aucun emploi dans la région de Nohant.

être le tuteur de sa sœur, — car l'oncle qui l'avait élevée l'avait avantagée sur son testament, — et qui
n'avait garde de confier son entretien à autre parenté,
l'amena à son moulin et enjoignit à sa femme de l'avoir
pour sœur et compagne, de lui apprendre à travailler,
de s'en faire aider dans le soin du ménage, et de lui
rendre la tâche assez douce pourtant pour qu'elle n'eût
point envie d'aller vivre autre part.

Madeleine accepta de bonne volonté ledit arrangement de famille. Mariette Blanchet lui plut tout
d'abord, pour l'avantage de sa beauté qui avait déplu
à la Sévère. Elle pensait qu'un bon esprit et un bon
cœur vont toujours de compagnie avec une belle
figure, et elle reçut la jeune enfant, non pas tant comme
une sœur que comme une fille, qui lui remplacerait
peut-être son pauvre François.

Pendant ce temps-là le pauvre François prenait
son mal en patience autant qu'il pouvait, et ce n'était
guère, car jamais ni homme ni enfant ne fut chargé
d'un mal pareil. Il commença par en faire une maladie,
et ce fut peut-être un bonheur pour lui, car là il éprouva
le bon cœur de ses maîtres, qui ne le firent point porter
à l'hôpital et le gardèrent chez eux où il fut bien soigné.
Ce meunier-là ne ressemblait guère à Cadet Blanchet,
et sa fille, qui avait une trentaine d'années et n'était point
encore établie, était en réputation pour sa charité
et sa bonne conduite.

Ces gens-là virent bien d'ailleurs que, malgré
l'accident, ils avaient fait, au regard du champi, une
bonne trouvaille.

Il était si solide et si bien corporé [1], qu'il se sauva

---

1. *Bien corporé :* bien bâti. Vieille expression qui s'est conservée dans
le langage des paysans du Centre.

de la maladie plus vite qu'un autre, et mêmement il se mit à travailler avant d'être guéri, ce qui ne le fit point rechuter. Sa conscience le tourmentait pour réparer le temps perdu et récompenser ses maîtres de leur douceur. Pendant plus de deux mois pourtant, il se ressentit de son mal, et, en commençant à travailler les matins, il avait le corps étourdi comme s'il fût tombé de la faîtière [1] d'une maison. Mais peu à peu il s'échauffait, et il n'avait garde de dire le mal qu'il avait à s'y mettre. On fut bientôt si content de lui, qu'on lui confia la gouverne de bien des choses qui étaient au-dessus de son emploi. On se trouvait bien de ce qu'il savait lire et écrire, et on lui fit tenir des comptes, chose qu'on n'avait pu faire encore, et qui avait souvent mis du trouble dans les affaires du moulin. Enfin il fut aussi bien que possible dans son malheur; et comme, par prudence, il ne s'était point vanté d'être champi, personne ne lui reprocha son origine.

Mais ni les bons traitements, ni l'occupation, ni la maladie, ne pouvaient lui faire oublier Madeleine et ce cher moulin du Cormouer, et son petit Jeannie, et le cimetière où gisait la Zabelle. Son cœur était toujours loin de lui, et le dimanche, il ne faisait autre chose que d'y songer, ce qui ne le reposait guère des fatigues de la semaine. Il était si éloigné de son endroit [2],

---

1. *Faîtière :* tuile courbe qui se met sur l'arête d'un toit. Le terme berrichon est *faîtiau* (Jaubert).

2. Le paysan berrichon était casanier. « Nous ne courons guère au loin, dit Tiennet dans *Les Maîtres sonneurs* (Troisième Veillée), surtout ceux de nous qui se donnent au travail de la terre et qui vivent autour des habitations comme des poussins autour de la mue. » Dans *Nanon*, George Sand constate que certaines familles « ne savent pas comment le pays est fait à la distance d'une lieue de leur demeure ».

étant à plus de six lieues de pays [1], qu'il n'en avait jamais de nouvelles. Il pensa d'abord s'y accoutumer, mais l'inquiétude lui mangeait le sang, et il s'inventa des moyens pour savoir au moins deux fois l'an comment vivait Madeleine : il allait dans les foires, cherchant de l'œil quelqu'un de connaissance de son ancien endroit, et quand il l'avait trouvé, il s'enquérait de tout le monde qu'il avait connu, commençant, par prudence, par ceux dont il se souciait le moins, pour arriver à Madeleine qui l'intéressait le plus, et, de cette manière, il eut quelque nouvelle d'elle et de sa famille.

... Mais voilà qu'il se fait tard, messieurs mes amis, et je m'endors sur mon histoire. A demain; si vous voulez, je vous dirai le reste. Bonsoir la compagnie.

Le chanvreur alla se coucher, et le métayer, allumant sa lanterne, reconduisit la mère Monique au presbytère, car c'était une femme d'âge qui ne voyait pas bien clair[a] à se conduire.

---

1. *Plus de six lieues :* c'est la distance de La Châtre à Aigurande (exactement vingt-six kilomètres). Mais le Cormouer se trouve à huit kilomètres au nord-ouest de la Châtre et Villechiron à dix kilomètres au sud d'Aigurande. George Sand ne paraît pas avoir tenu compte de ces deux éléments du parcours.

Au lendemain, nous nous retrouvâmes tous à la ferme, et le chanvreur reprit ainsi son récit :

— Il y avait environ trois ans que François demeurait au pays d'Aigurande, du côté de Villechiron, dans un beau moulin qui s'appelle Haut-Champault, ou Bas-Champault [1], ou Frechampault, car dans ce pays-là, comme dans le nôtre, Champault est un nom répandu [2]. J'ai été par deux fois dans ces endroits-là, et c'est un beau et bon pays. Le monde de campagne y est plus riche, mieux logé, mieux habillé; on y fait plus de commerce, et quoique la terre y soit plus maigre, elle rapporte davantage. Le terrain y est pourtant plus cabossé. Les rocs y percent et les rivières y ravinent fort. Mais c'est joli et plaisant tout de même. Les arbres y sont beaux à merveille, et les deux Creuses [3] roulent là dedans à grands ramages, claires comme eau de roche.

Les moulins y sont de plus de conséquence que chez nous, et celui où résidait François était des plus forts et des meilleurs. Un jour d'hiver, son maître, qui s'appelait Jean Vertaud, lui dit :

1. Ces deux villages sont proches de Villechiron. Le second est situé sur la Petite-Creuse.

2. Il existe un village nommé *Champeaux*, à quinze cents mètres environ au sud-est du moulin d'Angibault.

3. La Petite-Creuse au nord et la Grande-Creuse au sud. Les deux rivières suivent un cours presque parallèle, d'est en ouest, et se rejoignent près de Fresselines.

— François, mon serviteur et mon ami, j'ai un petit discours à te faire, et je te prie de me donner ton attention.

« Il y a déjà un peu de temps que nous nous connaissons, toi et moi, et si j'ai beaucoup gagné dans mes affaires, si mon moulin a prospéré, si j'ai emporté la préférence sur tous mes confrères, si, parfin [1], j'ai pu augmenter mon avoir, je ne me cache pas que c'est à toi que j'en ai l'obligation. Tu m'as servi, non pas comme un domestique, mais comme un ami et un parent. Tu t'es donné à mes intérêts comme si c'étaient les tiens[a]. Tu as régi mon bien comme jamais je n'aurais su le faire, et tu as en tout montré que tu avais plus de connaissance et d'entendement que moi. Le bon Dieu ne m'a pas fait soupçonneux, et j'aurais été toujours trompé si tu n'avais contrôlé toutes gens et toutes choses autour de moi. Les personnes qui faisaient abus de ma bonté ont un peu crié, et tu as voulu hardiment en porter l'endosse, ce qui t'a exposé, plus d'une fois, à des dangers dont tu es toujours sorti par courage et douceur[b]. Car ce qui me plaît de toi, c'est que tu as le cœur aussi bon que la tête et la main. Tu aimes le rangement [2] et non l'avarice. Tu ne te laisses pas duper comme moi, et pourtant tu aimes comme moi à secourir le prochain. Pour ceux qui étaient de vrai dans la peine, tu as été le premier à me conseiller d'être généreux. Pour ceux qui en faisaient la frime, tu as été prompt à m'empêcher d'être affiné [3]. Et puis tu es

---

1. On disait plus habituellement *à la parfin*, expression que George Sand emploie au ch. xxi (Cf. p. 333, n. 3) et qui se retrouve dans *Claudie*.

2. *Rangement* est donné par Littré avec le sens qu'il a ici : action de mettre en ordre, d'économiser.

3. Le vieux mot *affiner* (tromper) se trouve encore chez La Fontaine. Il était resté en usage dans le patois berrichon.

savant pour un homme de campagne. Tu as de l'idée et
du raisonnement. Tu as des inventions qui te réussissent
toujours, et toutes les choses auxquelles tu mets la
main tournent à bonne fin.

« Je suis donc content de toi, et je voudrais te contenter pareillement pour ma part. Dis-moi donc, tout
franchement, si tu ne souhaites point quelque chose
de moi, car je n'ai rien à te refuser.

— Je ne sais pas pourquoi vous me demandez
cette chose-là, répondit François. Il faut donc, mon
maître, que je vous aie paru mécontent de vous, et
cela n'est point. Je vous prie d'en être certain.

— Mécontent, je ne dis pas. Mais enfin tu as un
air, à l'habitude, qui n'est pas d'un homme heureux.
Tu n'as point de gaieté, tu ne ris avec personne, tu
ne t'amuses jamais. Tu es si sage qu'on dirait toujours
que tu portes un deuil.

— M'en blâmez-vous, mon maître? En cela je
ne pourrais vous contenter, car je n'aime ni la bouteille
ni la danse; je ne fréquente ni le cabaret ni les assemblées; je ne sais pas de chansons et de sornettes pour
faire rire. Je ne me plais à rien qui me détourne de
mon devoir.

— En quoi tu mérites d'être tenu en grande estime,
mon garçon, et ce n'est pas moi qui t'en blâmerai.
Si je te parle de cela, c'est parce que j'ai une imagination
que tu as quelque souci. Peut-être trouves-tu que tu
te donnes ici bien du mal pour les autres, et qu'il ne
t'en reviendra jamais rien.

— Vous avez tort de croire cela, maître Vertaud.
Je suis aussi bien récompensé que je peux le souhaiter,
et en aucun lieu je n'aurais peut-être trouvé le fort
gage que, de votre seul gré, et sans que je vous inquiète,
vous avez voulu me fixer. Ainsi vous m'avez augmenté

chaque année, et la Saint-Jean passée[a] vous m'avez
mis à cent écus[1], ce qui est un prix fort coûtanceux[2]
pour vous. Si ça venait à vous gêner j'y renoncerais
volontiers, croyez-moi.

---

1. *Cent écus :* cinq cents francs. La somme est importante, en comparaison des gages habituellement payés aux domestiques. Cf. p. 300
n. 1.

2. *Coûtanceux :* terme couramment employé en Berry au lieu de
coûteux.

— Voyons, voyons, François, nous ne nous enten-
dons guère, repartit maître Jean Vertaud; et je ne sais
plus par quel bout te prendre. Tu n'es pourtant pas
sot, et je pensais t'avoir assez mis la parole à la bouche;
mais puisque tu es honteux je vas t'aider encore.
N'es-tu porté d'inclination*b* pour aucune fille du pays?

— Non, mon maître, répliqua tout droitement le
champi.

— Vrai?

— Je vous en donne ma foi.

— Et tu n'en vois pas une qui te plairait si tu
avais les moyens d'y prétendre?

— Je ne veux pas me marier.

— Voilà une idée! Tu es trop jeune pour en répondre. Mais la raison?

— La raison! dit François. Ça vous importe donc,
mon maître?

— Peut-être, puisque j'ai de l'intérêt pour toi.

— Je vas vous la dire; je n'ai pas de raison pour
m'en cacher. Je n'ai jamais connu ni père ni mère...
Et, tenez, il y a une chose que je ne vous ai jamais
dite; je n'y étais pas forcé; mais si vous m'aviez questionné, je ne vous aurais pas fait de mensonge. Je suis
champi, je sors de l'hospice.

— Oui-da! s'exclama Jean Vertaud, un peu saboulé [1]
par cette confession; je ne l'aurais jamais pensé.

---

1. *Saboulé:* secoué. Terme archaïque, encore utilisé par Voltaire.

— Pourquoi ne l'auriez-vous jamais pensé?... Vous ne répondez pas, mon maître? Eh bien, moi, je vas répondre pour vous. C'est que, me voyant bon sujet, vous vous seriez étonné qu'un champi pût l'être. C'est donc une vérité que les champis ne donnent pas de confiance[a] au monde, et qu'il y a quelque chose contre eux? Ça n'est pas juste, ça n'est pas humain; mais enfin c'est comme ça, et c'est bien force de s'y conformer, puisque les meilleurs cœurs n'en sont pas exempts, et que vous-même...

— Non, non, dit le maître en se ravisant, — car il était un homme juste, et ne demandait pas mieux que de renier une mauvaise pensée; — je ne veux pas être contraire à la justice, et si j'ai eu un moment d'oubliance là-dessus, tu peux m'en absoudre, c'est déjà passé. Donc, tu crois que tu ne pourrais pas te marier, parce que tu es né champi?

— Ce n'est pas ça, mon maître, et je ne m'inquiète point de l'empêchement. Il y a toutes sortes d'idées dans les femmes, et aucunes ont si bon cœur que ça serait une raison de plus.

— Tiens! c'est vrai, dit Jean Vertaud. Les femmes valent mieux que nous pourtant!... Et puis, fit-il en riant, un beau gars comme toi, tout verdissant de jeunesse, et qui n'est écloché [1] ni de son esprit ni de son corps, peut bien donner du réveillon [2] au plaisir de se montrer charitable. Mais voyons ta raison.

— Écoutez, dit François; j'ai été tiré de l'hospice et nourri par une femme que je n'ai point connue.

---

1. *Écloché* (variante de *éclopé*) est un mot créé par George Sand.
2. *Donner du réveillon :* cette expression semble avoir été imaginée par George Sand. Elle ne signifie rien de plus que : *donner du stimulant.* On saisit ici sur le vif le procédé consistant à défigurer une locution courante en substituant un mot à un autre.

A sa mort, j'ai été recueilli par une autre qui m'a pris pour le mince profit du secours accordé par le gouvernement à ceux de mon espèce; mais elle a été bonne pour moi, et quand j'ai eu le malheur de la perdre, je ne me serais pas consolé, sans le secours d'une autre femme qui a été encore la meilleure des trois, et pour qui j'ai gardé tant d'amitié que je ne veux pas vivre pour une autre que pour elle. Je l'ai quittée pourtant, et peut-être que je ne la reverrai jamais, car elle a du bien, et il se peut qu'elle n'ait jamais besoin de moi. Mais il se peut faire aussi que son mari qui, m'a-t-on dit, est malade depuis l'automne, et qui a fait beaucoup de dépenses qu'on ne sait pas, meure prochainement et lui laisse plus de dettes que d'avoir. Si la chose arrivait, je ne vous cache point, mon maître, que je m'en retournerais dans le pays où elle est, et que je n'aurais plus d'autre soin et d'autre volonté que de l'assister, elle et son fils, et d'empêcher par mon travail la misère de les grever. Voilà pourquoi je ne veux point prendre d'engagement qui me retienne ailleurs. Je suis chez vous à l'année, mais, dans le mariage, je serais lié ma vie durant. Ce serait par ailleurs trop de devoirs sur mon dos à la fois. Quand j'aurais femme et enfant, il n'est pas dit que je pourrais gagner le pain de deux ménages; il n'est pas dit non plus, quand même je trouverais, par impossible, une femme qui aurait un peu de bien, que j'aurais le bon droit pour moi en retirant l'aise de ma maison pour le porter dans une autre. Par ainsi, je compte rester garçon. Je suis jeune, et le temps ne me dure pas encore; mais s'il advenait que j'eusse en tête quelque amourette, je ferais tout pour m'en corriger, parce que de femmes, voyez-vous, il n'y en a qu'une pour moi et c'est ma mère Madeleine, celle qui ne s'embarrassait pas de mon état de champi et qui m'a élevé comme si elle m'avait mis au monde.

— Eh bien! ce que tu m'apprends là, mon ami, me donne encore plus de considération pour toi, répondit Jean Vertaud. Il n'est rien de si laid que la méconnaissance[1], rien de si beau que la recordation[2] des services reçus. J'aurais bien quelque bonne raison à te donner, pour te montrer que tu pourrais épouser une jeune femme qui serait du même cœur que toi, et qui t'aiderait à porter assistance à la vieille; mais, pour ces raisons-là, j'ai besoin de me consulter, et j'en veux causer avec quelqu'un.

Il ne fallait pas être bien malin pour deviner que, dans sa bonne âme et dans son bon jugement aussi, Jean Vertaud avait imaginé un mariage entre sa fille et François. Elle n'était point vilaine, sa fille, et, si elle avait un peu plus d'âge que François, elle avait assez d'écus pour parfaire la différence. Elle était fille unique, et c'était un gros parti. Mais son idée jusqu'à l'heure avait été de ne point se marier, dont son père était bien contrarié. Or comme il voyait depuis un tour de temps[3] qu'elle faisait beaucoup d'état de François, il l'avait consultée à son endroit; et comme c'était une fille fort retenue, il avait eu un peu de mal à la confesser. A la fin elle avait, sans dire non ni oui, consenti son père à[4] tâter François sur

---

1. *Méconnaissance* est classique dans le sens d'ingratitude.

2. *Recordation* est un mot d'ancien français. Ce n'est pas un mot berrichon.

3. A la fin du ch. XIII George Sand tentera d'expliquer l'expression *un tour de temps*, qu'elle rapproche d'une autre, également employée par le chanvreur : *une secousse de temps*. De ces deux expressions la première seule est authentiquement berrichonne.

4. *Elle avait consenti son père à :* incorrection presque élégante, d'une authenticité peu certaine, mais très conforme à l'esprit de la langue paysanne.

l'article du mariage, et elle attendait de savoir son idée, un peu plus angoissée qu'elle ne voulait le laisser croire.

Jean Vertaud eût bien souhaité lui porter une meilleure réponse, d'abord pour l'envie qu'il avait de la voir s'établir, ensuite parce qu'il ne pouvait pas désirer un meilleur gendre que François. Outre l'amitié qu'il avait pour lui, il voyait bien clairement que ce garçon, tout pauvre qu'il était venu chez lui, valait de l'or dans une famille pour son entendement, sa vitesse au travail et sa bonne conduite.

L'article du champiage chagrina bien un peu la fille. Elle avait un peu de fierté, mais elle eut vite pris son parti, et le goût lui vint plus éveillé, quand elle ouït que François était récalcitrant sur l'amour. Les femmes se prennent par la contrariété, et si François avait voulu manigancer pour faire oublier l'accroc de sa naissance, il n'aurait pas fait une meilleure finesse que celle de montrer du dégoût pour le mariage.

En sorte que la fille à Jean Vertaud fut décidée ce jour-là pour François, comme elle ne l'avait pas encore été.

— N'est-ce que ça? disait-elle à son père. Il croit donc que nous n'aurions pas le cœur et les moyens d'assister une vieille femme et de placer son garçon? Il faut bien qu'il n'ait pas entendu ce que vous lui glissiez, mon père, car s'il avait su qu'il s'agissait d'entrer dans notre famille, il ne se serait point tourmenté de ça.

Et le soir, à la veillée, Jeannette Vertaud dit à François : — Je faisais grand cas de vous, François; mais j'en fais encore plus, depuis que mon père m'a raconté votre amitié pour une femme qui vous a élevé et pour qui vous voulez travailler toute votre vie. C'est affaire à vous [1] d'avoir des sentiments... Je voudrais bien connaître cette femme-là, pour être à même de lui rendre service dans l'occasion, parce que vous lui avez conservé tant d'attache : il faut[a] qu'elle soit une femme de bien.

— Oh! oui, dit François, qui avait du plaisir à causer de Madeleine, c'est une femme qui pense bien, une femme qui pense comme vous autres.

Cette parole réjouit la fille à Jean Vertaud, et, se croyant sûre de son fait :

— Je souhaiterais, dit-elle, que si elle devenait malheureuse, comme vous en avez la crainte, elle vînt demeurer par chez nous. Je vous aiderais à la soigner, car elle n'est plus jeune, pas vrai? N'est-elle point infirme?

— Infirme? non, dit François; son âge n'est point pour être infirme.

— Elle est donc encore jeune? dit la Jeannette Vertaud qui commença à dresser l'oreille.

— Oh! non, elle ne l'est guère, répondit François tout simplement. Je n'ai pas souvenance de l'âge qu'elle peut avoir à cette heure. C'était pour moi comme ma mère, et je ne regardais pas à ses ans.

— Est-ce qu'elle a été bien, cette femme? demanda la Jeannette, après avoir barguigné un moment pour faire cette question-là.

— Bien? dit François un peu étonné; vous voulez dire jolie femme? Pour moi elle est bien assez jolie comme elle est; mais, à vous dire vrai, je n'ai jamais

---

1. Non pas : *c'est votre affaire*, mais plutôt : *c'est une chose que vous avez raison de faire.* Cf. Musset, *Le Chandelier*, I, 1 : « C'est affaire à vous de dormir. »

songé à cela. Qu'est-ce que ça peut faire à mon amitié ?
Elle serait plus laide que le diable que je n'y aurais
jamais fait attention.

— Mais enfin, vous pouvez bien dire environ
l'âge qu'elle a ?

— Attendez ! son garçon avait cinq ans de moins
que moi. Eh bien ! c'est une femme qui n'est pas
vieille, mais qui n'est pas bien jeune, c'est approchant
comme...

— Comme moi ? dit la Jeannette en se forçant un
peu pour rire. En ce cas, si elle devient veuve, il ne
sera plus temps pour elle de se remarier, pas vrai ?

— Ça dépend, répondit François. Si son mari ne
mange pas le tout et qu'il lui reste du bien, elle ne
manquera pas d'épouseurs. Il y a des gars qui, pour
de l'argent, épouseraient aussi bien leur grand'tante
que leur petite-nièce.

— Et vous ne faites pas d'estime de ceux qui se
marient pour de l'argent ?

— Ça ne serait toujours pas mon idée, répondit
François.

Le champi, tout simple de cœur qu'il était, n'était
pas si simple d'esprit, qu'il n'eût fini par comprendre
ce qu'on lui insinuait, et ce qu'il disait là, il ne le
disait pas sans intention. Mais la Jeannette ne se le
tint pas pour dit, et elle s'enamoura de lui un peu plus.
Elle avait été très courtisée sans se soucier d'aucun
galant. Le premier qui lui convînt fut celui qui lui
tournait le dos, tant les femmes ont l'esprit bien fait.

François vit bien, par les jours ensuivants, qu'elle
avait du souci, qu'elle ne mangeait quasiment point,
et que quand il n'avait point l'air de la voir, elle avait
toujours les yeux attachés sur lui. Cette fantaisie le
chagrina. Il avait du respect pour cette bonne fille,

et il voyait bien qu'à faire l'indifférent, il la rendrait[a]
plus amoureuse. Mais il n'avait point de goût pour elle,
et s'il l'eût prise, c'eût été par raison et par devoir plus
que par amitié.

Cela lui fit songer qu'il n'avait pas pour longtemps
à rester chez Jean Vertaud, parce que, pour tantôt
ou pour plus tard, cette affaire-là amènerait quelque
chagrin ou quelque fâcherie.

Mais il lui arriva, dans ce temps-là, une chose
bien particulière, et qui faillit à [1] changer toutes ses
intentions.

---

1. *Faillir à :* tournure vieillie. Cf. Rousseau, *Emile*, IV : « Le jeune
homme faillit à se trouver mal. »

Une matinée M. le curé d'Aigurande vint comme pour se promener au moulin de Jean Vertaud, et il tourna un peu de temps dans la demeure, jusqu'à ce qu'il pût agrafer François dans un coin du jardin. Là il prit un air très secret, et lui demanda s'il était bien François dit la Fraise, nom qu'on lui aurait donné à l'état civil [1] où il avait été présenté comme champi, à cause d'une marque qu'il avait sur le bras gauche. Le curé lui demanda aussi son âge au plus juste, le nom de la femme qui l'avait nourri, les demeurances qu'il avait suivies, et finalement tout ce qu'il pouvait savoir de sa naissance et de sa vie.

François alla quérir ses papiers, et le curé parut fort content.

— Eh bien! lui dit-il, venez demain ou ce soir à la cure, et gardez qu'on ne sache ce que j'aurai à vous faire savoir, car il m'est défendu de l'ébruiter, et c'est une affaire de conscience pour moi.

Quand François fut rendu à la cure, M. le curé, ayant bien fermé les portes de la chambre, tira de son armoire quatre petits bouts de papier fin et dit :
— François la Fraise, voilà quatre mille francs [2] que

---

1. Les actes d'état civil avaient été sécularisés sous la Révolution (décret du 20 septembre 1792 et loi du 28 pluviôse an III).

2. *Quatre mille francs* : évaluée en monnaie du milieu du xxᵉ siècle, cette somme équivaut théoriquement à un million de francs. En fait elle représente beaucoup plus, étant donné la différence du niveau de vie entre les deux époques.

votre mère vous envoie. Il m'est défendu de vous
dire son nom, ni dans quel pays elle réside, ni si
elle est morte ou vivante à l'heure qu'il est. C'est
une pensée de religion [1] qui l'a portée à se ressouvenir
de vous, et il paraîtrait qu'elle a toujours eu quelque
intention de le faire, puisqu'elle a su vous retrouver,
quoique vivant au loin. Elle a su que vous étiez bon
sujet, et elle vous donne de quoi vous établir, à condition que d'ici à six mois vous ne parlerez point, si
ce n'est à la femme que vous voudriez épouser, du
don que voici. Elle me charge de me consulter avec
vous pour le placement ou pour le dépôt, et me prie
de vous prêter mon nom au besoin pour que l'affaire
soit tenue secrète. Je ferai là-dessus ce que vous voudrez; mais il m'est enjoint de ne vous livrer l'argent
qu'en échange de votre parole de ne rien dire et de
ne rien faire qui puisse éventer le secret. On sait
qu'on peut compter sur votre foi; voulez-vous la
donner?

François prêta serment et laissa l'argent à M. le
curé, en le priant de le faire valoir comme il l'entendrait; car il connaissait ce prêtre-là pour un bon [2],

---

1. *Une pensée de religion:* un pieux scrupule. George Sand emploie
souvent les mots *religion* et *religieux* dans un sens très général.

2. George Sand elle-même, si hostile qu'elle fût alors à la doctrine
catholique, accordait sa confiance et son amitié à certains prêtres.
En 1846 elle s'était efforcée de tirer d'une situation pécuniaire difficile
le curé de Nohant, « le plus évangélique et le plus pur des curés de
campagne » (Lettre à R. de Villeneuve). Elle entretenait d'excellentes
relations avec l'abbé Marty, curé de Saint-Chartier, et avec un prêtre
à l'esprit inquiet, l'abbé Rochet, dont elle calma plusieurs fois les
velléités de révolte. « Il y a dans votre ministère, lui écrivait-elle,
le 14 novembre 1847, un côté d'évangélisme tendre et dévoué qui
vous tient au cœur. »

et il en est d'eux comme des femmes, qui sont toute bonté ou toute chétivité[1].

Le champi s'en vint à la maison plus triste que joyeux. Il pensait à sa mère, et il eût bien donné les quatre mille francs pour la voir et l'embrasser. Mais il se disait aussi qu'elle venait peut-être de décéder, et que son présent était une de ces dispositions qu'on prend à l'article de la mort : et cela le rendait encore plus sérieux, d'être privé de porter son deuil et de lui faire dire des messes. Morte ou vivante, il pria le bon Dieu pour elle, afin qu'il lui pardonnât l'abandon qu'elle avait fait de son enfant, comme son enfant le lui pardonnait de grand cœur, priant Dieu aussi de lui pardonner les siennes fautes pareillement.

Il tâcha bien de ne rien laisser paraître; mais pour plus d'une quinzaine il fut comme enterré dans des rêvasseries aux heures de son repas, et les Vertaud s'en émerveillèrent.

— Ce garçon ne nous dit pas toutes ses pensées, observait le meunier. Il faut qu'il ait l'amour en tête.

— C'est peut-être pour moi, pensait la fille, et il est trop délicat pour s'en confesser. Il a peur qu'on ne le croie affolé de ma richesse plus que de ma personne; et tout ce qu'il fait, c'est pour empêcher qu'on ne devine son souci.

Là-dessus, elle se mit en tête de séduire sa faroucheté, et elle l'amignonna[2] si honnêtement en paroles

---

1. *Chétivité* ou *chétiveté* a fréquemment dans la langue paysanne le sens de méchanceté.
2. *Amignonner*: vieux mot français conservé dans le Berry, où il se prononce *amignounner* (Vincent).

et en quarts d'œil [1] qu'il en fut un peu secoué au milieu de ses ennuis.

Et par moments, il se disait qu'il était assez riche pour secourir Madeleine en cas de malheur, et qu'il pouvait bien se marier avec une fille qui ne lui réclamait point de fortune. Il ne se sentait point affolé d'aucune femme; mais il voyait les bonnes qualités de Jeannette Vertaud, et il craignait de montrer un mauvais cœur en ne répondant point à ses intentions. Par moments son chagrin lui faisait peine, et il avait quasiment envie de l'en consoler.

Mais voilà que tout d'un coup, à un voyage qu'il fit à Crevant [2] pour les affaires de son maître, il rencontra un cantonnier-piqueur [3] qui était domicilié vers Presles [4] et qui lui apprit la mort de Cadet Blanchet, ajoutant qu'il laissait un grand embrouillas dans ses affaires, et qu'on ne savait si sa veuve s'en tirerait à bien ou à mal.

François n'avait point sujet d'aimer ni de regretter maître Blanchet. Et si, il avait tant de religion dans le cœur, qu'en écoutant la nouvelle de sa mort il eut les yeux moites et la tête lourde comme s'il allait pleurer; il songeait que Madeleine le pleurait à cette heure, lui pardonnant tout, et ne se souvenant de rien, sinon qu'il était le père de son enfant. Et le regret de Madeleine lui répondait dans l'esprit et le

---

1. *Quart d'œil* : œillade. Selon L. Vincent l'expression est d'un usage courant dans la région de Nohant.

2. *Crevant* se trouve à peu près à mi-chemin entre Aigurande et La Châtre (douze kilomètres d'Aigurande, quatorze de La Châtre).

3. *Piqueur* : ouvrier chargé de surveiller l'exécution d'un travail.

4. *Presles* : cf. p, 244, n. 3.

forçait à pleurer aussi pour le chagrin qu'elle devait avoir.

Il eut envie de remonter sur son cheval et de courir auprès d'elle; mais il pensa devoir en demander la permission à son maître.

XV[a]

— Mon maître, dit-il à Jean Vertaud, il me faut partir
pour un bout de temps, court ou long, je n'en saurais
rien garantir. J'ai affaire du côté de mon ancien endroit,
et je vous semonds [1] de me laisser aller de bonne amitié;
car, à vous parler en vérité, si vous me déniez ce permis,
il ne me sera pas donné de vous complaire, et je m'en
irai malgré vous. Excusez-moi de vous dire la chose
comme elle est. Si je vous fâche, j'en aurai grand chagrin, et c'est pourquoi je vous demande, pour tout
remerciement des services que j'ai pu vous rendre,
de ne pas prendre la chose en mal et de me remettre
la faute que je fais à cette heure en quittant votre ouvrage.
Faire se peut que je revienne au bout de la semaine,
si, où je vas, on n'a pas besoin de moi. Mais faire
se peut de même que je ne revienne que tard dans
l'an, et même point, car je ne vous veux pas tromper.
Cependant de tout mon pouvoir je viendrais dans
l'occasion vous donner un coup de main, s'il y avait
quelque chose que vous ne pourriez pas débrouiller
sans moi. Et devant que de partir, je veux vous trouver
un bon ouvrier qui me remplace et à qui, si besoin
est pour le décider, j'abandonnerai ce qui m'est dû
sur mon gage depuis la Saint-Jean passée. Par ainsi,

---

1. *Semondre,* dans la langue du Berry, signifie prier, inviter, et plus
spécialement inviter à la noce. Cf. *La Mare au Diable,* p. 134, n. 2.

la chose peut s'arranger sans vous porter nuisance [1], et vous allez me donner une poignée de main pour me porter bonheur et m'alléger un peu du regret que j'ai de vous dire adieu.

Jean Vertaud savait bien que le champi ne voulait pas souvent se contenter, mais que, quand il le voulait, c'était si bien voulu que ni Dieu ni diable n'y pouvaient mais.

— Contente-toi, mon garçon, fit-il en lui donnant la main; je mentirais si je disais que ça ne me fait rien. Mais plutôt que d'avoir différend avec toi, je suis consentant de tout.

François employa la journée qui suivit à se chercher un remplaçant pour le meulage [2], et il en rencontra un bien courageux et juste, qui revenait de l'armée et qui fut content de trouver de l'ouvrage bien payé chez un bon maître, car Jean Vertaud était réputé tel et n'avait jamais fait de tort à personne.

Devant que de se mettre en route, comme il en avait l'idée, à la pique du jour [3] ensuivant, François voulut dire adieu à Jeannette Vertaud sur l'heure du souper. Elle était assise sur la porte de la grange, disant qu'elle avait le mal de tête et ne mangerait point. Il connut qu'elle avait pleuré, et il en fut tracassé dans son esprit. Il ne savait par quel bout s'y prendre pour la remercier de son bon cœur et pour lui dire qu'il ne s'en allait pas moins. Il s'assit à côté d'elle sur une souche de vergne qui se trouvait par là, et il s'évertua

---

1. *Nuisance* (préjudice) est très usité dans le patois berrichon.
2. *Meulage :* selon Jaubert, ensemble des meules d'un moulin. Ici travail du moulin.
3. *La pique du jour :* cf. p. 298, n. 1.

pour lui parler, sans trouver un pauvre mot. Là-dessus, elle qui le voyait bien sans le regarder, mit son mouchoir devant les yeux. Il leva la main comme pour prendre la sienne et la réconforter, mais il en fut empêché par l'idée qu'il ne pouvait pas lui dire en conscience ce qu'elle aurait aimé d'entendre. Et quand la pauvre Jeannette vit qu'il restait coi, elle eut honte de son chagrin, se leva tout doucement sans montrer de rancune, et s'en alla dans la grange pleurer tout son comptant.

Elle y resta un peu de temps, pensant qu'il y viendrait peut-être bien et qu'il se déciderait à lui dire quelque bonne parole, mais il s'en défendit et s'en alla souper, assez triste et ne sonnant mot.

Il serait faux de dire qu'il n'avait rien senti pour elle en la voyant pleurer. Il avait bien eu le cœur un peu picoté, et il songeait qu'il aurait pu être bien heureux avec une personne aussi bien famée, qui avait tant de goût pour lui, et qui n'était point désagréable à caresser. Mais de toutes ces idées-là il se garait, pensant à Madeleine qui pouvait avoir besoin d'un ami, d'un conseil et d'un serviteur, et qui pour lui, lorsqu'il n'était encore qu'un pauvre enfant tout dépouillé, et mangé par les fièvres, avait plus souffert, travaillé et affronté que pas une au monde.

« Allons! se dit-il le matin, en s'éveillant avant jour, il ne s'agit pas d'amourette, de fortune et de tranquillité pour toi. Tu oublierais volontiers que tu es champi, et tu mettrais bien tes jours passés dans l'oreille du lièvre [1], comme tant d'autres qui prennent le bon temps au passage sans regarder der-

---

1. *Tu mettrais bien tes jours passés dans l'oreille du lièvre :* on dit proverbialement *une mémoire de lièvre.* Mais l'expression employée ici paraît bien compliquée pour être vraiment paysanne.

rière eux. Oui, mais Madeleine Blanchet est là dans ton penser pour te dire : Garde-toi d'être oublieux, et songe à ce que j'ai fait pour toi. En route donc, et Dieu vous assiste, Jeannette, d'un amoureux plus gentil que votre serviteur! »

Il songeait ainsi en passant sous la fenêtre de sa brave maîtresse, et il eût voulu, si c'eût été en temps propice, lui laisser contre la vitre une fleur ou un feuillage en signe d'adieu; mais c'était le lendemain des Rois; la terre était couverte de neige, et il n'y avait pas une feuille aux branches, pas une pauvre violette dans l'herbage.

Il s'inventa de nouer dans le coin d'un mouchoir blanc la fève qu'il avait gagnée la veille en tirant le gâteau, et d'attacher ce mouchoir aux barreaux de la fenêtre de Jeannette pour lui signifier qu'il l'aurait prise pour sa reine si elle avait voulu se montrer au souper.

« Une fève, ce n'est pas grand'chose, se disait-il, c'est une marque d'honnêteté et d'amitié qui m'excusera de ne lui avoir pas su dire adieu. »

Mais il entendit en lui-même comme une parole qui lui déconseillait de faire cette offrande, et qui lui remontrait qu'un homme ne doit point agir comme ces jeunes filles qui veulent qu'on les aime, qu'on pense à elles, et qu'on les regrette quand bien même elles ne se soucient pas d'y correspondre.

« Non, non, François, se dit-il en remettant son gage dans sa poche et en doublant le pas : il faut vouloir ce qu'on veut et se faire oublier quand on est décidé à oublier soi-même. »

Et là-dessus il marcha grand train, et il n'était pas à deux portées de fusil [1] du moulin de Jean Ver-

---

1. *Deux portées de fusil:* cf. p. 222, n. 1.

taud, qu'il voyait Madeleine devant lui, s'imaginant aussi entendre comme une petite voix faible qui l'appelait en aide. Et ce rêve le menait, et il pensait déjà voir le grand cormier, la fontaine, le pré Blanchet, l'écluse, le petit pont, et Jeannie courant à son encontre ; et de Jeannette Vertaud dans tout cela, il n'y avait rien qui le retînt par sa blouse pour l'empêcher de courir.

Il alla si vite qu'il ne sentit pas la froidure et ne songea ni à boire, ni à manger, ni à souffler, tant qu'il n'eut pas laissé la grand'route [1] et attrapé, par le dévers [2] du chemin de Presles, la croix du Plessys.

Quand il fut là, il se mit à genoux et embrassa le bois de la croix avec l'amitié d'un bon chrétien qui retrouve une bonne connaissance. Après quoi il se mit à dévaler le grand carrouer [3] qui est en forme de chemin, sauf qu'il est large comme un champ, et qui est bien le plus beau communal [4] du monde, en belle vue, en grand air et en plein ciel, et en aval si courant que, par les temps de glace, on y pourrait bien courir la poste même en charrette à bœufs, et s'en aller piquer une bonne tête dans la rivière qui est en bas et qui n'avertit personne.

---

1. Il n'y avait alors dans le pays qu'une seule *grand'route :* celle de La Châtre à Châteauroux. C'est cette route que François a empruntée. Il la quitte peu après Vicq, vers la côte du *Plessys,* tourne vers l'ouest par *le chemin de Presles,* descend jusqu'à l'Indre qu'il trouve sur *la passerelle,* laisse *sur sa gauche Montipouret* et aboutit à la Vauvre. Le moulin Blanchet ne peut donc se trouver que sur cette rivière.

2. *Le dévers :* la pente. L. Vincent cite cette phrase qu'elle a entendu prononcer à Nohant : « Vous le trouverez au dévers du champ. »

3. *Carrouer* ou *carroir,* qui signifie habituellement carrefour, désigne ici un grand espace libre, sorte de terrain vague où aboutissent plusieurs chemins. Le mot est employé par Rabelais (*Gargantua,* XXV) sous la forme *carroi.*

4. *Communal :* terre qui n'appartient à personne et où les pauvres mènent paître leurs bêtes.

François, qui se méfiait de la chose, dégalocha [1]
ses sabots à plus d'une fois; il arriva sans culbute
à la passerelle. Il laissa Montipouret [2] sur sa gauche,
non sans dire un beau bonjour au gros vieux clocher
qui est l'ami à tout le monde, car c'est toujours lui
qui se montre le premier à ceux qui reviennent au
pays, et qui les tire d'embarras quand ils sont en
faux chemin.

Pour ce qui est des chemins, je ne leur veux point
de mal tant ils sont riants, verdissants et réjouis-
sants à voir dans le temps chaud. Il y en a où l'on
n'attrape pas de coups de soleil. Mais ceux-là sont
les plus traîtres, parce qu'ils pourraient bien vous
mener à Rome quand on croirait aller à Angibault.
Heureusement que le bon clocher de Montipouret
n'est pas chiche de se montrer, et qu'il n'y a pas une
éclaircie où il ne passe le bout de son chapeau relui-
sant pour vous dire si vous tournez en bise ou en
galerne [3].

Mais le champi n'avait besoin de vigie pour se
conduire. Il connaissait si bien toutes les traînes [4],
tous les bouts de sac, toutes les coursières [5], toutes

---

1. *Dégalocher :* enlever la boue ou la neige qui s'attache à la semelle
des chaussures (se prononçait : dégaïocher).

2. *Montipouret :* village situé entre l'Indre et la Vauvre.

3. *Bise :* vent froid de nord, nord-est. *Galerne :* vent d'ouest,
nord-ouest.

4. Selon George Sand les *traînes* sont des chemins creux « qui s'en
vont serpentant capricieusement sous leurs perpétuels berceaux de
feuillage, découvrant à chaque détour une nouvelle profondeur,
toujours plus mystérieuse et plus verte ». (*Valentine,* XVII.) En réalité
le mot désigne des buissons mêlés d'arbres, le long d'un chemin.

5. *Coursière :* sentier qui coupe à travers champs ou sur le flanc
d'une colline. Le mot n'est pas spécialement berrichon.

les traques et traquettes [1], et jusqu'aux échaliers [2] des bouchures [3], qu'en pleine nuit il aurait passé aussi droit qu'un pigeon dans le ciel, par le plus court chemin sur terre.

Il était environ midi quand il vit le toit du moulin Cormouer au travers des branches défeuillées, et il fut content de connaître à une petite fumée bleue qui montait au-dessus de la maison, que le logis n'était point abandonné aux souris.

Il prit en sus du pré Blanchet pour arriver plus vite, ce qui fit qu'il ne passa pas rasibus [4] la fontaine; mais comme les arbres et les buissons n'avaient pas de feuilles, il vit reluire au soleil l'eau vive qui ne gèle jamais parce qu'elle est de source. Les abords du moulin étaient bien gelés en revanche, et si coulants qu'il ne fallait pas être maladroit pour courir sur les pierres et le talus de la rivière. Il vit la vieille roue du moulin, toute noire à force d'âge et de mouillage, avec des grandes pointes de glace qui pendaient aux alochons [5], menues comme des aiguilles.

Mais il manquait beaucoup d'arbres à l'entour de la maison, et l'endroit était bien changé. Les dettes du défunt Blanchet avaient joué de la cognée, et on voyait en mainte place, rouge comme sang de chré-

---

1. *Traque :* petit sentier le long d'un champ, d'un pré. *Traquette :* petite traque.

2. *Échalier* (ou sautoir) : barrière en forme de large échelle basse, servant à fermer un champ et pouvant être franchie facilement mais ne laissant pas aux animaux la possibilité de passer.

3. *Bouchure :* haie vive qui entoure un pré, un champ.

4. *Rasibus :* au ras de. Vieux mot employé couramment dans le parler berrichon sans la moindre acception triviale.

5. *Alochons :* « Ce sont les petites ailes, les morceaux de bois qui sont à cheval sur la roue et que l'eau pousse pour la faire tourner. » (George Sand, *Le Meunier d'Angibault*, p. 28.)

tien, le pied des grands vergnes fraîchement coupés. La maison paraissait mal entretenue au dehors; le toit n'était guère bien couvert, et le four était moitié égrôlé [1] par l'efforce de la gelée.

Et puis, ce qui était encore attristant, c'est qu'on n'entendait remuer dans toute la demeurance ni âme, ni corps, ni bêtes, ni gens; sauf qu'un chien à poil gris emmêlé de noir et de blanc, de ces pauvres chiens de campagne que nous disons guarriots [2] ou marrayés, sortit de l'huisserie [3] et vint pour japper à l'encontre du champi; mais il s'accoisa tout de suite et vint, en se traînant, se coucher dans ses jambes.

— Oui-da, Labriche, tu m'as reconnu? lui dit François, et moi je n'aurais pas pu te remettre, car te voilà si vieux et si gâté que les côtes te sortent et que ta barbe est devenue toute blanche.

François devisait ainsi en regardant le chien, parce qu'il était là tout tracassé, comme s'il eût voulu gagner du temps avant que d'entrer dans la maison. Il avait eu tant de hâte jusqu'au dernier moment, et voilà qu'il avait peur, parce qu'il s'imaginait qu'il ne verrait plus Madeleine, qu'elle était absente ou morte à la place de son mari, qu'on lui avait donné une fausse nouvelle en lui annonçant le décès du meunier; enfin il avait toutes les rêveries qu'on se met dans la tête quand on touche à la chose qu'on a le plus souhaitée.

---

1. *Égrôlé :* effondré.
2. *Guarriot* (orthographié *garr au* par Jaubert) : de couleur bariolée. *Marrayé* a le même sens.
3. *Huisserie* signifie en berrichon porte, et, plus généralement, ouverture.

FRANÇOIS poussa à la fin le barreau de la porte [1]
et voilà qu'il vit devant lui, au lieu de Madeleine, une
belle et jolie jeune fille, vermeille comme une aube
de printemps et réveillée comme une linotte [2], qui lui
dit d'un air avenant :

— Qu'est-ce que vous demandez, jeune homme ?

François ne la regarda pas longtemps, tant bonne
fût-elle à regarder, et il jeta ses yeux tout autour de
la chambre [3] pour chercher la meunière. Et tout ce
qu'il vit, c'est que les courtines de son lit étaient
closes, et que, pour sûr, elle était dedans. Il ne pensa
du tout répondre à la jolie fille qui était la sœur cadette
du défunt meunier et avait nom Mariette Blanchet.
Il s'en fut tout droit au lit jaune [4], et il écarta subtile-

---

1. La porte « fermait en dedans et en dehors à l'aide d'un *coret*,
c'est-à-dire d'une cheville en bois que l'on plante dans un trou de la
muraille, d'où vient le vieux mot *coriller* et *décoriller* pour dire fermer
et ouvrir ». (George Sand, *Le Meunier d'Angibault*, p. 279.)

2. « L'insouciante Mariette... était, paraît-il, à s'y méprendre, le
type de Mlle Biaud, de Nohant... jolie, gaie, folâtre, élégante, quelque
peu coquette... C'était une fille de Fanchon Caillaud, femme de chambre
dévouée de Mme Sand. » (L. Vincent, *Le Berry dans l'œuvre de George Sand*,
p. 182.)

3. Il s'agit de la pièce principale. L'habitation en comporte plusieurs (cf. Ch. XIX), ce qui est un signe de grande aisance. « Le logement
du cultivateur au Bas-Berry, riche ou pauvre, se réduit souvent encore
à une seule pièce, plus ou moins grande. » (L. Vincent, *Ibid.*, p. 128.)

4. « George Sand nous a parlé souvent de ces lits à quenouille,
en forme de corbillard, garnis de rideaux de serge, tantôt bleue, tantôt

ment la courtine, sans faire noise ni question; et là il vit Madeleine Blanchet tout étendue, toute blême, tout assoupie et écrasée par la fièvre.

Il la regarda et l'examina longtemps sans remuer et sans mot dire : et malgré son chagrin de la trouver malade, malgré sa peur de la voir mourir, il était heureux d'avoir sa figure devant lui et de se dire : Je vois Madeleine.

Mais Mariette Blanchet le poussa tout doucement d'auprès le lit, referma la courtine, et, lui faisant signe d'aller avec elle auprès du foyer :

— Ah çà, le jeune homme, fit-elle, qui êtes-vous et que demandez-vous ? Je ne vous connais point et vous n'êtes pas d'ici. Qu'y a-t-il pour vous obliger ?

Mais François n'entendit point ce qu'elle lui demandait, et, en lieu de lui donner une réponse, il lui fit des questions : Combien de temps madame Blanchet était malade ? si elle était en danger et si on soignait bien sa maladie ?

A quoi la Mariette lui répondit qu'elle était malade depuis la mort de son mari, par la trop grande fatigue qu'elle avait eue de le soigner et de l'assister jour et nuit; qu'on n'avait pas fait venir encore le médecin, et qu'on irait le quérir[a] si elle empirait; et que, quant à la bien soigner, elle qui parlait ne s'y épargnait point, comme c'était son devoir de le faire.

A cette parole, le champi l'envisagea entre les deux yeux, et il n'eut besoin de lui demander son nom, car, outre qu'il savait que, vers le temps de

---

jaune, de ces lits ventrus, où on dort dans la plume jusque par-dessus les yeux. » (L. Vincent, *Ibid.*, p. 129.) Cf. *Jeanne*, p. 42, *Le Meunier d'Angibault*, p. 280, *Les Maîtres sonneurs*, p. 77, *La Famille de Germandre*, p. 219.

son départ, M. Blanchet avait mis sa sœur auprès de sa femme, il surprit dans la mignonne figure de cette mignonne jeunesse une retirance [1] assez marquée de la figure chagrinante du défunt meunier. Il se rencontre bien des museaux fins comme cela, qui ressemblent à des museaux fâcheux, sans qu'on puisse dire comment la chose est. Et malgré que Mariette Blanchet fût réjouissante à voir autant que son frère avait eu coutume d'être déplaisant, il lui restait un air de famille qui ne trompe point. Seulement cet air-là avait été bourru et colérique dans la mine du défunt, et l'air de Mariette était plutôt d'une personne qui se moque que d'une qui se fâche, et d'une qui ne craint rien plutôt que d'une qui veut se faire craindre.

Tant il y a que François ne se sentit ni tout à fait en peine, ni tout à fait en repos sur l'assistance que Madeleine pouvait recevoir de cette jeunesse. Sa coiffe était bien fine, bien plissée et bien épinglée; ses cheveux, qu'elle portait un peu à la mode des artisanes [2], étaient bien reluisants, bien peignés, bien tirés en alignement; ses mains étaient bien blanches et son tablier pareillement pour une garde-malade. Parfin [3] elle était beaucoup jeune, pimpante et dégagée pour penser jour et nuit à une personne hors d'état de s'aider elle-même.

Cela fit que François, sans rien plus demander,

---

1. *Retirance:* ressemblance. Terme berrichon.
2. *A la mode des artisanes:* parce qu'elle laissait passer des bandeaux sur son front. La vieille coutume paysanne consistait à rouler avec grand soin les cheveux au bord du front, à se faire avec les cheveux de derrière un chignon très serré et à entourer le tout d'un ruban noir ou blanc, appelé serre-tête. Sur ce ruban on ajustait la coiffe avec tous ses accessoires, et les cheveux ne devaient pas paraître. Cf. L. Vincent, *ouvrage cité,* p. 147.
3. *Parfin:* cf. p. 307, n. 1.

s'assit dans le quart [1] de la cheminée, bien décidé
à ne se point départir de l'endroit qu'il n'eût vu comment tournerait à bien ou à mal l'affliction de sa chère
Madeleine.

Et Mariette fut bien étonnée de le voir faire si peu
de façon et prendre possession du feu, comme s'il
entrait à son propre logis. Il baissa le nez sur les tisons,
et comme il ne paraissait pas en humeur de causer,
elle n'osa point s'informer plus au long de ce qu'il
était et requérait.

Mais au bout d'un moment entra Catherine, la
servante de la maison depuis tantôt dix-huit ou vingt
ans; et, sans faire attention à lui, elle approcha du lit
de sa maîtresse, l'avisa avec précaution, et vint à la
cheminée pour voir comment la Mariette gouvernait
la tisane. Elle montrait dans tout son comportement
une idée de grand intérêt pour Madeleine, et François
qui sentit la vérité de la chose, en une secousse [2],
eut envie de lui dire bonjour d'ami; mais...

— Mais, dit la servante du curé, interrompant
le chanvreur, vous dites un mot qui ne convient pas.
Une *secousse* ne dit pas un moment, une minute.

— Et moi je vous dis, repartit le chanvreur, qu'un
moment ne veut rien dire, et qu'une minute c'est bien
trop long pour qu'une idée nous pousse dans la tête.
Je ne sais pas à combien de millions de choses on pourrait songer en une minute. Au lieu que, pour voir et
entendre une chose qui arrive, il ne faut que le temps
d'une secousse. Je dirai une petite secousse, si vous
voulez.

---

1. *Quart :* angle d'un objet carré, généralement d'une terre, d'un
pré, etc. (Jaubert).

2. *Une secousse :* cette pittoresque expression n'est pas attestée par
l'usage berrichon.

— Mais une secousse de temps! dit la vieille puriste.

— Ah! une secousse de temps! Ça vous embarrasse, mère Monique? Est-ce que tout ne va pas par secousses? Le soleil quand on le voit monter en bouffées de feu à son lever, et vos yeux qui clignent en le regardant? le sang qui nous saute dans les veines, l'horloge de l'église qui nous épluche le temps miette à miette comme le blutoir le grain, votre chapelet quand vous le dites, votre cœur quand monsieur le curé tarde à rentrer, la pluie tombant goutte à goutte, et mêmement, à ce qu'on dit, la terre qui tourne comme une roue de moulin? Vous n'en sentez pas le galop ni moi ni plus; c'est que la machine est bien graissée; mais il faut bien qu'il y ait de la secousse, puisque nous virons un si grand tour dans les vingt-quatre heures. Et pour cela, nous disons aussi un tour de temps, pour dire un certain temps. Je dis donc une secousse, et je n'en démordrai pas. Çà, ne me coupez plus la parole, si vous ne voulez me la prendre.

— Non, non; votre machine est trop bien graissée aussi, répondit la vieille. Donnez encore un peu de secousse à votre langue.

JE disais donc que François avait une tentation de
dire bonjour à la grosse Catherine et de s'en faire
reconnaître; mais comme, par la même secousse de
temps, il avait envie de pleurer, il eut honte de faire
le sot, et il ne releva pas seulement la tête. Mais la
Catherine, qui s'était baissée sur le fouger[1], avisa
ses grand'jambes et se retira tout épeurée.

— Qu'est-ce que c'est que ça? dit-elle à la Mariette
en marmottant dans le coin de la chambre. D'où
sort ce chrétien?

— Demande-le-moi, répondit la fillette, est-ce que
je sais? Je ne·l'ai jamais vu. Il est entré céans comme
dans une auberge, sans dire bonjour ni bonsoir.
Il a demandé les portements de ma belle-sœur, comme
s'il en était parent ou héritier; et le voilà assis au
feu, comme tu vois. Parle-lui, moi je ne m'en soucie
pas. C'est peut-être un homme qui n'est pas bien.

— Comment! vous pensez qu'il aurait l'esprit
dérangé? Il n'a pourtant pas l'air méchant, autant que
je peux le voir, car on dirait qu'il se cache la figure.

— Et s'il avait mauvaise idée pourtant?

— N'ayez peur, Mariette, je suis là pour le tenir.
S'il nous ennuie, je lui jette une chaudronnée d'eau

---

1. *Fouger*: foyer.

bouillante dans les jambes et un landier [1] à la tête.

Du temps qu'elles caquetaient en cette manière, François pensait à Madeleine. « Cette pauvre femme, se disait-il, qui n'a jamais eu que du chagrin et du dommage à endurer de son mari, est là, malade, à force de l'avoir secouru et réconforté jusqu'à l'heure de la mort. Et voilà cette jeunesse qui est la sœur et l'enfant gâté du défunt, à ce que j'ai ouï dire, qui ne montre pas grand souci sur ses joues. Si elle a été fatiguée et si elle a pleuré, il n'y paraît guère, car elle a l'œil serein et clair comme un soleil. »

Il ne pouvait pas s'empêcher de la regarder en dessous de son chapeau, car il n'avait encore jamais vu si fraîche et si gaillarde beauté. Mais si elle lui chatouillait un peu la vue, elle ne lui entrait pas pour cela dans le cœur.

— Allons, allons, dit Catherine en chuchotant toujours avec sa jeune maîtresse, je vas lui parler. Il faut savoir ce qu'il en retourne.

— Parle-lui honnêtement, dit la Mariette. Il ne faudrait point le fâcher : nous sommes seules à la maison, Jeannie est peut-être loin et ne nous entendrait crier.

— Jeannie? fit François, qui de tout ce qu'elle babillait n'entendit que le nom de son ancien ami. Où est-il donc, Jeannie, que je ne le vois point? Est-il bien grand, bien beau, bien fort?

« Tiens, tiens, pensa Catherine, il demande ça parce qu'il a de mauvaises intentions peut-être. Qui, Dieu permis, sera cet homme-là? Je ne le connais

---

1. *Landiers :* gros chenets de fer ou de fonte munis d'une tige assez haute. Cette tige est garnie de crochets sur lesquels se pose la broche à rôtir.

ni à la voix, ni à la taille; je veux en avoir le cœur net et regarder sa figure. »

Et comme elle n'était pas femme à reculer devant le diable, étant corporée [1] comme un laboureur et hardie comme un soldat, elle s'avança tout auprès de lui, décidée qu'elle était à lui faire ôter ou tomber son chapeau pour voir si c'était un loup-garou [2] ou un homme baptisé. Elle allait à l'assaut du champi, bien éloignée de penser que ce fût lui : car, outre qu'il était dans son humeur de ne penser guère à la veille plus qu'au lendemain, et qu'elle avait comme mis le champi depuis longtemps en oubliance entière, il était pour sa part si amendé et de si belle venue qu'elle l'aurait regardé à trois fois avant de le remettre; mais dans le même temps qu'elle allait le pousser et le tabuster [3] peut-être en paroles, voilà que Madeleine se réveilla et appela Catherine, en disant d'une voix si faible qu'on ne l'entendait quasi point, qu'elle était brûlée de soif.

François se leva si vite qu'il aurait couru le premier auprès d'elle, n'était la crainte de lui causer trop d'émoi. Il se contenta de présenter bien vivement la tisane à Catherine, qui la prit et se hâta de la porter

---

1. *Corporée :* bâtie.

2. Voici comment George Sand commente ce terme dans *Les Légendes rustiques* (VIII) : « En Berry où déjà les contes que l'on fait à nos petits-enfants ne sont plus aussi merveilleux ni aussi terribles que ceux que nous faisaient nos grand'mères, je ne me souviens pas que l'on m'ait jamais parlé des hommes-loups de l'antiquité et du moyen âge. Cependant on s'y sert encore du mot de *garou*, qui signifie bien, à lui tout seul, homme-loup, mais on en a perdu le vrai sens. Le loup-garou est un loup ensorcelé. »

3. *Tabuster :* tarabuster. Le mot est employé par Rabelais (*Gargantua*, VI). L. Vincent n'en a pas trouvé trace dans le parler berrichon.

à sa maîtresse, oubliant de s'enquérir pour le moment d'autre chose que de son état.

La Mariette se rendit aussi à son devoir en soulevant Madeleine dans ses bras pour la faire boire, et ce n'était pas malaisé, car Madeleine était devenue si chétive et fluette que c'était pitié. — Et comment vous sentez-vous, ma sœur ? lui dit Mariette.

— Bien ! bien ! mon enfant, répondit Madeleine du ton d'une personne qui va mourir, car elle ne se plaignait jamais, pour ne pas affliger les autres.

— Mais, dit-elle en regardant le champi, ce n'est pas Jeannie qui est là ? Qui est, mon enfant, si je ne rêve, ce grand homme auprès de la cheminée ?

Et la Catherine répondit :

— Nous ne savons pas, notre maîtresse ; il ne parle pas, et il est là comme un essoti [1].

Et le champi fit un petit mouvement en regardant Madeleine, car il avait toujours peur de la surprendre trop vite, et si, il mourait d'envie de lui parler. La Catherine le vit dans ce moment-là, mais elle ne le connaissait point comme il était devenu depuis trois ans, et elle dit, pensant que Madeleine en avait peur :
— Ne vous en souciez pas, notre maîtresse ; j'allais le faire sortir quand vous m'avez appelée.

— Ne le faites point sortir, dit Madeleine avec une voix un peu renforcée, et en écartant davantage son rideau ; car je le connais, moi, et il a bien agi en venant me voir. Approche, approche, mon fils ; je demandais tous les jours au bon Dieu la grâce de te donner ma bénédiction.

Et le champi d'accourir et de se jeter à deux genoux

---

1. *Essoti* (abasourdi) est donné par L. Vincent comme un mot très répandu en Berry.

devant son lit, et de pleurer de peine et de joie qu'il
en était comme suffoqué. Madeleine lui prit ses deux
mains et puis sa tête, et l'embrassa en disant : — Appelez
Jeannie ; Catherine, appelle Jeannie, pour qu'il soit
bien content aussi. Ah! je remercie le bon Dieu,
François, et je veux bien mourir à présent si c'est sa
volonté, car voilà tous mes enfants élevés, et j'aurai
pu leur dire adieu.

Catherine courut vitement chercher Jeannie, et Mariette était si pressée de savoir ce que tout cela voulait dire, qu'elle la suivit pour la questionner. François demeura seul avec Madeleine qui l'embrassa encore et se prit à pleurer; ensuite de quoi elle ferma les yeux et devint encore plus accablée et abîmée qu'elle n'était avant. Et François ne savait comment la soulager de cette pâmoison; il était comme affolé, et ne pouvait que la tenir dans ses deux bras, en l'appelant sa chère mère, sa chère amie, et en la priant, comme si la chose était en son pouvoir, de ne pas trépasser si vite et sans entendre ce qu'il voulait lui dire.

Et tant par bonnes paroles que par soins bien avisés et honnêtes caresses, il la ramena de sa faiblesse. Elle recommença à le voir et à l'écouter. Et il lui disait qu'il avait comme deviné qu'elle avait besoin de lui, et qu'il avait tout quitté, qu'il était venu pour ne plus s'en aller, tant qu'elle lui dirait de rester, et que si elle voulait le prendre pour son serviteur, il ne lui demanderait que le plaisir de l'être, et la consolation de passer tous ses jours en son obéissance. Et il disait encore :
— Ne me répondez pas, ne me parlez pas, ma chère mère, vous êtes trop faible, ne dites rien. Seulement, regardez-moi, si vous avez du plaisir à me voir, et je comprendrai bien si vous agréez mon amitié et mon service.

Et Madeleine le regardait d'un air si serein, et elle l'écoutait avec tant de consolation, qu'ils se trouvaient heureux et contents malgré le malheur de cette maladie.

Jeannie, que la Catherine avait appelé à beaux cris, vint à son tour prendre sa joie avec eux. Il était devenu un joli garçon entre les quatorze et les quinze ans, pas bien fort, mais vif à plaisir, et si bien éduqué qu'on n'en avait jamais que des paroles d'honnêteté et d'amitié.

— Oh! je suis content de te voir comme te voilà, mon Jeannie, lui disait François. Tu n'es pas bien grand ni bien gros, mais ça me fait plaisir, parce que je m'imagine que tu auras encore besoin de moi pour monter sur les arbres et pour passer la rivière. Tu es toujours délicat, je vois ça, sans être malade, pas vrai? Eh bien! tu seras encore mon enfant pour un peu de temps, si ça ne te fâche pas; tu auras encore besoin de moi, oui, oui; et comme par le temps passé, tu me feras faire toutes tes volontés.

— Oui, mes quatre cents volontés, dit Jeannie, comme tu disais dans le temps.

— Oui-da! il a bonne mémoire! Ah! que c'est mignon, Jeannie, de n'avoir pas oublié son François! Mais est-ce que nous avons toujours quatre cents volontés par chaque jour [1]?

— Oh! non, dit Madeleine; il est devenu bien raisonnable, il n'en a plus que deux cents.

— Ni plus ni moins? dit François.

— Oh! je veux bien, répondit Jeannie, puisque

_____

[1]. *Par chaque jour :* pléonasme imaginé par George Sand pour produire un effet de gaucherie proche du style paysan. Cf. *Les Maîtres sonneurs,* Première Veillée : « Son pauvre cher homme de père n'avait pas deux idées par chaque semaine. »

ma mère mignonne commence à rire un peu, je suis d'accord de tout ce qu'on voudra. Et mêmement, je dirai que j'ai à présent plus de cinq cents fois le jour la volonté de la voir guérie.

— C'est bien parler, ça, Jeannie, dit François. Voyez-vous comme ça a appris à bien dire? Va, mon garçon, tes cinq cents volontés là-dessus seront écoutées du bon Dieu. Nous allons si bien la soigner, ta mère mignonne, et la réconforter, et la faire rire petit à petit, que sa fatigue s'en ira.

Catherine était sur le pas de la porte, bien curieuse de rentrer pour voir François et lui parler aussi; mais la Mariette la tenait par le bras, et ne lâchait pas de la questionner.

— Comment, disait-elle, c'est un champi? Il a pourtant un air bien honnête!

Et elle le regardait du dehors par le barreau de la porte [1], qu'elle entre-bâillait un petit.

— Mais comment donc est-il si ami de Madeleine?

— Mais puisque je vous dis qu'elle l'a élevé, et qu'il était très bon sujet.

— Mais elle ne m'en a jamais parlé; ni toi, non plus.

— Ah! dame! moi, je n'y ai jamais songé; il n'était plus là, je ne m'en souvenais quasiment plus; et puis je savais que notre maîtresse avait eu des peines par rapport à lui, et je ne voulais pas le lui faire désoublier.

— Des peines? quelles peines donc?

— Dame! parce qu'elle s'y était attachée, et c'était bien force : il était de si bon cœur, cet enfant-là! et

---

1. La porte fermait à l'aide d'une cheville en bois qui s'enfonçait dans un trou de la muraille.

votre frère n'a pas voulu le souffrir à la maison;
vous savez bien qu'il n'est pas toujours mignon, votre
frère!

— Ne disons pas cela à présent qu'il est mort,
Catherine!

— Oui, oui, c'est juste, je n'y pensais plus, ma
foi; c'est que j'ai l'idée si courte! Et si pourtant[a] [1],
il n'y a que quinze jours! Mais laissez-moi donc rentrer, demoiselle; je veux le faire dîner, ce garçon;
m'est avis qu'il doit avoir faim.

Et elle s'échappa pour aller embrasser François;
car il était si beau garçon, qu'elle n'avait plus souvenance d'avoir dit, dans les temps, qu'elle aimerait
mieux biger son sabot qu'un champi.

— Ah! mon pauvre François, qu'elle lui dit, je
suis aise de te voir. Je croyais bien que tu ne retournerais jamais. Mais voyez donc, notre maîtresse,
comme il est devenu? Je m'étonne bien comment
vous l'avez acconnu tout du coup. Si vous n'aviez
pas dit que c'était lui, je compte bien qu'il m'aurait
fallu du temps pour le réclamer [2]. Est-il beau! l'est-il!
et qu'il commence à avoir de la barbe, oui! Ça ne se
voit pas encore beaucoup, mais ça se sent. Dame!
ça ne piquait guère quand tu as parti, François, et à
présent ça pique un peu. Et le voilà fort, mon ami!
quels bras, quelles mains, et des jambes! Un ouvrier
comme ça en vaut trois. Combien donc est-ce qu'on
te paie là-bas?

Madeleine riait tout doucement de voir Catherine
si contente de François, et elle le regardait, contente
aussi de le retrouver en si belle jeunesse et santé.

---

1. *Si pourtant :* cependant. A Saint-Chartier on prononce : *si
pertant* (L. Vincent, p. 261).

2. *Réclamer :* reconnaître.

Elle aurait voulu voir son Jeannie arrivé en aussi bon état, à la fin de son croît [1]. Et tant qu'à Mariette, elle avait honte de voir Catherine si hardie à regarder un garçon, et elle était toute rouge sans penser à mal. Mais tant plus elle se défendait de regarder François, tant plus elle le voyait et le trouvait comme Catherine le disait, beau à merveille et planté sur ses pieds comme un jeune chêne.

Et voilà que, sans y songer, elle se mit à le servir fort honnêtement, à lui verser du meilleur vin gris de l'année et à le réveiller quand, à force de regarder Madeleine et Jeannie, il oubliait de manger.

— Mangez donc mieux que ça, lui disait-elle, vous ne vous nourrissez quasi point. Vous devriez avoir plus d'appétit, puisque vous venez de si loin.

— Ne faites pas attention à moi, demoiselle, lui répondit à la fin François; je suis trop content d'être ici pour avoir grande envie de boire et manger.

— Ah çà! voyons, dit-il à Catherine quand la table fut rangée, montre-moi un peu le moulin et la maison, car tout ça m'a paru négligé, et il faut que je cause avec toi.

Et quand il l'eut menée dehors, il la questionna sur l'état des affaires, en homme qui s'y entend et qui veut tout savoir.

— Ah! François, dit Catherine en commençant de pleurer, tout va pour le plus mal, et si personne ne vient en aide à ma pauvre maîtresse, je crois bien que cette méchante femme la mettra dehors et lui fera manger tout son bien en procès.

— Ne pleure pas, car ça me gêne pour entendre [2],

---

1. *Croît :* croissance. (Se prononçait *crêt.*)
2. *Entendre :* comprendre.

dit François, et tâche de te bien expliquer. Quelle méchante femme veux-tu dire ? la Sévère ?

— Eh oui! pardi! Elle ne s'est pas contentée de faire ruiner notre défunt maître. Elle a maintenant prétention sur tout ce qu'il a laissé. Elle cherche cinquante procédures, elle dit que Cadet Blanchet lui a fait des billets, et que quand elle aura fait vendre tout ce qui nous reste, elle ne sera pas encore payée. Tous les jours elle nous envoie des huissiers[a], et les frais montent déjà gros. Notre maîtresse, pour la contenter, a déjà payé ce qu'elle a pu, et du tracas que tout ça lui donne, après la fatigue que la maladie de son homme lui a occasionnée, j'ai bien peur qu'elle ne meure. Avant peu nous serons sans pain ni feu, au train dont on nous mène. Le garçon de moulin nous a quittés, parce qu'on lui devait son gage depuis deux ans, et qu'on ne pouvait pas le payer. Le moulin ne va plus, et si ça dure, nous perdrons nos pratiques. On a saisi la chevaline [1] et la récolte; ça va être vendu aussi; on va abattre tous les arbres. Ah! François, c'est une désolation.

Et elle recommença de pleurer.

— Et toi, Catherine ? lui dit François, es-tu créancière aussi ? tes gages ont-ils été payés ?

— Créancière, moi! dit Catherine en changeant sa voix dolente en une voix de bœuf; jamais! jamais! Que mes gages soient payés ou non, ça ne regarde personne!

— A la belle heure, Catherine, c'est bien parlé! lui dit François. Continue à bien soigner ta maîtresse, et n'aie souci du reste. J'ai gagné un peu d'argent chez mes maîtres, et j'apporte de quoi sauver les chevaux, la récolte et les arbres. Quant au moulin, je m'en vas lui

---

1. « *La chevaline*: les chevaux en général. Ex. : j'élève de la chevaline. Je mène ma chevaline en foire. » (George Sand, *Glossaire*.)

dire deux mots, et s'il y a du désarroi, je n'ai pas besoin
de charron pour le mettre en danse. Il faut que Jeannie,
qui est preste comme un parpillon [1], coure tout de suite
jusqu'à ce soir, et encore demain dès le matin, pour dire
à toutes les pratiques que le moulin crie comme dix
mille diables, et que le meunier attend la farine.

— Et un médecin pour notre maîtresse ?

— J'y ai pensé ; mais je veux la voir encore aujour-
d'hui jusqu'à la nuit pour me décider là-dessus. Les
médecins, vois-tu, Catherine, voilà mon idée, sont à
propos quand les malades ne peuvent pas s'en passer ;
mais si la maladie n'est pas forte, on s'en sauve mieux
avec l'aide du bon Dieu qu'avec leurs drogues [2]. Sans
compter que la figure du médecin, qui guérit les riches,
tue souvent les pauvres. Ce qui réjouit et amuse la trop
aiseté [3], angoisse ceux qui ne voient ces figures-là qu'au
jour du danger, et ça leur tourne le sang. J'ai dans ma
tête que madame Blanchet guérira bientôt en voyant
du secours dans ses affaires.

« Et avant que nous finissions ce propos, Catherine,
dis-moi encore une chose ; c'est un mot de vérité que
je te demande, et il ne faut pas te faire conscience de me
le dire. Ça ne sortira pas de là, et si tu te souviens de
moi, qui n'ai point changé, tu dois savoir qu'un secret
est bien placé dans le cœur du champi.

— Oui, oui, je le sais, dit Catherine ; mais pourquoi

---

1. La forme exacte du mot en patois berrichon est : *éparpillon*.
2. George Sand a toujours fait preuve de quelque scepticisme à
l'égard de la médecine officielle. Elle ne croyait guère à ses pronostics
(par exemple dans le cas de Chopin). Elle mettait sa confiance dans
les médecins les plus originaux (le docteur Gaubert), parfois les
plus fantaisistes (le docteur Favre), et elle se soignait d'une façon
un peu extravagante.
3. *La trop aiseté :* la trop grande aisance. Le mot *aiseté* n'est pas cité
par Jaubert, mais L. Vincent le donne comme assez répandu en Berry.

est-ce que tu te traites de champi? C'est un nom qu'on ne te donnera plus, car tu ne mérites pas de le porter, François.

— Ne fais pas attention. Je serai toujours ce que je suis, et n'ai point coutume de m'en tabouler [1] l'esprit. Dis-moi donc ce que tu penses de ta jeune maîtresse, Mariette Blanchet?

— Oh da! elle est jolie fille! Auriez-vous pris déjà idée de l'épouser? Elle a du de quoi [2], elle; son frère n'a pu toucher à son bien, qui est bien de mineur, et à moins que vous n'ayez fait un héritage, maître François...

— Les champis ne font guère d'héritages, dit François; et quant à ce qui est d'épouser, j'ai le temps de penser au mariage comme la châtaigne dans la poêle. Ce que je veux savoir de toi, c'est si cette fille est meilleure que son défunt frère, et si Madeleine aura du contentement d'elle, ou des peines en la conservant dans sa maison.

— Ça, dit Catherine, le bon Dieu pourrait vous le dire, mais non pas moi. Jusqu'à l'heure, c'est sans malice et sans idée de grand'chose. Ça aime la toilette les coiffes à dentelle et la danse. Ça n'est pas intéressé, et c'est si gâté et si bien traité par Madeleine, que ça n'a pas eu sujet de montrer si ça avait des dents. Ça n'a jamais souffert, nous ne saurions dire ce que ça deviendra.

— Était-elle très portée pour son frère?

— Pas beaucoup, sinon quand il la menait aux assemblées, et que notre maîtresse voulait lui observer

---

1. *Tabouler:* tourmenter.
2. *Du de quoi:* l'expression plaisait à George Sand qui l'emploie parfois dans ses lettres.

qu'il ne convenait pas de conduire une fille de bien en compagnie de la Sévère. Alors la petite, qui n'avait que le plaisir en tête, faisait des caresses à son frère et la moue à Madeleine, qui était bien obligée de céder. Et de cette manière-là la Mariette n'est pas aussi ennemie de la Sévère que ça me plairait. Mais on ne peut pas dire qu'elle ne soit pas aimable et comme il faut avec sa belle-sœur.

— Ça suffit, Catherine, je ne t'en demande pas plus. Je te défends seulement de rien dire à cette jeunesse du discours que nous venons de faire ensemble.

Les choses que François avait annoncées à la Catherine, il les fit fort bien. Dès le soir, par la diligence de Jeannie, il arriva du blé à moudre, et dès le soir le moulin était en état; la glace cassée et fondue d'autour de la roue, la machine graissée, les morceaux de bois réparés à neuf, là où il y avait de la cassure. Le brave François travailla jusqu'à deux heures du matin, et à quatre il était déjà debout. Il entra à petits pas dans la chambre de la Madeleine, et, trouvant là la bonne Catherine qui veillait, il s'enquit de la malade. Elle avait bien dormi, consolée par l'arrivée de son cher serviteur et par le bon secours qu'il lui apportait. Et comme Catherine refusait de quitter sa maîtresse avant que Mariette fût levée, François lui demanda à quelle heure se levait la beauté du Cormouer.

— Pas avant le jour, fit Catherine.

— Comme ça, il te reste plus de deux heures à l'attendre, et tu ne dormiras pas du tout?

— Je dors un peu le jour sur ma chaise, ou dans la grange sur la paille, pendant que je fais manger mes vaches.

— Eh bien! tu vas te coucher à présent, dit François, et j'attendrai ici la demoiselle pour lui montrer qu'il y en a qui se couchent plus tard qu'elle et qui sont levés plus matin. Je m'occuperai à examiner les papiers du défunt et ceux que les huissiers ont apportés[a] depuis sa mort. Où sont-ils?

— Là, dans le coffre à Madeleine, dit Catherine. Je vas vous allumer la lampe, François. Allons, bon courage, et tâchez de nous tirer d'embarras, puisque vous vous connaissez dans les écritures.

Et elle s'en fut coucher, obéissant au champi comme au maître de la maison, tant il est vrai de dire que celui qui a bonne tête et bon cœur commande partout et que c'est son droit.

XIX[a]

Avant que de se mettre à l'ouvrage, François, dès qu'il fut seul avec Madeleine et Jeannie, car le jeune gars couchait toujours dans la même chambre que sa mère, s'en vint regarder comment dormait la malade, et il trouva qu'elle avait bien meilleure façon qu'à son arrivée. Il fut content de penser qu'elle n'aurait pas besoin de médecin, et que lui tout seul, par la consolation qu'il lui donnerait, il lui sauverait sa santé et son sort.

Il se mit à examiner les papiers, et fut bientôt au fait de ce que prétendait la Sévère, et de ce qu'il restait de bien à Madeleine pour la contenter. En outre de tout ce que la Sévère avait mangé et fait manger à Cadet Blanchet, elle prétendait encore être créancière de deux cents pistoles [1], et Madeleine n'avait guère plus de son propre bien, réuni à l'héritage laissé à Jeannie par Blanchet, héritage qui se réduisait au moulin et à ses dépendances : c'est comme qui dirait la cour, le pré, les bâtiments, le jardin, la chènevière [2] et la plantation;

---

1. *Deux cents pistoles :* deux mille francs. Sur la valeur comparée de l'argent à l'époque de George Sand et à notre époque, cf. p. 318, n. 2.

2. La plupart des maisons campagnardes avaient alors une *chènevière*. Cf. *La Mare au Diable*, Ch. XII. Le paysan berrichon, isolé dans sa contrée, était habitué à se suffire à lui-même. Ses habits étaient faits de la laine de ses moutons et du chanvre qu'il récoltait.

car tous les champs et toutes les autres terres avaient
fondu comme neige dans les mains de Cadet Blanchet.

— Dieu merci! pensa François, j'ai quatre cents pistoles chez monsieur le curé d'Aigurande, et en suppo-
sant que je ne puisse pas mieux faire, Madeleine conser-
vera du moins sa demeurance, le produit de son moulin
et ce qui reste de sa dot. Mais je crois bien qu'on
pourra s'en tirer à moins. D'abord savoir si les billets
souscrits par Blanchet à la Sévère n'ont pas été extor-
qués par ruse et gueuserie [1], ensuite faire un coup de
commerce sur les terres vendues. Je sais bien comment
ces affaires-là se conduisent, et, d'après les noms des
acquéreurs, je mettrais ma main au feu que je vas
trouver par là le nid aux écus.

La chose était que Blanchet, deux ou trois ans avant
sa fin, pressé d'argent et affoulé [2] de mauvaises dettes
envers la Sévère, avait vendu à bas prix et à quiconque
s'était présenté, faisant par là passer ses créances à la
Sévère et croyant se débarrasser d'elle et des compères
qui l'avaient aidée à le ruiner. Mais il était advenu ce
qu'on voit souvent dans la vente au détail. Quasi tous
ceux qui s'étaient pressés d'acheter, alléchés par la bonne
senteur de la terre fromentale, n'avaient sou ni maille
pour payer, et c'est à grand'peine qu'ils soldaient les
intérêts. Ça pouvait durer comme cela dix et vingt ans;
c'était de l'argent placé pour la Sévère et ses compagnons, mais mal placé, et elle en murmurait fort contre
la grande hâte de Cadet Blanchet, craignant bien de

---

1. Le sens habituel de *gueuserie* est misère. Le sens adopté ici (mal-
honnêteté) est dérivé et populaire.

2. *Affoulé* est un composé de *foulé*, dont il a l'un des anciens sens :
accablé. Dans la prononciation ce mot se confondait avec affolé.
On trouvera plus bas une trace de cette confusion. Cf. p. 386, n. 1.

n'être jamais payée. Du moins voilà comment elle disait; mais c'était une spéculation comme une autre. Le paysan, serait-il sur la paille, sert toujours l'intérêt, tant il redoute de lâcher le morceau qu'il tient et que le créancier peut reprendre s'il est mal content.

Nous savons bien tous la chose, bonnes gens! et plus d'une fois il nous arrive de nous enrichir à rebours en achetant du beau bien à bas prix. Si bas qu'il soit, c'est trop pour nous. Nous avons les yeux de la convoitise plus grands que notre bourse n'a le ventre gros [1], et nous nous donnons bien du mal pour cultiver un champ dont le revenu ne couvre pas la moitié de l'intérêt que réclame le vendeur; et quand nous y avons pioché et sué pendant la moitié de notre pauvre vie, nous sommes ruinés, et il n'y a que la terre qui se soit enrichie de nos peines et labeurs. Elle vaut le double, et c'est le moment pour nous de la vendre. Si nous la vendions bien, nous serions sauvés; mais il n'en est point ainsi. Les intérêts nous ont mis si bien à sec qu'il faut se presser, vendre à tout prix. Si nous regimbons, les tribunaux nous y forcent, et le premier vendeur, s'il est encore en vie, ou ses ayants cause et héritiers reprennent leur bien comme ils le trouvent; c'est-à-dire que pendant longues années ils ont placé leur terre en nos mains à 8 et 10 du 100, et qu'ils en font la recouvrance lorsqu'elle vaut le double par l'effet de nos soins, d'une bonne culture qui ne leur a coûté ni peine ni dépense, et aussi par l'effet du temps qui va toujours donnant de la valeur à la propriété. Ainsi nous allons toujours à être mangées, pauvres ablettes, par les gros poissons qui

---

1. En brodant sur l'expression *avoir les yeux plus grands que le ventre*, George Sand aboutit à cet effet de style qui garde encore, malgré ce qu'il a de recherché, une sorte de rudesse populaire.

nous font la chasse, toujours punis de nos convoitises et simples comme devant [1].

Par ainsi la Sévère avait son argent placé à bonne hypothèque sur sa propre terre, et à beaux intérêts. Mais elle n'en tenait pas moins sous sa griffe la succession de Cadet Blanchet, parce qu'elle l'avait si bien conduit qu'il s'était engagé pour les acquéreurs de ses terres, et qu'il était resté caution pour eux du paiement.

En voyant toute cette manigance, François pourpensait au moyen de ravoir les terres à bon marché sans ruiner personne, et de jouer un bon tour à la Sévère et à sa clique en faisant manquer leur spéculation.

La chose n'était point aisée. Il avait de l'argent en suffisance pour ravoir quasiment le tout au prix de vente. La Sévère ni personne ne pouvait refuser le remboursement; ceux qui avaient acheté avaient tous profit à revendre bien vite et à se débarrasser de leur ruine à venir; car je vous le dis, jeunes et vieux à qui je parle, une terre achetée à crédit, c'est une patente de cherche-

---

1. Tout ce développement atteste les préoccupations socialistes de George Sand. Les idées qu'elle y exprime se retrouvent dans *La Revue Sociale*, de Pierre Leroux, qui avait publié en 1846 et 1847 une série de quatre articles sur *Les Paysans*, dont le second, daté de septembre 1846, contient ce passage : « Enfin on a réalisé quelques centaines de francs d'économies. On achètera un petit morceau de terre... Mais toutes les ressources, ajoutées les unes au bout des autres, arriveront à peine à la moitié du prix de l'objet convoité. Dans la petite ville voisine, il y a un banquier (lisez usurier) qui prête à un taux *raisonnable* : cet honnête agent s'est enrichi à ce métier. Il prête... Le reste de la vie des pauvres gens ne suffit pas à acquitter le fonds de la dette; les intérêts seuls rongent toutes les économies. Les parents meurent à la peine : les enfants héritent d'un champ, d'un pré, d'une espèce de maison... et du reste de la dette. Aucun d'eux ne peut garder l'héritage, étant incapable de payer aux autres l'équivalent de ce qui leur reviendrait; le bien est vendu : il est à la convenance du maître qui l'achète. » On a supposé que George Sand pourrait être l'auteur de ces quatre articles (L. Vincent, *George Sand et le Berry*, p. 342). Mais on n'y reconnaît pas son style.

pain pour vos vieux jours. Mais j'aurai beau vous le dire, vous n'en aurez pas moins la maladie achetouère [1]. Personne ne peut voir au soleil la fumée d'un sillon labouré sans avoir la chaude fièvre d'en être le seigneur. Et voilà ce que François redoutait fort : c'est cette chaude fièvre du paysan qui ne veut pas se départir de sa glèbe.

Connaissez-vous ça, la glèbe, enfants ? Il a été un temps où l'on en parlait grandement dans nos paroisses. On disait que les anciens seigneurs nous avaient attachés à cela pour nous faire périr à force de suer, mais que la Révolution avait coupé le câble et que nous ne tirions plus comme des bœufs à la charrue du maître; la vérité est que nous nous sommes liés nous-mêmes à notre propre areau [2], et que nous n'y suons pas moins, et que nous y périssons tout de même [3].

Le remède, à ce que prétendent les bourgeois de chez nous, serait de n'avoir jamais besoin ni envie de rien. Et dimanche passé je fis réponse à un qui me prêchait ça très bien, que si nous pouvions être assez raisonnables, nous autres petites gens, pour ne jamais manger, toujours travailler, point dormir, et boire de

---

1. *La maladie achetouère :* selon L. Vincent cette expression serait de l'invention de George Sand. Elle a cependant une saveur réellement paysanne.

2. *Areau :* charrue (se prononçait ariau).

3. Le chanvreur s'exprime ici à la manière de Blaise Bonnin, le personnage fictif sous la signature duquel George Sand avait publié dans *L'Éclaireur de l'Indre* (5 et 12 octobre 1844) la *Lettre d'un paysan de la Vallée Noire.* Voici un passage de cette lettre : « On soutient que la Révolution nous a fait de grands biens et porté beaucoup de profit. Nous l'avons cru aussi, et le jour où nous nous sommes trouvés sans seigneurs, sans abbés, sans dixmes ni redevances, nous nous sommes tous imaginé que nous allions être libres et gaillards comme alouettes au champ. Nous nous sommes trompés, foi d'homme !... Le servage, c'est notre état de misère. »

la belle eau clairette, encore si les grenouilles ne s'en fâchaient point, nous arriverions à une belle épargne, et on nous trouverait sages et gentils à grand'plantée [1] de compliments.

Suivant la chose comme vous et moi, François le champi se tabustait [2] beaucoup la cervelle pour trouver le moyen par où décider les acheteurs à lui revendre. Et celui qu'il trouva à la parfin [3], ce fut de leur couler dans l'oreille un beau petit mensonge, comme quoi la Sévère avait l'air, plus que la chanson, d'être riche; qu'elle avait plus de dettes qu'il n'y a de trous dans un crible, et qu'au premier beau matin ses créanciers allaient faire saisir[a] sur toutes ses créances comme sur tout son avoir. Il leur dirait la chose en confidence, et quand il les aurait bien épeurés [4], il ferait agir Madeleine Blanchet avec son argent à lui pour ravoir les terres au prix de vente [5].

---

1. *Plantée:* abondance. Vieux mot que George Sand introduit arbitrairement dans le parler berrichon et qu'elle orthographie de façon incorrecte. La forme régulière est *planté*.

2. *Tabuster* n'est pas un terme berrichon. Cf. p. 338, n. 3.

3. *A la parfin:* cf. p. 307, n. 1.

4. *Épeurer:* effrayer. Terme berrichon, dont L. Vincent a relevé seize emplois dans les romans de George Sand.

5. Sur les difficultés financières rencontrées par les paysans berrichons, lorsqu'ils faisaient un achat de terres, cf. p. 354, n. 1. Ces difficultés favorisaient la spéculation. Dans *Le Meunier d'Angibault* George Sand donne un autre exemple de spéculation sur les terres : le paysan Bricolin voudrait acheter au-dessous de son prix le domaine de Blanchemont, profitant de la ruine de la châtelaine, qui est disposée à liquider tout son avoir pour payer les dettes de son mari. Il fait valoir à Marcelle de Blanchemont que, si elle vend son bien en détail, elle trouvera des acquéreurs qui lui en offriront un bon prix mais qui ne seront pas solvables, tandis qu'il peut lui acheter le tout à la moitié du prix et le payer comptant.

Personnellement, George Sand avait eu à régler de nombreuses questions d'intérêts avec ses fermiers, avec ses éditeurs, avec les commanditaires de *La Revue indépendante* et de *L'Éclaireur de l'Indre,* avec

Il se fit conscience pourtant de cette menterie, jusqu'à ce qu'il lui vint l'idée de faire à chacun des pauvres acquéreurs un petit avantage pour les compenser des intérêts qu'ils avaient déjà payés. Et de cette manière, il ferait rentrer Madeleine dans ses droits et jouissances, en même temps qu'il sauverait les acquéreurs de toute ruine et dommage. Tant qu'à la Sévère et au discrédit que son propos pourrait lui occasionner, il ne s'en fit conscience aucune. La poule peut bien essayer de tirer une plume à l'oiseau méchant qui lui a plumé ses poussins.

Là-dessus Jeannie s'éveilla et se leva bien doucement pour ne pas déranger le repos de sa mère; puis, ayant dit bonjour à François, il ne perdit temps pour aller avertir le restant des pratiques que le désarroi du moulin était raccommodé, et qu'il y avait un beau meunier à la meule.

Pierre Leroux. Elle avait eu plusieurs procès : avec son mari, avec la Société des gens de lettres. Elle avait le goût et le sens des affaires. Cf. F. Boury, *De quoi vivait George Sand*. Éditions des Deux-Rives, Paris, 1952.

LE jour était déjà grand quand Mariette Blanchet sortit du nid, bien attifée dans son deuil, avec du si beau noir et du si beau blanc qu'on aurait dit d'une petite pie. La pauvrette avait un grand souci. C'est que ce deuil l'empêcherait, pour un temps, d'aller danser dans les assemblées, et que tous ses galants allaient être en peine d'elle; elle avait si bon cœur qu'elle les en plaignait grandement.

— Comment! fit-elle en voyant François ranger des papiers dans la chambre de Madeleine, vous êtes donc à tout ici, monsieur le meunier! vous faites la farine, vous faites les affaires, vous faites la tisane; bientôt on vous verra coudre et filer...

— Et vous, demoiselle, dit François, qui vit bien qu'on le regardait d'un bon œil tout en le taquinant de la langue, je ne vous ai encore vue ni filer ni coudre; m'est avis que bientôt on vous verra dormir jusqu'à midi, et vous ferez bien. Ça conserve le teint frais.

— Oui-da, maître François, voilà déjà que nous nous disons des vérités... Prenez garde à ce jeu-là : j'en sais dire aussi.

— J'attends votre plaisir, demoiselle.

— Ça viendra; n'ayez peur, beau meunier. Mais où est donc passée la Catherine, que vous êtes là à garder la malade? Vous faudrait-il une coiffe et un jupon?

— Sans doute que vous demanderez, par suite, une

blouse et un bonnet pour aller au moulin? Car, ne faisant point ouvrage de femme, qui serait de veiller un tantinet auprès de votre sœur, vous souhaitez de lever la paille [1] et de tourner la meule. A votre commandement! changeons d'habits.

— On dirait que vous me faites la leçon?

— Non, je l'ai reçue de vous d'abord, et c'est pourquoi, par honnêteté, je vous rends ce que vous m'avez prêté.

— Bon! bon! vous aimez à rire et à lutiner. Mais vous prenez mal votre temps; nous ne sommes point en joie ici. Il n'y a pas longtemps que nous étions au cimetière, et si vous jasez tant, vous ne donnerez guère de repos à ma belle-sœur, qui en aurait grand besoin.

— C'est pour cela que vous ne devriez pas tant lever la voix, demoiselle, car je vous parle bien doux, et vous ne parlez pas, à cette heure, comme il faudrait dans la chambre d'une malade.

— Assez, s'il vous plaît, maître François, dit la Mariette en baissant le ton, mais en devenant toute rouge de dépit; faites-moi l'amitié de voir si Catherine est par là, et pourquoi elle laisse ma belle-sœur à votre garde.

— Faites excuse, demoiselle, dit François sans s'échauffer autrement; ne pouvant la laisser à votre garde, puisque vous aimez la dormille [2], il lui était bien force de se fier à la mienne. Et, tant qu'à l'appeler, je ne le ferai point, car cette pauvre fille est esrenée [3] de fatigue. Voilà quinze nuits qu'elle passe, sans vous

---

1. *La paille:* la pelle, c'est-à-dire la vanne.

2. *Dormille:* terme d'ancien français qui s'est conservé dans le patois berrichon. Se prononçait: deurmille (George Sand, *Glossaire*).

3. *Esrenée:* éreintée. Terme d'ancien français mais non de patois berrichon.

offenser. Je l'ai envoyée coucher, et jusqu'à midi je
prétends faire son ouvrage et le mien, car il est juste
qu'un chacun s'entr'aide.

— Écoutez, maître François, fit la petite, changeant
de ton subitement[a], vous avez l'air de vouloir me dire
que je ne pense qu'à moi, et que je laisse toute la peine
aux autres. Peut-être que, de vrai, j'aurais dû veiller à
mon tour, si Catherine m'eût dit qu'elle était fatiguée.
Mais elle disait qu'elle ne l'était point, et je ne voyais
pas que ma belle-sœur fût en si grand danger. Tant y a
que vous me jugez de mauvais cœur, et je ne sais point
où vous avez pris cela. Vous ne me connaissez que
d'hier, et nous n'avons pas encore assez de familiarité
ensemble pour que vous me repreniez comme vous
faites. Vous agissez trop comme si vous étiez le chef de
famille, et pourtant...

— ... Allons, dites, la belle Mariette, dites ce que
vous avez au bout de la langue. Et pourtant, j'y ai été
reçu et élevé par charité, pas vrai! et je ne peux pas être
de la famille, parce que je n'ai pas de famille; je n'y ai
droit, étant champi! Est-ce tout ce que vous aviez envie
de dire?

Et en répondant tout droit à la Mariette, François la
regardait d'une manière qui la fit rougir jusqu'au blanc
des yeux, car elle vit qu'il avait l'air d'un homme sévère
et bien sérieux, en même temps qu'il montrait tant de
tranquillité et de douceur qu'il n'y aurait moyen de le
dépiter et de le faire penser ou parler injustement.

La pauvre jeunesse en ressentit comme un peu de
peur, elle pourtant qui ne boudait point de la langue
pour l'ordinaire, et cette sorte de peur n'empêchait
point une certaine envie de plaire à ce beau gars, qui
parlait si ferme et regardait si franchement. Si bien que,
se trouvant toute confondue et embarrassée, elle eut

peine à se retenir de pleurer, et tourna vivement le nez d'un autre côté pour qu'il ne la vît dans cet émoi.

Mais il la vit bien et lui dit en manière amicale :

— Vous ne m'avez point fâché, Mariette, et vous n'avez pas sujet de l'être pour votre part. Je ne pense pas mal de vous. Seulement je vois que vous êtes jeune, que la maison est dans le malheur, que vous n'y faites point d'attention, et qu'il faut bien que je vous dise comment je pense.

— Et comment pensez-vous ? fit-elle; dites-le donc tout d'un coup, pour qu'on sache si vous êtes ami ou ennemi.

— Je pense que si vous n'aimez point le souci et le tracas qu'on se donne pour ceux qu'on aime et qui sont dans un mauvais charroi [1], il faut vous mettre à part, vous moquer de tout, songer à votre toilette, à vos amoureux, à votre futur mariage, et ne pas trouver mauvais qu'on s'emploie ici à votre place. Mais si vous avez du cœur, la belle enfant, si vous aimez votre belle-sœur et votre gentil neveu, et mêmement la pauvre servante fidèle qui est capable de mourir sous le collier comme un bon cheval, il faut vous réveiller un peu plus matin, soigner Madeleine, consoler Jeannie, soulager Catherine, et surtout fermer vos oreilles à l'ennemie de la maison, qui est madame Sévère, une mauvaise âme, croyez-moi. Voilà comment je pense, et rien de plus.

— Je suis contente de le savoir, dit la Mariette un peu sèchement, et à présent vous me direz de quel droit vous me souhaitez penser à votre mode.

— Oh! c'est ainsi! répondit François. Mon droit est

---

1. *Charroi* : ornière. L'expression *être dans un mauvais* (ou *dans un vilain*) *charroi* est ancienne et populaire et n'a rien de spécialement berrichon.

le droit du champi, et pour que vous n'en ignoriez, de l'enfant reçu et élevé ici par la charité de madame Blanchet; ce qui est cause que j'ai le devoir de l'aimer comme ma mère et le droit d'agir à celle fin de la récompenser de son bon cœur.

— Je n'ai rien à blâmer là-dessus, reprit la Mariette, et je vois que je n'ai rien de mieux à faire que de vous prendre en estime à cette heure et en bonne amitié avec le temps.

— Ça me va, dit François, donnez-moi une poignée de main.

Et il s'avança à elle en lui tendant sa grande main, point gauchement du tout. Mais cette enfant de Mariette fut tout à coup piquée de la mouche de la coquetterie, et, retirant sa main, elle lui dit que ce n'était pas convenant [1] à une jeune fille de donner comme cela la main à un garçon.

Dont François se mit à rire et la laissa, voyant bien qu'elle n'allait pas franchement, et qu'avant tout elle voulait donner dans l'œil. « Or, ma belle, pensa-t-il, vous n'y êtes point, et nous ne serons pas amis comme vous l'entendriez. »

Il alla vers Madeleine qui venait de s'éveiller, et qui lui dit, en lui prenant ses deux mains : — J'ai bien dormi, mon fils, et le bon Dieu me bénit de me montrer ta figure première à mon éveil. D'où vient que mon Jeannie n'est point avec toi ?

Puis, quand la chose lui fut expliquée, elle dit aussi des paroles d'amitié à Mariette, s'inquiétant qu'elle eût passé la nuit à la veiller, et l'assurant qu'elle n'avait pas besoin de tant d'égards pour son mal. Mariette s'atten-

---

1. Selon L. Vincent le vieux terme *convenant* (bienséant) est rarement employé en patois berrichon. Jaubert ne le cite même pas.

dait que François allait dire qu'elle s'était même levée
bien tard; mais François ne dit rien et la laissa avec
Madeleine, qui voulait essayer de se lever, ne sentant
plus de fièvre.

Au bout de trois jours, elle se trouva même si bien,
qu'elle put causer de ses affaires avec François.

— Tenez-vous en repos, ma chère mère, lui dit-il.
Je me suis un peu déniaisé là-bas et j'entends assez bien
les affaires. Je veux vous tirer de là, et j'en verrai le
bout. Laissez-moi faire, ne démentez rien de ce que je
dirai, et signez tout ce que je vous présenterai. De ce
pas, puisque me voilà tranquillisé sur votre santé, je
m'en vas à la ville consulter les hommes de la loi. C'est
jour de marché, je trouverai là du monde que je veux
voir, et je compte que je ne perdrai pas mon temps.

Il fit comme il disait; et quand il eut pris conseil et
renseignement des hommes de loi, il vit bien que les
derniers billets que Blanchet avait souscrits à la Sévère
pouvaient être matière à un bon procès; car il les avait
signés ayant la tête à l'envers, de fièvre, de vin et de
bêtise. La Sévère s'imaginait que Madeleine n'oserait
plaider, crainte des dépens. François ne voulait pas
donner à madame Blanchet le conseil de s'en remettre
au sort des procès, mais il pensa raisonnablement
terminer la chose par un arrangement en lui faisant faire
d'abord bonne contenance; et, comme il lui fallait
quelqu'un pour porter la parole à l'ennemi, il s'avisa
d'un plan qui réussit au mieux.

Depuis trois jours il avait assez observé la petite
Mariette pour voir qu'elle allait tous les jours se promener du côté des Dollins [1], où résidait la Sévère, et
qu'elle était en meilleure amitié qu'il n'eût souhaité avec

---

1. *Les Dollins:* cf. p. 281, n. 1.

cette femme, à cause surtout qu'elle y rencontrait du
jeune monde de sa connaissance et des bourgeois qui
lui contaient fleurette. Ce n'est pas qu'elle voulût les
écouter; elle était fille innocente encore, et ne croyait
pas[a] le loup si près de la bergerie. Mais elle se plaisait
aux compliments et en avait soif comme une mouche
du lait. Elle se cachait grandement de Madeleine pour
faire ses promenades; et comme Madeleine n'était point
jaseuse avec les autres femmes et ne quittait pas encore
la chambre, elle ne voyait rien et ne soupçonnait point
de faute. La grosse Catherine n'était point fille à deviner
ni à observer la moindre chose. Si bien que la petite
mettait son callot[1] sur l'oreille, et, sous couleur de
conduire les ouailles aux champs, elle les laissait sous
la garde de quelque petit pastour[2], et allait faire la
belle en mauvaise compagnie.

François, en allant et venant pour les affaires du
moulin, vit la chose, n'en sonna mot à la maison, et
s'en servit comme je vas vous le faire assavoir.

---

1. La coiffe, avec tous ses ornements compliqués, ne servait guère
que pour les fêtes. « En temps ordinaire les femmes portaient de
grands *calots* ou coiffes en toile, noués sous le cou par des cordons. »
(Vincent, *Le Berry dans l'œuvre de George Sand*, p. 146.)

2. *Pastour*: cf. p. 263, n. 1.

Il s'en alla se planter tout au droit de [1] son chemin, au gué de la rivière; et comme elle prenait la passerelle, aux approches des Dollins [2], elle y trouva le champi à cheval sur la planche, chacune jambe pendante au-dessus de l'eau, et dans la figure d'un homme qui n'est point pressé d'affaires. Elle devint rouge comme une cenelle[b3], et si elle n'eût manqué de temps pour faire la frime d'être là par hasard, elle aurait viré de côté.

Mais comme l'entrée de la passerelle était toute branchue, elle n'avisa le loup que quand elle fut sous sa dent. Il avait la figure tournée de son côté, et elle ne vit aucun moyen d'avancer ni de reculer sans être observée.

— Çà, monsieur le meunier, fit-elle, payant de hardiesse, ne vous rangeriez-vous pas un brin pour laisser passer le monde?

— Non, demoiselle, répondit François, car c'est moi qui suis le gardien de la passerelle pour à ce soir, et je réclame d'un chacun droit de péage.

— Est-ce que vous devenez fou, François? on ne

---

1. George Sand emploie l'expression *au droit de* pour désigner le point de rencontre de deux directions perpendiculaires.

2. Les Dollins sont situés entre la Vauvre et l'Indre, à trois kilomètres de l'une, un kilomètre de l'autre. Il ne s'agit donc ici ni de la Vauvre, ni de l'Indre, mais de l'un des nombreux ruisseaux qui sillonnent le pays.

3. *Cenelle :* fruit rouge de l'aubépine.

paie pas dans nos pays, et vous n'avez droit sur passière [1], passerelle, passerette ou passerotte, comme on
dit peut-être dans votre pays d'Aigurande. Mais parlez
comme vous voudrez, et ôtez-vous de là un peu vite :
ce n'est pas un endroit pour badiner; vous me feriez
tomber dans l'eau.

— Vous croyez donc, dit François sans se déranger
et en croisant ses bras sur son estomac, que j'ai envie de
rire avec vous, et que mon droit de péage serait de vous
conter fleurette? Otez cela de votre idée, demoiselle :
je veux vous parler bien raisonnablement, et je vas vous
laisser passage, si vous me donnez licence de vous
suivre un bout de chemin pour causer avec vous.

— Ça ne convient pas du tout, dit la Mariette un peu
échauffée par l'idée qu'elle avait que François voulait
lui en conter. Qu'est-ce qu'on dirait de moi dans le
pays, si on me rencontrait seule par les chemins avec un
garçon qui n'est pas mon prétendu?

— C'est juste, dit François. La Sévère n'étant point
là pour vous faire porter respect, il en serait parlé; voilà
pourquoi vous allez chez elle, afin de vous promener
dans son jardin avec tous vos prétendus. Eh bien! pour
ne pas vous gêner, je m'en vas vous parler ici, et en
deux mots, car c'est une affaire qui presse, et voilà ce
que c'est : Vous êtes une bonne fille, vous avez donné
votre cœur à votre belle-sœur Madeleine; vous la voyez
dans l'embarras, et vous voudriez bien l'en retirer, pas
vrai?

— Si c'est de cela que vous voulez me parler, je vous
écoute, répondit la Mariette, car ce que vous dites est
la vérité.

— Eh bien! ma bonne demoiselle, dit François en

---

1. *Passière* est cité par Jaubert avec le sens de chemin.

se levant et en s'accotant avec elle contre la berge [1] du petit pont, vous pouvez rendre un grand office à madame Blanchet. Puisque pour son bonheur et dans son intérêt, je veux le croire, vous êtes bien avec la Sévère, il vous faut rendre cette femme consente [2] d'un accommodement; elle veut deux choses qui ne se peuvent point à la fois par le fait : rendre la succession de maître Blanchet caution du paiement des terres qu'il avait vendues pour la payer; et, en second lieu, exiger paiement de billets souscrits à elle-même. Elle aura beau chicaner et tourmenter cette pauvre succession, elle ne fera point qu'il s'y trouve ce qui s'en manque. Faites-lui entendre que si elle n'exige point que nous garantissions le paiement des terres, nous pourrons payer les billets; mais que, si elle ne nous permet pas de nous libérer d'une dette, nous n'aurons pas de quoi lui payer l'autre, et qu'à faire des frais qui nous épuisent sans profit pour elle, elle risque de perdre le tout.

— Ça me paraît certain, dit Mariette, quoique je n'entende guère les affaires, mais enfin j'entends cela. Et si, par hasard, je la décidais, François, qu'est-ce qui vaudrait mieux pour ma belle-sœur, payer les billets ou être dégagée de la caution?

— Payer les billets sera le pire, car ce sera le plus injuste. On peut contester sur ces billets et plaider; mais pour plaider, il faut de l'argent, et vous savez qu'il n'y en a point à la maison, et qu'il n'y en aura jamais. Ainsi, que ce qui reste à votre belle-sœur s'en aille en procès ou en paiement à la Sévère, c'est tout un pour elle, tandis que pour la Sévère, mieux vaut être

---

1. *La berge :* le bord surélevé de la rivière, à l'endroit où se trouve le pont.

2. *Consente* (consentante) : vieux mot qui s'est conservé dans l'usage populaire.

payée sans plaider. Ruinée pour ruinée, Madeleine aime
mieux laisser saisir tout ce qui lui reste, que de rester
encore après sous le coup d'une dette qui peut durer
autant que sa vie, car les acquéreurs de Cadet Blanchet
ne sont guère bons pour payer; la Sévère le sait bien, et
elle sera forcée un jour de reprendre les terres, chose
dont l'idée ne la fâche point, car c'est une bonne affaire
que de les trouver amendées, et d'en avoir tiré gros
intérêt pendant du temps. Par ainsi la Sévère ne risque
rien à nous rendre la liberté, et elle s'assure le paiement
de ses billets.

— Je ferai comme vous l'enseignez, dit la Mariette,
et si j'y manque, n'ayez pas d'estime pour moi.

— Ainsi donc, bonne chance, Mariette, et bon
voyage, dit François en se retirant de son chemin.

La petite Mariette s'en alla aux Dollins, bien contente
d'avoir une belle excuse pour s'y montrer, et pour y
rester longtemps et pour y retourner les jours suivants.
La Sévère fit mine de goûter ce qu'elle lui conta; mais
au fond elle se promit de ne pas aller vite. Elle avait
toujours détesté Madeleine Blanchet, pour l'estime que
malgré lui son mari était obligé d'en faire. Elle croyait
la tenir dans ses mains griffues pour tout le temps de sa
vie, et elle eût mieux aimé renoncer aux billets qu'elle
savait bien ne pas valoir grand'chose, qu'au plaisir de
la molester en lui faisant porter l'endosse d'une dette
sans fin.

François savait bien la chose, et il voulait l'amener à
exiger le paiement de cette dette-là, afin d'avoir l'occasion de racheter les bons biens de Jeannie à ceux qui les
avaient eus quasi pour rien. Mais quand Mariette vint
lui rapporter la réponse, il vit qu'on l'amusait par des
paroles; que, d'une part, la petite serait contente de
faire durer les commissions, et que, de l'autre part, la

Sévère n'était pas encore venue au point de vouloir la ruine de Madeleine plus que l'argent de ses billets.

Pour l'y faire arriver d'un coup de collier, il prit Mariette à part deux jours après :

— Il ne faut, dit-il, point aller aujourd'hui aux Dollins, ma bonne demoiselle. Votre belle-sœur a appris, je ne sais comment, que vous y alliez un peu plus souvent que tous les jours, et elle dit que ce n'est pas la place d'une fille comme il faut. J'ai essayé de lui faire entendre à quelles fins vous fréquentiez la Sévère dans son intérêt; mais elle m'a blâmé ainsi que vous. Elle dit qu'elle aime mieux être ruinée que de vous voir perdre l'honneur, que vous êtes sous sa tutelle et qu'elle a autorité sur vous. Vous serez empêchée de force de sortir, si vous ne vous en empêchez vous-même de gré. Elle ne vous en parlera point si vous n'y retournez, car elle ne veut point vous faire de peine, mais elle est grandement fâchée contre vous, et il serait à souhaiter que vous lui demandissiez [1] pardon.

François n'eut pas sitôt lâché le chien, qu'il se mit à japper et à mordre. Il avait bien jugé l'humeur de la petite Mariette, qui était précipiteuse [2] et combustible comme celle de son défunt frère.

— Oui-da et pardi! s'exclama-t-elle, on va obéir comme une enfant de trois ans à une belle-sœur! Dirait-on pas qu'elle est ma mère et que je lui dois la soumission! Et où prend-elle que je perds mon honneur! Dites-lui, s'il vous plaît, qu'il est aussi bien

---

1. George Sand a souvent noté l'étrangeté des formes de subjonctif employées par les paysans berrichons. Mais si elle a intentionnellement écrit *demandissiez* plutôt que *demandassiez*, il est surprenant qu'elle n'ait pas souligné ce mot.

2. « Le paysan berrichon emploie beaucoup de mots en —eux. (L. Vincent, *La langue et le style rustiques de George Sand*, p. 51).

agrafé que le sien, et peut-être mieux. Et que sait-elle
de la Sévère, qui en vaut bien une autre ? Est-on mal-
honnête parce qu'on n'est pas toute la journée à coudre,
à filer et à dire des prières ? Ma belle-sœur est injuste
parce qu'elle est en discussion d'intérêts avec elle, et
qu'elle se croit permis de la traiter de toutes les manières.
C'est imprudent à elle; car si la Sévère voulait, elle la
chasserait de la maison où elle est; et ce qui prouve que
la Sévère est moins mauvaise qu'on ne dit, c'est qu'elle
ne le fait point et prend patience. Et moi qui ai la
complaisance de me mêler de leurs différends qui ne me
regardent pas, voilà comme j'en suis remerciée. Allez!
allez! François, croyez que les plus sages ne sont pas
toujours les plus rembarrantes [1], et qu'en allant chez la
Sévère, je n'y fais pas plus de mal qu'ici.

— A savoir! dit François, qui voulait faire monter
toute l'écume de la cuve; votre belle-sœur n'a peut-être
pas tort de penser que vous n'y faites point de bien. Et
tenez, Mariette, je vois que vous avez trop de presse d'y
aller! ça n'est pas dans l'ordre. La chose que vous aviez
à dire pour les affaires de Madeleine est dite, et si la
Sévère n'y répond point, c'est qu'elle ne veut pas y répondre. N'y retournez donc plus, croyez-moi, ou bien je
croirai, comme Madeleine, que vous n'y allez à bonnes
intentions.

— C'est donc décidé, maître François, fit Mariette
tout en feu, que vous allez aussi faire le maître avec
moi ? Vous vous croyez l'homme de chez nous [2], le
remplaçant de mon frère. Vous n'avez pas encore assez
de barbe autour du bec pour me faire la semonce, et je

---

1. *Rembarrer* est populaire mais non pas spécialement berrichon.
Le proverbe semble être de l'invention de George Sand.
2. *L'homme de chez nous :* cf. p. 236, n. 3.

vous conseille de me laisser en paix. Votre servante, dit-elle encore en rajustant sa coiffe; si ma belle-sœur me demande, vous lui direz que je suis chez la Sévère, et si elle vous envoie me chercher, vous verrez comment vous y serez reçu.

Là-dessus elle jeta bien fort le barreau de la porte [1], et s'en fut de son pied léger aux Dollins; mais comme François avait peur que sa colère ne refroidît en chemin, vu que d'ailleurs le temps était à la gelée, il lui laissa un peu d'avance, et quand elle approcha du logis de la Sévère, il donna du jeu à ses grandes jambes, courut comme un désenfargé [2], et la rattrapa, pour lui faire accroire qu'il était envoyé par Madeleine à sa poursuite.

Là il la picota en paroles jusqu'à lui faire lever la main. Mais il esquiva les tapes, sachant bien que la colère s'en va avec les coups, et que femme qui frappe est soulagée de son dépit. Il se sauva, et dès qu'elle fut chez la Sévère, elle y fit grand éclat. Ce n'est pas que la pauvre enfant eût de mauvaises intentions; mais dans la première flambée de sa fâcherie, elle ne savait s'en cacher, et elle mit la Sévère dans un si grand courroux, que François, qui s'en allait à petits pas par le chemin creux, les entendait du bout de la chènevière rouffer [3] et siffler comme le feu dans une grange à paille.

---

1. *Le barreau de la porte:* cf. p. 331, n. 1.
2. *Désenfargé:* terme berrichon s'appliquant au cheval à qui on a enlevé les *enfarges* ou *enferges*, c'est-à-dire les entraves qui l'empêchent de courir. Cf. *La Mare au Diable*, ch. vi.
3. *Rouffer:* se fâcher, crier. Selon L. Vincent, ce mot est fréquemment employé dans le parler berrichon.

L'AFFAIRE réussit à son souhait, et il en était si acer-tainé [1] qu'il partit le lendemain pour Aigurande, où il prit son argent chez le curé, et s'en revint à la nuit, rapportant ses quatre petits papiers fins qui valaient gros, et ne faisaient si [2], pas plus de bruit dans sa poche qu'une miette de pain dans un bonnet. Au bout de huit jours, on entendit nouvelles de la Sévère. Tous les acquéreurs des terres de Blanchet étaient sommés de payer, aucun ne pouvait, et Madeleine était menacée de payer à leur place.

Dès que la connaissance lui en vint, elle entra en grande crainte, car François ne l'avait encore avertie de rien.

— Bon! lui dit-il, se frottant les deux mains, il n'est marchand qui toujours gagne, ni voleur qui toujours pille. Madame Sévère va manquer une belle affaire et vous allez en faire une bonne. C'est égal, ma chère mère, faites comme si vous vous croyiez perdue. Tant plus vous aurez de peine, tant plus elle mettra de joie à faire ce qu'elle croit mauvais pour nous. Mais ce mauvais est votre salut, car vous allez, en payant la Sévère, reprendre tous les héritages de votre fils.

— Et avec quoi veux-tu que je la paie, mon enfant?

---

1. *Acertainé* (assuré) semble être une création de George Sand.
2. *Si,* employé dans son ancien sens de pourtant, est placé ici de façon fantaisiste.

— Avec de l'argent qui est dans ma poche et qui est à vous.

Madeleine voulut s'en défendre; mais le champi avait la tête dure, disait-il, et on n'en pouvait arracher ce qu'il y avait serré à clef. Il courut chez le notaire déposer deux cents pistoles au nom de la veuve Blanchet, et la Sévère fut payée bel et bien, bon gré, mal gré, ainsi que les autres créanciers de la succession, qui faisaient cause commune avec elle.

Et quand la chose fut amenée à ce point que François eut même indemnisé les pauvres acquéreurs de leurs souffrances, il lui restait encore de quoi plaider, et il fit assavoir à la Sévère qu'il allait entamer un bon procès au sujet des billets qu'elle avait soutirés au défunt par fraude et malice. Il répandit un conte qui fit grand train dans le pays. C'est qu'en fouillant dans un vieux mur du moulin pour y planter une étaie [1], il avait trouvé la tirelire à la défunte vieille mère Blanchet, toute en beaux louis d'or à l'ancien coin, et que, par ce moyen, Madeleine se trouvait plus riche qu'elle n'avait jamais été. De guerre lasse, la Sévère entra en arrangement, espérant que François s'était mis un peu de ces écus, trouvés si à propos, au bout des doigts, et qu'en l'amadouant elle en verrait encore plus qu'il n'en montrait. Mais elle en fut pour sa peine, et il la mena par un chemin si étroit qu'elle rendit les billets en échange de cent écus [2].

Alors, pour se revenger, elle monta la tête de la petite

----

1. *Etaie :* forme vieillie du mot étai
2. *Cent écus :* cinq cents francs. Il reste donc à François, qui a déjà dépensé deux cents pistoles (deux mille francs) pour racheter les biens de Cadet Blanchet, quinze cents francs. Sur la valeur comparée de l'argent à l'époque de George Sand et à notre époque, cf. p. 318, n. 2.

Mariette, en l'avisant que la tirelire de la vieille Blanchet, sa grand'mère, aurait dû être partagée entre elle et
Jeannie, qu'elle y avait droit, et qu'elle devait plaider
contre sa belle-sœur.

Force fut alors au champi de dire la vérité sur la
source de l'argent qu'il avait fourni, et le curé d'Aigurande lui en envoya les preuves en cas de procès.

Il commença par montrer ces preuves à Mariette, en
la priant de n'en rien ébruiter inutilement, et en lui
démontrant qu'elle n'avait plus qu'à se tenir tranquille.
Mais la Mariette n'était pas tranquille du tout. Sa
cervelle avait pris feu dans tout ce désarroi de famille,
et la pauvre enfant était tentée du diable. Malgré la
bonté dont Madeleine avait toujours usé envers elle, la
traitant comme sa fille et lui passant tous ses caprices,
elle avait pris une mauvaise idée contre sa belle-sœur et
une jalousie dont elle aurait été bien empêchée, par
mauvaise honte, de dire le fin mot. Mais le fin mot,
c'est qu'au milieu de ses disputes et de ses enragements
contre François, elle s'était coiffée de lui tout doucement et sans se méfier du tour que lui jouait le diable.
Tant plus il la tançait de ses caprices et de ses manque-
ments, tant plus elle devenait enragée de lui plaire.

Elle n'était pas fille à se dessécher de chagrin, non
plus qu'à se fondre dans les larmes; mais elle n'avait
point de repos en songeant que François était si beau
garçon, si riche, si honnête, si bon pour tout le monde,
si adroit à se conduire, si courageux, qu'il était homme
à donner jusqu'à la dernière once [1] de son sang pour la
personne qu'il aimerait; et que tout cela n'était point

---

1. *Une once :* une très petite quantité. Au sens propre, ancienne
unité de poids, variable suivant les régions (un peu plus de trente
grammes à Paris).

pour elle, qui pouvait se dire la plus belle et la plus
riche de l'endroit, et qui remuait ses amoureux à la
pelle.

Un jour elle en ouvrit son cœur à sa mauvaise amie,
la Sévère. C'était dans le patural [1] qui est au bout du
chemin aux Napes [2]. Il y a par là un vieux pommier
qui se trouvait tout en fleur, parce que, depuis que
toutes ces affaires duraient, le mois de mai était venu,
et la Mariette étant à garder ses ouailles au bord
de la rivière, la Sévère vint babiller avec elle sous ce
pommier fleuri.

Mais, par la volonté du bon Dieu, François, qui se
trouvait aussi par là, entendit leurs paroles; car en
voyant la Sévère entrer dans le patural, il se douta bien
qu'elle y venait manigancer quelque chose contre
Madeleine; et la rivière étant basse, il marcha tout doucement sur le bord, au-dessous des buissons qui sont si
hauts dans cet endroit-là, qu'un charroi [3] de foin y
passerait à l'abri. Quand il y fut, il s'assit, sans souffler,
sur le sable, et ne mit pas ses oreilles dans sa poche.

Et voilà comment travaillaient ces deux bonnes
langues de femme. D'abord la Mariette avait confessé
que de tous ses galants pas un ne lui plaisait, à cause
d'un meunier qui n'était pas du tout galant avec elle,
et qui seul l'empêchait de dormir. Mais la Sévère avait

---

1. *Patural* n'est pas exactement synonyme de pâturage. Ce mot
désigne « de grands terrains fermés de haies impénétrables et tout
remplis de broussailles, avec une fosse creusée et plantée dans un coin...
Ils sont vierges de toute culture... L'herbe n'y pousse ni belle, ni bonne.
Les animaux n'y ont donc pas même l'avantage de l'ombre et de la
fraîcheur ». (George Sand, *Histoire de ma Vie*, Troisième partie, IX,
note).

2. « Nénufar, Nymphéa, Napée » (Note de George Sand). Cf.
Notice de 1852.

3. *Charroi*, employé plus haut dans le sens d'ornière (cf. p. 361,
n. 1) a ici le sens non moins usuel de *charretée*.

idée de la conjoindre avec un gars de sa connaissance, lequel en tenait fort, à telles enseignes qu'il avait promis un gros cadeau de noces à la Sévère si elle venait à bout de le faire marier avec la petite Blanchet. Il paraît même que la Sévère s'était fait donner par avance un denier à Dieu de celui-là comme de plusieurs autres. Aussi fit-elle tout de son mieux pour dégoûter Mariette de François.

— Foin du champi! lui dit-elle. Comment, Mariette, une fille de votre rang épouserait un champi! Vous auriez donc nom madame la Fraise? car il ne s'appelle pas autrement. J'en aurais honte pour vous, ma pauvre âme. Et puis ce n'est rien; vous seriez donc obligée de le disputer à votre belle-sœur, car il est son bon ami, aussi vrai que nous voilà deux.

— Là-dessus, Sévère, fit la Mariette en se récriant, vous me l'avez donné à entendre plus d'une fois; mais je n'y saurais point croire; ma belle-sœur est d'un âge...

— Non, non, Mariette, votre belle-sœur n'est point d'un âge à s'en passer; elle n'a guère que trente ans, et ce champi n'était encore qu'un galopin, que votre frère l'a trouvé en grande accointance avec sa femme. C'est pour cela qu'un jour il l'assomma à bons coups de manche de fouet et le mit dehors de chez lui.

François eut la bonne envie de sauter à travers le buisson et d'aller dire à la Sévère qu'elle en avait menti, mais il s'en défendit et resta coi.

Et là-dessus la Sévère en dit de toutes les couleurs, et débita des menteries si vilaines, que François en avait chaud à la figure et avait peine à se tenir en patience.

— Alors, fit la Mariette, il tente à [1] l'épouser, à

---

1. Dans le langage des paysans de George Sand l'infinitif complément est souvent précédé d'une préposition que l'usage actuel n'autorise pas ou n'autorise plus. Cf. Vincent, p. 329.

présent qu'elle est veuve : il lui a déjà donné bonne part de son argent, et il voudra avoir au moins la jouissance du bien qu'il a racheté.

— Mais il en portera la folle enchère [1], fit l'autre; car Madeleine en cherchera un plus riche, à présent qu'elle l'a dépouillé, et elle le trouvera. Il faut bien qu'elle prenne un homme pour cultiver son bien, et, en attendant qu'elle trouve son fait, elle gardera ce grand imbécile qui la sert pour rien et qui la désennuie de son veuvage.

— Si c'est là le train qu'elle mène, dit la Mariette toute dépitée, me voilà dans une maison bien honnête, et je ne risque rien de bien me tenir [2]! Savez-vous, ma pauvre Sévère, que je suis une fille bien mal logée, et qu'on va mal parler de moi? Tenez, je ne peux pas rester là, et il faut que je m'en retire. Ah bien oui! voilà bien ces dévotes qui trouvent du mal à tout, parce qu'elles ne sont effrontées que devant Dieu! Je lui conseille de mal parler de vous et de moi à présent! Eh bien! je vas la saluer, moi, et m'en aller demeurer avec vous; et si elle s'en fâche, je lui répondrai; et si elle veut me forcer à retourner avec elle, je plaiderai et je la ferai connaître, entendez-vous?

— Il y a meilleur remède, Mariette, c'est de vous marier au plus tôt. Elle ne vous refusera pas son consentement, car elle est pressée, j'en suis sûre, de se voir débarrassée de vous. Vous gênez son commerce avec le beau champi. Mais vous ne pouvez pas attendre,

---

1. *Il en portera la folle enchère :* il paiera son imprudence. *Folle enchère :* celle qui est faite par un acquéreur qui ne peut en payer le prix.

2. *Je ne risque rien de bien me tenir :* je ne risque rien pour ce qui est de bien me tenir, c'est-à-dire, je suis sûre de bien me tenir (tournure populaire).

voyez-vous; car on dirait qu'il est à vous deux, et personne ne voudrait plus vous épouser. Mariez-vous donc, et prenez celui que je vous conseille.

— C'est dit! fit la Mariette en cassant son bâton de bergère d'un grand coup contre le vieux pommier. Je vous donne ma parole. Allez le chercher, Sévère, qu'il vienne ce soir à la maison me demander, et que nos bans soient publiés dimanche qui vient.

XXIII[a]

Jamais François n'avait été plus triste qu'il ne le fut
en sortant de la berge de rivière où il s'était caché
pour entendre cette jaserie de femelles [1]. Il en avait
lourd comme un rocher sur le cœur, et, tout au beau
milieu de son chemin en s'en revenant, il perdit quasi
le courage de rentrer à la maison, et s'en fut par la
traîne aux Napes s'asseoir dans la petite futaie de
chênes qui est au bout du pré.

Quand il fut là tout seul, il se prit de pleurer comme
un enfant, et son cœur se fendait de chagrin et de honte;
car il était tout à fait honteux de se voir accusé, et de
penser que sa pauvre chère amie Madeleine, qu'il avait
toute sa vie si honnêtement et si dévotement aimée, ne
retirerait de son service et de sa bonne intention que
l'injure d'être maltraitée par les mauvaises langues.

— Mon Dieu! mon Dieu! disait-il tout seul en se
parlant à lui-même en dedans, est-il possible que le
monde soit si méchant, et qu'une femme comme la
Sévère ait tant d'insolence que de mesurer à son aune
l'honneur d'une femme comme ma chère mère? Et
cette jeunesse de Mariette, qui devrait avoir l'esprit
porté à l'innocence et à la vérité, une enfant qui ne
connaît pas encore le mal, voilà pourtant qu'elle écoute

---

1. Dans le parler berrichon, *femelle* s'emploie couramment au
lieu de femme, et se prononce fumelle.

les paroles du diable et qu'elle y croit comme si elle en connaissait la morsure! En ce cas, d'autres y croiront, et comme la grande partie des gens vivant vie mortelle est coutumière du mal, quasi tout le monde pensera que si j'aime madame Blanchet et si elle m'aime, c'est parce qu'il y a de l'amour sous jeu.

Là-dessus le pauvre François se mit à faire examen de sa conscience et à se demander, en grande rêverie d'esprit, s'il n'y avait pas de sa faute dans les mauvaises idées de la Sévère, au sujet de Madeleine; s'il avait bien agi en toutes choses, s'il n'avait pas donné à mal penser, contre son vouloir, par manque de prudence et de discrétion. Et il avait beau chercher, il ne trouvait pas qu'il eût jamais pu faire le semblant de la chose, n'en ayant pas eu seulement l'idée.

Et puis, voilà qu'en pensant et rêvassant toujours il se dit encore :

— Eh! quand bien même que mon amitié se serait tournée en amour, quel mal le bon Dieu y trouverait-il, au jour d'aujourd'hui qu'elle est veuve et maîtresse de se marier? Je lui ai donné bonne part de mon bien, ainsi qu'à Jeannie. Mais il m'en reste assez pour être encore un bon parti, et elle ne ferait pas de tort à son enfant en me prenant pour son mari. Il n'y aurait donc pas d'ambition de ma part à souhaiter cela, et personne ne pourrait lui faire accroire que je l'aime par intérêt. Je suis champi, mais elle ne regarde point à cela, elle. Elle m'a aimé comme son fils, ce qui est la plus forte de toutes les amitiés, elle pourrait bien m'aimer encore autrement. Je vois que ses ennemis vont m'obliger à la quitter, si je ne l'épouse pas; et la quitter encore une fois, j'aime autant mourir. D'ailleurs, elle a encore besoin de moi, et ce serait lâche de laisser tant d'embarras sur ses bras, quand j'ai encore les miens, en outre de mon argent, pour la servir. Oui, tout ce qui est à moi doit être à elle, et comme elle me parle souvent de s'acquitter avec moi à la longue, il faut que je lui en ôte l'idée en mettant tout en commun par la permission de Dieu et de la loi. Allons, elle doit conserver sa bonne renommée à cause de son fils, et il n'y a que le mariage qui l'empêchera de la perdre. Comment donc est-ce que je n'y avais pas encore songé, et qu'il a fallu une langue de serpent pour m'en aviser ? J'étais trop simple, je ne me défiais de rien, et ma pauvre mère est si bonne aux autres, qu'elle ne s'inquiète point de souffrir du dommage pour son compte. Voyons, tout est pour le bien dans la volonté du ciel, et madame Sévère, en voulant faire le mal, m'a rendu le service de m'enseigner mon devoir.

Et sans plus s'étonner ni se consulter, François reprit son chemin, décidé à parler tout de suite à madame Blanchet de son idée, et à lui demander à deux genoux de le prendre pour son soutien, au nom du bon Dieu et pour la vie éternelle.

Mais quand il arriva au Cormouer, il vit Madeleine qui filait de la laine sur le pas de sa porte, et, pour la première fois de sa vie, sa figure lui fit un effet à le rendre tout peureux et tout morfondu. Au lieu qu'à l'habitude il allait tout droit à elle en la regardant avec des yeux bien ouverts et en lui demandant si elle se sentait bien, il s'arrêta sur le petit pont comme s'il examinait l'écluse du moulin, et il la regardait de côté. Et quand elle se tournait vers lui, il se virait d'autre part, ne sachant pas lui-même ce qu'il avait, et pourquoi une affaire qui lui avait paru tout à l'heure si honnête et si à propos, lui devenait si pesante[a] à confesser.

Alors Madeleine l'appela, lui disant :

— Viens donc auprès de moi, car j'ai à te parler, mon François. Nous voilà tout seuls, viens t'asseoir à mon côté, et donne-moi ton cœur comme au prêtre*a* qui nous confesse, car je veux de toi la vérité.

François se trouva tout réconforté par ce discours de Madeleine, et, s'étant assis à son côté, il lui dit :

— Soyez assurée, ma chère mère, que je vous ai donné mon cœur comme à Dieu, et que vous, vous aurez de moi vérité de confession.

Et il s'imaginait qu'elle avait peut-être entendu quelque propos qui lui donnait la même idée qu'à lui, de quoi il se réjouissait bien, et il l'attendait à parler.

— François, fit-elle, voilà que tu es dans tes vingt et un ans, et que tu peux songer à t'établir : n'aurais-tu point d'idée contraire ?

— Non, non, je n'ai pas d'idée contraire à la vôtre, répondit François en devenant tout rouge de contentement ; parlez toujours, ma chère Madeleine.

— Bien ! fit-elle, je m'attendais à ce que tu me dis, et je crois fort que j'ai deviné ce qui te convenait. Eh bien ! puisque c'est ton idée, c'est la mienne aussi, et j'y aurais peut-être songé avant toi. J'attendais à connaître si la personne te prendrait en amitié, et je jurerais que si elle n'en tient pas encore, elle en tiendra bientôt. N'est-ce pas ce que tu crois aussi, et veux-tu me dire où vous en êtes ?... Eh bien donc pourquoi me regardes-tu d'un air confondu ? Est-ce que je ne parle pas assez clair ? Mais je vois que tu as honte, et qu'il faut te venir en aide. Eh bien ! elle a boudé tout le matin, cette pauvre enfant, parce qu'hier soir tu l'as un peu taquinée en paroles, et peut-être qu'elle s'imagine que tu ne l'aimes point. Mais moi j'ai bien vu que tu l'aimes, et que si tu la reprends un peu de ses petites fantaisies, c'est que tu te sens un brin

jaloux. Il ne faut pas t'arrêter à cela, François. Elle
est jeune et jolie, ce qui est un sujet de danger, mais
si elle t'aime bien, elle deviendra raisonnable à ton
commandement.

— Je voudrais bien savoir, dit François tout chagriné,
de qui vous me parlez, ma chère mère, car pour moi
je n'y entends rien.

— Oui, vraiment? dit Madeleine, tu ne sais pas?
Est-ce que j'aurais rêvé cela, ou que tu voudrais m'en
faire un secret?

— Un secret à vous? dit François en prenant la main
de Madeleine; et puis il laissa sa main pour prendre le
coin de son tablier qu'il chiffonna comme s'il était un
peu en colère, et qu'il approcha de sa bouche comme
s'il voulait le baiser, et qu'il laissa enfin comme il
avait fait de sa main, car il se sentit comme s'il allait
pleurer, comme s'il allait se fâcher, comme s'il allait
avoir un vertige, et tout cela coup sur coup.

— Allons, dit Madeleine étonnée, tu as du chagrin,
mon enfant, preuve que tu es amoureux et que les
choses ne vont point comme tu voudrais. Mais je
t'assure que Mariette a un bon cœur, qu'elle a du
chagrin aussi, et que si tu lui dis ouvertement ce que
tu penses, elle te dira de son côté qu'elle ne pense qu'à
toi.

François se leva en pied et sans rien dire, marcha un
peu dans la cour; et puis il revint et dit à Madeleine :

— Je m'étonne bien de ce que vous avez dans l'esprit, madame Blanchet; tant qu'à moi, je n'y ai jamais
pensé, et je sais fort bien que mademoiselle Mariette
n'a ni goût ni estime pour moi.

— Allons! allons! dit Madeleine, voilà comme le
dépit vous fait parler, enfant! Est-ce que je n'ai pas vu
que tu avais des discours avec elle, que tu lui disais

des mots que je n'entendais point, mais qu'elle paraissait bien entendre, puisqu'elle en rougissait comme une
braise au four? Est-ce que je ne vois point qu'elle
quitte le pâturage tous les jours et laisse son troupeau
à la garde du tiers et du quart? Nos blés en souffrent
un peu, si ses moutons y gagnent; mais enfin je ne veux
point la contrarier, ni lui parler de moutons quand elle a
la tête tout en combustion pour l'amour et le mariage.
La pauvre enfant est dans l'âge où l'on garde mal ses
ouailles, et son cœur encore plus mal. Mais c'est un
grand bonheur pour elle, François, qu'au lieu de se
coiffer de quelqu'un de ces mauvais sujets dont j'avais
crainte qu'elle ne fît la connaissance chez Sévère, elle
ait eu le bon jugement de s'attacher à toi. C'est un
grand bonheur pour moi aussi de songer que, marié
à ma belle-sœur, que je considère presque comme si
elle était ma fille, tu vivras et demeureras près de moi,
que tu seras dans ma famille, et que je pourrai, en vous
logeant, en travaillant avec vous et en élevant vos enfants, m'acquitter envers toi de tout le bien que tu
m'as fait. Par ainsi, ne démolis pas le bonheur que je
bâtis là-dessus dans ma tête, par des idées d'enfant.
Vois clair et guéris-toi de toute jalousie. Si Mariette
aime à se faire belle, c'est qu'elle veut te plaire. Si
elle est un peu fainéante[a] depuis un tour de temps [1],
c'est qu'elle pense trop à toi; et si quelquefois elle me
parle avec un peu de vivacité, c'est qu'elle a de l'humeur
de vos picoteries et ne sait à qui s'en prendre. Mais la
preuve qu'elle est bonne et qu'elle veut être sage, c'est
qu'elle a connu ta sagesse et ta bonté, et qu'elle veut
t'avoir pour mari.

— Vous êtes bonne, ma chère mère, dit François

---

1. *Un tour de temps*: cf. Ch. XVI, p. 335.

tout attristé. Oui, c'est vous qui êtes bonne, car vous croyez à la bonté des autres et vous êtes trompée. Mais je vous dis, moi, que si Mariette est bonne aussi, ce que je ne veux pas renier [1], crainte de lui faire tort auprès de vous, c'est d'une manière qui ne retire pas de la vôtre, et qui, par cette raison, ne me plaît miette. Ne me parlez donc plus d'elle. Je vous jure bien ma foi et ma loi, mon sang et ma vie, que je n'en suis pas plus amoureux que de la vieille Catherine, et que si elle pensait à moi, ce serait un malheur pour elle, car je n'y correspondrais point du tout. Ne tentez donc pas à [2] lui faire dire qu'elle m'aime; votre sagesse serait en faute, et vous m'en feriez une ennemie. Tout au contraire, écoutez ce qu'elle vous dira ce soir, et laissez-la épouser Jean Aubard, pour qui elle s'est décidée. Qu'elle se marie au plus tôt, car elle n'est pas bien dans votre maison. Elle s'y déplaît et ne vous donnera[a] point de joie.

— Jean Aubard! dit Madeleine; il ne lui convient pas; il est sot, et elle a trop d'esprit pour se soumettre à un homme qui n'en a point.

— Il est riche et elle ne se soumettra point à lui. Elle le fera marcher, et c'est l'homme qui lui convient. Voulez-vous avoir confiance[b] en votre ami, ma chère mère? Vous savez que je ne vous ai point mal conseillée, jusqu'à cette heure. Laissez partir cette jeunesse, qui ne vous aime point comme elle devrait, et qui ne vous connaît pas pour ce que vous valez.

— C'est le chagrin qui te fait parler, François, dit Madeleine en lui mettant la main sur la tête et en la

---

1. *Renier*, pour nier : exemple d'une expression impropre, employée abusivement comme expression paysanne.
2. *Tenter à*, pour tenter de : cf. p. 376, n. 1.

secouant un peu comme pour en faire saillir la vérité.
Mais François, tout fâché de ce qu'elle ne voulait le
croire, se retira et lui dit, avec une voix mécontente,
et c'était la première fois de sa vie qu'il prenait dispute
avec elle : — Madame Blanchet, vous n'êtes pas juste
pour moi. Je vous dis que cette fille ne vous aime point.
Vous m'obligez à vous le dire, contre mon gré; car je
ne suis pas venu ici pour y apporter la brouille et la
défiance. Mais enfin si je le dis, c'est que j'en suis certain; et vous pensez après cela que je l'aime? Allons,
c'est vous qui ne m'aimez plus, puisque vous ne voulez
pas me croire.

Et, tout affolé [1] de chagrin, François s'en alla pleurer
tout seul auprès de la fontaine.

---

1. *Affolé :* accablé. Ce mot est en réalité un composé de *foulé* et
devrait s'écrire *affoulé*. Mais la prononciation berrichonne confondait
affoulé et *affolé*. Cette confusion apparaît ici.

XXIV^a

Madeleine était encore plus confondue que François, et elle aurait voulu aller le questionner encore et le consoler; mais elle en fut empêchée par Mariette, qui s'en vint, d'un air étrange, lui parler de Jean Aubard et lui annoncer sa demande. Madeleine ne pouvant s'ôter de l'idée que tout cela était le produit d'une dispute d'amoureux, s'essaya à lui parler de François; à quoi Mariette répondit, d'un ton qui lui fit bien de la peine, et qu'elle ne put comprendre:

— Que celles qui aiment les champis les gardent pour leur amusement; tant qu'à moi, je suis une honnête fille, et ce n'est pas parce que mon pauvre frère est mort que je laisserai offenser mon honneur. Je ne dépends que de moi, Madeleine, et si la loi me force à vous demander conseil, elle ne me force pas de vous écouter quand vous me conseillez mal. Je vous prie donc de ne pas me contrarier maintenant, car je pourrais vous contrarier plus tard.

— Je ne sais point ce que vous avez, ma pauvre enfant, lui dit Madeleine en grande douceur et tristesse; vous me parlez comme si vous n'aviez pour moi estime ni amitié. Je pense que vous avez une contrariété qui vous embrouille l'esprit à cette heure; je vous prie donc de prendre trois ou quatre jours pour vous décider. Je dirai à Jean Aubard de revenir, et si vous pensez de même après avoir pris un peu de réflexion et de tranquillité, comme il est honnête homme et assez riche, je vous laisserai libre de l'épouser. Mais vous voilà dans un coup de feu qui vous empêche de vous connaître et qui ferme votre jugement à l'amitié que je vous porte. J'en ai du chagrin, mais comme je vois que vous en avez aussi, je vous le pardonne.

La Mariette hocha de la tête pour faire croire qu'elle méprisait ce pardon-là, et elle s'en fut mettre son tablier de soie pour recevoir Jean Aubard, qui arriva une heure après avec la grosse Sévère tout endimanchée.

Madeleine, pour le coup, commença de penser qu'en vérité Mariette était mal portée pour [1] elle, d'amener dans sa maison, pour une affaire de famille, une femme qui était son ennemie et qu'elle ne pouvait voir sans rougir. Elle fut cependant honnête à son encontre et lui servit à rafraîchir sans marquer ni dépit ni rancune. Elle aurait craint de pousser Mariette hors de son bon sens en la contrariant. Elle dit qu'elle ne faisait point d'opposition aux volontés de sa belle-sœur, mais qu'elle demandait trois jours pour donner réponse.

Sur quoi la Sévère lui dit avec insolence que c'était bien long. Et Madeleine répondit tranquillement que c'était bien court. Et là-dessus Jean Aubard se retira, bête comme souche, et riant comme un nigaud; car il ne doutait point que la Mariette ne fût folle de lui. Il avait payé pour le croire, et la Sévère lui en donnait pour son argent.

Et en s'en allant, celle-là dit à Mariette qu'elle avait fait faire une galette et des crêpes chez elle pour les

---

1. *Portée pour :* tournure classique, fréquemment employée par George Sand.

accordailles et que, quand même madame Blanchet retarderait[a] les accords [1], il fallait manger le ragoût. Madeleine voulut dire qu'il ne convenait point à une jeune fille d'aller avec un garçon qui n'avait point encore reçu parole de sa parenté.

— En ce cas-là je n'irai point, dit la Mariette toute courroucée.

— Si fait, si fait, vous devez venir, fit la Sévère; n'êtes-vous point maîtresse de vous?

— Non, non, riposta la Mariette; vous voyez bien que ma belle-sœur me commande de rester.

Et elle entra dans sa chambre en jetant la porte; mais elle ne fit qu'y passer, et sortant par l'autre huisserie [2] de la maison, elle s'en alla rejoindre la Sévère et le galant au bout du pré, en riant et en faisant insolence contre Madeleine.

La pauvre meunière ne put se retenir de pleurer en voyant le train des choses.

« François a raison, pensa-t-elle, cette fille ne m'aime point et son cœur est ingrat. Elle ne veut point entendre que j'agis pour son bien, que je souhaite son bonheur, et que je veux l'empêcher de faire une chose dont elle aura regret. Elle a écouté les mauvais conseils, et je suis condamnée à voir cette malheureuse Sévère porter le chagrin [3] et la malice dans ma famille. Je n'ai pas mérité toutes ces peines, et je dois me rendre à la volonté de Dieu. Il est heureux pour mon pauvre François qu'il

---

1. *Accords* et *accordailles* s'emploient indifféremment dans le parler berrichon.

2. *L'autre huisserie:* l'autre ouverture. Il s'agit, selon la description donnée par G. Sand elle-même, « d'une porte coupée en deux transversalement, la partie supérieure servant de fenêtre pour donner de l'air et du jour ». (*Le Meunier d'Angibault*, p. 279.)

3. *Chagrin:* mauvaise humeur (Sens classique).

y ait vu plus clair que moi. Il aurait bien souffert avec une pareille femme! »

Elle le chercha pour lui dire ce qu'elle en pensait; mais elle le trouva pleurant auprès de la fontaine, et, s'imaginant qu'il avait regret de Mariette, elle lui dit tout ce qu'elle put pour le consoler. Mais tant plus elle s'y efforçait, tant plus elle lui faisait de la peine, parce qu'il voyait là dedans qu'elle ne voulait pas comprendre la vérité et que son cœur ne pourrait pas se tourner pour lui en la manière qu'il l'entendait.

Sur le soir, Jeannie étant couché et endormi dans la chambre, François resta un peu avec Madeleine, essayant de s'expliquer. Et il commença par lui dire que Mariette avait une jalousie contre elle, que la Sévère disait des propos et des menteries abominables.

Mais Madeleine n'y entendait malice aucune.

— Et quel propos peut-on faire sur moi? dit-elle simplement; quelle jalousie peut-on mettre dans la tête de cette pauvre petite folle de Mariette? On t'a trompé, François, il y a autre chose : quelque raison d'intérêt que nous saurons plus tard. Tant qu'à la jalousie, cela ne se peut; je ne suis plus d'âge à inquiéter une jeune et jolie fille. J'ai quasi trente ans [1], et pour une femme de campagne qui a eu beaucoup de peine et de fatigue, c'est un âge à être ta mère. Le diable seul oserait dire que je te regarde autrement que mon fils, et Mariette doit bien voir que je souhaitais de vous marier ensemble. Non, non, ne crois pas qu'elle ait si mauvaise idée,

---

1. *Quasi trente ans :* lorsqu'elle a rencontré François elle avait dix-huit ans et lui six. François est maintenant dans ses vingt et un ans (ch. XXIII). Elle doit avoir près de trente-trois ans. George Sand la rajeunit pour mieux assortir son âge à celui du Champi. Un mensonge qu'elle ferait par coquetterie n'est pas vraisemblable.

ou ne me le dis pas, mon enfant. Ce serait trop de honte et de peine pour moi.

— Et cependant, dit François en s'efforçant pour en parler encore, et en baissant la tête sur le foyer pour empêcher Madeleine de voir sa confusion, monsieur Blanchet avait une mauvaise idée comme ça quand il a voulu que je quitte la maison!

— Tu sais donc cela, à présent, François? dit Madeleine. Comment le sais-tu? je ne te l'avais pas dit, et je ne te l'aurais dit jamais. Si Catherine t'en a parlé, elle a mal fait. Une pareille idée doit te choquer et te peiner autant que moi. Mais n'y pensons plus, et pardonnons cela à mon défunt mari. L'abomination en retourne à la Sévère. Mais à présent la Sévère ne peut plus être jalouse de moi. Je n'ai plus de mari, je suis vieille et laide autant qu'elle pouvait le souhaiter dans ce temps-là, et je n'en suis pas fâchée, car cela me donne le droit d'être respectée, de te traiter comme mon fils, et de te chercher une belle et jeune femme*a* qui soit contente de vivre auprès de moi et qui m'aime comme sa mère. C'est toute mon envie, François, et nous la trouverons bien, sois tranquille. Tant pis*b* pour Mariette si elle méconnaît le bonheur que je lui aurais donné. Allons, va coucher*c*, et prends courage, mon enfant. Si je croyais être un empêchement à ton mariage, je te dirais de me quitter tout de suite. Mais sois assuré que je ne peux pas inquiéter le monde, et qu'on ne supposera jamais l'impossible.

François, écoutant Madeleine, pensait qu'elle avait raison, tant il avait l'accoutumance de la croire. Il se leva pour lui dire bonsoir, et s'en alla; mais en lui prenant la main, voilà que pour la première fois de sa vie il s'avisa de la regarder avec l'idée de savoir si elle était vieille et laide. Vrai est, qu'à force d'être sage et triste, elle se faisait une fausse idée là-dessus, et qu'elle était encore jolie femme autant qu'elle l'avait été.

Et voilà que tout d'un coup François la vit toute jeune et la trouva belle comme la bonne dame [1], et que le cœur lui sauta comme s'il avait monté au faîte d'un clocher. Et il s'en alla coucher dans son moulin où il avait son lit bien propre dans un carré de planches emmi [2] les saches [3] de farine. Et quand il fut là tout seul, il se mit à trembler et à étouffer comme de fièvre. Et si, il n'était malade que d'amour, car il venait de se sentir brûlé pour la première fois par une grande bouffée de flamme, ayant toute sa vie chauffé doucement sous la cendre.

---

1. *La bonne dame:* nom que les Berrichons donnent à la Vierge. Chez eux « on ne connaît pas l'expression Notre-Dame », écrit L. Vincent (*George Sand et le Berry*, p. 582). Selon le même auteur, George Sand ne fut jamais appelée la bonne dame de Nohant.

2. Le vieux mot *emmi* était encore assez usité en Berry. Il se prononçait : *an-mi* (Jaubert).

3. *Sache:* grand sac (Jaubert).

Depuis ce moment-là le champi fut si triste, que
c'était pitié de le voir. Il travaillait comme quatre,
mais il n'avait plus ni joie ni repos, et Madeleine ne
pouvait pas lui faire dire ce qu'il avait. Il avait beau
jurer qu'il n'avait amitié ni regret pour Mariette, Madeleine ne le voulait croire, et ne trouvait nulle autre
raison à sa peine. Elle s'affligeait de le voir souffrir et
de n'avoir plus sa confiance, et c'était un grand étonnement pour elle que de trouver ce jeune homme si obs-
tiné et si fier dans son dépit.

Comme elle n'était point tourmentante dans son
naturel, elle prit son parti de ne plus lui en parler.
Elle essaya encore un peu de faire revenir Mariette,
mais elle en fut si mal reçue qu'elle en perdit courage,
et se tint coi, bien angoissée de cœur, mais ne voulant
en rien faire paraître, crainte d'augmenter le mal d'autrui.

François la servait et l'assistait toujours avec le même
courage et la même honnêteté que devant. Comme au
temps passé, il lui tenait compagnie le plus qu'il pouvait. Mais il ne lui parlait plus de la même manière.
Il était toujours dans une confusion auprès d'elle. Il
devenait rouge comme feu et blanc comme neige dans
la même minute, si bien qu'elle le croyait malade, et lui
prenait le poignet pour voir s'il n'avait pas la fièvre;
mais il se retirait d'elle comme si elle lui avait fait mal

en le touchant, et quelquefois il lui disait des paroles
de reproche qu'elle ne comprenait pas.

Et tous les jours cette peine augmentait entre eux.
Pendant ce temps-là le mariage de Mariette avec Jean
Aubard allait grand train, et le jour en fut fixé pour
celui qui finissait le deuil de mademoiselle Blanchet.
Madeleine avait peur de ce jour-là; elle pensait que
François en deviendrait fou, et elle voulait l'envoyer
passer un peu de temps à Aigurande [1], chez son ancien
maître Jean Vertaud, pour se dissiper. Mais François
ne voulait point que la Mariette pût croire ce que Madeleine s'obstinait à penser. Il ne montrait nul ennui
devant elle. Il parlait de bonne amitié avec son prétendu,
et quand il rencontrait la Sévère par les chemins, il
plaisantait en paroles avec elle, pour lui montrer qu'il
ne la craignait pas. Le jour du mariage, il voulut y
assister; et comme il était tout de bon content de voir
cette petite fille quitter la maison et débarrasser Madeleine de sa mauvaise amitié, il ne vint à l'idée de personne qu'il s'en fût jamais coiffé. Madeleine mêmement
commença à croire la vérité là-dessus, ou à penser tout
au moins qu'il était consolé. Elle reçut les adieux de
Mariette avec son bon cœur accoutumé; mais comme
cette jeunesse avait gardé une pique contre elle à cause
du champi, elle vit bien qu'elle en était quittée sans
regret ni bonté. Coutumière de chagrin qu'elle était,
la bonne Madeleine pleura de sa méchanceté et pria
le bon Dieu pour elle.

Et quand ce fut au bout d'une huitaine, François lui
dit tout d'un coup qu'il avait affaire à Aigurande, et
qu'il s'en allait y passer cinq ou six jours, de quoi elle
ne s'étonna point et se réjouit même, pensant que ce

---

1. *Aigurande:* cf. p. 300, n. 2.

changement ferait du bien à sa santé, car elle le jugeait malade pour avoir trop étouffé sa peine.

Tant qu'à François, cette peine dont il paraissait revenu lui augmentait tous les jours dans le cœur. Il ne pouvait penser à autre chose, et qu'il dormît ou qu'il veillât, qu'il fût loin ou près, Madeleine était toujours dans son sang et devant ses yeux. Il est bien vrai que toute sa vie s'était passée à l'aimer et à songer d'elle. Mais jusqu'à ces temps derniers, ce pensement avait été son plaisir et sa consolation au lieu que c'était devenu d'un coup tout malheur et tout désarroi. Tant qu'il s'était contenté d'être son fils et son ami, il n'avait rien souhaité de mieux sur la terre. Mais l'amour changeant son idée, il était malheureux comme une pierre. Il s'imaginait qu'elle ne pourrait jamais changer comme lui. Il se reprochait d'être trop jeune, d'avoir été connu trop malheureux et trop enfant, d'avoir donné trop de peine et d'ennui à cette pauvre femme, de ne lui être point un sujet de fierté, mais de souci et de compassion. Enfin, elle était si belle et si aimable dans son idée, si au-dessus de lui et si à désirer, que, quand elle disait qu'elle était hors d'âge et de beauté, il pensait qu'elle se posait comme cela pour l'empêcher de prétendre à elle.

Cependant la Sévère et la Mariette, avec leur clique, commençaient à la déchirer hautement à cause de lui, et il avait grand'peur que le scandale lui en revenant aux oreilles, elle n'en prît de l'ennui et souhaitât de le voir partir. Il se disait qu'elle avait trop de bonté pour le lui demander, mais qu'elle souffrirait encore pour lui comme elle en avait déjà souffert, et il pensa à aller demander conseil sur tout cela à M. le curé d'Aigurande, qu'il avait reconnu pour un homme juste et craignant Dieu.

Il y alla, mais ne le trouva point. Il s'était absenté

pour aller voir son évêque, et François s'en revint
coucher au moulin de Jean Vertaud, acceptant d'y
passer deux ou trois jours à leur faire visite, en attendant
que M. le curé fût de retour.

Il trouva son brave maître toujours aussi galant
homme et bon ami qu'il l'avait laissé, et il trouva aussi
son honnête fille Jeannette en train de se marier avec
un bon sujet qu'elle prenait un peu plus par raison que
par folleté [1], mais pour qui elle avait heureusement
plus d'estime que de répugnance. Cela mit François
plus à l'aise avec elle qu'il n'avait encore été, et, comme
le lendemain était un dimanche, il causa plus longuement avec elle, et lui marqua la confiance de lui raconter
toutes les peines dont il avait eu le contentement de
sauver madame Blanchet.

Et de fil en aiguille, Jeannette, qui était assez clair-
voyante, devina bien que cette amitié-là secouait le
champi plus fort qu'il ne le disait. Et tout d'un coup elle
lui prit le bras et lui dit : — François, vous ne devez
plus rien me cacher. A présent, je suis raisonnable, et
vous voyez, je n'ai pas honte de vous dire que j'ai pensé
à vous plus que vous n'avez pensé à moi. Vous le
saviez et vous n'y avez pas répondu. Mais vous ne
m'avez pas voulu tromper, et l'intérêt ne vous a pas
fait faire ce que bien d'autres eussent fait en votre place.
Pour cette conduite-là, et pour la fidélité que vous avez
gardée à une femme que vous aimiez mieux que tout,
je vous estime, et, au lieu de renier ce que j'ai senti
pour vous, je suis contente de m'en ressouvenir. Je
compte que vous me considérerez d'autant mieux que
je vous le dis et que vous me rendrez cette justice de

---

1. _Folleté :_ folie d'amour. L. Vincent a relevé dans l'œuvre de
George Sand onze emplois de ce mot, très usité en Berry.

reconnaître que je n'ai eu dépit ni rancune de votre sagesse. Je veux vous en donner une plus grande marque, et voilà comme je l'entends. Vous aimez Madeleine Blanchet, non pas tout bonnement comme une mère, mais bien bellement comme une femme qui a de la jeunesse et de l'agrément, et dont vous souhaiteriez d'être le mari.

— Oh! dit François, rougissant comme une fille, je l'aime comme ma mère, et j'ai du respect plein le cœur.

— Je n'en fais pas doute, reprit Jeannette, mais vous l'aimez de deux manières, car votre figure me dit l'une, tandis que votre parole me dit l'autre. Eh bien! François, vous n'osez lui dire, à elle, ce que vous n'osez non plus me confesser, et vous ne savez point si elle peut répondre à vos deux manières de l'aimer.

Jeannette Vertaud parlait avec tant de douceur, de raison, et se tenait devant François d'un air d'amitié si véritable, qu'il n'eut point le courage de mentir, et lui serrant la main, il lui dit qu'il la considérait comme sa sœur et qu'elle était la seule personne au monde à qui il avait le courage de donner ouverture à son secret.

Jeannette alors lui fit plusieurs questions, et il y répondit en toute vérité et assurance. Et elle lui dit :

— Mon ami François, me voilà au fait. Je ne peux pas savoir ce qu'en pensera Madeleine Blanchet; mais je vois fort bien que vous resteriez dix ans auprès d'elle sans avoir la hardiesse de lui dire votre peine. Eh bien, je le saurai pour vous et je vous le dirai. Nous partirons demain, mon père, vous et moi, et nous irons comme pour faire connaissance et visite d'amitié à l'honnête personne qui a élevé notre ami François; vous promènerez mon père dans la propriété, comme pour lui demander conseil, et je causerai durant ce temps-là avec

Madeleine. J'irai bien doucement, et je ne dirai votre idée que quand je serai en confiance sur la sienne.

François se mit quasiment à genoux devant Jeannette pour la remercier de son bon cœur, et l'accord en fut fait avec Jean Vertaud, que sa fille instruisit du tout avec la permission du champi. Ils se mirent en route le lendemain, Jeannette en croupe derrière son père, et François alla une heure en avant pour prévenir Madeleine de la visite qui lui arrivait.

Ce fut à soleil couchant que François revint au Cormouer. Il attrapa en route toute la pluie d'un orage; mais il ne s'en plaignit pas, car il avait bon espoir dans l'amitié de Jeannette, et son cœur était plus aise qu'au départ. La nuée s'égouttait sur les buissons et les merles chantaient comme des fous pour une risée que le soleil leur envoyait avant de se cacher derrière la côte du Grand-Corlay [1]. Les oisillons, par grand'bandes, voletaient devant François de branche en branche, et le piaulis qu'ils faisaient lui réjouissait[a] l'esprit. Il pensait au temps où il était tout petit enfant et où il s'en allait rêvant et baguenaudant par les prés, et sifflant pour attirer les oiseaux. Et là-dessus il vit une belle pive, que dans d'autres endroits on appelle bouvreuil, et qui frétillait à l'entour de sa tête comme pour lui annoncer bonne chance et bonne nouvelle. Et cela le fit ressouvenir d'une chanson bien ancienne que lui disait sa mère Zabelle pour l'endormir, dans le parlage [2] du vieux temps de notre pays :

---

1. *La côte du Grand-Corlay*: cf. p. 240, n. 2. Nouvelle preuve que, pour se rendre d'Aigurande au Cormouer, on va prendre à La Châtre la route de Châteauroux.

2. *Parlage* appartient à la fois au patois du Centre et à l'ancien français.

Une pive
Cortive,
Anc[1] ses piviots,
Cortiviots,
Livardiots,
S'en va pivant
Livardiant,
Cortiviant. [2]

Madeleine ne l'attendait pas si tôt à revenir. Elle avait même eu crainte qu'il ne revînt plus du tout, et, en le voyant, elle ne put se retenir de courir à lui et de l'embrasser, ce qui fit tant rougir le champi qu'elle s'en étonna. Il l'avertit de la visite qui venait, et pour qu'elle n'en prît pas d'ombrage, car on eût dit qu'il avait autant de peur de se faire deviner qu'il avait de chagrin de ne l'être point, il lui fit entendre que Jean Vertaud avait quelque idée d'acheter du bien dans le pays.

Alors Madeleine se mit en besogne de tout préparer pour fêter de son mieux les amis de François.

Jeannette entra la première dans la maison, pendant que son père mettait leur cheval à l'étable; et dès le moment qu'elle vit Madeleine, elle l'aima de grande amitié, ce qui fut réciproque; et, commençant par une poignée de main, elles se mirent quasi tout aussitôt à s'embrasser comme pour l'amour de Fran-

---

1. *Anc* : avec.
2. Les mots *cortive*, *livardiot*, etc., n'ont pu être expliqués ni par Jaubert ni par L. Vincent. Mais dans son glossaire manuscrit George Sand donne la définition suivante : « *Cortive :* bête à courte queue (très ancien). » Selon un renseignement qui nous a été aimablement fourni par M. G. Pougnard, le mot *cortive* est à rapprocher d'une forme *courtibaud*, abondamment attestée dans les parlers de l'Ouest avec le sens de trapu, ramassé. Quant à *livardiot* et *livardiant* peut-être se rattachent-ils au verbe *verder* ou *varder*, cité par Jaubert et signifiant vagabonder, courir.

çois, et à se parler sans embarras, comme si de long
temps elles se connaissaient. La vérité est que c'étaient
deux bons naturels de femme et que la paire valait
gros. Jeannette ne se défendait point d'un reste de
chagrin en voyant Madeleine tant chérie de l'homme
qu'elle aimait peut-être encore un brin; mais il ne lui
en venait point de jalousie, et elle voulait s'en reconso-
ler par la bonne action qu'elle faisait. De son côté,
Madeleine, voyant cette fille bien faite et de figure
avenante, s'imagina que c'était pour elle que François
avait eu de l'amour et du regret, qu'elle lui était accordée et qu'elle venait lui en faire part elle-même; et
pour son compte elle n'en prit point de jalousie non
plus, car elle n'avait jamais songé à François que
comme à l'enfant qu'elle aurait mis au monde.

Mais dès le soir, après souper, pendant que le père
Vertaud, un peu fatigué de la route, allait se mettre
au lit, Jeannette emmena Madeleine dehors, faisant
entendre à François de se tenir à un peu d'éloignement
avec Jeannie, de manière à venir quand il la verrait
de loin rabattre son tablier [1], qui était relevé sur le
côté; et alors elle fit sa commission en conscience,
et si adroitement, que Madeleine n'eut pas le loisir
de se récrier. Et si, elle fut beaucoup étonnée à mesure
que la chose s'expliquait. D'abord elle crut voir que
c'était encore une marque du bon cœur de François,
qui voulait empêcher les mauvais propos et se rendre
utile à elle pour toute sa vie. Et elle voulait refuser,
pensant que c'était trop de religion [2] pour un si jeune
homme de vouloir épouser une femme plus âgée

---

1. Le costume des paysannes berrichonnes comportait toujours
un *tablier* plus ou moins élégant, en soie ou en indienne.
2. *Religion* : scrupule. Cf. p. 319, n. 1.

que lui; qu'il s'en repentirait plus tard et ne pourrait lui garder longtemps sa fidélité sans avoir de l'ennui et du regret. Mais Jeannette lui fit connaître que le champi était amoureux d'elle, si fort et si rude, qu'il en perdait le repos et la santé.

Ce que Madeleine ne pouvait imaginer, car elle avait vécu en si grande sagesse et retenue, ne se faisant jamais belle, ne se montrant point hors de son logis et n'écoutant aucun compliment, qu'elle n'avait plus idée de ce qu'elle pouvait paraître aux yeux d'un homme.

— Et enfin, lui dit Jeannette, puisqu'il vous trouve tant à son gré, et qu'il mourra de chagrin si vous le refusez, voulez-vous vous obstiner à ne point voir et à ne point croire ce qu'on vous dit? Si vous le faites, c'est que ce pauvre enfant vous déplaît et que vous seriez fâchée de le rendre heureux.

— Ne dites point cela, Jeannette, répondit Madeleine; je l'aime presque autant, si ce n'est autant que mon Jeannie, et si j'avais deviné qu'il m'eût dans son idée d'une autre manière, il est bien à croire que je n'aurais pas été aussi tranquille dans mon amitié. Mais, que voulez-vous? je ne m'imaginais rien comme cela, et j'en suis encore si étourdie dans mes esprits, que je ne sais comment vous répondre. Je vous en prie de me donner le temps d'y penser et d'en parler avec lui, pour que je puisse connaître si ce n'est point une rêvasserie ou un dépit d'autre chose qui le pousse, ou encore un devoir qu'il veut me rendre; car j'ai peur de cela surtout, et je trouve qu'il m'a bien assez récompensée du soin que j'ai pris de lui, et que me donner sa liberté et sa personne encore, ce serait trop, à moins qu'il ne m'aime comme vous croyez.

Jeannette, entendant cela, rabattit son tablier, et

François, qui ne se tenait pas loin et qui avait les yeux sur elle, vint à leur côté. Jeannette adroitement demanda à Jeannie de lui montrer la fontaine, et ils s'en allèrent, laissant ensemble Madeleine et François.

Mais Madeleine, qui s'était imaginé pouvoir questionner tout tranquillement le champi, se trouva du coup interdite et honteuse comme une fille de quinze ans; car ce n'est pas l'âge, c'est l'innocence de l'esprit et de la conduite qui fait cette honte-là, si agréable et si honnête à voir; et François, voyant sa chère mère devenir rouge comme lui et trembler comme lui, devina que cela valait encore mieux pour lui que son air tranquille de tous les jours. Il lui prit la main et le bras, et il ne put lui rien dire du tout. Mais comme tout en tremblant elle voulait aller du côté où étaient Jeannie et Jeannette, il la retint comme de force et la fit retourner avec lui. Et Madeleine, sentant comme sa volonté le rendait hardi de résister à la sienne, comprit mieux que par des paroles que ce n'était plus son enfant le champi, mais son amoureux François qui se promenait à son côté.

Et quand ils eurent marché un peu de temps sans se parler, mais en se tenant par le bras, aussi serrés que la vigne à la vigne, François lui dit :

— Allons à la fontaine, peut-être y trouverai-je ma langue.

Et à la fontaine, ils ne trouvèrent plus ni Jeannette ni Jeannie qui étaient rentrés. Mais François retrouva le courage de parler, en se souvenant que c'était là qu'il avait vu Madeleine pour la première fois, et là aussi qu'il lui avait fait ses adieux onze ans plus tard. Il faut croire qu'il parla très bien et que Madeleine n'y trouva rien à répondre, car ils y étaient encore à minuit, et elle pleurait de joie, et il la remerciait à deux genoux de ce qu'elle l'acceptait pour son mari.

... Là finit l'histoire, dit le chanvreur, car des noces j'en aurais trop long à vous dire ; j'y étais, et le même jour que le champi épousa Madeleine, à la paroisse de Mers [1], Jeannette se mariait aussi à la paroisse d'Aigurande [2]. Et Jean Vertaud voulut que François et sa femme, et Jeannie, qui était bien content de tout cela, avec tous leurs amis, parents et connaissances, vinssent faire chez lui comme un retour de noces, qui fut des plus beaux, honnête et divertissant comme jamais je n'en vis depuis.

— L'histoire est donc vraie de tous points ? demanda Sylvine Courtioux.

— Si elle ne l'est pas, elle le pourrait être, répondit le chanvreur, et si vous ne me croyez, allez y voir.

---

1. *Mers :* village situé au bord de la Vauvre. Cf. p. 222, n. 2.
2. *Aigurande :* cf. p. 300, n. 2.

VARIANTES

VARIANTES
DE
LA MARE AU DIABLE

1. Le texte que nous suivons est celui de l'édition courante Calmann-Lévy.

2. Nous citons un choix important des rédactions successives et des leçons du manuscrit. Elles sont annoncées par l'une des indications suivantes :

1re réd.
2e réd.
Ms.

(En général les leçons du manuscrit, signalées Ms., se retrouvent dans *Le Courrier français* et dans *L'Écho des Feuilletons*.)

3. Pour les deux premiers chapitres nous donnons les variantes les plus intéressantes de la *Revue sociale* (1845). Elles sont précédées des initiales :

R. S.

4. Nous avons relevé les principales variantes de l'édition originale. Elles sont précédées de la date :

1846.

Les autres éditions se ressemblent beaucoup entre elles, et nous avons cru pouvoir négliger les quelques différences qu'elles présentent.

5. Le texte de George Sand est toujours cité en italique.

Page 3 :

a. M. Lubin nous signale qu'il a eu sous les yeux un texte de cette notice tiré sur papier vélin fort. Le format en était in-16 et il était relié dans un exemplaire de l'édition Lecou (1850), où il était visiblement rajouté, car il jurait par la différence du papier.

Page 6 :

a. L'édition originale (1846) porte cette dédicace : *A mon ami Frédérick Chopin.* Cette dédicace, supprimée ensuite, ne correspond pas aux intentions premières de George Sand qui écrivait le 18 février 1846 aux imprimeurs Giroux et Vialat : « Pour toute dédicace je vous prie de mettre sur une feuille à part au commencement du premier volume : *A mon frère.* » (Reboul, *Documents inédits autour de « La Mare au Diable ».)*

Les deux chapitres qui forment le prologue de *La Mare au Diable* ne sont pas séparés dans le manuscrit. Des fragments importants en furent publiés à part, en décembre 1845, dans le troisième numéro de la *Revue sociale,* récemment fondée par Pierre Leroux. Ils y étaient intitulés : *Préface d'un roman inédit. Fragments.* Le texte publié par P. Leroux diffère du texte du manuscrit et des textes imprimés qui se ressemblent tous entre eux. Les corrections, plutôt malheureuses, sont dues, semble-t-il, à P. Leroux, qui, plus encore que le style, a voulu corriger, ou du moins préciser les idées. G. Sand n'en tiendra guère compte lorsqu'elle publiera *La Mare au Diable* dans *Le Courrier français,* du 6 au 15 février 1846. Cf. Pierre Salomon, *Les Rapports de G. Sand et de P. Leroux en 1845, d'après le prologue de La Mare au Diable, Revue d'Histoire littéraire* (octobre-décembre 1948).

b. Nous corrigeons d'après le manuscrit et l'originale le texte fautif de Calmann-Lévy : *gagnerois.*

c. Ici encore nous corrigeons d'après le ms., l'originale (et l'édition de 1852) le texte de Calmann-Lévy : *Le*

d. 1re réd. : *gravure*

e. R. S. : *parsemée de pauvres cabanes*

f. 1re réd. : *le soleil se couche ou se lève derrière la colline.*
C'est le commencement ou la fin d'une rude journée de travail

g. R. S. *une terre raboteuse et rebelle*

Page 7 :

a. 1re réd. : *empereurs*

b. 1re réd. : *pauvres diables*

c. R. S. : *rit*

d. Ms. : *Dans un seul*

e. 1re réd. : *le tyran, le courtisan, l'intempérant*

Page 8 :

a. R. S. : *C'est comme une amère malédiction lancée sur le sort
de l'Humanité*

b. R. S. : *artistes d'un siècle qui cherche son salut autrement*

c. R. S. : *Puiserons-nous*

d. 1re réd. : *au néant de certaines philosophies*

e. 1re réd. : *renoncement volontaire.* R. S. : *Nous ne croyons
plus ni aux peines de l'enfer, ni au paradis acheté par un renoncement forcé*

Page 9 :

a. 1re réd. : *songe*

b. 1re réd. : *ni la récompense de l'abstinence forcée*

c. 1re réd. : *la mort*

d. R. S. : *leur but est-il rempli*

e. 1re réd. : *ouvert*

Page 10 :

a. 1re réd. : *la fosse ouverte*

b. 1re réd. : *peintures*

Page 11 :

a. 1re réd. : *l'ordre social*

b. R. S. : *indulgences ; les gouvernements d'aujourd'hui*

c. 1re réd. : *en leur faisant payer des gendarmes, des sergents
de ville et autres serrures de sûreté qui perfectionneront la science*

et l'habileté des voleurs et des meurtriers et fermeront assez mal
les... (la phrase est inachevée).

    d. 1re réd. : *gracieuses et suaves*

Page 12 :

    a. 1re réd. : *scélérats dramatiques*
    b. Ici s'arrête le premier fragment publié par la *Revue*
Sociale.
    c. 1re réd. : *que je vous dirai quand j'aurai ajouté quelques mots*

Page 13 :

    a. Dans le manuscrit, ce chapitre et le précédent n'en
forment qu'un seul.
    b. Ici commence le second fragment publié dans la *Revue*
sociale.
    c. R. S. : *de l'agriculteur*
    d. Ces deux mots ont été supprimés dans la *Revue Sociale.*
    e. R. S. : *la servitude*

Page 14 :

    a. R. S. : *Pour lui aussi les champs dorés, les belles prairies,*
les animaux superbes, représentent des sacs d'écus qu'il lui
faudra remplir chaque année, pour satisfaire le maître et payer le
droit de vivre misérablement sur son domaine, sacs maudits dont
il n'aura qu'une faible part, insuffisante pour ses besoins! (La
phrase de George Sand a été refaite par Pierre Leroux qui
l'a sans doute trouvée lourde et presque incorrecte.)
    b. R. S. : *éternellement belle, jeune et féconde*
    c. R. S. : *dans la contemplation qu'il savoure et l'expression*
qu'il crée des beautés de la nature

Page 15 :

    a. R. S. : *la douleur et l'épuisement des hommes*
    b. R. S. : *est amèrement troublé au milieu de sa rêverie*

c. R. S. : *Il sent que le bonheur serait là*
d. R. S. : *sous le regard*
e. R. S. : *un ange de lumière*
f. Ici s'arrête le second fragment publié par la *Revue Sociale.*

Page 16 :

a. Ici commence le troisième fragment publié par la *Revue Sociale.*

Page 17 :

a. 1re réd. : *d'emblaver*
b. 1re réd. : *faisait étinceler.* (La comparaison a été ajoutée après coup.)
c. 1re réd. : *compagnon*

Page 19 :

a. 1re réd. : *piquait légèrement*
b. 1re réd. : *bondissaient*

Page 20 :

a. 1re réd. : *acharnée*
b. 1re réd. : *entonnait le chant particulier aux campagnes que je décris, antique tradition qui s'effacera quand son jour sera venu, car nulle science ne saurait la recueillir et la transmettre à la postérité. Ce chant n'est pas notable, il n'est même pas traduisible*
c. 1re réd. : *l'origine gauloise*

Page 21 :

a. 1re réd. : *amuser les ennuis*

Page 22 :

a. Ms. : *en faussant systématiquement par une succession d'intervalles inappréciables à nos conventions musicales.* G. Sand avait tout d'abord écrit : *en faussant systématiquement par une succession d'intervalles inappréciables dont on trouverait peut-être l'analogue dans la musique des peuples antiques chez lesquels nos conventions musicales n'ont pas pénétré, chez les arabes, les indiens ou les sauvages.*

b. Ici une phrase rayée dans le manuscrit : *on subit la puissance et la rêverie, on est bercé, dominé, comme quand on écoute le bruit de l'eau.*

c. 1re réd. : *troubler*

Page 23 :

a. 1re réd. : *remplir*
b. 1re réd. : *tout aussi bien que*

Page 24 :

a. 1re réd. : *bien dues en échange de tant d'autres*
b. Ms. : *l'ont entraîné.* Ici finit le dernier fragment publié par la *Revue Sociale*. Nous le donnons ci-dessous en entier, car il contient de très nombreux remaniements et d'importantes corrections :

Mes pensées avaient pris ce cours, tandis que je marchais sur la lisière d'un champ que des paysans étaient en train de préparer pour la semaille prochaine. L'arène était vaste, le paysage était vaste aussi et encadrait de grandes lignes de verdure rougie par les atteintes de l'automne, ce large terrain d'un brun vigoureux, où des pluies récentes avaient laissé, dans quelques sillons, des lignes d'eau que le soleil faisait briller comme de minces filets d'argent. La journée était claire et tiède, et la terre, fraîchement ouverte par le tranchant des charrues, exhalait une vapeur légère. Dans le haut du champ, un vieillard, dont le dos large et la figure sévère rappelaient celui d'Holbein, poussait gravement son arreau de forme antique, traîné par deux bœufs tranquilles, à la robe d'un jaune pâle, véritables patriarches de la prairie, hauts de taille, un peu maigres, avec des cornes longues et rabattues ; de ces vieux travailleurs qu'une longue habitude a rendus frères, et qui, privés l'un de l'autre, grattent la terre en silence, flairant avec effroi le joug et les chaînes que leur compagnon a portés, refusent la nourriture, et se laissent mourir.

Le vieux laboureur travaillait lentement, sans efforts inutiles. Son docile attelage ne se pressait pas plus que lui. Mais, grâce à la continuité d'un labeur sans distraction et d'une dépense de forces éprouvées et soutenues, son sillon était aussi vite creusé que celui de son fils occupé un peu plus loin.

Mais ce qui attira ensuite mon attention était véritablement un beau spectacle, un noble sujet pour un peintre. Au bout de la plaine labourable, un jeune homme d'une noble apparence conduisait un attelage magnifique, quatre paires de jeunes animaux à robe sombre mêlée de noir et de reflets de feu, avec ces têtes courtes et frisées qui sentent encore le taureau sauvage, ces gros yeux farouches, ces mouvements brusques, ce travail nerveux et saccadé qui s'irrite du joug et de l'aiguillon et n'obéit qu'en tremblant de colère à la domination nouvellement imposée.

L'homme qui les gouvernait avait à défricher un coin naguère abandonné au pâturage et rempli des souches séculaires de l'épine blanche et du prunier sauvage : travail d'athlète auquel suffisaient à peine son énergie, sa jeunesse et ses huit animaux quasi indomptés.

Un enfant de six à sept ans, les épaules couvertes d'une peau d'agneau qui le faisait ressembler au petit Saint-Jean-Baptiste des peintres Italiens, marchait dans le sillon parallèle à la charrue et piquait le flanc des bœufs avec une gaule légère, armée d'un aiguillon peu acéré. Les fiers animaux frémissaient sous la petite main de l'enfant, et faisaient grincer les jougs et les courroies liées à leur front, en imprimant au timon de violentes secousses. Lorsqu'une racine arrêtait le soc, irrités par cette résistance ils bondissaient, creusaient la terre de leurs larges pieds fourchus, et se seraient jetés de côté, emportant l'arreau à travers champs, si, de la voix et de l'aiguillon, le jeune homme n'eût maintenu les quatre premiers, tandis que l'enfant gouvernait les quatre autres. Il criait et gourmandait lui aussi, le pauvret, d'une voix qu'il voulait rendre terrible, et qui restait douce comme sa figure angélique.

Tout cela était beau de force ou de grâce, le paysage, l'homme, l'enfant, les taureaux sous le joug ; et malgré cette lutte puissante, où la brute vaincue arrivait à vaincre aussi la terre, il y avait chez l'homme une expression de douceur et de calme profond. Quand l'obstacle était surmonté et que l'attelage reprenait sa marche égale et ferme, le laboureur, dont la feinte violence n'était qu'un exercice de vigueur et une dépense d'activité, reprenait tout-à-coup la sérénité d'une âme simple et jetait un regard de contentement paternel sur son enfant, qui se retournait pour lui sourire. Puis la voix mâle de ce jeune père de famille entonnait le chant solennel et mélancolique que l'antique tradition transmet aux plus habiles laboureurs comme un héritage sacré. Ce chant, auquel de mystérieuses influences ont dû être attachées iadis, est réputé encore aujourd'hui posséder la vertu d'entretenir le courage des bœufs de travail, d'apaiser leurs mécontentements et de charmer l'ennui de leur longue besogne. C'est un chant doux etpuissant qui monte dans les lointains comme une voix de la brise, et qui s'harmonise admirablement avec la nature paisible des plaines.

Il se trouvait donc que j'avais sous les yeux un tableau qui contrastait avec celui d'Holbein, quoique ce fût une scène pareille. Au lieu d'un triste vieillard, un homme jeune et dispos ; au lieu d'un attelage de chevaux efflanqués et harassés, un double quadrige de bœufs ardents et robustes ; au lieu de la mort, un bel enfant ; au lieu d'une image de désespoir et d'une idée de destruction, un spectacle d'énergie et une pensée de bonheur.

C'est alors qu'au lieu des vers français qui m'avaient si fort attristé :

> *A la sueur de ton visaige*
> *Tu gaigneras ta pauvre vie !*

une autre sentence profondément triste aussi, mais plus douce et plus aimante, me revint à l'esprit ; et je m'écriai avec Virgile :
« O heureux l'homme des champs s'il connaissait son bonheur. »
Et en voyant ce couple si beau, l'homme et l'enfant, accomplir

dans des conditions si poétiques, et avec tant de grâce unie au courage, un travail plein de grandeur et de solennité, je sentis en moi un mélange de respect et de pitié. « Heureux le laboureur ! » Oui, sans doute, je le serais à sa place, si mon bras, devenu tout à coup robuste, et ma poitrine puissante, pouvaient ainsi féconder et chanter la nature, sans que mes yeux cessassent de voir et mon cerveau de comprendre l'harmonie des couleurs et des sons, la finesse des tons et la grâce des contours, le sentiment et l'expression des moindres choses, en un mot, la beauté mystérieuse de la création ! et surtout sans que mon cœur cessât d'être en relation avec l'influence divine qui a présidé à la création immortelle et sublime !

Mais hélas ! cet homme n'a jamais compris le mystère du beau et cet enfant ne le comprendra jamais. Ils vivent au milieu du beau, ils le complètent, car ils sont beaux eux-mêmes, et ils ne savent ce que c'est. La poésie émane d'eux, elle est dans leur œuvre, dans leurs moindres attitudes, dans l'air qu'ils respirent, elle est dans tout leur être, excepté dans leur intelligence.

A Dieu ne plaise pourtant que je ne les croie pas supérieurs aux animaux qu'ils dominent, et que je nie cette sorte de révélation extatique qu'ils ont par instants, pour assoupir leurs fatigues et leurs soucis. Je vois sur leurs nobles fronts qu'ils sont nés rois de la terre, *bien mieux que ceux qui la possèdent pour l'avoir achetée. Et la preuve qu'ils en ont le profond instinct c'est qu'ils aiment les attributs et les instruments de leur travail, c'est que le paysan de pure race meurt de nostalgie sous le harnais du soldat, loin du champ qui l'a vu naître. Mais il manque à cet homme la connaissance de son sentiment ; et ceux qui l'ont condamné à la servitude, dès le ventre de sa mère, ne pouvant lui ôter la rêverie, lui ont ôté la réflexion.*

Eh bien ! tel qu'il est, incomplet et destiné à vivre dans une continuelle enfance, il est encore plus beau que celui chez qui la science a étouffé le sentiment. Ne vous élevez pas au dessus de lui, vous autres qui vous croyez investis du droit légitime et imprescriptible de lui commander et de l'exploiter ; car cette erreur effroyable où vous êtes prouve que votre esprit a tué votre cœur, et que vous êtes les plus incomplets et les plus aveugles des hommes. J'aime mieux cette simplicité de son âme que les fausses lumières de la vôtre; et j'aurais plus de plaisir à en faire ressortir les côtés doux et touchants, que vous n'avez de mérite à peindre l'abjection où les rigueurs et les mépris de vos préceptes sociaux l'ont trop souvent réduit. (Sur les raisons qui ont poussé Pierre Leroux à modifier si profondément le texte de G. Sand, voir Pierre Salomon, article cité.)

c. 1re réd. : *raconter le roman*

d. 1re réd. : *s'était rendu compte de son existence et de ses émotions.*

Page 25 :

a. 1re réd. : *entendu*

Page 26 :

a. Ce chapitre est le second dans le manuscrit. Il n'en forme qu'un avec le suivant et a pour titre : *Germain, le fin laboureur.*

b. 1re réd. : *assez proprement*

Page 27 :

a. 1re réd. : *cinq ans*

b. 1re réd. : *ne se sauve plus*

c. 1re réd. : *de la mare*

d. Ms. et 1846 : *remarier*

e. 1re réd. : *de me jeter dans l'eau*

Page 28 :

a. 1re réd. : *adroite à soigner les bestiaux*

b. 1re réd. : *le père Blanchard.*

c. 1re réd. : *nous ne passons pas un jour sans prier pour elle et sans lui faire savoir*

Page 30 :

    a. 1re réd. : *qu'une laide*
    b. 1re réd. : *bourg*

Page 31 :

    a. Dans le manuscrit, ce chapitre ne fait qu'un avec le précédent.
    b. Ms. : *Oui j'ai quelqu'un en vue. C'est une Léonard*
    c. Ms. et 1846 : *ferait*

Page 32 :

    a. 1re réd. : *pour mon compte*
    b. 1re réd. : *comptes*

Page 33 :

    a. 1re réd. : *les petits profits*
    b. 1re réd. : *Quant à l'argent, je n'y ai jamais mis le nez et si je voulais additionner comme vous, sur mes doigts et dans ma tête, je ne m'y trouverais jamais.*
    c. 1re réd. : *j'aimerais assez que*
    d. 1re réd. : *quand je ne serai plus là*
    e. 1re réd. : *Blanchard.*
    f. 1re réd. : *Maurice*
    g. 1re réd. : *Maurice*

Page 34 :

    a. 1re réd. : *Maurice*
    b. 1re réd. : *songer*
    c. 1re réd. : *vingtaine*
    d. 1re réd. : *si bon*
    e. 1re réd. : *c'est autre chose*

Page 35 :

    a. Ms. : *tes*
    b. 1re réd. : *le capital*

Page 36 :

> *a.* 1re réd. : *Tu mettras tes meilleurs habits, et tu*
> *b.* Ms. et 1846 : *comme de ma part*

Page 37 :

> *a.* 1re réd. : *à sa douleur*
> *b.* 1re réd. : *les hommes simples, c'est-à-dire ne se formulant*
> pas
> *c.* 1re réd. : *au domaine*
> *d.* 1re réd. : *rétablir*

Page 38 :

> *a.* Troisième chapitre du manuscrit. Il ne fait qu'un
> avec le suivant et a pour titre : *Petit Pierre.*
> *b.* 1re réd. : *de la métairie*

Page 39 :

> *a.* 1re réd. : *demandeuse*
> *b.* 1re réd. : *Dites, dites, nous sommes à votre service.*
> *c.* 1re réd. : *au Magnier*

Page 40 :

> *a.* 1re réd. : *bergère*

Page 41 :

> *a.* 1re réd. : *pleuré ensemble.*

Page 42 :

> *a.* 1re réd. : *vous avez loué tout votre monde pour l'année*
> *et ce n'est qu'à la Saint-Jean de l'autre année que nous pourrons*
> *vous demander de la prendre.*

Page 43 :

    a. 1re réd. : *trente*
    b. 1re réd. : *joli*
    c. 1re réd. : *Germain avait le teint frais, l'œil vif comme le bleu d'un ciel pur, la bouche rose, des dents superbes, un corps souple et élégant comme celui d'un jeune cheval qui n'a pas encore quitté le pré et qui bondit en liberté, fier de sa force et de sa beauté.*
    d. 1re réd. : *Mais les mœurs pures de certaines localités*

Page 44 :

    a. 1re réd. : *sauta*
    b. 1re réd. : *d'un air calme, mais sérieux*

Page 45 :

    a. 1re réd. : *portant les oreilles en avant et rongeant le mors*

Page 47 :

    a. 1re réd. : *tu as*

Page 50 :

    a. 1re réd. : *en descendant de cheval avec précaution pour ne pas déranger sa compagne de voyage*
    b. Ms. et 1846 : *voyez ce garnement*
    c. 1re réd. : *Eh bien si je ne t'avais pas vu, tu aurais passé la nuit dehors*

Page 51 :

    a. Ms. : *n'entendit à rien*
    b. 1re réd. : *en pleurant, criant que*

Page 54 :

    a. 1re réd. : *en ne détestant pas mes enfants.*

Page 55 :

   a. Ce chapitre est le quatrième du manuscrit; il n'en forme qu'un avec le suivant et a pour titre : *Sous les grands chênes.*
   b. 1re réd. : *tu penses à tout*
   c. 1re réd. : *la faim, ou la soif ou la fatigue*

Page 56 :

   a. 1re réd. : *pain blanc*

Page 57 :

   a. 1re réd. : *firent*

Page 58 :

   a. 1re réd. : *paraîtra*

Page 61 :

   a. 1re réd. : *ni ne s'inquiétait beaucoup*
   b. 1re réd. : *après avoir attaché la Grise à un arbre*

Page 62 :

   a. 1re réd. : *un coup de tête*
   b. 1re réd. : *rompit les rênes*
   c. 1re réd. : *les autres passages. Nous pouvons être sûrs que la prairie est sous la rivière et que les passerelles sont emportées depuis quinze jours. Il n'est pas dit qu'on ait eu le temps de les refaire; d'autant plus qu'il y a sûrement quelque autre passage plus commode que nous ne connaissons pas. Il nous faut*

Page 66 :

   a. Orthographe conforme au manuscrit et à l'éd. de 1846. L'édition Calmann-Lévy porte par erreur : *on est pas mal ici.*
   b. 1re réd. : *et en s'appuyant contre le bât qui servait de berceau à son enfant.*

Page 67 :

a. 1re réd. : *du fin laboureur.*
b. Ms. : *quatre*

Page 71 :

a. Ce chapitre est le cinquième du manuscrit. Il n'en forme qu'un avec le suivant et a pour titre *Malgré le froid.*
b. 1re réd. : *l'appétit*
c. 1re réd. : *fin laboureur*

Page 72 :

a. 1re réd. : *qu'on ne lui en avait encore jamais vu.*
b. 1re réd. : *ergoteur*

Page 74 :

a. 1re réd. : *dans le sein de*
b. 1re réd. : *sur le sein*

Page 75 :

a. 1re réd. : *ce qu'il éprouvait pour elle*
b. 1re réd. : *rendre en cette circonstance le respect dû aux morts et l'affection inspirée par les vivants.*

Page 76 :

a. 1re réd. : *comme le brouillard dormait sur l'étang voisin*
b. Ms. et 1846 : *je veillerai à l'enfant et au feu.*
c. 1re réd. : *mille*

Page 78 :

a. 1re réd. : *il ne faut pas être lâche*
b. 1re réd. : *si tu voulais me dire comment tu le souhaiterais pour que je vinsse à imaginer quelqu'un*

Page 80 :

a. 1ʳᵉ réd. : *s'approcha d'elle*
b. 1ʳᵉ réd. : *il revint auprès d'elle*
c. 1ʳᵉ réd. : *s'il eût avalé de l'eau-de-vie*
d. 1ʳᵉ réd. : *il s'appuya contre l'arbre qui les abritait et la regarda dormir à côté de son enfant.*
e. 1ʳᵉ réd. : *elle est droite comme un jeune peuplier et elle se plie de même*
f. 1ʳᵉ réd. : *dans les campagnes*
g. 1ʳᵉ réd. : *gracieuse*

Page 81 :

a. 1ˡᵉ réd. : *on voit*
b. Ms. : *se donner un mari*

Page 82 :

a. 1ʳᵉ réd. : *paraissaient*

Page 83 :

a. La phrase : *les branches anguleuses... sur la tête de nos voyageurs*, ne se trouve pas dans le manuscrit. Elle a été ajoutée dans la 1ʳᵉ édition (1846). La 1ʳᵉ édition porte *hérissés.*
b. Ms et 1846 : *réveiller*
c. Une page manque dans le manuscrit depuis *pourrons* jusqu'à *marché longtemps.*

Page 84 :

a. 1ʳᵉ réd. : *c'était le feu de bivouac qu'ils avaient allumé et à côté le bât abandonné.*

Page 85 :

a. Ce chapitre est le sixième du manuscrit; il n'en fait qu'un avec le suivant et a pour titre : *La lionne du village.*
b. Texte conforme au manuscrit. L'édition Calmann-Lévy porte par erreur : *Au milieu des grands houx, grand étourdi.*

Page 86 :

a. 1re réd. : *vingt-huit ans ! Et puis cela dépend de la santé et des forces de nature. Une jeune fille craint* (La phrase *Et puis... nature* est barrée).

Page 87 :

a. 1re réd. : *Mais tu ne m'écoutes pas Marie. Les parents qui ont toujours de la prévoyance, et plutôt plus qu'il n'en faut, ne s'occupent que de ce qu'on deviendra à leur âge. Une femme de soixante ans, disent-ils, est bien à plaindre quand son homme en a*

b. 1re réd. : *ce qu'on deviendra quand*

Page 88 :

a. 1re réd. : *comme mon oncle ou mon parrain*

Page 89 :

a. 1re réd. : *un homme qui ne l'est plus*
b. 1re réd. : *ce qu'il avait*
c. 1re réd. : *paraissait ne plus tenir aucun compte.*

Page 90 :

a. 1re réd. : *sur la poitrine.*
b. 1re réd. : *jusqu'à son gîte*

Page 91 :

a. 1re réd. : *perdu un cheval. Alors il leur apprit qu'il avait mené au Magnier une belle jument grise qu'il avait trouvée embarrassée et se débattant dans des branches. Germain trouva en effet sa monture chez le maréchal ferrant. Il l'avait pansée et comme il était aussi un peu bourrelier, il avait réparé la bride qui était toute faussée, mais dont les boucles et les rênes toutes neuves avaient résisté aux efforts de l'animal engagé dans les branches. Pendant que Germain allait rechercher son bât, la petite Marie*

Page 92 :

   a. 1re réd. : *que je ne penserai plus à toi.*
   b. 1re réd. : *cette drôle de nuit*
   c. 1re réd. : *avec empressement.*
   d. 1re réd. : *tu viendras nous joindre*
   e. 1re réd. : *je le veux bien*

Page 94 :

   a. Ms. : *vert épinard. Les volets étaient d'un rouge brique qui prétendait imiter l'acajou. Il y avait*

Page 96 :

   a. 1re réd. : *était*

Page 97 :

   a. 1re réd. : *toutes choses*

Page 99 :

   a. 1re réd. : *l'air d'être de la même bande.*

Page 100 :

   a. Dans le manuscrit ce chapitre est le septième et n'en fait qu'un avec le suivant.
   b. 1re réd. : *Lorsqu'ils entrèrent au village*

Page 102 :

   a. 1re réd. : *et son bonheur à cela, et que vous le trouvez bon, cela ne me regarde point.*

Page 103 :

   a. 1re réd. : *ce père grossier*

Page 104 :

a. 1ʳᵉ réd. : *lorsqu'il sort de ses habitudes paisibles et qu'il quitte son toit*
b. Ms. : *pastours* 1846 : *patours*
c. 1ʳᵉ réd. : *gars*

Page 105 :

a. 1ʳᵉ réd. : *une anxiété affreuse*

Page 106 :

a. 1ʳᵉ réd. : *vilaine*

Page 107 :

a. 1ʳᵉ réd. : *répondit*

Page 110 :

a. L'édition Calmann-Lévy porte par erreur : *et de sa bourse.* Nous avons corrigé d'après le manuscrit et l'édition originale.

Page 111 :

a. 1ʳᵉ réd. : *je devrais encore*
b. 1ʳᵉ réd. : *et rentra dans sa cachette*

Page 112 :

a. Ms. : *remmeniez* (Le mot est peu lisible.)

Page 114 :

a. 1ʳᵉ réd. : *où il lui administra une correction assez rude, bien que le fermier se défendît vigoureusement.*
b. 1ʳᵉ réd. : *faire du mal, et puis tu ne vaux pas la peine que je me fasse pour toi une mauvaise affaire.*

Page 115 :

a. 1ʳᵉ réd. : *le lui cassa sur les reins et en jeta*
b. Ms. : *il s'éloigna comme du cadavre d'une bête morte.*

Page 116 :

a. Dans le manuscrit ce chapitre n'en fait qu'un avec les deux suivants. Il est le huitième et dernier, et a pour titre : *La mère Maurice.*

Page 118 :

a. Ms et 1846 : *riche de dix ans de moins n'aurait pas été*
b. 1ʳᵉ réd. : *écrasé en grand par cet homme-là*

Page 119 :

a. 1ʳᵉ réd. : *en hochant la tête*
b. 1ʳᵉ réd. : *eut tout dit*

Page 122 :

a. 1ʳᵉ réd. : *vous causez à peine*
b. 1ʳᵉ réd. : *Au lieu de vous en consoler avec le temps*

Page 125 :

a. 1ʳᵉ réd. : *sagesse.*

Page 128 :

a. 1ʳᵉ réd. : *signifiant*
b. 1ʳᵉ réd. : *que je vienne te parler*
c. 1ʳᵉ réd. : *répondit-elle en souriant, avec des yeux pleins de larmes, vous êtes*

Page 129 :

a. pourtant ne se trouve pas dans le manuscrit.
b. 1ʳᵉ réd. : *tu me caches ta figure, comme si tu craignais de me laisser voir ton déplaisir*
c. 1ʳᵉ réd. : *t'embrasser sans que tu t'en aperçoives.* 2ᵉ réd. : *sans t'en demander la permission.*
d. 1ʳᵉ réd. : *tu rêvais que tu me donnais des coups de pied.*

Page 130 :

a. Les dernières lignes du roman à partir de ce mot manquent dans le manuscrit.

Page 131 :

a. Dans le manuscrit, cet appendice est intitulé : « La Noce de Campagne pour faire suite à La Mare au Diable ». Les trois chapitres qui le constituent ne portent pas de titres. Il est précédé de la lettre que voici :

A Monsieur le rédacteur du Courrier Français.

Monsieur,

La Mare au Diable vous a été entièrement racontée, un si mince sujet ne demandait pas de plus amples développements. Mais, ainsi que je vous l'avais annoncé, j'ai cédé à la fantaisie de décrire les bizarres cérémonies du mariage chez les paysans de mon endroit; et puisque vous avez eu la bonté de désirer les connaître, je vous envoye cet exposé fidèle d'une notable partie de nos anciennes coutumes rustiques, d'origine gauloise. L'intérêt qui peut ressortir de ces curieuses coutumes fait le seul mérite du petit travail que j'ai l'honneur de vous communiquer.

George Sand.

b. 1846 : *Chapitre XVIII. La noce de campagne.*

Page 132 :

a. 1ʳᵉ réd. : *il y a une dizaine d'années*
b. 1ʳᵉ réd. : *Depuis seulement dix ans*
c. 1ʳᵉ réd. : *vers l'époque du*
d. 1ʳᵉ réd. : *Dans l'été il fait trop chaud pour danser, et les travaux*

Page 133 :

a. Ici le ms. porte la phrase suivante : *Tout ce linge blanc, d'un beau mat, qui s'enroulait en spirales symétriques autour de sa délicate figure, lui formait un cadre des plus heureux.*

    b. 1re réd. : *un air de triomphe*
    c. Ms. : *ne l'avait pas abandonnée*

Page 134 :

    a. 1re réd. : *croisé*
    b. 1re réd. : *nous paraisse étrange*
    c. 1re réd. : *puisqu'elle équivaut à l'idée*
    d. 1re réd. : *sur le nombre des enfants*

Page 135 :

    a. 1re réd. : *sur un rythme à 6 ou 8 temps facile à observer.*
    b. Ms. : *au pauvre logis*

Page 136 :

    a. 1re réd. : *joue*
    b. 1re réd. : *fêtes*
    c. Ms. : *au cœur*
    d. 1re réd. : *C'est particulièrement la nuit qu'ils exercent tous leur industrie, fossoyeurs, chanvreurs et revenants.*

Page 137 :

    a. 1re réd. : *par petites gerbes, dont les tiges écartées du bas et les têtes liées en boules*
    b. 1re réd. : *de la jeune lune*
    c. 1re réd. : *chevalet armé d'une traverse en bois*
    d. 1re réd. : *la nuit jusqu'à 2 ou 3 heures du matin*
    e. 1re réd. : *au-dessus de la terre*

Page 138 :

    a. 1re réd. : *essaie encore*
    b. 1re réd. : *que d'avertissements ou de questions inquiètes*
    c. 1re réd. : *dans les rangs de*

d. 1re réd. : *sauvages*
e. 1re réd. : *autour*
f. 1re réd. : *une sorte d'inquiétude*

Page 139 :

a. 1re réd. : *c'est le chien du berger, ce rôdeur affamé, curieux*

Page 140 :

a. 1re réd. : *régulière*
b. 1re réd. : *les cours*
c. 1re réd. : *sombre*
d. 1re réd. : *épaisse et lugubre*

Page 141 :

a. 1re réd. : *remplir*

Page 142 :

a. 1re réd. : *chaumière*

Page 143 :

a. Ici s'arrête le premier chapitre du manuscrit.
b. Ms. : *ouvrez-nous*

Page 144 :

a. 1re réd. : *briller*

Page 146 :

a. 1re réd. : *vous êtes*

Page 147 :

a. 1re réd. : *un dindon*
b. 1re réd. : *le fossoyeur*
c. 1re réd. : *notre dindon*

Page 148 :

   a. 1re réd. : *beaucoup de place*
   b. 1re réd. : *peur*
   c. 1re réd. : *bravade, tandis que ceux du dehors tentaient*
l'assaut.

Page 149 :

   a. 1re réd. : *faisaient grand vacarme*
   b. 1re réd. : *Si l'on pouvait, en rôdant, trouver un passage*

Page 151 :

   a. 1re réd. : *du dernier couplet*
   b. 1re réd. : *chanter*
   c. Ms et 1846 : *les derniers vers, après quoi*

Page 154 :

   a. 1re réd. : *perdre haleine*

Page 155 :

   a. 1re réd. : *Elle fut encore*
   b. 1re réd. : *un tire-bouchon*
   c. 1re réd. : *couraient*

Page 156 :

   a. 1re réd. : *le plancher*

Page 157 :

   a. 1re réd. : *dormir dans*

Page 158 :

   a. 1re réd. : *lequel prit la petite Marie en croupe*
   b. Ici s'arrête le second chapitre du manuscrit.

Page 159 :

    a. 1re réd. : *bleu de rois*
    b. Ms., 1846 : *gance noir et or.* L'édition Calmann-Lévy
porte : *ganse noire et or.* Nous avons corrigé la faute.
    c. 1re réd. : *d'un bouquet*

Page 160 :

    a. 1re réd. : *Sa fraîcheur*
    b. 1re réd. : *Elle était plus haute*
    c. 1re réd. : *mon enfant*

Page 162 :

    a. 1re réd. : *des vierges du Bas-Empire.*

Page 164 :

    a. 1re réd. : *Qui s'en fut douté ?*
    b. 1re réd. : *un pinson*
    c. Ms. : *de son mal.*

Page 165 :

    a. L'édition Calmann-Lévy porte *cent quarante.* Il y a là
une erreur manifeste, car le manuscrit et l'édition originale
(1846) portent *cent quatre.*
    b. 1re réd. : *si aimable*

Page 166 :

    a. 1re réd. : *Ils représentent un couple de gueux honteusement
barbouillés.*
    b. Ms et 1846 : *en signe de libation, à chaque pas. Il tombe*

Page 168 :

    a. 1re réd. : *essayent*

Page 171 :

    a. 1re réd. : *aussi loin que*
    b. 1re réd. : *savants*

Page 172 :

    a. 1re réd. : *le jardinier*
    b. 1re réd. : *il s'agit d'entrer dans la cour de la maison du marié et enfin de passer toutes les portes et barrières qui se rencontrent en chemin.*
    c. 1re réd. : *font*

Page 173 :

    a. 1re réd. : *rustique*
    b. 1re réd. : *ainsi que*

Page 174 :

    a. 1re réd. : *Lorsque*

VARIANTES

DE

FRANÇOIS LE CHAMPI

1. Le texte que nous suivons est celui de l'édition courante Calmann-Lévy. Il comporte quelques erreurs manifestes que nous avons corrigées et qui sont signalées à leur place dans les variantes.

2. Nous ne connaissons pas le manuscrit de *François le Champi*. Nous ne pouvons donc donner que les variantes, d'ailleurs peu nombreuses, des principales éditions, c'est-à-dire celles du *Journal des Débats*, de l'édition originale (1850), et de l'édition populaire illustrée Hetzel (1853). Elles sont annoncées par les indications suivantes :

Débats
1850
1853

3. Selon le principe adopté pour les variantes de *La Mare au Diable*, le texte de George Sand est toujours cité en italiques.

Page 217 :

a. Le texte de l'édition Calmann-Lévy *A eux d'eux* comporte une erreur évidente que nous avons corrigée, et qui ne se trouve pas dans les éditions dont nous citons les variantes.

Page 226 :

a. Débats : *d'un reste de dû.*

Page 227 :

a. Débats : *pas maîtresse à la maison.*

Page 231 :

a. Débats : *par la crainte*

Page 234 :

a. L'orthographe *âcreté* (1853 et Calmann-Lévy) est fautive. Nous avons adopté la correction *acrêté*.

Page 238 :

a. Débats et 1853 : *sur ses genoux*

Page 247 :

a. Débats et 1853 : *qu'on me le souffre.*

Page 257 :

a. Débats : *je suis content, content comme*

Page 259 :

a. Débats : *je ne m'en souvenais pas*

Page 268 :

a. Débats : *et il se reprochait*

Page 275 :

a. Débats, 1850 et 1853 : *des bêtes*

Page 276 :

a. Le texte de l'édition Calmann-Lévy *le tondeur de moutons* comporte une erreur que nous avons corrigée d'après les leçons des autres éditions. Il faut lire : *non plus que le tondeur le mouton.*

Page 295 :

a. Débats : *bien assez malheureuse*

Page 297 :

a. Le texte de l'édition Calmann-Lévy *que celle de Dieu* est certainement fautif. Nous avons repris la leçon donnée par les trois autres éditions : *que de celle de Dieu.*

Page 298 :

a. Le texte de l'édition Calmann-Lévy *subitement* semble comporter une erreur. Nous avons repris la leçon donnée par les trois autres éditions : *subtilement.*

Page 299 :

a. Le texte de l'édition Calmann-Lévy *bon père* n'a guère de sens. Il se retrouve pourtant dans l'édition originale et dans l'édition Hetzel. Nous avons préféré le texte du JOURNAL DES DÉBATS : *son père.*

Page 305 :

a. Débats : *plus bien clair*

Page 306 :

a. Ici commence le second tome de l'édition originale. Ce chapitre y est numéroté : *I*

Page 307 :

a. Débats : *comme si c'était les tiens.*
b. Débats : *par ton courage et ta douceur.*

Page 309 :

a. Débats et 1850 : *à la Saint-Jean passée*

Page 310 :

a. 1850 (second tome) : *II*
b. Le texte de l'édition Calmann-Lévy *d'inclinaison* semble comporter une erreur. Nous avons repris la leçon donnée par les trois autres éditions : *d'inclination.*

Page 311 :

a. Débats : *point confiance.* 1853 : *point de confiance*

Page 315 :

a. Débats et 1850 : *parce que, si vous lui avez conservé tant d'attache, il faut*

Page 317 :

a. Débats et 1850 : *il la rendait*

Page 318 :

   a. 1850 (second tome) : *III*

Page 323 :

   a. 1850 (second tome) : *IV*

Page 331 :

   a. 1850 (second tome) : *V*

Page 332 :

   a. Débats : *chercher*

Page 336 :

   a. 1850 (second tome) : *VI*

Page 341 :

   a. 1850 (second tome) : *VII*

Page 344 :

   a. La ponctuation *et si, pourtant* donnée par les différentes éditions du roman paraît fautive. Nous avons cru devoir supprimer la virgule.

Page 346 :

   a. Débats : *les huissiers*

Page 350 :

   a. Débats : *que les huissiers vous ont apportés*

Page 351 :

a. 1850 (second tome) : *VIII*

Page 356 :

a. Débats : *faire saisie*

Page 358 :

a. 1850 (second tome) : *IX*

Page 360 :

a. Débats : *subtilement*

Page 364 :

a. Débats : *ne croyant pas*

Page 365 :

a. 1850 (second tome) : *X*
b. Débats et 1850 : *senelle*

Page 372 :

a. 1850 (second tome) : *XI*

Page 379 :

a. 1850 (second tome) : *XII*

Page 381 :

a. Débats, 1850 et 1853 : *poisante*

Page 382 :

a. Le texte donné par Calmann-Lévy (et antérieurement par Hetzel) *un prêtre*, est certainement fautif. Nous avons repris le texte du Journal des Débats et de 1850 : *au prêtre*.

Page 384 :

  a. Débats : *fénéante*

Page 385 :

  a. Débats et 1850 : *et ne vous y donnera*
  b. Débats : *fiance*

Page 387 :

  a. 1850 (second tome) : *XIII*

Page 389 :

  a. Débats et 1850 : *retardait*

Page 391 :

  a. Débats, 1850 et 1853 : *une belle, jeune et bonne femme*
  b. Débats, 1850 et 1853 : *nous la trouverons bien. Sois tranquille. Tant pis*
  c. Débats, 1850 : *va te coucher*

Page 393 :

  a. 1850 (second tome) : *XIV*

Page 398

  a. Débats : *éjouissait*

TABLE DES MATIÈRES

LA MARE AU DIABLE

FRANÇOIS LE CHAMPI

VARIANTES

ACHEVÉ D'IMPRIMER
PAR L'IMPRIMERIE
TARDY QUERCY AUVERGNE
A BOURGES
LE 30 JUIN 1972

Numéro d'éditeur : 1467
Numéro d'imprimeur : 6960
Dépôt légal : 2e trim. 1972

Printed in France